P9-DWJ-040
2
B 1

Vol. 1°
La preparación
El primer año de la vida pública (primera parte)

Vol. 2°
El primer año de la vida pública (segunda parte)

Vol. 3°
El segundo año de la vida pública (primera parte)

Vol. 4°
El segundo año de la vida pública (segunda parte)

Vol. 5°
El segundo año de la vida pública (tercera parte)

Vol. 6°
El tercer año de la vida pública (primera parte)

Vol. 7°
El tercer año de la vida pública (segunda parte)

Vol. 8°
El tercer año de la vida pública (tercera parte)

Vol. 9°
El tercer año de la vida pública (cuarta parte)

Vol. 10°
Preparación a la Pasión
La Pasión (primera parte)

Vol. 11°
La Pasión (segunda parte)
La Glorificación

Maria Valtorta

El Hombre-Dios

Vol. 2°

CENTRO EDITORIALE VALTORTIANO

Título original de la edición en italiano:
Il poema dell'Uomo-Dio

Traducción española de Juan Escobar

Primera edición en 5 volúmenes

Segunda edición en 11 volúmenes

03036 Isola del Liri (FR) Italia

El primer año de la vida pública
(segunda parte)

38. Jesús en el albergue de Belén. Predicación en las ruinas de la casa de Anna

(Escrito el 9 de enero de 1945)

Son las primeras horas de una brillante mañana de verano. El cielo se pinta de rosa en algunas nubecillas que parecen deshilarse entre garzas perdidas en una alfombra de turquesas. Se oye todo un cantar de pájaros ebrios de luz... Pájaros, merlos, y petirrojos que trinan, charlan, pelean por un pedacito de rama, por un gusano, por una pajita que quieren llevar al nido, ponérselo en el cuello y transportarlo a donde están los polluelos. De lo alto del cielo las golondrinas asaetean el riachuelo para mojarse el blanco pecho rematado en café; y cuando se han refrescado y han cogido la mosca que todavía dormía sobre el tallo de alguna flor, rasgan el aire hacia arriba con el pico que parece un puñal bruñido, charlando alegremente.

Dos herrerillos de plumaje sedoso-ceniciento, graciosos pasean como dos damitas a lo largo de la ribera del riachuelo con la cola adornada de sutiles encajes negros en alto. Se miran en el agua, ven que son hermosas, vuelven a pasear en medio de las burlas de un merlo que les chifla, con su pico largo amarillo, un verdadero ladronzuelo del bosque. Dentro del ramaje de un manzano silvestre, que cerca de las ruinas se yergue solitario, una ruiseñora llama insistentemente a su compañero y calla sólo cuando ve que regresa con un gusano que se retuerce en el pico. Dos palomos de los que viven en las torres, y que tal vez se han escapado de una jaula y han elegido vivir libres entre las hendiduras del torreón en ruinas, se entregan a sus expansiones; él se acerca seductor, ella púdica lanza su gemido.

Jesús, con los brazos cruzados sobre el pecho, contempla a todas estas alegres creaturas y sonríe.

« ¿ Tan pronto, Maestro ? » pregunta Simón a sus espaldas.

« Sí. ¿ Todavía están durmiendo los otros ? »

« Todavía. »

« Son jóvenes... Me he bañado en el río... Es agua fresca que despeja la mente. »

« Ahora voy yo. »

Mientras Simón, que lleva sólo una túnica corta, se asea y luego se pone los demás vestidos, sacan la cabeza Judas y Juan.

« Dios te guarde, Maestro. ¿ Estamos retrasados ? »

« No. Apenas amanece. Pero apresurémonos que nos vamos. »

Los dos se lavan y luego se ponen la túnica y el manto.

Antes de que se pongan en camino, Jesús arranca unas florecillas que han brotado entre las hendiduras de dos piedras y las echa en una cajita de madera en que hay otras cosas que no puedo ver bien. Da la razón. « Las llevaré a mi Madre. Le gustarán ... ¡ Vámonos ! »

« A dónde, Maestro ? »

« A Belén. »

« ¿ De veras ? Me parece que no nos sopla un buen aire ... »

« No importa. Vayamos. Quiero que veais a donde bajaron los Magos y donde estaba Yo. »

« Si es así, Maestro, perdona y permite que te hable. Hagamos una cosa. En Belén, en el albergue, permite que sea yo el que hable y pregunte. En Judea no hay mucho cariño para los galileos, y mucho menos aquí. Hagamos así: Tú y Juan pareceis galileos aun por el vestido. Muy sencillo... Y luego... ¡esos cabellos! ¿Por qué os gusta tenerlos tan largos?... Simón y yo os damos nuestro manto y vosotros tomad el nuestro. Tú, Simón, dalo a Juan; Yo, al Maestro. Así... así... Ves?... Al punto pareceréis un tanto judíos. Ahora esto. » Se quita el capucho; una tira de tela con listas amarillas, cafés, rojas y verdes, como el manto, que se intercambian, que se sujeta con un cordón amarillo, y lo pone en la cabeza de Jesús, y se lo acomoda a las mejillas para que oculte los largos cabellos rubios. Juan se pone el verde oscuro de Simón. « ¡ Ah ! ¡ Ahora está mejor ! ¡ Tengo el sentido práctico ! »

« Sí, es cierto Judas, tienes el sentido práctico, no hay duda... pero procura que no exceda al otro sentido. »

« ¿ A cual, Maestro ? »

« Al sentido espiritual. »

« Lo haré. Pero en ciertos casos es mejor saber comportarse como políticos más que como diplomáticos. Escucha... no te enojes... es por tu bien... no me desmientas si digo cosas... cosas... que no son verdaderas. »

« ¿ Qué quieres dar a entender ? ¿ Por qué mentir ? Yo soy la verdad y no amo la mentira ni en Mí, ni alrededor de Mí. »

« Pero... no diré más que mentiras a *medias*. Diré que nosotros regresamos de lugares lejanos, por ejemplo de Egipto, y que deseamos tener noticias de amigos queridos. Diré que somos judíos que regresamos de un destierro... En el fondo, hay un poco de verdad... por otra parte soy yo el que habla... mentira más, mentira menos...»

«Pero... Judas... ¿Por qué engañar?»

«¡No te preocupes Maestro! El mundo se gobierna con mentiras. Son necesarias algunas veces. Bueno para contentarte diré sólo que venimos de lejos y que somos judíos. Esto es verdad en el 75 por ciento. Y ¡tú Juan no abras para nada tu boca! Nos traicionarías.»

«No diré nada.»

«Después... si las cosas van bien... diremos lo que falta. Pero no me lo espero... soy astuto, y las tomo al vuelo.»

«Ya lo veo, Judas. Más me gustaría que fueses sencillo.»

«Sirve muy poco. En tu grupo seré quien tome las misiones difíciles.»

«Déjame que yo me las entienda.»

Jesús no lo desea mucho, pero cede.

Se ponen en camino. Dan vuelta por las ruinas, pasan una gran muralla sin ventanas, más allá de las cuales se ve el montón de camellos y dromedarios y se oye el desordenado rebuznar, mugir, relinchar y balar de animales. La muralla forma un ángulo. Dan vuelta y helos aquí en la plaza de Belén. El tanque del agua está en el centro de la plaza, de forma irregular pero diferente en la parte que da al albergue, donde estaba la casita, que cuando viene a mi mente la veo plateada bajo los rayos de la estrella. Pero la casita es ahora un montón de ruinas. Tan sólo queda en pie la escalera con su pequeño balcón. Jesús mira y da un suspiro.

La plaza está llena de gente alrededor de los vendedores de alimentos, utensilios, telas, etc. que han extendido sobre esteras o bien, puesto en canastas sus mercancías sobre el suelo y sentados en cuclillas cerca de sus mercancías, a no ser que tengan que gritar y vociferar con algún marchante injusto, se ponen de pie.

«Es día de mercado» dice Simón.

La puerta, mejor dicho, el portón del albergue está quitado y sale por allí una hilera de asnos cargados con mercancías.

Judas es el primero en entrar, mira alrededor altanero y agarra a un mozo de pequeña estatura, sucio y sin vestidos, esto es, tiene puesto tan sólo un camisón sin mangas y que le llega hasta las rodillas. « ¡Mozo! » grita « ¡El patrón! ¡Pronto! ¡Vé rápido, que no estoy acostumbrado a esperar! »

El muchacho por ir presto tira una escoba de varas.

« ¡ Pero Judas ! ¡ Qué modales ! »

« Silencio, Maestro. Déjame que yo me las entienda. Nos deben creer ricos y de ciudad. »

El patrón viene corriendo y se deshace en inclinaciones delante de Judas, que se ve majestuoso con el manto rojo acerino de Jesús y su rica vestidura de oro pálido con rayas y franjas.

« Vinimos nosotros de lejos, somos judíos de la comunidad asiática. Este betlemita de nacimiento, perseguido, busca a sus queridos amigos de aquí. Y nosotros con El, vinimos desde Jerusalén, donde hemos adorado al Altísimo en su Casa. ¿ Puedes darnos informes ? »

« Señor, soy tu siervo . . . para servirte. Ordena. »

« Queremos tener noticias de muchos, pero sobre todo de Anna, la mujer que habitaba frente al albergue. »

« ¡Oh! ¡Desgraciada! No encontrarás a Anna sino en el seno de Abrahán y a sus hijos con ella. »

« ¿ Muerta? . . . ¿ Por qué ? »

« ¿ No sabéis nada de la matazón de Herodes ? Todo mundo habló de él y hasta César lo declaró: " cerdo que se alimenta de sangre ". ¡Bah! ¡Qué he dicho! ¡No me denuncies! ¿eres en realidad judío ? »

« He aquí la señal de mi tribu. Así, pues, habla. »

« A Anna la mataron los soldados de Herodes con todos sus hijos, menos a una. »

« ¿ Pero por qué ? . . . ¡ Era muy buena ! »

« ¿ La conociste ? »

« ¡ Vamos !, que sí. » Judas miente descaradamente.

« La mataron porque dió hospitalidad a los que se decían ser padre y madre del Mesías . . . Ven aquí, a esta habitación . . . Las paredes tienen oídos, y . . . hablar de ciertas cosas . . . es peligroso. »

Entran en una habitacioncilla pequeña y baja. Se sientan sobre un diván.

« ¡Ea . . . he tenido buen olfato! ¡No soy fondero para nada! Nací aquí, hijo de los hijos de fonderos. Tengo la malicia en la sangre. No los quise. Tal vez un rinconcillo les habría encontrado. Pero . . . galileos, pobres, desconocidos, ¡eh! ¡A Ezequías no se engaña! Y luego . . . veía . . . veía . . . que eran diferentes . . . aquella mujer... de esos ojos... un cierto... no, no... debía de tener el demonio dentro de sí y que le hablaba. Y lo trajo aquí, no a mí sino a la ciudad. Anna era más inocente que una ovejilla, y los hospedó por unos cuantos días, ya con el Niño. Decían que era el Mesías... ¡ Oh ! Cuánto dinero gané en aquellos días. ¡ Qué censo ni qué nada! Venían aún aquellos que no tenían que venir. Venían desde las Playas del mar, hasta de Egipto, para ver... ¡ y eso por meses ! ¡ Qué ganancias tuve !... Al fin vinieron tres Reyes, tres poderosos, tres magos... ¡ qué sé yo ! ¡ Un cortejo que no acababa nunca! Me rentaron todas las habitaciones y me compraron en oro tanto heno como para todo un mes, y al día siguiente se fueron dejando todo allí. Y ¡ qué regalos hicieron a los pastores y a las mujeres! ¡También a mí! ¡Oh, yo no puedo decir sino bien del Mesías verdadero o falso que haya sido ! Me permitió ganar dinero a montones. No he tenido ningún desastre. Ni siquiera muertos, porque apenas me había casado. Así pues... pero... ¡ los demás ! »

« Querriamos ver los lugares de la matazón. »

« ¿ Los lugares ?... Pero si todas las casas fueron lugares de matanza. Fueron muertos por millares alrededor de Belén. Venid conmigo. »

Suben por una escalera, llegan a una gran terraza. De lo alto se ven grandes terrenos y toda Belén extendida como un abanico abierto sobre sus colinas.

« ¿ Veis aquellos sitios en ruinas? Allí ardieron también las casas porque los padres defendieron a sus hijos con las armas. ¿ Veis aquello como pozo cubierto de hierba ?... Son los restos de la sinagoga. Fué quemada junto con el arquisinagogo que aseguraba que aquel era el Mesías. La quemaron los que quedaron, enloquecidos con la matanza de sus hijos. Tuvimos trabajos, después... allá... ¿ veis aquellos sepulcros ? Son los de las víctimas... parecen ovejitas esparcidas entre lo verde, vistas de lejos. Todos eran inocentes, así los padres como las madres de ellos... ¿ Veis aquel tanque de agua ? El agua estaba roja después que los sicarios lavaron sus armas y sus manos en ella. Y habéis visto aquel río?... Iba enrojecido con la sangre que recogía de las cloacas... Y allí, exactamente, enfrente de mí es lo único que queda de Anna.

Jesús llora.

« ¿ La conocías mucho ? »

Responde Judas: « Era como una hermana para con su Madre, ¿ o no es así, amigo mío ? »

Jesús responde solo: « Sí. »

« Lo comprendo » dice el fondero y queda pensativo.

Jesús se inclina a hablar quedo con Judas.

« Mi amigo querría ir a aquellas ruinas » dice Judas.

« ¡ Que vaya ! ¡ Pertenecen a todos ! »

Bajan, saludan y se van. El fondero queda desilusionado. Tal vez esperaba alguna ganancia.

Atraviesan la plaza. Suben por la escalera que es lo único que está en pie.

« Por aquí » dice Jesús, « mi Madre me hizo saludar a los Magos y por aquí bajamos para ir a Egipto. »

Hay gente que mira a los cuatro en las ruinas. Uno pregunta: « ¿ Parientes de la muerta ? »

« Amigos. »

Una mujer grita: « No hagáis mal, por lo menos vosotros, a la muerta, como le hicieron sus enemigos mientras vivía, y después escaparon salvos. »

Jesús está de pie en el balconcillo de espaldas al pequeño muro bajo y en alto sobre la plaza como unos dos metros. Detrás de El no hay nada, lo que hace que el sol al iluminarlo haga resaltar más su vestidura de lino blanquísimo que es todo lo que tiene porque el manto resbalándose por su espalda, está a sus pies como un pedestal multicolor. Atrás el fondo verde y desaliñado de lo que fuera jardín y campo de Anna, ahora lleno de arbustos y de ruinas.

Jesús extiende los brazos. Judas que ve el gesto, dice: « ¡ No hables ! ¡ Se prudente ! »

Pero Jesús llena la plaza con su fuerte voz: « ¡ Hombres de Judá ! ¡ Hombres de Belén, escuchadme ! ¡ Oidme, vosotras, mujeres de la sagrada tierra de Belén! Oid a uno que viene de David, que sufrió persecuciones, que honrándose con hablaros, lo hace para daros luz y consuelo. Escuchadme. »

La multitud deja de hablar, de pelear, comprar y se amontona.

« Es un Rabí. »

« Ciertamente que viene de Jerusalén. »

« ¿ Quién es ? »

« ¡ Qué hermoso es ! »

« ¡ Qué voz ! »

« ¡ Qué ademanes ! »
« ¡ Y si es de la descendencia de David ! »
« ¡ Entonces es nuestro ! »
« ¡ Oigamos ! ¡ Oigamos ! »
Toda la plaza está hacia la escalerilla que parece púlpito.

« Está dicho en el Génesis [1]: " Pondré enemistades entre tí y la Mujer... Ella te aplastará la cabeza y tú estarás al acecho de su calcañal!..." Y también está dicho: " Multiplicaré tus sufrimientos y tus partos... y la tierra producirá cardos y espinas. " [2]. Tal es la condenación del hombre, de la mujer y de la serpiente.

De lejanas tierras he venido a venerar la tumba de Raquel, he oído en el viento de la tarde, en el rocío de la noche, en el canto matutino del ruiseñor, que el sollozo de la antigua Raquel nuevamente se escucha, que se repite de boca en boca de las madres betlemitas en medio de los sepulcros, o en medio de sus corazones. Y he escuchado el bramido de dolor de Jacob en el dolor de los esposos viudos que están sin mujer, porque el dolor las ha matado [3]... juntamente con vosotros lloro. Pero oid, hermanos de la tierra mía. Belén, tierra bendita, la más pequeña de entre las ciudades de Judá, pero la mayor ante los ojos de Dios y del linaje humano, porque siendo la cuna del Salvador, como dice Miqueas [4] por esta razón, por haber sido destinada a ser el tabernáculo en que reposaría la Gloria de Dios, el Fuego de Dios, su Amor Encarnado, Satanás desencadenó su odio.

" Pondré enemistades entre Tí y la Mujer. Te tendrá bajo su pie y tú tratarás de morder su calcañal ". ¿ Qué enemistad más grande puede haber que la que tiene por objeto los hijos que son el corazón del corazón de la mujer ¿ Y qué pie puede ser más fuerte que el de la Madre del Salvador? Por esta razón fué natural la venganza de Satanás vencido, el cual no atacó el calcañal de las madres sino el corazón de ellas.

¡Oh! ¡Los dolores de parto se multiplicaron al perderlos! ¡Oh, terribles cardos que después de haber sembrado y sudado por los hijos, son ahora padres sin prole! Pero ¡ regocíjate, Belén! Tu sangre pura, la sangre de los inocentes, ha servido de antorcha y púrpura al Mesías... »

[1] Cfr. Gén. 3, 15.
[2] Cfr. Ib. 3, 16-18.
[3] Cfr. Ib. 35, 19-20; Jer. 31, 15; Mt. 2, 16-18.
[4] Miq. 5, 2.

La multitud que poco a poco ha venido comentando entre rumores lo que Jesús dijo al mencionar al Salvador, y después a la Madre de El, ahora da indicios de mayor agitación

« ¡ Calla, Maestro ! » dice Judas. « ¡ Vámonos ! »

Pero Jesús no le hace caso. Continúa: « . . . al Mesías que salvó la Gracia de Dios Padre de los tiranos para conservarlo al pueblo para la salvación del mismo y . . . »

Se oye una voz chillona de mujer: « ¡ Cinco, cinco, había yo parido y ninguno de ellos está en mi casa! ¡ Desgraciada de mí ! » histéricamente grita.

Es el principio de la gritería.

Otra mujer se arroja al polvo y desgarrando sus vestidos, muestra una teta mutilada sin el pezón y grita: « ¡ Aquí, aquí en esta teta me degollaron a mi primogénito! La espada le partió la cara juntamente con mi pezón. ¡ Oh, Eliseo mío ! »

« ¿ Yo ?. . . ¿ Y yo ?. . . He ahí mi palacio. Tres tumbas en una, que el padre vigila. Marido e hijos juntamente. Si, Si . . . Si existe el Salvador que me devuelva a mis hijos, a mi esposo y me salve de la desesperación, ¡ que me salve Belzebú ! »

Todos a una gritan: « A nuestros hijos, a nuestros hijos, a nuestros maridos y padres, ¡ que nos los devuelva si existe ! »

Jesús agita los brazos para imponer silencio. « Hermanos de la misma tierra: gustoso devolvería a la carne, también la carne es decir los hijos. Pero Yo os digo: sed buenos, resignaos, perdonad, esperad y alegraos con la esperanza, regocijaos con la seguridad de que pronto volveréis a tener a vuestros hijos, ángeles en el cielo, porque el Mesías va a abrir pronto la puerta del Cielo, y si fuereis justos la muerte será vida que viene y amor que regresa . . . »

« ¡Ah! . . . ¿ Eres Tú el Mesías ? . . . ¡ En nombre de Dios dílo ! »

Jesús baja los brazos con un ademán tan dulce y calmado que parece un abrazo y dice: « Lo soy. »

« ¡Lárgate! ¡Lárgate!. . . Entonces . . . ¡Tú tienes la culpa! »

Vuela una piedra entre silbidos e insultos.

Judas tiene un bello gesto . . . ¡ Si así hubiese sido siempre! Se interpone ante el Maestro, que está de pie sobre la pared pequeña, con el manto desplegado, y sin miedo alguno recibe las pedradas. La sangre le corre. Grita a Juan y a Simón: « Llevaos a Jesús dentro de aquellos árboles, yo después iré. ¡ Id, en nombre del Cielo! » Y a la multitud le grita: « ¡ Perros rabiosos ! Soy del Templo y al Templo y a Roma os denunciaré».

La multitud siente por un momento temor. Pero luego torna otra vez a las piedras, que por fortuna no le atinan. Impertérrito Judas las recibe, y con injurias responde a las maldiciones de la multitud. Aún más, coge a vuelo una piedra y la avienta a la cabeza de un viejecillo que grita como una garza desplumada viva, y como tratan de atacar la escalerilla, rápido toma una rama seca que está en el suelo (ahora ya bajó de la pared pequeña) y le da vueltas sin piedad contra las espaldas, cabezas y manos, hasta que los soldados acuden y se abren paso con sus lanzas.

«¿Quién eres? ¿Por qué esta riña?»

«Un judío asaltado por estos plebeyos. Estaba conmigo un Rabí a quien los sacerdotes conocen. Hablaba a estos perros. Se han desencadenado y nos han atacado.»

«¿Quién eres?»

«Judas de Keriot, que pertenecía al Templo, pero ahora es discípulo del Rabí Jesús de Galilea. Soy amigo de Simón el Fariseo, de Yocana el Saduceo, de José de Arimatea, consejero del Sanedrín y en resumidas cuentas, esto lo puedes comprobar con Eléazar ben Anna, el gran amigo del Procónsul.»

«Lo verificaré. ¿A dónde vas?»

«Con mi amigo a Keriot y después a Jerusalén.»

«Ve. Te guardaremos las espaldas.»

Judas da al soldado unas monedas. Debe ser cosa ilícita... pero usual, porque el soldado las toma pronto y circunspecto saluda y sonríe. Judas salta, y va brincando por el inculto campo, hasta llegar a sus compañeros.

«¿Estás muy herido?»

«Cosa de nada, Maestro. Y... ¡Por Tí!... Pero también yo se las dí. Debo estar manchado todo de sangre...»

«Sí, en la mejilla. Aquí hay un hilillo de agua.»

Juan moja un pedazo de tela y lava la mejilla de Judas.

«Me desagrada, Judas... Pero mira... decir también a ellos que uno es judío, según tu sentido práctico...»

«Son unos brutos. Espero que te habrás convencido, Maestro, y que no insistirás.»

«¡Oh, No!... No por miedo, sino porque por ahora es inútil. Cuando no se nos quiere, no se maldice y lo mejor es retirarse uno rogando por las multitudes que mueren de hambre y que no ven el Pan. Vámonos por este camino retirado. Creo que por aquí se puede tomar el camino que lleva a Hebrón... Pastores sí encontraremos.»

«¿Para que nos den otra apedreada?»

«¡No! Para decirles: "Yo soy".»

«¡Ah! Entonces... si que nos darán de palos. ¡Treinta años hace que por tu causa padecen...!»

«Veremos.»

Y se internan en un bosque tupido, sombrío y fresco. Los pierdo de vista.

39. Jesús y los pastores Elías, Leví y José

(Escrito el 11 de enero de 1945)

A medida que se escalan las alturas, más llenas de árboles, parecen más altas que las de Belén y cuanto más se asciende se ve una verdadera cadena de montes.

Jesús va subiendo delante de todos, con la mirada como si buscase a alguien. No habla. Pone más atención a la voz del bosque que a la de los discípulos, que unos cuantos metros detrás le siguen hablando entre si.

Se oye lejos una campanilla, cuyo retintín el viento lleva. Jesús sonríe y se vuelve: «Creo que hay ovejas» dice.

«¿Dónde, Maestro?»

«Creo que en dirección de aquel montecillo.»

Juan no dice ni una palabra. Se quita el vestido de encima — el manto lo tienen todos sobre la espalda, envuelto, porque hace calor — y con la túnica corta trepa por un árbol, que podría ser un fraxino, y trepa hasta que puede ver algo. «Sí, Maestro, ¡muchas ovejas y tres pastores, allá, detrás de esa arboleda!» Baja, y todos van ciertos.

«¿Pero... serán ellos?»

«Les preguntaremos, Simón, y si no lo supiesen, nos dirán alguna cosa... Se conocen entre sí.»

Alrededor de un centenar de metros y luego ante la vista de una gran pastura verde, rodeada de grandes plantas añosas hay muchas ovejas que muerden la tupida hierba. Tres hombres las están cuidando. Uno es viejo y ya encanecido, el otro va por los treinta y el otro como por los cuarenta.

« Atención, Maestro. Son malandrines ... » aconseja Judas al ver que Jesús apresura el paso.

Nada le responde. Prosigue, alto, hermoso con el sol poniente sobre su rostro y sobre sus blancas vestiduras. Parece un ángel, ¡ está tan brillante !

« La paz sea con vosotros, amigos » saluda cuando está en los bordes del pasto.

Los tres sorprendidos vuelven la cara. Silencio. El más viejo pregunta: « ¿ Quién eres ? »

« Uno que te ama. »

« Serás el primero después de muchos años. ¿ De dónde vienes ? »

« De Galilea. »

« ¿ De Galilea ? ... ¡ Oh ! » El hombre le mira con atención. Los otros dos se han acercado. « De Galilea » ... repite el pastor, y lentamente como si hablase consigo mismo: « También El era uno que venía de Galilea ... ¿ De qué lugar, Señor ? »

« De Nazaret. »

« ¡ Oh ! Entonces, dime. ¿ Ha regresado por fortuna un Niño con una mujer que se llamaba María y con un hombre que era llamado José; un Niño más hermoso que su Madre, una flor bella que no se ha visto en las pendientes de Judá? Un Niño que nació en Belén de Judá, cuando fué el edicto. Un Niño que después huyó para fortuna del mundo. Un Niño por quien daría la vida si supiese que está vivo y que por ahora será ya un hombre. »

« ¿ Por qué dices que fué una gran suerte para el mundo que El hubiese huido? »

« Porque El era el Salvador, el Mesías y Herodes lo quería matar. No estaba yo cuando huyó con su padre y Madre ... Cuando me enteré de la matanza y regresé ... también tenía yo hijos (un sollozo), Señor, y una mujer (sollozo) y me habían dicho que habían sido asesinados (otro sollozo), pero te juro por el Dios de Abraham, que temblaba yo más por El que por mi propia carne ... Supe que había huído y no pude ni siquiera preguntar, ni aun siquiera recoger a mis hijos degollados ... A pedradas como si fuese un leproso, como un inmundo, como un asesino, me tomaron ... y tuve que huir a los bosques para llevar una vida de lobo ... hasta que encontré un patrón. ¡ Oh ! No existe más Anna... ¡ Es cosa dura y cruel!... si una oveja se me falsea o si el lobo arrebata un corderillo, se me darán de palos hasta que me salga sangre, o me quitarán mi poca paga, y tendré que trabajar en los bosques para otros, para hacer alguna cosa y pagar el triple de su valor. Pero... ¡ no importa ! He dicho siempre al Altísimo: " Permíteme que vea a tu Mesías, haz que a lo menos sepa que está vivo y todo lo demás es nada ". Señor, te he contado cómo me trataron los betlemitas y cómo el patrón. Pude haber devuelto mal por mal, o hacer el mal robando para no sufrir con el patrón. Pero no he querido más que perdonar, padecer, ser honrado, porque los ángeles dijeron: " Gloria a Dios en las alturas y paz en la tierra a los hombres de buena voluntad ". »

« ¿ Exactamente así dijeron ? »

« Sí, Señor, créelo al menos Tú que eres bueno. Al menos Tú, piensa y cree en el Mesías que ha nacido. Nadie lo quiere creer. Pero los ángeles no mienten... y no estábamos borrachos como dijeron. Este, mira, era entonces un niño y fué el primero en ver al ángel. No bebía sino leche. ¿ Puede la leche emborrachar a alguien? Los ángeles dijeron: " Hoy en la ciudad de David ha nacido el Salvador, que es el Mesías, el Señor, y lo reconoceréis así: Encontraréis a un Niño recostado sobre un pesebre, envuelto en pañales ". »

« De veras así dijeron ? ¿ No oisteis mal ? ¿ No os habéis equivocado después de tanto tiempo ? »

« ¡Oh, no! ¿verdad, Levi?... Para no olvidar esto — no lo habríamos logrado, porque eran palabras del Cielo y que se esculpieron con fuego del Cielo en nuestros corazones — todas las mañanas y todas las noches, cuando el sol se levanta y cuando brilla la primera estrella, decimos esas palabras como oración, bendición, fuerza y consuelo, juntamente con su nombre y el de su Madre. »

« ¡ Ah ! ¿ Decíais: Mesías ? »

« No Señor, decimos: Gloria a Dios en los cielos altísimos y paz en la tierra a los hombres de buena voluntad, por el Mesías que nació de María en un pesebre de Belén y que envuelto en pañales, estaba allí, El que es Salvador del mundo. »

« Pero en fin de cuentas ¿ A quién buscáis ? »

« Al Mesías, Hijo de María, al Nazareno, al Salvador. »

« Yo soy. » Jesús resplandece al decirlo, al manifestarse a estos

tenaces hombres que lo han amado. Tenaces, fieles, pacientes.
« ¡Tú! ¡ Señor, Salvador nuestro Jesús! » Los tres se echan a tierra y besan los pies de Jesús entre llanto de alegría.
« Levantaos. Levántate, Elías; también tú, Leví, y tú a quien no conozco[1]. »
« José, hijo de José. »
« Estos son mis discípulos, Juan, galileo; Simón y Judas judíos. »
Los pastores ya no están inclinados sobre la tierra, ahora de rodillas, echados sobre sus calcañales adoran al Salvador con ojos de amor, con labios que tiemblan de emoción, con rostros colorados de la alegría.
Jesús se sienta en la hierba.
« No, Señor. En la hierba, Tú, no, Rey de Israel. »
« No os preocupéis amigos. Soy pobre. Un carpintero por el mundo. Rico solo de amor por el mundo y amor que los buenos me dan. Vine para estar con vosotros, para compartir con vosotros el pan de esta noche, dormir a vuestro lado sobre el heno y recibir consuelo de vosotros ... »
« ¡ Oh, consuelo ! Somos hombres sin educación y perseguidos. »
« También Yo lo estoy. Pero vosotros me dais lo que busco: amor, fe y esperanza que aguanta durante años y al fin florece. ¿ Veis ? Supisteis esperarme, al creer sin dudar que Yo era y ... ¡ heme aquí ! »
« ¡ Oh, sí ! Has venido. Ahora, aunque me muera, no tengo nada que me dé dolor, porque lo que esperé lo tengo. »
« No, Elías. Vivirás hasta después del triunfo del Mesías. Tú que viste mi alba, debes ver mi resplandor. ¿ Y los otros ? Erais doce: Elías, Leví, Samuel, Jonás, Isaac, Tobías, Jonatás, Daniel, Simeón, Juan, José, y Benjamín. Mi Madre me decía siempre vuestros nombres, como el nombre de mis primeros amigos. »
Los pastores se muestran cada vez más conmovidos.
« ¿ En dónde están los demás ? »
« El viejo Samuel hace veinte años que murió. Era ya anciano. A José lo mataron peleando en la puerta de la salida, para dar tiempo a que huyera su esposa con éste, al que hacía pocas horas había dado a luz. Yo lo recogí por amor de mi amigo ... y también ... para tener niños alrededor. También tomé conmigo a

[1] Cfr. pág. 356, not. 7.

Leví . . . lo perseguían. Benjamín con Daniel pastorean en Líbano. Simón, Juan y Tobías, que ahora prefiere que se le llame Matías en recuerdo de su padre, al que también mataron, son discípulos de Juan. Jonás está en la llanura de Esdrelón, al servicio de un fariseo. Isaac está solo, en Yutta, con los riñones despedazados y sumido en la mayor miseria. Lo ayudamos como podemos . . . pero nos golpean a todos y son gotas de rocío en un incendio. Jonatás es ahora servidor de uno de los grandes de Herodes. »

« ¿ Cómo pudisteis, sobre todo Jonatás, Jonás, Daniel y Benjamín, encontrar esos trabajos ? »

« Me acordé de Zacarías, pariente tuyo . . . Tu Madre me había mandado a él. Y cuando nos encontramos entre los desfiladeros de Judea, fugitivos y maldecidos, los llevé a su casa. Se portó bien. Nos protegió, nos dió de comer y nos buscó un patrón, como pudo. Ya había yo tomado a mi cuidado todo el ganado de Annás de manos del herodiano . . . y me he quedado con él . . . Cuando el Bautista llegó a edad adulta y empezó a predicar, Simeón, Juan y Tobías se fueron con él. »

« Pero el Bautista ahora está prisionero. »

« Sí. Y ellos cerca de Maqueronte están de ronda, con un pequeño ganado, para no levantar sospechas. Las ovejas son de un hombre rico, discípulo de Juan, tu pariente. »

« Me gustaría ver a todos. »

« Sí, Señor. Iremos a decirles: " Venid, El está vivo. Se acuerda de vosotros y os ama ". »

« Y os quiere entre sus amigos. »

« Sí, Señor. »

« Pero primero iremos a ver a Isaac. ¿ En dónde están sepultados Samuel y José? »

« Samuel en Hebrón. Quedó al servicio de Zacarías. José . . . no tiene tumba, Señor. Murió en su casa incendiada. »

« No entre las llamas de los crueles, sino entre las llamas del Señor. Pronto estará en la gloria. Yo te lo digo, a tí, José, hijo de José, Yo te lo aseguro. Ven a que te bese para agradecer a tu padre. »

« ¿ Y mis niños ? »

« Son ángeles, Elías; ángeles que repetirán el " Gloria " cuando el Salvador sea coronado. »

« ¿ Rey ? »

« No, Redentor. ¡ Qué cortejo de justos y santos ! ¡ Adelante irán las falanges blancas y purpurinas de los niñitos mártires! Y al abrirse las puertas del Limbo, subiremos juntos al reino en donde no existe la muerte. ¡ Y luego volveréis a ver y a encontrar en el Señor a vuestros padres, madres e hijos ! ¿ Lo creéis ? »

« Sí, Señor. »

« Llamadme Maestro. Ya la noche va bajando, la primera estrella ha nacido. Dí tu oración antes de cenar. »

« Yo no, Tú. »

« Gloria a Dios en los Cielos altísimos y paz en la tierra a los hombres de buena voluntad que han merecido ver la luz y servirle. El Salvador está entre vosotros. El Pastor de la estirpe real está entre su grey. La Estrella Matutina ha nacido. ¡ Alegraos justos! Alegraos en el Señor. El que creó los cielos y los sembró con estrellas, El que puso límite entre la tierra y los mares, El que creó los vientos y el rocío, que dispuso las estaciones para que den pan y vino a sus hijos, he aquí que nos manda un Alimento mucho mayor; el Pan vivo que desciende del Cielo, el Vino de la Vid eterna. Venid, vosotros, primicias de los que me adoraron. Venid a conocer realmente al Padre, para que lo sigais santamente y consigáis el premio eterno. » Jesús dijo esta plegaria, de pie con los brazos abiertos, mientras que discípulos y pastores están arrodillados.

Se reparten pan y las escudillas de leche recién ordeñada, y como son tres los tazones o jícaras vacías, no sabría decirlo, comen primero Jesús, Simón y Judas; después Juan a quien Jesús da su tazón y el último en comer es Elías.

Las ovejas ya no pastan, se reunen en grupo compacto esperando que las lleven a su redil. Sin embargo no es así. Miro que los tres pastores las llevan al bosque, debajo de una techumbre rústica de ramas entrelazadas con cuerdas. Se ocupan en preparar el heno que servirá de lecho a Jesús y a los discípulos. Se prenden hogueras, tal vez para ahuyentar a los animales de la selva.

Judas y Juan, cansados se acuestan y minutos después duermen. Simón quiere hacer compañía a Jesús, pero poco después también él se duerme, sentado sobre el heno, con la espalda recargada sobre un palo. Todavia están despiertos Jesús y los pastores. Hablan de José, de María, de la Huída a Egipto, del regreso . . . y después de estas preguntas de amor vienen otras de mayor importancia : ¿ Qué hacer para servir a Jesús ? ¿ Cómo lo lograrán ellos, pastores sin educación?

Jesús les enseña y les explica: « Ahora voy por Judea. Siempre los discípulos os tendrán informados. Después haré que vayais conmigo. Entre tanto reuníos. Procurad que el uno esté enterado del otro de mi presencia en el mundo, como Maestro y Salvador. Como podáis, hacédselo saber. No os prometo que siempre se os creerá. Pero así como supisteis ser fuertes y justos en la esperanza, así también sedlo ahora que sois míos. Mañana iremos hacia Yutta, luego a Hebrón. ¿ Podéis venir ? »

« ¡ Oh, sí ! Los senderos son de todos y los pastizales de Dios. Tan sólo el odio injusto nos tiene alejados de Belén. Los otros poblados solo se burlan de nosotros llamándonos " Bebedores ". Por esto, muy poco podremos hacer allí. »

« Os llamaré para que vayais a otras partes. No os abandonaré. »

« ¿ Por toda la vida ? »

« Por toda mi vida. »

« No, primero moriré yo, Maestro. Soy viejo. »

« ¿ Lo crees ? ¡ No ! Yo. Una de las primeras caras que ví, fué la tuya, Elías. Y será una de las últimas. Llevaré conmigo, en mi pupila tu cara consternada de dolor a causa de mi muerte. Pero después tu cara llevará en el corazón, el irradiar de una mañana triunfal, y con ella esperarás la muerte . . . la muerte: el encuentro eterno con Jesús a quien pequeñito adoraste. También entonces, los ángeles cantarán el " Gloria ": " para el hombre de buena voluntad ". »

No oigo más. La dulce visión se oscurece. Termina.

40. Jesús en Yutta con Isaac el pastor

(Escrito el 12 de enero de 1945)

Un fresco valle en el que se oye el correr de las aguas de un plateado río entre los peñascos cubiertos de espuma y que sigue hacia el sur. Rocía con su risueña frescura las pequeñas hierbas de la orilla. Más parece que sus aguas lleguen hasta los declives, porque están verdes, con un verde de esmeralda; un verde salpicado de matices que brota del suelo, a través de los musgos y de los matorrales del bosquecillo selvático y parece que llegan hasta las cimas de los altos árboles, como de los nogales que están en el bosque propiamente dicho, cruzado con áreas al descubierto, que son zonas verdes en donde hay hierbabuena, que sirve de alimento sano y robusto a los ganados.

Jesús viene bajando con los suyos y con los tres pastores en dirección al río. Se para con toda paciencia cuando hay que esperar a una oveja retrasada o a uno de los pastores que debe ir tras de una oveja que se le extravía. Es exactamente el Buen Pastor. También se ha buscado El una rama larga para apartar las ramas de las moreras, de los majoletos y las algalias, que salen de todas partes y se pegan a los vestidos. Así es completa su figura de pastor.

« ¿ Ves ?... Allá está Yutta. Pasaremos el torrente, hay un lugar en donde se puede vadear en verano, sin tener que ir hasta el puente. Habría sido más corto, haber venido de la parte de Hebrón. Pero Tú no quisiste. »

« No. A Hebrón iremos después. Primero y siempre al que sufre. Los muertos ya no sufren, cuando son justos. Y Samuel era justo. Por otra parte no es necesario que uno esté cerca de los huesos muertos que tienen necesidad de oraciones...

Los huesos... ¿ qué son ?... Prueba del poder de Dios que creó al hombre del polvo, y no de otra cosa. También los animales tienen huesos. El esqueleto de los animales es menos perfecto que el del hombre. Tan sólo el hombre tiene un cuerpo derecho, como rey entre sus súbditos, con un rostro que no tiene necesidad de doblar el cuello para mirar en alto, allá donde está la morada del Padre. Pero siempre huesos son. Polvo que torna al polvo. La Eterna Bondad quiere reconstruir los huesos en el día eterno para dar un poco más de gozo a los bienaventurados. Pensad: no tan sólo serán reunidos los espíritus sino que se amarán *mucho más* que sobre la tierra y gozarán de volverse a ver con las mismas facciones que en la tierra tuvieron: los hijos de hermosos cabellos risados, y bonitos como los tuyos, Elías, a sus padres. Seres queridos en el corazón como los vuestros, Leví y José. Mas ... para tí, José, será el momento en que reconocerás esos rostros que siempre añoras conocer. No habrá más huérfanos ni más viudos entre los justos, allá...

Sufragios se pueden hacer en donde quiera a los muertos. Es

oración de un alma, por el alma de aquel con quien se estaba unido al Espíritu Perfecto. No más distancias, no más destierros, no más prisiones, no más sepulcros... No habrá nada que pueda dividir o encandenar en una impotencia dolorosa lo que está fuera y sobre de las cadenas de la carne. Vosotros os dirigís, a vuestros seres amados con la mejor porción vuestra. Ellos con lo mejor que tienen vienen hacia vosotros y todo gira al experimentarse esta fusión de almas que se aman en torno del Eterno Dios, Espíritu Perfectísimo, Creador de todo cuanto ha existido, existe y existirá. Amor que os ama y os enseña a amar [1].

Pero creo que hemos llegado al vado. Veo una hilera de piedras que salen a flor de agua. »

« Es así. Ese es, Maestro. Cuando viene la avenida, es una cascada que retumba, ahora no es otra cosa que siete riachuelos de aguas que ríen entre las gruesas piedras del vado. »

Exactamente seis grandes piedrones, demasiado cuadrados, están a distancia de un palmo a otro entre sí, en el fondo del torrente, y el agua, que antes de llegar parecía una brillante cinta, se divide en otras siete pequeñas, que se dan prisa sonrientes hasta volverse a unir al pasar el vado en medio de una frescura y que va charlando entre las arenas del lecho.

Los pastores vigilan el paso de las ovejas. Algunas prefieren brincar sobre las piedras y otras entrar al agua, que no es más profunda que un palmo, y beben el agua de color diamantino que se viste con espuma y sonrisas.

Jesús pasa sobre las piedras y detrás de El los discípulos y continúan su camino en la ribera opuesta.

« Me dijiste que quieres hacer saber a Isaac que estás aquí... pero... ¿ no quieres entrar al poblado ? »

« Así es. »

« Entonces es hora de separarnos. Yo voy a donde está; Leví y José se quedarán con el ganado y con vosotros. Subo por aquí; así será más rápido. » Elías sube por la ladera, hacia las casas blanquecinas que resplandecen con el sol.

Tengo la sensación de que lo sigo. Helo en las primeras casas. Sigue por un callejón entre casas y huertos. Camina una decena

[1] Para el origen del polvo, cfr. Gén. 2, 7; para el retorno a él, ib. 3,19; sufragios por los difuntos: 2 Mac., 12, 38-46; para la resurrección: Sal. 15, 9-10; Sal. 48, 15-16; Job. 19, 25-27; Ez. 37, 1-4; Dan. 12, 1-3; 2 Mac. 7, 1-42; Mt. 22, 23-33; Rom. 8, 11; 1 Cor. 15; 2 Tim. 2, 17-18, etc.

de metros. Después da vuelta en un camino más ancho que lleva a la plaza. No había dicho que todo esto está ocurriendo en las primeras horas matinales. Lo digo ahora para que se comprenda el por qué en la plaza hay todavía mercado, y criadas y vendedores que gritan en rededor de los árboles que dan sombra en la plaza.

Elías se va derecho a donde la plaza se convierte otra vez en camino, un camino bastante hermoso y tal vez el mejor del poblado. En la esquina hay una casa pobre, mejor dicho, una habitación con la puerta abierta. Casi a la puerta hay un lecho miserable y sobre él hay un enfermo que es todo un esqueleto, que pide entre lamentos una limosna.

Elías entra como rayo. « Isaac . . . soy yo. »

« ¿ Tú ? . . . No te esperaba. Viniste la luna pasada. »

« Isaac . . . Isaac . . . ¿ Sabes por qué he venido ? »

« No sé . . . Estás excitado . . . ¿ Qué pasa ? »

« He visto a Jesús de Nazaret, hombre, ahora Rabí. Vino en busca mía . . . y nos quiere ver. ¡ Oh, Isaac, te sientes mal ! »

En realidad Isaac está como alguien que fuese a morir. Pero toma aliento. « No. La noticia . . . ¿ en dónde está ? . . . ¿ Cómo es? . . . ¡ Oh ! ¡ Si lo pudiera ver ! »

« Está allá abajo en el valle. Me manda para que te diga esto, nada más que esto: " Ven, Isaac, quiero verte y bendecirte ". Llamaré ahora a alguien que me ayude y te llevaré allá abajo. »

« ¿ Así dijo ? »

« Así . . . pero . . . ¿ qué haces ? »

« Voy. »

Isaac hace a un lado las cobijas, mueve las inertes piernas, las saca fuera de la paja, las pone en el suelo, se levanta todavía un poco incierto, vacilante. Todo sucede en un instante, bajo los ojos desencajados de Elías . . . que al fin entiende y grita . . . Se asoma una mujercilla curiosa . . . Ve al enfermo de pie, que al no tener otra cosa se echa encima una de las cobijas y escapa gritando como una gallina.

« Vámonos . . . vámonos por acá para llegar más rápido y no toparnos con la gente . . . Apúrate, Elías. »

Salen de estampida por una puerta de un huerto que da a la parte posterior y empujan las ramas secas que hacen las veces de puerta y corren por una vereda miserable; después siguen por un caminillo entre huertos y de allí bajan entre prados y bosquecillos, hasta llegar al río.

« Mira ahí a Jesús! » dice Elías señalándolo con el dedo. « Aquel alto, hermoso, rubio, vestido de blanco y con el manto azul... »

Isaac corre, se hace paso entre el ganado que pace, y con un grito de triunfo, de alegría, de adoración, se postra a los pies de Jesús.

« Levántate, Isaac. Ya vine a traerte la paz y bendición. Levántate para que vea tu cara. »

Pero Isaac no quiere levantarse. Son demasiadas las emociones, y continúa en medio de su llanto delicioso, con la cara contra el suelo.

« Al punto viniste. No te preguntaste si podías... »

« Tú me mandaste decir que viniese... y he venido. »

« Ni siquiera cerró la puerta, ni recogió las limosnas, Maestro. »

« ¡ No importa ! Los ángeles vigilarán su habitación. ¿ Estás contento Isaac? »

« ¡ Oh, Señor ! »

« Llámame : Maestro. »

« Sí, Señor, Maestro mío. Aunque no me hubiese curado, habría sido feliz en verte. ¿ Cómo he logrado tener en tu presencia gracia tanta? »

« Tú fé y tu paciencia, Isaac. Sé cuánto has sufrido... »

« ¡Nada, nada! ¡Más que nada! ¡Te he encontrado! ¡Estás vivo! ¡ Estás aquí ! Esto es lo que vale... lo demás, *todo lo demás* ha pasado. Pero Señor y Maestro: Ahora no te vas ya, ¿ verdad ? »

« Isaac tengo a todo Israel para evangelizarlo. Me voy... Pero si no puedo quedarme, tú me puedes siempre seguir y servir. ¿ Quieres ser mi discípulo, Isaac ? »

« ¡ Oh ! ¡ Pero no serviré ! »

« ¿ Sabrás declarar que Yo soy ? ... ¿ a pesar de las burlas y amenazas podrás afirmarlo ? ... ¿ y decir que Yo te llamé y que tú viniste ? »

« Aún cuando Tú no lo quisieras, todo esto diría yo. En esto te desobedecería, Maestro. Perdona que te lo diga. »

Jesús sonríe. « ¿ Luego, tú comprendes que eres bueno para hacerla de discípulo? »

« ¡ Oh ! ¡ Si no hay otra cosa que hacer ! Pensaba que sería una cosa más difícil. Que tendría que ir a la escuela de los Rabinos para servirte, Rabbí de los rabinos ... y así de viejo ir a la escuela... » El hombre bien tiene por lo menos cincuenta años.

« Ya has terminado la escuela, Isaac. »

« ¿ Yo ? ¡ No ! »

« Tú, sí. ¿ No acaso has seguido creyendo y amando, respetando y bendiciendo a Dios y al prójimo, sin tener envidia, sin desear lo que era de otros, ni lo que era tuyo y que ya no poseías, sin decir más que la verdad aun cuando te perjudicase, sin fornicar con Satanás al no cometer pecado alguno ? ¿ No has hecho todo esto en estos treinta años de desventura? »

« Sí, Maestro. »

« Lo ves. La escuela ya la has terminado. Sigue así y añade la revelación de mi presencia en el mundo. No tienes que hacer otra cosa. »

« Ya te he predicado, Señor Jesús ... Les hablé a los niños que venían, cuando ya casi inválido, llegué a este poblado pidiendo un pan y cuando todavía podía trabajar en cosa de lana y de lacticinios, y también después cuando venían alrededor de mi cama, cuando mi mal creció y perdí todas las fuerzas de las piernas. Hablaba de Tí a los niños de aquellos tiempos y a los niños de ahora, hijos de aquellos ... los niños son buenos y creen siempre ... Les contaba cuando naciste ... de los ángeles y de la Estrella de los Magos ... y de tu Madre ... ¡ Oh ! Dime ... ¿ Vive todavía ? »

« Vive y te manda saludos. Siempre habla de vosotros. »

« ¡ Oh, si pudiera verla ! »

« La verás. Algún día vendrás a mi casa. María se dirigirá a tí con el saludo de : " amigo ". »

« María ... sí. Es como tener miel en la boca al pronunciar ese nombre ... Hay una mujer en Yutta, que no hace poco ha dado a luz a su cuarto hijo. Cuando era niña fué una de mis pequeñas amigas ... y ha puesto a sus hijos los nombres de: María y José a los dos primeros, y como no se atrevieron a llamar al tercero con el nombre de Jesús, le puso el de Emmanuel, para augurio de sí misma, de su casa y de Israel. Y ahora está pensando en el nombre que dará al cuarto. ¡ Oh ! ¡ Cuando sepa que estoy curado ! ¡ Y que Tú estás aquí ! ¡ Sara la mamá es buena como el pan, y bueno es también su esposo Joaquín ! Y ¡ qué decir de sus padre ! Estoy vivo por ellos. Me dieron siempre refugio y ayuda. »

« Vamos a su casa a pedirles refugio mientras baja el sol y a llevarles una bendición por su caridad. »

« De este lado, Maestro, es más fácil para el ganado y para evitar a la gente que ciertamente estará excitada. La anciana que me vió ponerme en pié con seguridad ya lo habrá contado.»

Siguen por el río y lo dejan más al sur, para entrar en un sendero que sube muy inclinado; siguen por uno como espolón del monte, exactamente como si fuese un espolón de nave. Ahora el río está en dirección contraria de donde suben y corre en el fondo entre dos hileras de montes que se cruzan formando un hermoso valle quebrado. Reconozco el lugar. Es inconfundible. Es el mismo de la visión de Jesús con los niños, que tuve en la primavera pasada. La barda, de costumbre, que claramente señala la propriedad que se extiende hacia el valle. He ahí los prados con manzanas, higos y nueces; he ahí la casa, blanquecina en medio del verdor, con sus alones salientes sobre la escalera y que hacen de portal y de columnato. He allí la cupulilla y el jardincillo con su pozo, con sus travesaños y sus redes...

Un vocerío grande sale de la casa. Isaac va delante. Entra. Llama con voz fuerte. «¡María, José, Emmanuel! ¿Dónde estáis? Venid a Jesús.»

Los tres pequeños corren: una niña como de cinco años y dos niñitos de cuatro y de dos. El más pequeño todavía vacila al caminar. Quedan con la boca abierta ante el que... se ha levantado. Grita al punto la niña: «¡Isaac! ¡Mamá, Isaac está aquí! ¡Judit ha visto bien!»

De la habitación donde había un gran vocerío sale una mujer: una madre en flor, morena, alta, hermosa en su mirar lejano, muy hermosa con sus vestidos de fiesta; un vestido de blanco lino, cual rica camisa que cae entre pliegues hasta las rodillas y que se estrecha a los lados con un chal rayado, que dibuja sus magníficas caderas, llegando plegada hasta las rodillas, por detrás, y por delante queda semicerrada al cruzarse en la cintura con una hebilla de filigrana. Un velo transparente de rosas con un fondo café, que cubre las negras trenzas, como un pequeño turbante y que después baja por la nuca entre ondas y pliegues por la espalda para rematar sobre el pecho. Lo sostiene prendido en la cabeza una coronita de medallas entrelazadas con una cadena. Aretes pesados en forma de anillos penden de las orejas y en el cuello mantiene recogida la túnica una argolla de plata que pasa entre los ojales del vestido. En los brazos, pesados brazaletes de plata.

«¡Isaac! ¡Pero cómo! Judit... ¡pensaba que el sol me la

había trastornado . . . ! ¡ Tú caminas ! Pero . . . ¿ qué pasó ? »
« ¡ El Salvador, Sara ! Aquí está ! ¡ Ha venido ! »
« ¿ Quién ? ¿ Jesús de Nazaret ? . . . ¿ En dónde está ? »
« Allí, detrás del nogal, que pide lo recibas. »
« ¡ Joaquín ! ¡ Madre ! ¡ Venid todos, venid ! ¡ Es el Mesías ! »
Hombres, mujeres, mozos, niños corren fuera gritando . . . pero cuando ven a Jesús alto y majestuoso, pierden todo su entusiasmo y se quedan como petrificados.
« La paz sea en esta casa y en todos vosotros. La paz y la bendición de Dios. » Jesús avanza lentamente con la sonrisa en los labios en dirección del grupo. « Amigos, ¿ queréis dar hospitalidad a un viajero? » y una sonrisa muy expresiva brota de sus labios.
La sonrisa vence los temores. El esposo tiene el valor de hablar: « Entra, Mesías. Te hemos amado sin conocerte. Te amaremos mucho más conociéndote. Mi casa tiene fiesta por tres motivos: Por Tí, por Isaac y por la circuncisión de mi tercer varoncito. Bendícelo, Maestro. ¡ Mujer, trae el niño ! ¡ Entra, Señor ! »
Pasan a una sala preparada para la fiesta. Mesas y platos, manteles y ramas verdes por todas partes. Sara regresa con un hermoso niño recién nacido y lo presenta a Jesús.
« Dios siempre sea con él. ¿ Cómo se llama ? »
« No tiene nombre. Esta es María, este es José, este Emmanuel, este . . . todavía no tiene . . . »
Jesús mira a los dos esposos sonriendo: « Buscadle un nombre, si es que hoy debe ser circuncidado. »
Los dos se miran, lo miran, abren la boca y la cierran sin decir palabra alguna. Todos están atentos.
Jesús insiste: « La historia de Israel tiene tantos nombres grandes, dulces, benditos. Los más dulces y benditos ya los tienen estos. Pero tal vez hay todavía otro. »
Al unísono los dos esposos dicen: « ¡ El tuyo, Señor ! » y la esposa termina diciendo: « pero es muy santo . . . »
Jesús sonríe y pregunta: « ¿ Cuándo será circuncidado ? »
« Estamos esperando al que lo va a circuncidar. »
« Estaré presente a la ceremonia. Entre tanto os agradezco lo que hicisteis por mi Isaac. Ahora no tiene necesidad más de los buenos, pero los buenos tienen todavía necesidad de Dios. Habeis dado al tercer niño el nombre de: Dios con nosotros [2]. Y sin

[2] " Dios con nosotros " es el significado de " Emmanuel ". Cfr. Is. 8, 8 y 10.

embargo a Dios lo teníais desde que tuvisteis caridad para con mi siervo. Seais benditos. En la tierra y en el cielo vuestra acción será recordada. »

« ¿ Pero Isaac ahora ... nos abandona ? »

« ¿ Os pesa ? ... Debe servir a su Maestro. Pero regresará y también vosotros de vuestra parte, hablad del Mesías ... ¡ Es necesario hablar mucho para convencer al mundo! Mas he ahí que viene al que esperabais. »

Entra pavoneándose un personaje con su criado. Saludos e inclinaciones. « ¿ Donde está el niño ? » pregunta con solemnidad.

« Aquí está. Pero saluda al Mesías. Está aquí. »

« ¿ El Mesías ? ... ¿ El que curó a Isaac ? Bueno ... pero después hablamos. Tengo mucha prisa. El niño y su nombre. »

Los presentes están mortificados con tales modales. Sin embargo Jesús sonríe como si tales desplantones no fuesen para El. Toma al bebé, lo toca en su frentecita con sus hermosos dedos, como si lo fuese a consagrar, y dice: « Su nombre es Yesai » y lo pasa al padre que junto con el altisonante personaje y otros se dirige a la habitación vecina. Jesús se queda en donde está hasta que regresan con el niño que llora desesperadamente.

« Mujer, dame el niño. ¡ Ya no llorará ! » dice para consolar a la angustiada madre. El niño al ser puesto sobre las rodillas de Jesús, se calla al punto.

Se forma un grupo alrededor de Jesús, con los niños, los pastores y los discípulos. Afuera se oye el balar de las ovejas que Elías ha encerrado en un corral. En la casa hay ruido de fiesta. Traen a Jesús y a los suyos dulces y bebidas, que El distribuye entre los niños.

« ¿ No bebes, Maestro ? ¿ No te gusta ? Se te da de corazón. »

« Lo sé, Joaquín, y de corazón lo acepto. Pero deja que antes haga que estén contentos los pequeñines. Son mi alegría ... »

« No te preocupes de ese hombre, Maestro. »

« No, Isaac. Ruego porque vea la luz. Juan, lleva a los dos niños a ver las ovejas, y tú, María, acércate más a Mí y dime: ¿ Quién soy Yo? »

« Tú eres Jesús, Hijo de María de Nazaret, nacido en Belén. Isaac te vió y me puso el nombre de tu Mamá para que yo sea buena. »

« Buena como el ángel de Dios, más pura que un lirio que haya brotado en la ladera del monte, piadosa como debe de ser el le-

vita más santo, para imitarla. ¿ Lo serás ? »
« Sí, Jesús. »
« Niña, dí Maestro o Señor. »
« Judas ... deja que me llame por mi nombre. Sólo cuando pasa por los labios inocentes no pierde el sonido que tiene en los labios de mi Madre. Todos, en el correr de los siglos pronunciarán este nombre; unos por interés, otros por diferentes motivos, y otros para blasfemar de él. Sólo los inocentes, que ni calculan interés ni odian, lo dirán con amor como lo hace esta pequeñita y lo hace mi Madre. También los pecadores me llamarán, porque necesitan compasión. ¡ Pero mi Madre y los niños ! ¿ Por qué me llamas Jesús ? » acariciando a la niña le pregunta.
« Porque te quiero mucho ... como a papá, a mamá y a mis hermanitos » responde abrazándose a las rodillas de Jesús, con la carita levantada y llena de sonrisas.
Jesús se inclina y la besa ... y así termina todo.

41. Jesús en Hebrón, en casa de Zacarías. Aglae

(Escrito el 13 de enero de 1945)

« A qué hora llegaremos? » pregunta Jesús, que camina en el centro del grupo ante quien van las ovejas, que mordisquean la hierba de las veredas.
« A eso de las nueve. Son cerca de diez kilómetros. » responde Elías.
« Y después ... ¿ vamos a Keriot ? » Judas pregunta.
« Sí, iremos allá. »
« Y ¿ no era más corto ir de Yutta a Keriot ? No está muy lejos. ¿ O no es así, pastor ? »
« Más o menos dos kilómetros más. »
« Así, caminaremos veinte inútilmente. »
« Judas ... ¿ por qué tan inquieto ? » dice Jesús.
« No lo estoy, Maestro. Pero me habías prometido venir a mi casa ... »
« E iré. Siempre mantengo mis promesas. »
« Mandé avisar a mi madre ... y Tu por otra parte, dijiste que con los muertos se está aun con el espíritu. »

« Lo dije. Pero piensa bien, Judas: Tú, por Mí, no has sufrido todavía. Estos hace treinta años que sufren y ni siquiera han traicionado el recuerdo mío. *Ni siquiera el recuerdo.* No sabían si estuviese vivo o muerto ... y sin embargo permanecieron fieles. Se acordaban de Mí, cuando estaba recién nacido, Niño que no tenía otra cosa que llanto y deseo de leche ... y sin embargo siempre me han reverenciado como a Dios. Por causa mía han sido golpeados, maldecidos, perseguidos: como un oprobio de la Judea, y con todo su fe no vacilaba: con los golpes, no se secaba, sino que echaba raíces más profundas y se hacía más robusta. »

« A propósito. Hace ya varios días que una pregunta me quema los labios. Estos son amigos tuyos y de Dios. ¿ No es cierto ? Los ángeles los bendijeron con la paz del cielo ... ¿ no es así ? Permanecieron justos contra todas las tentaciones ¿ No me equivoco ? Entonces ... explícame ¿ por qué fueron desgraciados ? ... ¿ y Anna ? ¿ La mataron porque te amaba ? ... »

« ... y por lo tanto concluyes que mi amor y el amarme traigan desgracias? »

« No ... pero ... »

« Pero así es. Me desagrada verte tan cerrado a la luz y tan preocupado de las cosas humanas. No te metas, Juan, ni tu tampoco Simón. Prefiero que él hable. No regaño jamás. Tan sólo deseo que abráis vuestros corazones para introducirlos a la luz. Ven aquí, Judas, escucha. Tú partes de un juicio, que muchos también tienen y que otros tantos tendrán. Dije juicio, debería decir error. Pero como lo decís sin malicia, por ignorancia de lo que es la verdad, por eso no es error, sino un juicio imperfecto, como puede tenerlo un niño. Sois niños, pobres hombres. Y yo estoy como Maestro, para formaros hombres adultos, capaces de discernir lo verdadero de lo falso, lo bueno de lo malo, lo mejor de lo bueno. Escuchad, pues. ¿ Qué cosa es la vida ? Es un breve tiempo en que el hombre está en la tierra, diría Yo, en el Limbo del Limbo, que el Padre Dios os concede para probar vuestra naturaleza de hijos buenos o bastardos, para reservaros, a partir de vuestras obras, un futuro que no será ya más breve, ni tendrá pruebas. Decidme, ahora: ¿ Sería justo que alguien que ya tuvo el bien extraordinario de poder servir a Dios de una manera especial, posea también por toda. la vida un bien continuo ? ¿ No os parece que es ya mucho bien, y por lo tanto puede llamarse feliz, aun cuando no exista la felicidad en lo humano? ...

¿ No sería injusto que quien tiene ya luz de manifestación divina en el corazón y la paz de una conciencia que no está intranquila, tenga también honores y bienes terrenos? ... ¿ No sería una cosa hasta imprudente ? »

« Maestro, pienso que sería hasta profanador. ¿ Por qué poner alegrías humanas en donde Tú estás? ... Cuando uno te tiene — y estos te han tenido los únicos ricos en Israel, porque durante treinta años te poseyeron — no debe tener otra cosa. No se ponen cosas humanas en el propiciatorio ... y el vaso sagrado no sirve más que para usos sagrados. Estos han sido consagrados desde el día en que vieron tu sonrisa ... ¡ y nada, pero nada que no seas Tú debe entrar en el corazón que te posee ! ¡ Si fuese como ellos! » dice Simón.

« Pero te apuraste de volver a tomar tus bienes, tan pronto viste que el Maestro te había curado » contesta irónicamente Judas.

« Es verdad, lo dije y lo hice, pero ... ¿ sabes por qué ? ¿ Cómo puedes juzgar si no lo sabes todo ? Mi administrador tuvo órdenes escuetas. Ahora que Simón el Zelote está curado — sus enemigos no pueden hacerle daño con segregarlo, ni pueden perseguirlo porque no pertenece más que al Mesías, y no tiene secta, tiene sólo a Jesús y basta — por eso Simón puede disponer de sus bienes que un hombre honrado, un hombre fiel le conservó. Y yo, dueño todavía por una hora, dí órdenes de reajuste para obtener más dinero por su venta y poder decir ... no, esto no lo digo. »

« Simón, los ángeles lo dicen por tí, y lo escriben en el libro eterno » dice Jesús.

Simón mira a Jesús. Los dos se cruzan miradas, la del uno está llena de sorpresa, la del otro de bendición.

« ¡ Cómo siempre estoy equivocado ! »

« No, Judas. Tienes sentido práctico. Tú mismo lo dices. »

« ¡ Oh, pero con Jesús ! ... ¡ También Simón Pedro estaba apegado al sentido práctico y ahora es al revés ! ... También tú, Judas, llegarás a ser como él. Poco tiempo hace que estás con el Maestro, nosotros más y nos hemos mejorado » dice Juan, siempre dulce y conciliador.

« No me ha querido, de otra manera hubiera sido suyo desde la Pascua. » Hoy Judas está de mal humor.

Jesús corta la conversación al dirigirse a Leví: « ¿ Has estado alguna vez en Galilea? »

« Sí, Señor. »

« Vendrás conmigo para llevarme a donde está Jonás ... ¿ Lo conoces ? »

« Sí, lo veía siempre en Pascua. Iba entonces a su casa. »

José baja la cabeza mortificado. Jesús lo nota.

« No podéis venir al mismo tiempo. Elías quedaría solo con el ganado pero tú vendrás conmigo hasta el paso de Jericó, donde nos separaremos por un poco de tiempo. Después te diré lo que debes de hacer. »

« ¿ Nosotros, nada ? »

« También vosotros, Judas, también vosotros. »

« Ya se ven las casas » dice Juan, que va adelante unos cuantos pasos.

« Es Hebrón, entre dos ríos, como jinete. Aquel caserón entre lo verde, un poco más alto que los demás, es la casa de Zacarías, ¿ la ves Maestro ? »

« Apresuremos el paso. »

Presurosos caminan los últimos metros y entran en el poblado. Las pezuñas de las ovejas parecen castañas en las piedras irregulares de la calle, que está toscamente empedrada. Llegan a la casa. La gente mira este grupo de hombres de tan diverso aspecto, edad y vestido entre el blanquear de las ovejas.

« ¡Oh! ¡Está cambiada! ¡Aquí estaba el cancel! » dice Elías. Ahora en lugar de cancel hay un portón de hierro que impide la vista, y también la valla es más alta que un hombre, por lo que nada se puede ver.

« Tal vez estará abierto por detrás, vamos. » Dan vuelta a un gran cuadrilátero, mejor dicho, un vasto rectángulo, pero la valla está siempre igual por todas partes.

« Una valla construida hace poco » dice Juan al observarla. « Está limpio de marcas y por tierra hay todavía piedras de cal. »

« Ni siquiera ver el sepulcro ... estaba hacia el bosque. Ahora el bosque está fuera de la valla y ... parece que es de todos. Están haciendo leña ... » Elías está perplejo.

Un hombre, un viejecito leñador de baja estatura, pero fuerte, que mira al grupo, deja de partir un tronco caído, y viene hacia él. « ¿ Qué buscáis ? »

« Queríamos entrar en la casa para orar en el sepulcro de Zacarías. »

« Ya no existe el sepulcro. ¿ No sabíais ? ¿ Quiénes sois ? »

« Soy amigo de Samuel, el pastor. El... »

« No es necesario, Elías » dice Jesús, y Elías calla.

« ¡ Ah ! ¡ Samuel... ¡ Ya ! Pero desde que Juan, hijo de Zacarías, está en prisión, la casa no es más suya. Y es una desgracia, porque todas las ganancias de sus bienes las daba a los pobres de Hebrón. Una mañana vino un hombre de la corte de Herodes, arrojó fuera a Joel, puso los sellos, después regresó con trabajadores y empezó a levantar la valla. En la esquina, allí estaba el sepulcro. No lo quiso... y una mañana lo encontraron destruído... los huesos mezclados con el polvo... los recogimos como se pudo... ahora están en una sola urna... En la casa del Sacerdote Zacarías, aquel infame tiene sus amantes. Ahora hay una actriz de Roma. Por eso levantó la muralla. No quiere que se vea... ¡ La casa del sacerdote un prostíbulo ! ¡ La casa del milagro y del Precursor ! Porque ciertamente lo es, ¡ aun cuando no fuese el Mesías !. Y ¡ cuántas dificultades hemos tenido por causa del Bautista! ¡Pero es nuestro Grande! ¡Verdaderamente Grande! El haber nacido fué ya un milagro. Isabel, vieja como un cardo seco, fué fértil como un manzano en Adar, primer milagro. Después vino una prima, que era una santa, a servirla y a desatar la lengua del sacerdote. Se llamaba María, la recuerdo. Aun cuando no se le veía sino muy raramente. ¿ Cómo fué ?... no sé. Se dice que para que Isabel fuese feliz, ella hizo que la boca muda de Zacarías tocase su seno grávido, o también se dice que Ella le metió sus dedos en la boca. No sé muy bien. Lo cierto es que después de nueve meses de silencio, Zacarías habló, alabando al Señor y diciendo que estaba ya el Mesías. No dió mayor explicación. Pero mi mujer asegura, se encontraba aquel día, que Zacarías dijo, al alabar al Señor, que su hijo iría delante de El. Ahora yo digo: no es como la gente cree. Juan es el Mesías y va por delante del Señor como Abrahan delante de Dios. ¿ No tengo razón ? »

« Tienes razón por lo que respecta al espíritu del Bautista, que siempre camina delante de Dios. Pero no tienes razón, respecto al Mesías. »

« ¿ Entonces, aquella mujer, que se decía, Madre del Hijo de Dios — lo dijo Samuel — no era verdad que lo fuese ? ¿ No existe todavía ? »

« Lo era. El Mesías ha nacido, y le precedía él, que en el desierto levantó su voz como dijo el Profeta[1].»

«Eres tú el primero en asegurarlo. Juan, la última vez que Joel le llevó una piel de oveja, como lo hacía cada año al acercarse el invierno, cuando fué preguntado acerca del Mesías no dijo: "Está..." ...cuando él lo diga...»

«Oye. Fuí discípulo de Juan y le oí decir: "He ahí al Cordero de Dios", señalando...» dice Juan.

«¡No, no! El Cordero es él. Verdadero Cordero que por sí mismo se ha desarrollado, sin necesitar casi ni madre ni padre. Apenas hecho hijo de la Ley, se apartó a las cuevas de los montes que dan al desierto y allí creció, hablando con Dios. Isabel y Zacarías murieron y él no vino. Para él, Dios era su padre y madre. No hay nadie que sea más santo que él. Preguntadlo a todo Hebrón. Lo decía Samuel, pero deben de tener razón los betlemitas. Juan es el Santo de Dios.»

«Si alguien te dijese: "Yo soy el Mesías" ¿qué dirías tú?» pregunta Jesús.

«Le llamaría blasfemo y lo arrojaría a pedradas.»

«¿Y si hiciese un milagro para probar que es El?»

«Diría que estaba endemoniado; el Mesías vendrá cuando Juan se revele en su verdadero ser. El mismo odio de Herodes es la mayor prueba. El, astuto, sabe que Juan es el Mesías.»

«No nació en Belén.»

«Pero cuando salga, después de que él mismo anuncie su próxima venida, se manifestará en Belén. También Belén espera esto. Mientras... ¡Oh!, ve a hablar a los betlemitas de otro Mesías, si es que tienes valor... y verás.»

«¿Tenéis sinagoga?»

«Sí, por esta calle, derecho, como a doscientos pasos. No puedes equivocarte. Cerca está la urna de los restos violados.»

«Adiós, que el Señor te alumbre.»

Se van. Dan vuelta hacia adelante.

En el portón hay una joven vestida descaradamente. Hermosísima. «¿Señor, quieres entrar en la casa?... ¡Entra!»

Jesús la mira, severo como un juez, pero no dice nada; Judas habla, que en esto es muy experto: «¡Métete desvergonzada! ¡No nos manches con tu vaho, perra hambrienta!»

[1] Cfr. Mal. 3, 1; Is. 40, 3.

La mujer se sonroja y baja la cabeza. Apenada trata de desaparecer, mientras pilluelos y transeúntes le hacen burla.

« ¿ Quién es tan puro que pueda decir: " Jamás he deseado la manzana que Eva ofreció? " [2] » dice Jesús, enojado y añade: « Señálenmelo y Yo lo saludaré como " Santo ". ¿ Ninguno ? . . . Entonces sino por desprecio, mas por debilidad, os sentís incapaces de acercaros a ella, retiraos. No obligo a los débiles a una lucha desigual. Mujer: quiero entrar. Esta casa era de un pariente mío. Me es querido. »

« Entra, Señor, si no sientes asco de mí. »

« Deja la puerta abierta. Que el mundo vea y no murmure . . . »

Jesús pasa serio, majestuoso. La mujer se inclina subyugada y no se atreve a mover. Las palabras punzantes de la gente la hieren muy a lo vivo. Se va corriendo hasta el fondo del jardín, mientras Jesús llega hasta los pies de la escalera, espía a través de las puertas semicerradas, pero no entra. Se dirige al sepulcro, que ahora es una especie de templo pagano.

« Los huesos de los justos, aunque secos y dispersos, manan bálsamo de purificación y esparcen semillas de vida eterna. ¡ Paz a los muertos que vivieron en el bien ! ¡ Paz a los puros que duermen en el Señor ! ¡ Paz a los que sufrieron pero no quisieron conocer el vicio ! ¡ Paz a los verdaderos grandes del mundo y del cielo ! ¡ Paz ! »

La mujer que ha dado una vuelta por una cerca que la defienda, se ha acercado a El.

« ¡ Señor ! »

« ¡ Mujer ! »

« ¿ Tu nombre, Señor ? »

« Jesús. »

« Jamás lo había oído. Soy romana, actriz y bailarina. No soy experta en ninguna otra cosa más que en lascivias. ¿ Qué significa tu nombre ? El mío es Aglae y . . quiere decir vicio. »

« El mío: Salvador. »

« ¿ Cómo salvas ? . . . ¿ A quién ? »

« A quien tiene buena voluntad de ser salvo. Yo salvo al enseñar a ser puros, a preferir el dolor a la honra, a amar el bien a toda costa. » Jesús habla sin acritud pero tampoco se vuelve a la mujer.

[2] En el Apéndice de " La preparación " (pág. 253) se habla del pensamiento del PECADO ORIGINAL, de la escritora.

« Yo estoy perdida. »
« Yo... soy el que busco a los perdidos. »
« Yo estoy muerta. »
« Yo soy el que dá Vida. »
« Yo soy porquería y mentira. »
« Yo soy Pureza y Verdad. »
« Bondad también eres, Tú que no me miras, no me tocas y no me pisoteas. Ten piedad de mí. »
« Ante todo ten piedad primero de tí. De tu alma. »
« ¿ Qué cosa es el alma ? »
« Lo que hace del hombre un dios y no un animal. El vicio, el pecado, la mata, y muerta ya, el hombre se convierte en un animal repugnante[3].
« Podré verte otra vez ? »
« Quien me busca me encuentra. »
« ¿ En donde estás ? »
« Donde los corazones tienen necesidad de médico y de medicina para volverse honestos. »
« Entonces... no te veré más... yo estoy donde no se quiere médico ni medicina, ni honestidad... »
« Nada te impide a que vengas a donde Yo estoy. Por las calles mi nombre será voceado y llegará hasta tí. ¡ Adiós ! »
« Adiós, Señor. Permíteme que te llame " Jesús ". ¡ Oh ! ¡ No por familiaridad! sino... para que penetre un poco de salvación en mí. Soy Aglae. Acuérdate de mí. »
« Sí. Adiós. »
La mujer se queda en el fondo. Jesús serio sale. Mira a todos. Ve la perplejidad en los discípulos, la burla en los hebromitas. Un siervo cierra el portón.
Jesús toma la calle y llama a la sinagoga. Saca la cara un viejo feo. No da tiempo a Jesús ni de que hable. « La sinagoga está prohibida a los que comercian con prostitutas; este lugar es santo. ¡ Lárgate ! »
Jesús se voltea sin hablar y continúa caminando por la calle. Los suyos le siguen. Cuando están fuera de Hebrón empiezan a hablar.
« Pero Tú lo quisiste, Maestro » dice Judas. « ¡ Una prostituta ! »
« Judas, en verdad te digo que ella te superará. Y bien, ahora

[3] Expresión popular para dar a entender a una pagana y pecadora la sublimidad de la virtud y lo degradante del vicio.

que tu me lo echas en cara, ¿ qué me dices de los judíos ? En los lugares más santos de Judea se han burlado de nosotros y nos han arrojado... Pero, así es. Vendrá el tiempo que Samaría y los gentiles adorarán al Dios verdadero, y el pueblo del Señor estará sucio de sangre y de un crimen... de un crimen respecto al cual, el de las prostitutas que venden su carne y su alma, será poca cosa. No he podido orar sobre los huesos de mis primos y del justo Samuel. Pero no importa. Descansad huesos santos, alegraos ¡ oh espíritus que habitáis en ellos !. La primera resurrección está cerca. Después vendrá el día en que seréis mostrados a los ángeles como los de los siervos del Señor. »

Jesús calla y todo termina.

42. Jesús en Keriot. Muerte del viejo Saúl

(Escrito el 14 de enero de 1945)

Tengo la impresión de que la parte más áspera, o sea la garganta más estrecha de las montañas de Judea, esté entre Hebrón y Yutta. Pero podría también engañarme, y podría ser esto un valle más ancho y extenso que descubre horizontes más amplios, en donde hay montes aislados pero ya no es cordillera. Es la primera vez que la veo y no la conozco bien. Por los campos bien labrados, aunque no extensos se ve la cebada, el centeno y también viñedos en las partes donde da más el sol. Después bosques hermosos en la parte más alta con pinos y abetos, y otros árboles propios de la selva... un camino regular, introduce a un pequeño poblado.

« Este es el suburbio de Keriot. Te ruego que vengas a mi casa de campo. Mi madre allí te espera. Después vamos a Keriot » dice Judas que apenas si las tiene todas consigo. Está muy agitado.

No había dicho que ahora tan sólo vienen Jesús con Judas, Simón y Juan. No vienen ya los pastores. Probablemente se quedaron en los pastizales de Hebrón o bien regresaron en direccíon de Belén.

« Como tú quieras, Judas. Pero podríamos detenernos también aquí para conocer a tu madre. »

« ¡ Oh ! ¡ No ! Es una choza. Mi madre viene cuando es la cosecha. Pero después queda en Keriot. ¿ No quieres que te vea mi ciudad ? ¿ No quieres traer a ella tu luz ? »

« Sí que quiero, Judas. Pero sabes que no me preocupa la vileza del lugar que me hospeda. »

« Pero ahora eres mi huésped... y Judas sabe dar hospitalidad. »

Caminan todavía algunos metros entre las casitas desparramadas por la campiña y mujeres y hombres sacan la cabeza. A nadie engaña el que se trata de una curiosidad despertada. Judas debe de haber dado un grito de atención.

« He aquí mi pobre casa. Perdona su pobreza. »

Pero la casa no es choza: es un cubo de un solo piso, extenso y bien cuidado, en medio de un jardín frondoso y bien cultivado. Una vereda privada, muy limpia, parte del camino a la casa.

« ¿ Me permites que vaya delante, Maestro ? »

« Ve, si quieres. »

Judas va.

« Maestro: Judas ha preparado una gran cosa » dice Simón. « Me lo sospechaba, pero ahora me convenzo. Tú dices, Maestro, y dices bien: espíritu... espíritu... pero él... él no entiende así. Jamás te entenderá... o muy tarde » corrige, para no disgustar a Jesús.

Jesús da un suspiro y calla.

Judas sale con una mujer como de unos cincuenta años. Más bien es alta, no tanto como el hijo, a quien dió sus ojos negros y su abundante cabello. Pero los ojos de ella son suaves, más bien tristes, mientras que los de Judas son imperiosos y astutos.

« Te saludo, Rey de Israel » dice postrándose con un verdadero saludo de súbdita. « Has el favor de que tu sierva te de hospitalidad. »

« La paz sea contigo mujer. Y Dios sea contigo y con tu hijo. »

« ¡ Oh, sí ! ¡ Con mi hijo ! » Es más bien un suspiro que una respuesta.

« Levántate, madre. Tengo también Yo Madre y no puedo permitir que me beses los pies. En nombre de mi Madre te beso, mujer. Es tu hermana... en el amor y en el destino doloroso de madre de los señalados. »

« ¿ Qué quieres decir, Mesías ? » pregunta Judas, un poco inquieto.

Pero Jesús no responde. Está abrazando a la mujer que ha levantado cariñosamente del suelo y a quien besa en las mejillas. Y luego de la mano con ella, va a la casa.

Entran en una habitación fresca a la que hacen sombra ligeros festones. A la mano hay bebidas y frutas frescas. Pero antes, la madre de Judas llama a una sierva para que traiga agua y tohallas, y quiere quitar las sandalias a Jesús para lavarle los pies llenos de polvo, pero Jesús se opone.

« No, madre, la madre es una creatura muy santa, sobre todo cuando es honrada y buena como tú lo eres, para permitir que lo hagas como una esclava. »

La madre mira a Judas... con una mirada extraña, y luego se vá. Jesús se ha refrescado. Cuando está a punto de ponerse las sandalias, la mujer regresa con un par nuevo.

« Mira estas, Mesías nuestro. Creo que las hice bien... así como quería Judas... El me dijo: " Un poco más grandes que las mías pero igual de anchas ". »

« ¿ Por qué, Judas ? »

« ¿ No quieres permitirme que te haga un regalo ? ¿ No eres mi Rey y mi Dios? »

« Sí, Judas, pero no debías de haber dado tanta molestia a tu madre. Tú sabes cómo soy Yo... »

« Lo sé. Eres Santo. Pero debes aparecer un Rey Santo. Así es como se debe ser. En el mundo en que nueve de cada diez, está compuesto de tontos, es menester imponerse con la presencia. Yo lo sé. »

Jesús se ha amarrado las sandalias nuevas de piel roja con las correas perforadas, que van desde el empeine hasta las pantorrillas. Mucho más hermosas que las sencillas sandalias de obrero y semejantes a las de Judas que son como zapatos de los que apenas si se le ve algo del pie.

« También el vestido, Rey mío. Lo tenía preparado para mi Judas... pero... él te lo regala. Es de lino fresco y nuevo. Permite que una madre te vista... como si fuese su hijo. »

Jesús se vuelve a mirar a Judas... pero no contradice. Se suelta en el cuello la cinta y cae la amplia túnica, quedando con la túnica breve. La mujer le pone el vestido nuevo y le ofrece un cinturón que es una faja muy rica, de la que sale un cordón que termina con muchísimos hilos. Sin duda Jesús se sentirá bien, con los vestidos frescos y sin polvo. Pero no parece que esté muy contento. Entre tanto los otros por su parte se han aseado.

« Ven, Maestro. Son de mi pobre huerta, y este es el jugo de manzanas cocidas que mi madre prepara. Tú, Simón, tal vez te guste más este vino blanco. Toma. Es de mi viñedo. Y ¿ tú, Juan ?... ¿ Como el Maestro ? » Judas está feliz en poder usar los hermosos vasos de plata y en poder mostrar que es alguien que puede.

La madre habla poco. Mira... mira... mira a su Judas... pero mucho más a Jesús... y cuando Jesús, antes de comer, le ofrece la fruta más hermosa (me parece que son duraznos muy grandes, de color rosado, pero no manzanas) y le dice: « Primero es la madre » una lágrima como una perla asoma a sus ojos.

« ¿ Mamá, todo lo demás está pronto ? » pregunta Judas.

« Sí, hijo mío. Creo que todo lo he hecho bien. Yo he vivido siempre aquí y no sé... no sé las costumbres de los reyes. »

« ¿ Qué costumbres, mujer ? ¿ Qué reyes ? Pero... ¿ qué has hecho Judas ? »

« ¿ Pero no eres Tú el Rey prometido a Israel ? Es hora que el mundo te salude como a tal, lo que debe suceder por vez primera aquí, en mi ciudad y en mi casa. Y te venero como a tal. Por el amor que me tienes, respeto tu nombre de Mesías, de Rey que los Profetas por orden de Yeové te dieron [1], no me desmientas. »

« Mujer, amigos, un momento. Debo hablar con Judas. Debo darle órdenes precisas. »

La madre y los discípulos se retiran.

« Judas ¿ qué has hecho ? ¿ Hasta ahora me has entendido tan poco ? ¿ Por qué me has rebajado hasta el punto de hacerme tan sólo un poderoso de la tierra, aun mucho más, uno que se esfuerza en ser poderoso? No entiendes que es una ofensa a mi misión y hasta un obstáculo? Sí. No lo niegues. Un obstáculo. Israel está sujeto a Roma. Tú sabes lo que ha sucedido, cuando alguien con apariencia de cabecilla ha querido levantarse contra Roma y crea sospechas de fomentar una guerra de liberación. Has oído, justamente en estos días, cómo se encrudecieron contra un Niño

[1] A propósito del mesianismo entre los Profetas, cfr. por ej. 2 Re. 7, 1-17; 1 Par. 17, 1-15; Sal. 2; 15; 21; 44; 71; 109 etc.; Is. 2, 1-5; 4, 2-3; 7, 10-25; 9, 1-6; 11, 1-16; 37, 30-32; 42, 1-9; 49, 1-26; 50, 4-11; 52, 13 - 53, 12; Jer. 23, 1-8; 30-31; 33, 14-26; Ez. 34; Dan. 7, 9; Miq. 5, 1-7; Zac. 8, 1-23; 9, 9-10; Lc. 4, 17-21; 24, 25-27; Hech. 8, 26-40.

porque se pensó que fuese un futuro Rey según el mundo. Y ¡ tú ... y tú ! ¡ Oh Judas ! ¡ Pero qué esperas de un poder mío humano ? ¿ Qué esperas ? Te he dado tiempo para que pensases y decidieses. Te hablé muy francamente desde la primera vez. Te he rechazado porque sabía ... porque sé, sí, porque sé, porque leo, porque veo lo que hay en tí. ¿ Por qué quieres seguirme, si no quieres ser como Yo quiero? Vete, Judas. No te hagas daño y no me lo hagas ... Vete. Es mejor para tí. No eres un obrero apto para esta obra ... es muy superior a tí. En tí hay soberbia, concupicencia con sus tres ramas, autosuficiencia ... tu madre misma, debe de tener miedo de tí ... tienes inclinación a la mentira ... ¡ No ! Así no debe ser el que me siga. Judas: Yo no te odio. No te maldigo. Tan sólo te digo y con el dolor del que ve que no puede cambiar al que ama, tan sólo te digo: Vete por tu camino, ábrete camino en el mundo que es el lugar que quieres, pero no te quedes conmigo. ¡ Mi camino ... ¡ ¡ Mi palacio ! ¡ Oh ! que aflixión hay en ellos. ¿ Sabes dónde seré Rey ? ¿ Sabes cuándo seré proclamado Rey? ... Cuando sea levantado en un madero infame y tendré mi sangre por púrpura, por corona un tejido de espinas, por bandera un cartelón de burla, por trompetas, tambores, organillos y cítaras que saluden al proclamado Rey ... blasfemias de todo un pueblo. De *mi* Pueblo. Que no habrá entendido nada. Corazón de bronce forjado en quien la soberbia, el sentido y la avaricia habrán destilado sus humores, y estos habrán producido como flor un montón de serpientes que se unirán como una cadena contra Mí ... y como maldición en contra de él. Los demás no conocen así, claramente mi suerte ... y te ruego no la digas, esto quede entre tú y Yo. Por otra parte ... es un regaño y ... tu callarás por no decir " Me regañaron ". ¿ Has entendido, Judas ? »

Judas está muy colorado ... de pié ante Jesús. Está avergonzado, con la cabeza baja ... se hecha de rodillas y llora con la cabeza pegada a las rodillas de Jesús. « Maestro, te amo. No me rechaces ... Sí, soy soberbio, soy un necio, pero no me apartes de Tí. No, Maestro. Será la última vez que falto. Tienes razón. No he reflexionado. Pero también en este error hay amor. Quería proporcionarte mucho honor ... y que los demás te lo diesen porque te amo. Tres días hace que dijiste: " Cuando os equivocais sin malicia, por ignorancia, no es error, sino un juicio imperfecto de niños y Yo estoy aquí para haceros adultos ". ¡ Ea, pues, Maestro! yo estoy a tus rodillas... me has dicho que serás para mí un padre... y te pido perdón, te pido que me hagas un " adulto » y un adulto santo... No me despidas, Jesús, Jesús, Jesús... No todo es maldad en mí. ¿ Lo ves ?... Por Tí he dejado todo y he venido. Tú vales más que los honores y victorias que obtenía yo cuando servía a otros. Tú, en realidad, Tú eres el amor del pobre e infeliz Judas que querría darte tan solo alegrías y que en cambio te da dolores... »

« Basta, Judas. Una vez más te perdono... » Jesús parece cansado... « Te perdono esperando... esperando que en lo porvenír me comprendas. »

« Sí, Maestro, sí. Y ahora... ahora no quieras en modo alguno desmentirme, lo que haría de mí una burla. Todo Keriot sabe que he venido con el descendiente de David, el Rey de Israel... y se ha preparado para recibirte esta ciudad mía... Había pensado que hacía bien... de hacerte ver como se hace para que lo teman y obedezcan a uno... y de mostrar a Juan y a Simón... y a través de ellos a los demás que te aman, pero que te tratan como a un igual... También mi madre será objeto de burla por ser madre de un hijo mentiroso y loco. Por ella, Señor mío... y te juro que yo... »

« No jures *por Mí*. Jura por tí mismo si puedes, para no pecar más en este sentido. Por tu madre y por los ciudadanos no me marcharé. Levántate. »

« ¿ Qué dirás a los demás ? »

« La verdad... »

« ¡ Noooo ! »

« La verdad. Ya te he dado órdenes para hoy. Hay siempre manera de decir la verdad con caridad. Llama a tu madre y a los demás. »

Jesús se muestra más bien severo y no sonríe a Judas sino hasta que regresa con su madre y los discípulos. La mujer escudriña a Jesús. Pero lo ve complaciente y toma confianza. Me parece que es un alma que está muy aflijida.

« ¿ Vamos a ir a Keriot ? He descansado y te agradezco, madre, tu gentileza. El cielo te recompense y conceda, por la caridad que usas conmigo, reposo y alegría a tu esposo por quien lloras. »

La mujer trata de besarle la mano, pero Jesús se la pone sobre la cabeza, acariciándosela y no permite que se la bese.

« La carreta está pronta, Maestro, ven. »

En estos momentos está llegando una carreta tirada de bueyes, una cómoda carreta, sobre la que hay almohadones de asientos y un pabellón de tela roja.

« Sube, Maestro. »

« La madre, primero. »

Sube la mujer, después Jesús y al último los demás.

« Aquí, Maestro. » (Judas ya no lo llama Rey)

Jesús se sienta adelante, a su lado Judas, detrás la mujer y los discípulos. El conductor que va a pie, con la garrocha pincha los bueyes para que caminen.

El espacio es corto, cuatrocientos metros poco más o menos y luego aparecen las primeras casas de Keriot, que me parece que es una ciudad modesta. Un niño que está en el camino que el sol baña, mira y parte como un rayo.

Cuando la carreta llega a las primeras casas, notables y el pueblo lo reciben con banderas y ramas. Banderas y ramas hay en el camino, de casa en casa. Gritan de jubilo y se inclinan hasta la tierra. Jesús no puede menos que hacer caso, y de lo alto de su bamboleante trono, saluda y bendice.

La carreta sigue delante, atraviesa una plaza y da vuelta por una calle y se para delante de una casa que tiene ya el portón abierto, en el que hay dos o tres mujeres. Se detienen, bajan.

« Mi casa es tu casa, Maestro. »

« Paz sea en ella, Judas. Paz y santidad. »

Entran. Además del vestíbulo hay una sala ancha con sofás bajos y con muebles incrustados de color café. Los principales del lugar entran con Jesús y los demás. Inclinaciones, curiosidad, gran pompa.

Un viejo imponente pronuncia un discurso: « Es una gran fortuna para la tierra de Keriot el tenerte, ¡ oh Señor ! ¡ Gran dicha ! ¡ Día Feliz ! Fortuna por tenerte y fortuna porque vemos que un hijo suyo es tu amigo y te ayuda. Bendito él que antes que cualquier otro te conoció. Y Tú bendito diez veces, cien veces por haberte manifestado. Tú a quien las generaciones han esperado. Habla, Señor y Rey. Nuestros corazones esperan tu palabra como la tierra sedienta por los fuertes calores del estío espera las primeras y acariciadoras lluvias de septiembre. »

« Gracias, quienquiera que tú seas. Gracias. Y gracias a estos ciudadanos que han inclinado sus corazones ante el Verbo del Padre. Porque tened en cuenta que no al Hijo del Hombre que os habla, sino al Señor Altísimo van dirigidas las gracias y honor, por este tiempo de paz en que El reanuda la paternidad cortada con los hijos del hombre. Alabemos al Señor verdadero: el Dios de Abraham que ha tenido piedad por su pueblo, lo ha amado y le ha concedido el Redentor prometido. Gloria y alabanza no a Jesús, siervo de la Voluntad eterna, sino a esta Voluntad amorosa.»

«Hablas como santo... Soy el sinagogo: Hoy no es sábado. Pero ven a mi casa a explicar la ley, Tu, sobre quién más que el aceite real, está la unción de la Sabiduría.»

«Iré.»

«Mi Señor tal vez estará cansado...»

«No, Judas. Jamás me canso de hablar de Dios, y nunca tengo deseos de quitar las esperanzas de los corazones.»

«Entonces, ven» insiste el sinagogo. «Todo Keriot está afuera esperándote.»

«Vamos.»

Jesús sale entre Judas y el arquisinagogo. Luego a su rededor los principales, y gente y más gente. Jesús pasa y bendice.

La sinagoga está en la plaza. Entran. Jesús se dirige al lugar donde se enseña. Empieza a hablar. Su vestidura es muy blanca, su rostro inspirado, los brazos extendidos según su costumbre.

«Pueblo de Keriot: El Verbo de Dios habla. Escuchad. No es sino Palabra de Dios, el que os está hablando. Su soberanía le viene del Padre y regresará al Padre después de que hubiere evangelizado a Israel. Que se abran los corazones y las inteligencias a la verdad, para que el error no le resista y no nazca confusión.

Isaías dijo[2]: "Toda rapiña que se hace con violencia y con vestiduras manchadas con sangre, las consumirá el fuego. He aquí que ha nacido un Niño, se nos ha dado un hijo. Tiene sobre sus hombros el principado. He aquí su hombre: Admirable, Consejero, Dios, Fuerte, Padre del Siglo Futuro, Príncipe de la Paz". Este es mi Nombre. Dejemos a los Césares y a los Tetrarcas sus botines. Yo tendré el mío, pero no un botín que merezca el castigo del fuego. Antes bien arrancaré del fuego de Satanás presas y botines para llevarlos al Reino de Paz cuyo Príncipe soy Yo, y a la edad que está por venir, el tiempo eterno que pertenece a mi Padre.

[2] Cfr. Is. 9, 4-5.

"Dios" dice David[3] de su parte, de cuya estirpe desciendo, como predijeron[4] los que por su santidad grata vieron a Dios, y la que Dios escogió para que hablasen de El "ha elegido a uno que es suyo, a su Hijo para construir en los corazones su casa. Ha preparado ya el material. ¡Oh! ¡Cuánto oro de caridad! ¡y bronce y plata, y hierro y maderas raras y piedras preciosas! Todo ha sido amontonado en su Verbo y El lo usa para construir en vosotros la morada de Dios. Pero si el hombre no ayuda al Señor, en vano El querrá construir su casa. Al oro se responde con oro. A la plata con plata, al bronce con bronce, al hierro con hierro. O sea, se da amor por amor, continencia para servir a la pureza, constancia para ser fieles, fuerza para doblegarse. Y luego, llevar hoy la piedra, mañana la madera: hoy el sacrificio, mañana la obra y a construir. Construir siempre el templo de Dios en vosotros.

El Maestro, el Mesías, el Rey del Israel eterno, del pueblo eterno de Dios os está llamando. Pero quiere que estéis limpios por las obras. Abajo la soberbia, a Dios sea la alabanza. Abajo los pensamientos humanos: de Dios es el Reino. ¡ Oh humildes !, decid conmigo: "Todas las cosas son tuyas, Padre, todo cuanto es bueno es tuyo. Enséñanos a conocerte y a servirte en verdad". Decid: "¿ Quién soy yo ?" Y convenceos de que sólo seréis alguna cosa cuando lleguéis a ser mansiones purificadas en donde Dios pueda bajar y reposar.

Todos vosotros, peregrinos y extranjeros en esta tierra, tratad de juntaros y de ir al reino prometido. El camino: Son los Mandamientos que se cumplen no por temor al castigo sino por amor a Tí, Padre Santo. El Arca: un corazón perfecto en donde está el maná que nutre de sabiduría y en donde florece, la vara de una voluntad pura. Y para que la casa esté alumbrada, venid al que es la Luz del mundo. Os la he traído. Os he traído la luz. No otra cosa. No poseo riquezas y no prometo honores que sean de la tierra. Poseo todas las riquezas sobrenaturales de mi Padre y prometo a los que siguen a Dios con amor y caridad, la honra eterna del Cielo.

La paz sea con vosotros.»

[3] Cfr. 1 Par. 29, 1.

[4] Respecto del origen profetizado de Jesús que sería de la estirpe de David, cfr. por ej. Gén. 49, 8-12; Núm. 24, 15-19; 2 Re. 7, 1-17; Sal. 109; Is. 7, 10-14; 9, 1-7; 11, 1-9; Miq. 5, 1-5; Zac. 9, 9-10; Mt. 22, 41-45; Mc. 12, 35-37; Lc. 20, 41-44; Hech. 2, 22-36. En el Nuevo Testamento por lo menos unas veinte veces se asegura que Jesús descendió de la estirpe de David.

La gente que atenta ha escuchado, inquieta un poco, murmura entre sí. Jesús habla con el sinagogo. Se les unen otras personas, probablemente los principales.

« Maestro ... ¿ pero no eres el Rey de Israel ? Nos habían dicho ... »

« Lo soy. »

« Pero Tú has dicho ... »

« Que no poseo y que no prometo riquezas del mundo. No puedo decir más que la verdad. Y así es. Conozco vuestro pensamiento. Pero el error proviene de una mala interpretación y de un sumo respeto hacia el Altísimo. Se os dijo: " Viene el Mesías " y pensasteis, como muchos en Israel que Mesías y Rey fuesen una misma cosa. Levantad más en alto el espíritu. Contemplad este hermoso cielo de verano. ¿ Os parece que allá termina, que allá son sus confines, allá donde el aire parece un cielo de zafiro? ... No. Más allá hay capas más puras, de un azul más nítido, hasta aquel inimaginable del Paraíso a donde el Mesías conducirá a los justos muertos en el Señor. La misma diferencia existe entre la realeza mesiánica que el hombre imagina y la verdadera que es todo divina. »

« ¿ Pero podremos nosotros, pobres hombres, levantar el espíritu a donde Tú dices? »

« Tan sólo con que lo queráis. Y si lo quisiereis, al punto os ayudaré. »

« ¿ Cómo te debemos llamar si no eres Rey ? »

« Maestro, Jesús, como queráis. Maestro soy y soy Jesús, el Salvador. »

Un viejo dice: « Oye, Señor: Hubo una ocasión, hace mucho tiempo, allá por tiempo del Edicto, que llegó la noticia que había nacido en Belén el Salvador ... yo fuí con otros ... ví a un pequeñín, igual que los demás. Pero lo adoré con fe. Después supe que había un hombre santo, que se llamaba Juan. ¿ Cuál es el Mesías verdadero? »

« El es el Precursor del que Tú adoraste. Un gran santo a los ojos del Altísimo, pero no el Mesías. »

« ¿ Eras Tú ? »

« Yo era. Y ... ¿ qué viste alrededor de Mí, cuando apenas había nacido? »

« Pobreza y limpieza, honradez y pureza ... un carpintero gentil y serio que se llamaba José; carpintero pero de la estirpe de

David. Una joven mujer rubia y gentil, de nombre María, ante cuya belleza las rosas más hermosas de Engadi palidecen y los lirios de los palacios reales son feos... y un Niño con ojos grandes de cielo, de cabellos de hilo de oro pálido. No ví otra cosa... y todavía creo oir la voz de su Madre que me decía: "Por mi Hijo yo te digo: Sea el Señor contigo hasta el encuentro final y su gracia venga a tu encuentro en tu camino". Tengo ochenta y cuatro años... el camino se está acabando. No esperaba más, que encontrar la Gracia de Dios... Pero te he encontrado... y ahora no deseo ver otra luz que no sea la tuya... Sí. Te veo, cual eres, bajo esos vestidos de piedad que son la carne que has tomado. ¡Te veo! Escuchad la voz del que al morir ve la Luz de Dios.»

La gente se agolpa alrededor del viejecito inspirado que está en el grupo de Jesús y que, sin sostenerse en su bastón, levanta los brazos trémulos, la cabeza toda blanca, la barba larga y partida en dos, una verdadera cabeza de patriarca o de profeta.

«Veo a Este: al Elegido, al Supremo, al Perfecto, que habiendo bajado por amor, vuelve a subir a la diestra del Padre. A volver a ser UNO con El. Pero no veo su Voz y Esencia incorpórea como Moisés vió al Altísimo[5] y como refiere el Génesis que lo conocieron los primeros padres y hablaron con El, al aura del atardecer[6]. Lo veo subir como un verdadero Hombre hacia el Eterno. Cuerpo que brilla. Cuerpo glorioso. ¡Oh pompa del cuerpo divino! ¡Oh, belleza del Hombre-Dios! Es el Rey. Sí. ¡Es el Rey! No de Israel, sino del mundo. Ante El se inclinan todas las realezas de la tierra y todos los cetros y coronas palidecen, ante el fulgor de su cetro y de sus joyas. Una corona, una corona tiene en su frente. Un cetro, un cetro tiene en su mano. Sobre el pecho tiene un escudo: Hay en él perlas y rubíes de un esplendor jamás visto. Llamas salen como de un altísimo horno. En sus muñecas hay dos rubíes y un lazo de rubíes sobre sus santos pies. Luz, luz de rubíes. Mirad, oh pueblos al Rey Eterno. ¡Te veo! ¡Te veo! Subo contigo... ¡Ah! ¡Señor! ¡Redentor Nuestro!... La luz aumenta en los ojos de mi alma... ¡el Rey está adornado con su sangre! ¡La corona... es una corona de espinas que sangran, el cetro una cruz... ¡He ahí al Hombre! ¡Helo! ¡Eres Tú!... Señor, por tu

[5] Cfr. Ex. 3, 1-6 y 13-15; 19, 9-25; 24, 12-18, etc.
[6] Cfr. Gén, 2, 18-22; 3, 8.

inmolación ten piedad de tu siervo. ¡Jesús a tu piedad confío mi espíritu! »

El viejo, que había estado derecho, que se había vuelto joven en el fuego de profeta, se dobla de improviso y caería al suelo si Jesús, rápido, no lo levantase contra su pecho.

« ¡ Saúl ! »

« Está muriendo Saul. »

« ¡ Auxilio ! »

« Corred. »

« Paz en torno al justo que muere » dice Jesús, que poco a poco se ha arrodillado para sostener mejor al viejo, que cada vez se va haciendo más pesado. Hay silencio.

Jesús lo coloca en el suelo. Se yergue: « Paz a su espíritu. Ha muerto viendo la luz. Y en la espera, que será breve, verá el rostro de Dios y será feliz. No existe la muerte para aquellos que mueren en el Señor. »

La gente, pasados algunos minutos se aleja comentando lo sucedido. Quedan los ancianos, Jesús, los suyos y el sinagogo.

« ¿ Ha profetizado, Señor ? »

« Sus ojos han visto la Verdad. Vámonos. »

Salen.

« Maestro, Saúl ha muerto revestido con el Espíritu de Dios. ¿ Quienes le hemos tocado; estamos limpios o inmundos ? »

« Inmundos. »

« ¿ Y Tú ? »

« Yo como los otros. No cambio la Ley. La Ley es ley y el israelita la observa. Estamos inmundos. Dentro del tercero y séptimo día nos purificaremos. Hasta entonces estamos inmundos. Judas, no regreso a la casa de tu madre. No llevaré inmundicia a su casa Comunícaselo por medio de alguien que pueda hacerlo. Paz a esta ciudad. Vámonos. »

No veo otra cosa más.

43. Jesús de regreso. Los pastores cerca de Hebrón

(Escrito el 15 de enero de 1945)

Jesús camina con sus discípulos por un camino que va a lo largo del rio. Por decir a lo largo ya que el torrente está abajo; arriba pero no distante de la orilla hay un camino que da vueltas, como se ve fácilmente en todos los lugares montañosos. Juan está completamente colorado. Va cargando una alforja grande bien llena. Judas, lleva por su parte la de Jesús y la suya. Simón no tiene otra más que la de él y los mantos.

Jesús tiene otra vez sus vestidos y sandalias. La madre de Judas debe haberlos hecho lavar, porque no están arrugados.

« ¡ Cuánta fruta ! ¡ Qué hermosos los viñedos de aquellas colinas ! » dice Juan que no pierde su buen humor pese al calor y al cansancio. « ¿ Maestro, es este el río en cuyas riberas nuestros padres cogieron los racimos milagrosos? [1] »

« No. Es el otro que está más hacia el sur. Pero toda la región es muy rica en frutas sabrosas. »

« Ahora ya no es tan fértil, aunque sigue siendo bella. »

« Muchas guerras han devastado la tierra. Aquí se formó Israel... pero para esto, debió fecundarse con su sangre y la de los enemigos [2] »

« ¿ En dónde encontraremos a los pastores ? »

« A cinco kilómetros de Hebrón en las riberas del rio que me preguntabas. »

« Entonces, ¿ más allá de aquellas colinas ? »

« Sí. »

« Hace mucho calor ... Maestro, después ¿ a dónde vamos ? »

« A un lugar mucho más caliente. Pero os ruego vengáis. Caminaremos de noche. Las estrellas son tan claras que no hay obscuridad. Os quiero mostrar un lugar. »

« ¿ Una ciudad ? »

« No... un lugar... que os hará entender al Maestro... mejor tal vez que sus palabras. »

« Perdimos varios días con ese incidente sin importancia. Des-

[1] Cfr. Núm. 13, 16-27.

[2] Probablemente se alude a las guerras y acontecimientos de los que se habla en general en los libros 1 y 2 de los Reyes.

truyó todo... y mi madre que había hecho tantas cosas, ha quedado desilusionada. No sé por qué has querido retirarte hasta la purificación. »

« Judas, ¿ por qué llamas sin importancia un suceso que fué una gracia para un verdadero fiel ? ¿ No querrías para tí una muerte semejante? Había esperado toda su vida al Mesías. Cuando era anciano fué por caminos ásperos a adorarlo cuando le dijeron: " Está ". Había conservado en su corazón por treinta años la palabra de mi Madre. El amor y la fe lo han revestido, en la última hora que Dios le había reservado, con su fuego. El corazón se le partió de alegría, se le incendió en el fuego de Dios como holocausto agradable. ¡ Qué suerte mejor que esta ! ¿ Aguó la fiesta que habías preparado ?... Ve en esto una respuesta de Dios. Que no se vaya a mezclar lo que es del hombre con lo que es de Dios... tu madre otra vez me verá. Aquel viejo no más. Todo Keriot puede venir al Mesías, el viejo no tenía ya fuerzas para hacerlo. He sido feliz en haber estrechado con el corazón al viejo padre que moría y de haber encomendado su espíritu. Y por lo demás... ¿ Por qué dar escándalo con mostrar desprecio a la Ley? Para decir: " Seguidme ", es menester caminar. Para llevar por el buen camino, es menester recorrerlo uno mismo. ¿ Cómo habría Yo podido, o cómo podré decir: " Sed fieles ", si Yo soy el que no lo soy ? »

« Creo que este error sea la razón de nuestra decadencia. Los rabíes y los fariseos aplastan al pueblo con sus preceptos y después... después hacen como el que profanó la casa de Juan, que la convirtió en un lugar de vicio » observa Simón.

« Es uno de Herodes. »

« Sí, Judas. Pero las mismas culpas hay también en las castas que se llaman a sí mismas ser santas. ¿ Qué te parece esto Maestro ? » pregunta Simón.

« Afirmo que con tal de de que haya un poco de *verdadero* fermento y de *verdadero* incienso en Israel, se hará el pan y se perfumará el altar. »

« ¿ Qué quieres decir ? »

« Quiero decir que si hay alguien, que con recto corazón venga a la verdad, la verdad se esparcerá como fermento en la masa de harina y como incienso en todo Israel. »

« Qué te dijo esa mujer? » pregunta Judas.

Jesús no responde. Se vuelve a Juan: « Pesa mucho y te cansas, dámela. »

« No, Jesús, estoy acostumbrado a las cargas y luego... me lo aligera el pensar en la alegría que tendrá Isaac. »

Han dado vuelta a la colina y a la sombra del bosque, a la otra parte, están las ovejas de Elías. Los pastores sentados a la sombra, las cuidan. Ven a Jesús y corren.

« La paz sea con vosotros. ¿ Qué hacíais ? »

« Estábamos preocupados por Tí... por el retardo... no sabíamos si ir a encontrarte u obedecer... decidimos venir hasta aquí... para obedecerte y al mismo tiempo obedecer nuestro amor. Debías de haber llegado aquí hace muchos días. »

« Tuvimos que detenernos. »

« Pero... ¿ ninguna desgracia ? »

« Ninguna, amigo. Un fiel murió en mi pecho. No fué otra cosa. »

« ¿ Qué querías que sucediese, pastor ? Cuando las cosas están bien preparadas... Claro que es menester saber prepararlas y preparar los corazones para recibirlas. Mi ciudad tributó al Mesías honores. ¿ No es verdad Maestro ? »

« Es verdad, Isaac: pasamos al regreso por la casa de Sara. Tambien la ciudad de Yutta, sin ningún otro preparativo que el de su bondad sencilla y el de la verdad en las palabras tuyas logró entender la esencia de mi doctrina y amar con un amor práctico, desinteresado y santo. Isaac, te envían vestidos y alimentos, y todos han querido echar alguna cosa más a los óbolos que quedaron en tu habitación, ya que ahora regresas al mundo y te encuentras sin nada. Tómalo. No tengo dinero, pero esto lo he traído porque está purificado con la caridad. »

« No, Maestro, tenlo Tú... Yo... estoy acostumbrado a no tener nada. »

« Ahora tienes que ir a lugares a donde te enviaré y te es necesario. El obrero tiene derecho a su recompensa, y también el obrero de almas... porque hay que alimentar el cuerpo, como si fuese el borriquillo, que ayuda a su dueño. No es mucho, pero sabrás emplearlo. Juan, en aquella alforja hay vestidos y sandalias. Joaquín tomó lo suyo. Serán un poco grandes... pero es un regalo en que va el amor. »

Isaac toma la alforja y va a vestirse detrás de un matorral. Todavía estaba descalzo y llevaba su rara toga hecha de una manta.

« Maestro » dice Elías. « Esa mujer... aquella que está en la casa de Juan... cuando habían pasado tres días de que te habías ido y nosotros apacentábamos los ganados en los pastizales de Hebrón — que son de todos y no nos podían echar fuera — nos mandó una criada con esta bolsa y a decirnos que nos quería hablar... no sé si hice bien... pero la primera vez devolví la bolsa y dije: " No tengo nada que escuchar "... Después la sirvienta me volvió a decir: " Ven en nombre de Jesús " y fuí... Esperando que no estuviese su... digamos, el hombre que la tiene... Cuántas cosas quería... aún más, quería saber. Pero yo... hablé poco por prudencia. Es una prostituta. Tenía miedo de que fuese una trampa contra Tí. Me preguntó que quién eres, dónde vives, qué haces, si eres un grande... le dije: " Es Jesús de Nazaret, está por todas partes porque es un Maestro y va enseñando por la Palestina "; dije que eras un hombre pobre, sencillo, un obrero a quien ha hecho sabio la Sabiduría... No dije más. »

« Hiciste bien » dice Jesús y simultáneamente Judas exclama: « ¡ Has hecho mal ! ¿ Por qué no le dijiste que El es el Mesías, que es el Rey del Mundo ? ¡ Aplastar la soberbia romana bajo el fulgor de Dios ! »

« No me hubiera entendido... y luego... ¿ estaba seguro de que fuese sincera ? Le dijiste cuando la viste qué cosa es ella. ¿ Podía hechar las cosas, y todo lo que es de Jesús es santo, podía hecharlas en su boca ? ¿ Podía poner en peligro a Jesús dándole muchos informes ? Que el mal le venga de cualquier otro, pero no de mí. »

« Vamos, Juan, a decirle quién es el Maestro, a explicar la verdad santa. »

« Yo no. A no ser que Jesús me lo ordene. »

« ¿ Tienes miedo ?... ¿ Qué quieres que te haga ?... ¿ Te causa asco?... El Maestro no le tuvo. »

« No es miedo ni asco. Tengo compasión de ella, pero me imagino que si Jesús hubiera querido, se hubiera detenido a instruirla. No lo hizo... no es necesario que lo hagamos nosotros. »

« Entonces no había señales de conversión... ahora... Elías, muestra la bolsa. » Y Judas echa en su manto, pues se ha sentado sobre la hierba, lo que hay en ella. Anillos, brazaletes, collares salen de la bolsa; oro pálido cae sobre el pálido color del vestido de Judas. « ¡ Joyas todas !... ¿ Qué hacemos de ellas ? »

« Se pueden vender » dice Simón.
« Es cosa molesta » objeta Judas aunque las admira.
« Le dije también, cuando las recibía: " Tu dueño te pegará ". Me respondió: " No son suyas, son mías y hago de ellas lo que se me antoje. Sé que es oro de pecado... pero se hará bueno si se emplea con quien es pobre y santo. Para que se acuerde de mí " y se echó a llorar. »
« Ve, Maestro. »
« No. »
« Manda a Simón. »
« No. »
« Entonces, voy yo. »
« ¡ No ! » Los " no " de Jesús son cortantes e imperiosos.
« ¿ He hecho mal, Maestro, en haber hablado con ella y en haber tomado el oro ? » pregunta Elías que ve que Jesús está enojado.
« No hiciste mal, pero no hay nada que hacer. »
« Pero tal vez esa mujer quiere redimirse y tiene necesidad de ser instruida... » torna a contradecir.
« Existen en ella tantas chispas para provocar el incendio en que puede quemarse su vicio y tornar a ser un alma nuevamente virgen por el arrepentimiento. Hace poco os hablé de la levadura que se esparce en la harina y la hace un pan santo. Oid esta breve parábola:
Esa mujer es harina. Una harina en quien el Maligno ha mezclado sus polvos de infierno. Yo soy la levadura. O sea, mis palabras son la levadura. Pero si hay mucho salvado en la harina, o piedras, o arena, o ceniza, ¿ podrá hacerse el pan aunque la levadura sea buena ?... ¡ No puede hacerse ! Es necesario quitar con paciencia ese tamo, la ceniza, las piedrecitas y la arena. La misericordia pasa y ofrece ese tamiz... el primero: el que se compone de verdades breves, pero fundamentales, como son las necesarias para que entienda el que está en la red de la ignorancia completa del vicio y del gentilismo. Si el alma lo acetpa, empieza la primera purificación. La segunda viene con el tamiz del alma misma, que compara su ser con el Ser que se le ha revelado... y le da horror. Y empieza *su* obra. Por medio de una operación más minuciosa, después de las piedrecitas, la arena, la ceniza, llega también a quitar lo que es ya harina pero tiene granitos pesados, muy pesados para producir un pan óptimo. Después... he aquí, que está lista. Torna otra vez la misericordia

y se introduce en esa harina preparada — y también esta es preparación, Judas — y la fermenta y la hace pan. Pero es una operación larga y *de voluntad del alma.*

Esa mujer... esa mujer tiene ya en sí lo mínimo que era justo darle y que puede servirle para terminar su trabajo. Dejemos que lo haga, si quiere hacerlo, sin que se le perturbe. Cualquier cosa turba a un alma que se elabora: la curiosidad, celo imprudente, las intransigencias como las piedades excesivas. »

« Entonces... ¿ no vamos ? »

« No. Y para que ninguno de vosotros tenga tentación, vámonos al punto. En el bosque hay sombra. Nos detendremos en las faldas del valle del Terebinto. Allí nos separaremos. Elías volverá a sus pastizales con Leví. José vendrá conmigo hasta el paso de Jericó. Después... nos volveremos a reunir. Tú, Isaac, continúa haciendo lo que hacías en Yutta, partiendo de aquí por Arimatea y Lidia hasta llegar a Doco. Allí nos encontraremos. Hay que preparar la Judea, y tú sabes como hacerlo. Como has hecho ya en Yutta. »

« ¿ Y nosotros ? »

« ¿ Vosotros ? Vendréis, dije antes, para ver *mi* preparación. También Yo me preparé para la misión. »

« ¿ Fuiste con un rabí ? »

« No. »

« ¿ Con Juan ? »

« De él, solo el bautismo. »

« ¿ Así, pues ? »

« Belén ha hablado con las piedras y los corazones. También allí a donde te llevo, Judas, las piedras y un corazón... el mío, hablarán y te darán la respuesta. »

Elías que ha traído leche y pan negro, dice: « Traté, mientras esperábamos, de persuadir a los de Hebrón y conmigo también trató Isaac... Pero no creen más que en Juan: por él juran, a él quieren. Es para ellos su " santo " y no quieren más que a él. »

« Es un pecado común a muchas poblaciones y a muchos creyentes que viven y que vivirán. Miran al obrero y no al dueño que lo envió. Preguntan al operario sin siquiera decirle: " Di esto a tu patrón ". Olvidan que el operario existe porque existe el patrón, y que el patrón instruye al operario y lo hace apto para el trabajo. Olvidan que el operario puede interceder, pero uno sólo puede conceder: el patrón. En este caso Dios y su Verbo con El.

¡No importa! El Verbo sufre, pero no guarda rencor... ¡Vámonos!»

Termina la visión.

44. Jesús en el monte del ayuno y en el peñasco de las tentaciones

(Escrito el 17 de enero de 1945)

Un bellísimo amanecer en un lugar silvestre. Un amanecer que se asoma por las alturas del monte. Apenas principió el día. En el cielo todavía han quedado estrellas y el arco de la luna que no desaparece, como una coma de plata, en el azul oscuro del cielo.

Parece que el monte está solo, sin estar unido a la cordillera, pero es un verdadero monte, no una colina. La cima está mucho más arriba, y sin embargo ya a la mitad se domina un gran espacio de horizonte, señal de que ha subido uno mucho.

En el aire fresco de la mañana, a través del cual se abre camino la luz tenue, blanca-verdosa que cada vez se va haciendo más clara, aparecen los contornos y los detalles que antes cubría la oscuridad que precede al día, oscuridad de color de acero, que no hay en la noche porque se tiene la impresión de la luz de los astros que al terminar la noche y venir el día, se podría decir, se acaba. De este modo puedo ver que el monte es rocoso y desnudo de vegetación. Hay quebraduras que forman grutas, cuevas y escondrijos en él. Verdaderamente un lugar silvestre en el que, sólo en los lugares donde se ha depositado un poco de tierra y se ha podido recoger un poco de lluvia y conservarla, hay manchones de verdor; casi todas las plantas tienen espinas, y pocas hojas; también hay matorrales pequeños y ásperos de esa clase de hierba que parece popote verde, cuyo nombre ignoro.

Abajo hay una extensión, mucho más árida, plana, pedregosa que cuanto más se acerca uno a ese punto oscuro, tanto más se ve. Un lugar que es mucho más largo que ancho por lo menos cinco veces más; y creo que es un oasis tupido que hicieron nacer en medio de tanta soledad, las aguas subterráneas. Pero cuando la claridad es mayor veo que no es más que agua. Un agua estancada, sucia, muerta. Un lago de una melancolía indecible.

A la luz todavía incierta viene a mi mente la visión del mundo muerto. Parece como si aspirase toda la oscuridad del cielo, toda la tristeza del lugar que le rodea para diluir en sus aguas inmóviles el verde oscuro de las plantas espinosas y de las hierbas yertas que por kilómetros y kilómetros, abajo y arriba, son la única decoración del suelo y que al convertirse en una negrura, la emane después y la extienda por los alrededores. ¡ Que diferente al lago de Genezaret en donde el sol acaricia y ríe !

En lo alto, al mirar el cielo de una serenidad completa que poco a poco se va llenando de claridad, al mirar la luz que avanza del oriente en ondadas siempre más extensas, el espíritu se alegra. Pero al mirar ese lago muerto y extensísimo, el corazón se encoge. Ni un pájaro vuela sobre sus aguas. No hay animal siquiera en sus riberas. Nada.

Mientras estoy contemplando esta soledad, me saca de ella la voz de mi Jesús.

« Hemos llegado ya al lugar donde quería. »

Me volteo y lo veo a mis espaldas entre Juan, Simón y Judas, cerca de la ribera rocosa del monte, allá donde una vereda... sería mejor decir: allá donde el agua en los largos meses de lluvia ha excavado el suelo calcáreo, haciendo en el correr de los siglos un canal mal diseñado que será, por donde las aguas se precipiten de las alturas, pero que por ahora es más bien sendero de cabras montañesas que de hombres.

Jesús mira alrededor y torna a decir: « Aquí es a donde quería traeros. Aquí el Mesías se preparó para su misión. »

« ¡ Pero aquí no hay nada ! »

« Así es como has dicho. »

« ¿ Con quién estuviste ? »

« Con mi alma y con el Padre. »

« ¡ Ah ! ¿ Estuviste pocas horas ? »

« No, Judas, no pocas horas. Muchos días. »

« ¿ Pero quién te atendía ?... ¿ Dónde dormías ? »

« Tenía de criados a los asnos salvajes que por la noche venían a dormir a sus cuevas... en esta, en donde Yo también había entrado... Tenía de criadas a las águilas que me decían: " Ya es de día " con su áspero graznido al ir a buscar su presa. Tenía de amigos a las liebrecitas que venian casi a mis pies a comer las hierbas que había... Mi comida y bebida eran lo que es alimento y bebida de la flor silvestre: el rocío de la noche, la luz del sol.

No otra cosa. »

« Pero... ¿ por qué ? »

« Para prepararme bien, como tú dices, a *mi* misión. Las cosas bien preparadas tienen buen éxito. Tú lo has dicho. Y lo mío no consistía en lo pequeño e inútil de hacerme brillar, a Mí, siervo del Señor, sinó de hacer comprender a los hombres lo que es el Señor, y a través de esta comprensión hacerlo amar en espíritu y en verdad. ¡ Desgraciado es el siervo del Señor que piensa en su triunfo y no en el de Dios! ¡ Que trate de obtener utilidades, que sueña en subir en un trono hecho...! ¡oh! ¡hecho con los intereses de Dios, a los que se les ha envilecido hasta que toquen el suelo, intereses que son del todo celestiales! Ese tal no es ya más siervo, aun cuando tenga la apariencia. Es un mercader, un traficante, un falso que se engaña a sí mismo, a los hombres y querría engañar a Dios... un infeliz que se cree príncipe, pero es esclavo... del demonio, su rey mentiroso. Aquí, en esta cueva, el Mesías durante muchos días vivió con grandes trabajos y plegarias para prepararse a su misión. Judas, ¿ a dónde hubiéras querido que El se hubiese ido a preparar? »

Judas está perplejo, desorientado, al fin responde: « No sé... pensaba... con algunos rabíes... con los esenios... no sé. »

« ¿ Y podía encontrar un rabí que me dijese más de lo que me decía la potencia y sabiduría de Dios ?... ¿ Y podía Yo, Verbo Eterno del Padre, Yo que estaba cuando el Padre creó al hombre y sé de qué espiritu immortal está animado y de qué fuerza, capaz de obrar libremente haya dotado Dios al hombre, ir a beber ciencia y adiestramiento de los que niegan la inmortalidad del alma, la resurrección final, la libertad de acción del hombre, que achacan al hombre virtudes y vicios, acciones santas y perversas al destino que llaman fatal e invencible ?... ¡ Oh ! No. Tenéis un destino. Es cierto que lo teneis. En la mente de Dios que os creó hay un destino para vosotros. El Padre lo desea. Es un destino de amor, de paz, de gloria: " la santidad de ser sus hijos ". Este es el destino que ha estado en la mente divina desde el momento en que Adán fué hecho con el lodo de la tierra y lo seguirá siendo hasta la creación del alma del último hombre.

Sin embargo, Dios no os hace ninguna violencia en vuestra condición de reyes. El rey, si está en prisión, no es más rey, es un reyezuelo. Vosotros sois reyes porque sois libres en vuestro pequeño reino individual. En el " yo ". En él podéis hacer lo que os plazca, como queráis. Frente... y en los confines de vuestro pequeño reino tenéis un rey amigo y dos potencias enemigas. El amigo os muestra las reglas que El ha hecho para hacer felices a los que son suyos. Os las muestra, os dice: "Helas aquí. Con estas, segura es la victoria eterna". Las muestras. El, el Sabio y Santo, para que podáis, si quereis practicarlas y con ellas tener la gloria eterna. Las dos potencias enemigas son Satanás y la carne. En la carne pongo la vuestra y la del mundo: esto es, las pompas y seducciones del mundo, las riquezas, las fiestas, los honores, el poder que del mundo y en el mundo se obtienen y que no siempre honestamente se consiguen y menos todavía se las sabe usar con honradez, el hombre llega a ellas por una concatenación de causas. Satanás, maestro de la carne también él tiene sus reglas... ¡Oh! ¡que si las tiene! Y como el "yo" está envuelto en carne y la carne se inclina a la carne como las limaduras de hierro se van hacia el imán, y como el canto del Seductor es más dulce que el gorjear del ruiseñor amante entre los rayos de la luna y perfume de rosas, más fácil es ir a estas reglas, dirigirse a estas potencias y decirles: "Os considero amigas, entrad".

Entrad... ¿Habéis visto vez alguna a un aliado que sea siempre honrado sin pedir el ciento por uno de la ayuda que prestó ?. Así hacen ellas. Entran... ¿se convierten en patrones ?... ¡No! en carceleros. Os amarran, oh hombres, a su banco de galera, os encadenan, no os permiten quitar más el cuello del yugo, y su látigo os azota hasta manar sangre si quereis escapar. O bien se os hiere hasta convertiros en un montón de carne hecha pedazos, tan inútil, como carne, que su cruel pie la rechaza, o se le condena a morir bajo él. Si sabéis proporcionaros ese martirio, proporcionároslo, entonces... pasa la Misericordia, la Unica que puede todavía tener piedad de esa miseria repugnante de la que el mundo uno de sus patrones, tiene asco y sobre la que el otro patrón, Satanás envía sus flechazos vengativos.

Entonces la Misericordia, la Unica que pasa, se inclina, la recoge, la cura, le da otra vez salud y le dice: "Ven. No tengas miedo. No te mires. Tus llagas no son más que cicatrices, pero son tantas que te horrorizarían, pues te afean. Pero Yo no las miro, miro tu voluntad. Por esa buena voluntad estás así señalada. Por lo cual te digo: ... te amo. Ven conmigo" y la lleva a su reino. Entonces comprenderéis que misericordia y rey son una misma persona. Volvéis a ver las reglas que os había mostrado y que no quisisteis seguir. Ahora lo queréis... y llegáis primero a la paz de la conciencia, y después a la paz de Dios.

Decidme ahora... ¿ Fué este destino impuesto por Uno solo a todos, o cada uno individualmente lo eligió para sí ?! »

« Cada uno lo eligió. »

« Dices bien, Simón. ¿ Podía Yo, para formarme ir con los que niegan la resurrección feliz y el don de Dios?... Aquí vine. He tomado mi alma de Hijo del Hombre y me la he labrado hasta los últimos retoques, he terminado mi trabajo de treinta años de aniquilamiento y de preparación para ir perfecto a mi ministerio. Os ruego ahora que estéis conmigo algunos días en esta cueva. La permanencia será menos solitaria, por que seremos cuatro amigos que luchan contra la tristeza, el miedo, las tentaciones, las necesidades de la carne. Yo estuve solo. Siempre será menos dura porque ahora es verano, y aquí arriba, sopla el viento de las alturas que templa el calor. Llegué aquí a fines de la luna de Tebet y el viento que descendía de los hielos que había en las vetas, era frío. Siempre será menos dolorosa, porque es más breve, y porque tenemos ahora los alimentos indispensables que pueden calmar nuestra hambre Y en las pequeñas botijas de cuero que hice que los pastores os diesen hay agua suficiente para estos días de permanencia. Yo... Yo tengo necesidad de arrebatar a Satanás dos almas. Ninguna otra cosa lo puede hacer sino la penitencia. Os pido vuestra ayuda. También vosotros os formaréis. Aprenderéis cómo se arrancan de Mammón las presas. No tanto con palabras, cuanto con el sacrificio... ¡Palabras!... el fragor satánico impide que se les oiga... Cada alma que es presa del enemigo está envuelta en torbellinos de voces infernales... ¿ Queréis quedaros conmigo ?... si no queréis podeis iros. Yo me quedo. Nos encontraremos en Tecua, junto al mercado. »

« No, Maestro, yo no te dejo » dice Juan, y al mismo tiempo, Simón exclama: « Tú nos elevas al querernos contigo en esta redención. » Judas... no me parece que esté muy entusiasmado. Pero hace buena cara al... destino y dice: « Me quedo. »

« Tomad pues, las botijas y las alforjas y metedlas dentro y antes de que queme el sol, partid leña y amontonadla junto a las aberturas. La noche aún en verano es fria, y no todos los animales son buenos. Al punto prenderéis una rama. Allí... la de aquella acacia resinosa. Arde bien. Veremos entre las aberturas para echar fuera con el fuego las víboras y los escorpiones. Id.»...

...El mismo lugar del monte. Tan sólo que ahora es de noche. Una noche llena de estrellas. Una belleza del cielo nocturno, como creo que se puede contemplar sólo en aquellos países semitropicales. Estrellas de una grandeza y de un brillo maravilloso. Las constelaciones mayores parecen racimos de brillantes, de topacios transparentes, de pálidos zafiros, de apagados ópalos y de tenues rubíes que tiemblan, se prenden, se apagan como la mirada que el párpado oculta por un momento, vuelven a encenderse más hermosas. De cuando en cuando alguna estrella baña el cielo y desaparece por quién sabe qué horizonte. Un baño de luz que parece un grito de júbilo de las estrellas para poder volar así por aquellos prados ilimitados.

Jesús está sentado en la boca de la cueva y habla a los tres que están a su alrededor. Hubo de haber habido fuego porque, en medio del círculo de los cuatro, todavía un montoncito de tizones arroja chispazos de fuego que se dibujan en los cuatro rostros.

« Sí, la permanencia se ha acabado. Esta permanencia fué corta. La otra vez duró cuarenta días... Y todavía os digo: Aun estaba el invierno en aquellas pendientes... y... no tenía Yo alimentos. Un poco más difícil que esta vez... ¿ no es así ?... Comprendo que también ahora habéis sufrido. Con lo poco que teníamos y os daba, no parecía nada para el hambre de los jóvenes. Tan sólo bastaba para que no desfallecieran de debilidad. Agua había menos entonces. El calor, ahora es ardiente durante el día y diréis que no lo había en el invierno. Pero entonces descendía de aquella altura que quemaba los pulmones y subía por aquellas partes lleno de polvo del desierto y secaba a uno más que este calor de estío que puede uno calmar masticando estas frutillas ácidas que están ya casi maduras. Pero entonces el monte no producía más que viento y hierbas quemadas con el hielo que rodeaban las acacias sin hojas. No os he dado los últimos panes ni el último queso con la última botija porque los guardé para cuando regresáramos... Yo sé lo que significó el regreso, exhausto como estaba, en la soledad del desierto... Recojamos nuestras cosas y vayámonos. La noche es mucho más clara que en la que vinimos. No hay luna pero el cielo esparce luz. ¡ Vámonos!. Acordaos de este lugar. No olvidéis cómo se preparó el Mesías y cómo se preparan los apóstoles. Cómo enseño Yo para que se preparen.»

Se ponen de pié. Simón, con una rama revuelve las brasas, las reaviva, antes de esparcirlas con el pié al arrojarlas entre las hierbas secas y prende una rama de acacia en la llama la tiene en alto, a la entrada de la cueva, mientras Judas y Juan recogen mantos, alforjas y las pequeñas botijas de piel, de las que todavía una está llena. Después apaga la tea contra la roca, se echa encima su alforja, se pone el manto, como todos, se lo amarra con las cintas para que no le moleste al caminar.

Bajan sin hablar, el uno detrás del otro, por una vereda inclinadísima, y espantan a los pequeños animalitos que comen las pocas hierbas que todavía han resistido al sol. El camino es largo e incómodo. Finalmente llegan a lo plano. No es fácil caminar ni siquiera aquí porque las piedras y guijarros se mueven traidores bajo los pies y hasta los hieren porque la tierra convertida en polvo los esconde y no se pueden ver ni evitar aquí donde los montones secos de espinos rasgan y se pegan en las orlas de los vestidos. Parece que es muy temprano. En el cielo las estrellas son siempre más hermosas.

Caminan, caminan, caminan por horas. La llanura es cada vez más estéril y triste. Luces fosforecentes brillan en algunas grietas pequeñas del terreno, en agujeros que hay en las quebraduras del suelo. Parecen pedacitos de brillantes sucios. Juan se inclina a mirarlas.

«Es la sal del subsuelo, está saturado. Sale con las lluvias de primavera y luego se seca. Por esto la vida no existe aquí. El Mar Oriental, por venas profundas, esparce su muerte a muchos kilómetros a la redonda. Tan solo donde fuentecillas de agua dulce le combaten, es posible encontrar plantas y refrigerio» explica Jesús.

Siguen caminando. Después Jesús se detiene cerca del cóncavo peñasco, donde ví que Satanas lo tentó.

«Detengámonos aquí. Sentaos. Pronto el gallo cantará. Hace seis horas que estamos caminando y tendréis hambre y estaréis cansados. Tomad. Comed y beded, sentáos aquí junto a Mí, entre tanto os cuento algo que diréis a vuestros amigos y al mundo.» Jesús ha abierto su alforja, ha sacado pan y queso que parte y distribuye y de su botija echa agua en una tacita que también distribuye.

« ¿ Tú, no comes Maestro ? »

« No, Yo os hablo. Escuchad. Hubo una vez que un hombre me preguntó si alguna vez había sido Yo tentado. Si había yo pecado. Si jamás había caído en la tentación. Y que se admiró de que Yo, el Mesías, hubiese pedido, para resistir, la ayuda del Padre diciendo: " Padre, no me lleves a la tentación ". »

Jesús está hablando en voz baja, despacio, como si contase un hecho ignorado... Judas baja la cabeza como molesto. Pero los otros tienen los ojos así clavados en Jesús, que no lo ven.

Jesús prosigue: « Ahora, amigos míos, podéis saber lo que tan sólo superficialmente supo aquel hombre. Después del bautismo — estaba Yo limpio, pero nunca se es suficientemente limpio ante el Altísimo, y la humildad en decir: " Soy hombre y pecador " es por sí mismo un bautismo que limpia el corazón [1] — vine aquí. Había sido llamado " El Cordero de Dios " por quien, santo y profeta, veía la verdad y veía bajar el Espíritu sobre el Verbo y que lo hacía el Ungido con su crisma de amor, mientras la voz del Padre llenaba los cielos con su fuerza al decir: " He aquí a mi Hijo amado en quien tengo todas mis complacencias ". Tú, Juan estabas presente cuando el Bautista repitió las palabras... Después del bautismo, aunque limpio por naturaleza y limpio por la comparación, quise " prepararme ". Sí, Judas, mírame. Que te digan mis ojos lo que la boca no dice. Mírame, Judas. Mira a tu Maestro que no pensó ser superior al hombre por ser el Mesías, y que por el contrario, sabiendo que es Hombre quiso serlo en todo, a excepción de condescender con el mal [2]... Mira, así... "

Judas ha levantado su rostro y mira a Jesús que tiene en frente. La luz de las estrellas hacen brillar los ojos de Jesús como si fueran dos estrellas finas en un rostro pálido.

« Para prepararse a ser maestros, es menester haber sido discípulos. Yo, como Dios, lo sabía todo. Mi inteligencia podía hacerme comprender aún, intelectualmente las luchas del hombre, debido a mi fuerza intelectiva. Pero algún día, un pobre amigo mío,

[1] " Pero, nunca ... limpia el corazón " es una expresión que se refiere a los hombres en general y no quiere decir que Jesús, hubiese sido o se hubiese creído pecador, como aparece en las palabras a continuación: " Hombre ... en todo, a excepción de condescender en el mal ".

[2] La futura doctrina de san Pablo (cfr. Flp. 2, 7; Hebr. 2, 16-18; 4, 15; 5, 2.

un cierto hijo mío, me habría podido decir: "Tú, no sabes lo que es ser hombre y tener sentidos y pasiones". Habría sido un justo reproche. Vine aquí, mejor dicho, allá, a aquel monte, para prepararme... no sólo para la misión, sino para la tentación. ¿Veis?... aquí en donde estáis, Yo fuí tentado. ¿De quién?... ¿de un mortal?... ¡No! Habría sido su fuerza muy débil. Fuí tentado por Satanás directamente.

Estaba ya acabando. Hacía cuarenta días que no probaba alimento... Pero mientras estuve sumergido en oración, todo desaparecía con el gozo de hablar con Dios; más bien que desaparecido, el dolor se me hacía soportable, lo sentía como una molestia de la materia, circunscrito a la sola materia... después volví al mundo... a los cambios del mundo... y he sentido las necesidades del que está en el mundo. He tenido hambre. He sentido sed. He sentido el frío hiriente de la noche del desierto. He sentido el cuerpo quebrado con la falta de descanso, de lecho, y de largas caminatas hechas en condiciones tales de debilidad que no podía dar un paso más...

Porque Yo también, tengo cuerpo, un cuerpo *verdadero*. Y está sujeto a las mismas debilidades [3] que todos los cuerpos humanos. Y con el cuerpo tengo un corazón. Sí. Del hombre he tomado la primera y segunda parte de las tres que lo forman [4]. He tomado materia con sus pasiones. Y si por mi voluntad, he doblegado en su nacimiento todas las pasiones no buenas [5], he dejado crecer fuertes como los cedros seculares las santas pasiones del amor filial, del amor patrio, de las amistades, del trabajo, de todo cuánto es óptimo y santo. Aquí experimenté la nostalgia de la Madre que está lejos, aquí sentí la necesidad de sus cuidados en mi fragilidad humana, aquí probé el renovarse del dolor de estar separado de la Unica que me ama perfectamente, aquí he presentido el dolor que me está reservado y el dolor de

[3] Cfr. not. ant. 1 y véase que aun en este contexto no se trata de debilidad como inclinación al pecado o de debilidad pecaminosa, sino tan sólo de aquellos defectos humanos que Jesús quiso libre y generosamente tomar para nuestra enseñanza, sostén y salvación. Cfr. Mt. 4, 2; 26, 38; Mc. 14, 34; Ju. 4, 6; Heb. 4, 15.

[4] Cfr. 1 Tes. 5, 23.

[5] " Por mi voluntad . . . " expresión que no está equivocada, sino que es exacta, si se entiende en el contexto y se le coloca dentro de él, diciendo en otras palabras: no es pecado . . . es pecado ceder más allá (no doblegándolas en su nacimiento) de la tristeza y caer en la inercia o desesperación . . . " a la luz del contexto se puede por lo tanto integrar la dicha expresión de este modo ": . . . por mi voluntad he doblegado en su nacimiento todas las pasiones (que en vosotros los hombres, de quienes he tomado la naturaleza, existen) no buenas.

su dolor, pobre Mamá, que no tendrá más lágrimas, pues tantas tendrá que derramar por su Hijo y por obra de los hombres. Aquí sufrí el cansancio del héroe y del asceta que en un momento de presentimiento cae en la cuenta de la inutilidad[6] de su esfuerzo... He llorado... la tristeza... llamada magia de Satanás. No es pecado estar triste si los momentos son dolorosos. Es pecado ceder más allá de la tristeza, caer en la inercia o desesperación. Y Satanás viene al punto cuando ve a alguien caído en la debilidad del espíritu.

Vino... vestido de caminante bondadoso. Siempre toma el aspecto bondadoso... Yo tenía hambre... y tenía treinta años en la sangre. Me ofreció su ayuda. Primero me dijo: " Dí a estas piedras que se conviertan en pan " Pero antes... sí... antes, me habló de la mujer... ¡ Oh ! él sabe hablar de ella. La conoce a fondo. Fué a la primera que corrompió para hacerla su aliada de corrupción. No sólo soy el Hijo de Dios, soy Jesús, el obrero de Nazaret. Dije a aquel hombre que me preguntaba en aquella ocasión, si conocía las tentaciones, y como que me acusaba de ser injustamente feliz por no haber pecado: " El hecho se calma en la satisfacción. La tentación que se rechaza, no cede jamás, sino que se hace más fuerte, porque Satanás la atiza ". Rechacé la tentación tanto del hambre de mujer, como de hambre de pan. Y tened en cuenta que Satanás me la presentaba como la primera — no se equivocaba — hablando humanamente, como la mejor aliada para abrirse campo en el mundo.

La tentación que no se dejó vencer por Mí: " No de solo los sentidos vive el hombre ", me habló entonces de mi misión. Quería seducir al Mesías después de haber tentado al joven. Me incitó a destruir a los ministros indignos del Templo con un milagro... al milagro, llama del Cielo no se le abaja para convertirlo en un montón de lazos para coronarse con ellos... y a Dios no se le tienta pidiéndole milagros para fines humanos. Esto quería Satanás. El motivo que presentaba era el pretexto, la verdad era: " Gloríate de ser el Mesías ", para llevarme a la concupicencia: la del orgullo.

No se dejo vencer con mi respuesta: " No tentarás al Señor Dios tuyo ", me circundó con la tercera fuerza de su naturaleza: el oro. ¡ Oh ! el oro. El pan es gran cosa y todavía mayor la mujer, para

[6] Inutilidad (no general y absoluta, sino relativa en cuanto al número notable, teniendo encuenta lo que ha durado el mundo y el ansia divina de salvar a todos).

quien tiene ansias de alimento o placer. Pero incomparablemente mayor es cuando las multitudes aclaman a uno... ¡Por estas tres causas, cuántos crímenes se cometen! pero el oro... es llave que abre, círculo que estrecha, es el alfa y el omega de noventa y nueve de las acciones humanas. Por el pan y la mujer, el hombre se hace ladrón. Por el poder, hasta homicida. Más por el oro se hace idólatra. El rey del oro es Satanás. El me ofreció su oro con tal de que lo adorase... Lo derroté con las palabras eternas: "Adorarás al Señor, Dios tuyo". Aquí... aquí sucedió esto.»

Jesús se ha levantado. Parece más hermoso que de costumbre, en la naturaleza que lo rodea, a la luz débil, fosforecente que cae de las estrellas. También los discípulos se levantan. Jesús prosigue hablando y mira fijamente a Judas.

«Entonces vinieron los ángeles del Señor... el Hombre había vencido la triple batalla. Sabía el Hombre lo que significa ser hombre y había vencido. Estaba agotado. La lucha había sido más agotadora que el largo ayuno... pero el espíritu se agigantaba... Yo creo que los cielos se regocijaron cuando una creatura dotada de inteligencia, tal cosa realizó. Creo que desde ese momento me vino el poder de hacer milagros. Había sido Dios [7]... me había convertido en el Hombre [8]. Ahora al vencer lo animal que estaba unido a la naturaleza del hombre, ved, que Yo era el Hombre-Dios [9] y lo soy. Y como Dios todo lo puedo. Y como hombre todo lo conozco. Haced también como Yo, si queréis hacer lo que hago, y hacedlo en recuerdo mío.

Aquel hombre se admiraba de que hubiera Yo pedido la ayuda del Padre, y que le hubiese pedido que no me llevase a la tentación, esto es que no me dejase a merced de la tentación superior a mis fuerzas. Pienso que tal hombre al saber esto, no se admirará más. Haced también vosotros de este modo, en recuerdo mío para vencer como Yo, y no dudéis jamás de verme fuerte en todas las tentaciones de la vida, victorioso en las batallas de los cinco sentidos, en las del sentido y en las del sentimiento, en mi naturaleza de hombre verdadero como en la de Dios. Acordaos de todo esto.

Os prometí llevaros a donde habríais podido conocer al Mae-

[7] Entiéndase: Era *solamente* Dios, antes de la Encarnación.

[8] El primogénito *verdadero* de los hombres.

[9] El Hombre-Dios, esto es, el hombre sobrenaturalizado, divinizado. Todavía más: "*Era Yo verdaderamente el Hombre-Dios*", confirmado en gracia, como Hombre, después de la prueba, porque por esta razón el Espíritu me había llevado al desierto (Mt. 4, 1; Mc. 1, 12; Lc. 4, 1). Mi vistoria sobre Satanás la contemplaron el Rey de los Cielos, el de los infiernos, y los espíritus de luz y de tinieblas.

stro... a partir del momento en que se abrió su amanecer puro, como este que se abre en el meridiano de su vida. En el que salí para ir al encuentro de mi atardecer humano... Dije a uno de vosotros: "También Yo me preparé" y veis que es verdad. Os agradezco de haberme acompañado a ir al lugar donde nací y a venir a este lugar de penitencia. Los primeros contactos con el mundo me habían causado náuseas y desilusiones. Es muy feo. Ahora mi corazón se ha alimentado con la fuerza de león al unirme completamente con el Padre en la oración y la soledad. Puedo regresar al mundo para tomar de nuevo la cruz, la primera cruz del Redentor: la del contacto con el mundo. Con el mundo en que hay muy pocas personas que se llaman María, que se llaman Juan...

Escuchad ahora, sobre todo Juan. Regresamos a donde está mi Madre y a donde están nuestros amigos. Os ruego que no digáis a mi Madre la dureza que encontró el amor de su Hijo. Sufriría mucho. Sufriría mucho, mucho, mucho por esa crueldad humana... pero no le mostremos desde ahora el cáliz. ¡ Será muy amargo cuando se le de ! Tan amargo como un veneno que descenderá serpenteando en sus santas entrañas y en sus venas y le helará el corazón.

¡ Oh ! no digáis a mi Madre que de Belén y Hebrón me rechazaron como a un perro. ¡ Piedad para Ella ! Tú, Simón, eres viejo y bueno, eres un corazón que reflexiona y que no hablará, lo se. Tú Judas, eres judío, y no hablarás por orgullo regional. Pero tú, Juan, tú galileo joven, no caigas en el pecado de orgullo, de crítica, de crueldad. Callarás. Más tarde... más tarde dirás a los otros lo que ahora te ruego que no digas, también a los otros.

Hay muchas cosas que hablar sobre el Mesías ¿ Por qué tenéis que agregar, lo que es de Satanás, contra el Mesías ?... Amigos: ¿ me lo prometéis ? »

« ¡ Oh ! ¡ Maestro ! ¡ Claro que lo prometemos ! ¡No desconfíes! »

« Gracias. Vamos a aquel pequeño oasis. Allí hay un manantial, un pequeño pozo de agua fresca, sombra y verdor. Está muy cerca de él el camino que lleva al río. Podremos encontrar alimento y descanso hasta el atardecer. Al claror de las estrellas llegaremos al río, y al vado. Esperaremos a José o nos uniremos a él si ya regresó. ¡ Vámonos ! »

Y se ponen en camino mientras allá en los confines del oriente un nuevo día se levanta bañado en el color rosado con que se tiñe el cielo.

45. En el vado del Jordán. Encuentro con los pastores: Juan, Matías y Simeón

(Escrito el 18 de enero de 1945)

Torno a ver el vado del Jordán: el camino verde que corre de una parte y otra del río está hollado por los viajeros que buscan su sombra. Hileras de borriquillos van y vienen y con ellos los hombres.

En la ribera del río hay tres hombres que apacientan pocas ovejas. En el camino José en actitud de espera, mira hacia arriba y hacia abajo. Allá a lo lejos, donde un camino se entronca con este del río, aparece Jesús con sus tres discípulos. José llama a los pastores y estos echan las ovejas por el camino haciéndolas que vayan por la hermosa ribera. Prontos van al encuentro de Jesús.

« Yo casi no me atrevo ... ¿ Qué le diré de saludo ? »

« ¡ Oh, es tan bueno ! le dirás: " La paz sea contigo ". El también saluda de este modo. »

« El sí, pero nosotros ... »

« Y ¿ yo quién soy ? No soy ni siquiera uno de los primeros que le adoraron y me quiere mucho ... ¡ pero mucho ! »

« ¿ Cual es ? »

« El más alto y rubio. »

« ¿ Le diremos del Bautista, Matías ? »

« Sí, claro. »

« ¿ No pensará que lo hemos preferido a El ? »

« Pero ... no, Simeón. Si es el Mesías, ve en los corazones y verá en el nuestro que lo buscábamos en el Bautista. »

« Tienes razón. »

Los dos grupos ya casi están distantes unos cuántos metros uno del otro. En el rostro de Jesús se dibuja esa sonrisa que es imposible de describir. José apresura el paso. También las ovejas trotan arreadas por los pastores.

« La paz sea con vosotros » dice Jesús levantando los brazos como si fuera a dar un abrazo. Especifica: « ¡ La paz sea con vosotros Simeón, Juan y Matías, mis discípulos y discípulos de Juan el Profeta ! La paz sea contigo José » y lo besa en la mejilla. Los otros tres están de rodillas. « Venid, amigos, bajo estos árboles y junto a las aguas del río hablemos. »

Bajan y Jesús se sienta en una gran raíz que sale a flor de tierra, los otros sobre la tierra. Jesús sonríe, los mira atento y atentamente al uno y después al otro: « Permitidme que conozca vuestros rostros. Ya conozco los corazones como de justos que van tras del bien, que aman despreciando las utilidades del mundo. Os traigo saludos de Isaac, Elías y Leví. También otro saludo, el de mi Madre. ¿ Tenéis noticias del Bautista ? »

Ellos que hasta ahora se habían sentido subyugados, recobran el ánimo. « Todavía está en prisión. Nuestro corazón tiembla por él, porque está en manos de un cruel al que domina una criatura del infierno y al que rodea una corte corrompida. Nosotros lo amamos... Tú sabes que lo amamos y que merece nuestro amor. Después que dejaste Belén, fuimos perseguidos... pero más que el odio, sentimos el vernos solos, abatidos, como plantas que el ventarrón haya tronchado, porque te habíamos perdido. Luego, después de años de dolor, a la manera como quien tiene los párpados cosidos y busca el sol y no lo puede ver porque está tambien dentro de una carcel y no lo ve sino al sentir sus caricias tibias sobre su carne, así también sentimos que el Bautista era el hombre de Dios, que predijeron los profetas y que prepararía los senderos a su Mesías[1]. Y fuimos a él. Nos dijimos entre nosotros: " Si él lo precede, al ir a él lo encontraremos ". Porque eras Tú, Señor, a quien buscábamos. »

« Lo sé. Me habéis encontrado. Estoy con vosotros. »

« José nos dijo que Tú viniste con el Bautista. No estábamos aquel día. Tal vez nos habría mandado a algún lugar. Le servíamos sobre todo en las cosas espirituales que nos pedía con tanto amor; y con amor lo escuchábamos, aunque era muy severo, cosa que Tú no eres, pero decía siempre palabras de Dios. »

« Lo sé. Y... ¿ no conocéis a este ? » señala a Juan.

« Lo veíamos con los otros galileos entre la gente más fiel del Bautista, y si no nos equivocamos, tú eres el que se llama Juan y de quien él decía a nosotros sus íntimos: " Ved, yo el primero, él el último. Después sucederá que él sea el primero y yo el último" jamás pudimos entender lo que quería decir. »

Jesús voltea a la izquierda donde está Juan, se lo atrae hacia su pecho en medio de una sonrisa mucho más resplandeciente, y dice: « Quería decir el Bautista que él era el primero en decir:

[1] Cfr. Is. 40, 3-5; Mt. 3, 3; Mc. 1, 3-4; Lc. 3, 2-6; Ju. 1, 23.

" He aquí al Cordero ", y que este será el último de los amigos del Hijo del Hombre que hablará a las multitudes del Cordero [2], pero que en el corazón del Cordero, este es el primero porque lo quiere más que todos. Esto es lo que quería decir el Bautista. Cuando lo veais — lo volveréis a ver y le volveréis a servir hasta la hora determinada — decidle que él no es el último en el Corazón del Mesías. No tanto por ser pariente cuanto por su santidad, Yo lo amo igual que a estos. Acordaos de ello, si la humildad del Santo se proclama " último ", la Palabra de Dios, lo proclama compañero de su discípulo a quién más ama. Decidle que amo a este, porque lleva su nombre y porque encuentro en él la marca suya, que es la de preparar los corazones para el Mesías. »

« Lo diremos . . . Pero . . . ¿ lo volveremos a ver? »

« Lo volveréis a ver. »

« Comprendo. Herodes no se atreve a matarlo por miedo al pueblo, y en esa corte de avaricia y corrupción, sería fácil librarlo si tuviéramos mucho dinero. Pero . . . por mucho que tengamos — los amigos han dado ya — todavía falta mucho. Tenemos mucho miedo de que no lo hagamos a tiempo . . . y que lo maten. »

« ¿ Cuánto pensáis que os falte para el rescate ? »

« No para el rescate, Señor, Herodías no lo quiere ni ver, y ella es la dueña de Herodes, para poder pensar que se hable de rescate. Pero . . . en Maqueronte se han dado cita, creo, todos los avarientos del reino . . . Todos quieren gozar, todos quieren sobresalir, desde los ministros hasta los criados. Y para hacer esto se necesita dinero . . . Hemos encontrado aun quien por una respetable cantidad de dinero, dejaría salir al Bautista. También Herodes lo desea . . . porque tiene miedo. No por otra razón. Miedo al pueblo y miedo a la mujer. Así contentaría al pueblo, y la mujer no lo podría acusar de haberla disgustado. »

« ¿ Y cuánto quiere esa persona ? »

« Veinte talentos de plata. Tenemos tan solo doce y medio. »

« Judas, tú dijiste que estas joyas son muy bonitas. »

« Bonitas y preciosas. »

« ¿ Cuánto podrían valer ? . . . Me parece que tú eres experto en estas cosas. »

« Sí, lo soy. ¿ Para qué quieres saber, Maestro, su valor ? ¿ Quieres venderlas? . . . ¿ para qué ? »

[2] El evangelista san Juan, de hecho, en el *Apocalipsis*, el último libro de la Biblia, con el que termina la revelación pública, alaba al Cordero (Jesús) unas treinta veces.

« ¡ Tal vez ! . . . Dí . . . ¿ cuánto podrían valer ? »

« Si se venden bien, por lo menos seis talentos. »

« ¿ Estás seguro ? »

« Sí, Maestro. Sólo el collar es grueso y pesado. Es oro purísimo. Por lo menos vale tres talentos. Lo he revisado bien. También los brazaletes . . . no puedo ni siquiera comprender cómo las frágiles muñecas de Aglae los hubieran podido llevar. »

« Eran sus cadenas, Judas. »

« Es verdad, Maestro . . . ¡ pero a muchos les gustarían semejantes esposas! »

« ¿ Lo crees ? . . . ¿ A quiénes ? »

« ¡ Oh ! . . . ¡ A muchos ! »

« Sí, a muchos que tan sólo son hombres porque así se les llama . . . ¿ sabrías de algún posible comprador ? »

« En resumidas cuentas . . . ¿ quieres venderlas ? . . . ¿ y por el Bautista ? . . . pero mira . . . ¡ es oro maldito ! »

« ¡ Oh incomprehensión humana ! Acabas de decir, con un deseo patente, que a muchos les gustaría ese oro y ¿ luego dices que está maldito ? ¡ Judas ! ¡ Judas !. . . Es maldito, sí. Es maldito pero ella dijo: " Se santificará si sirve al que es pobre y santo " y lo dió con el fin de que el que fuere beneficiado ruegue por su pobre alma, que como embrión de futura mariposa, crece en la semilla del corazón. ¿ Quién más santo y pobre que el Bautista? . . . El es igual que Elías por su misión, pero superior a este en santidad [3]. Es más pobre que Yo. Yo tengo una Madre y una casa . . . Cuando se tienen estas cosas, puras y santas como las tengo, jamás uno puede decir que está abandonado. El no tiene ya más casa, ni siquiera el sepulcro de su madre. Todo lo ha destruído, profanado la perversidad humana . . . ¿ Quién es pues el comprador ? »

« Hay uno en Jericó y muchos en Jerusalén. Pero ¡este de Jericó! ¡ Ah ! ¡ Es un astuto orfebre oriental, usurero, baratero, mercader en amores, ladrón ciertamente, y tal vez homicida . . . y seguramente es un perseguido de Roma. Quiere que se le llame Isaac para parecer hebreo. Mas su nombre verdadero es Diómedes. Lo conozco bien . . . »

« ¡ Lo comprendemos ! » interrumpe Simón Zelote, que habla poco, pero que todo observa. Además pregunto: « ¿ Cómo has hecho

[3] Cfr. 3 Re. 17, 1; 4 Re. 2, 18; Mt. 17, 9-13; Mc. 9, 9-13; Lc. 1, 13-17.

para conocerlo tan bien ? »

« Bueno . . . sabes . . . Para contentar a los amigos poderosos . . . he ido a su casa . . . he hecho tratos . . . Nosotros los del Templo . . . ¿ sabes . . . ? »

« Ya caigo . . . toda clase de servicios » concluye Simón fría e irónicamente. Judas se enciende pero calla.

« ¿ Podrá comprarlas ? » interroga Jesús.

« Así lo creo. Jamás le falta dinero. Ciertamente es necesario saber vender porque el griego es astuto, y si ve que se las tiene que arreglar con un hombre honrado . .. un pichón de nido, lo despluma a su gusto, pero si se trata de un buitre como él . . . »

« Ve Judas, eres el tipo para esto. Tienes la astucia de la zorra y la rapacidad del buitre. Perdón, Maestro. Hablé antes de Tí. »

« Pienso como tú y pido a Judas que vaya. Juan, tú vas con él. Nos reuniremos cuando baje el sol. El lugar será en la plaza que está cerca del mercado. Ve y haz lo mejor que puedas. »

Judas se levanta al punto. Juan tiene ojos que imploran como los de un perro al que se echa fuera. Mas Jesús torna a hablar con los pastores y no ve esa mirada suplicante. Juan sigue a Judas.

« Quisiera contentaros » dice Jesús.

« Siempre lo harás, Maestro. El Altísimo te bendiga por nosotros. ¿ Ese hombre es tu amigo ? »

« Sí, ¿ no te parece que lo sea ? »

Juan el pastor baja la cabeza y guarda silencio. Habla el discípulo Simón: « Solo quien es bueno sabe ver. Yo no soy bueno y no veo lo que la bondad ve. Veo lo externo. El bueno baja hasta el interior. También tú, Juan, ves como yo. Pero el Maestro es bueno . . . y . . . ve . . . »

« ¿ Qué ves, Simón en Judas ? . . . te ordeno que hables. »

« Pues, pienso al mirarlo, en ciertos lugares misteriosos que parecen cuevas de fieras y aguas estancadas de fiebre. Se divisa apenas algo que no va bien, y al punto lleno uno de miedo se retira. Por el contrario . . . por el contrario . . . por detrás hay también tórtolas y ruiseñores, y el suelo abundante en aguas buenas y rico en hierbas salutíferas. Quiero pensar que Judas es así . . . lo creo porque lo tienes contigo. Tú que conoces. »

« Sí, Yo lo conozco . . . hay muchos repliegues en el corazón de ese hombre . . . pero no le faltan los lados buenos. Lo viste en Belén y en Keriot. Hay que ayudar ese lado bueno, que es muy humano, para llevarle a una bondad que sea espiritual. Entonces sí que Judas será como quieres que lo sea. Es joven ... »

« También Juan es joven ... »

« Y concluyes en tu corazón que es mejor. ¡ Pero Juan es Juan ! Ama, Simón, a ese probrecito de Judas... te lo ruego. Si lo amas... te parecerá más bueno. »

« Me esfuerzo en hacerlo ... por Tí ... pero es él, el que rompe mis esfuerzos como si fueran cañas de río ... Maestro, yo tengo una ley sola: hacer lo que Tú quieres. Por esta razón amo a Judas, no obstante haya algo dentro de mí que da voces contra él y contra mí. »

« ¿ Qué cosa es, Simón ? »

« Nada en concreto ... una cosa que es como el grito del soldado que está en guardia durante la noche ... y que me dice « No dormir " ¡ Mira ! No sé ... no tiene nombre esta cosa ... pero es ... contra él. »

« No pienses más en esto, Simón. Ni te esfuerces en definirla. Hace mal conocer ciertas verdades ... y te podrías equivocar al conocerlas ... Déjalo a tu Maestro. Dame tu amor y piensa que me hace feliz ... »

Y todo termina.

46. Iscariote vende a Diómedes las joyas de Aglae

(Escrito el 19 de enero de 1945)

Estoy en la plaza del mercado de Jericó. No es de mañana. Es ya tarde. Un largo y calidísimo crepúsculo de verano. Del mercado de la mañana no quedan sino las señales, como desechos de verduras, montones de excrementos, paja que cayó de las canastas, pedazos de harapos ... y entre todo esto las moscas son las gananciosas y el sol fermenta y hace que salga vapor y hedores un tanto desagradables. La ancha plaza está vacía. Uno que otro pasa, algún muchacho rebeldillo que arroja piedras a los pájaros que andan por el suelo. Una que otra mujer que va a la fuente. Y basta. Jesús sale de una calle y mira por todas partes. No ve a nadie. Con toda tranquilidad se arrima a un tronco y espera.

Encuentra la manera de hablar a los muchachitos sobre la caridad que empieza en Dios y baja del Creador a las creaturas.

« No seais crueles. ¿ Por qué queréis molestar a los pájaros del aire? Allí tienen sus nidos y sus pequeñitos. A nadie le hacen daño. Cantan y limpian. Comen lo que tira el hombre y comen los insectos que dañan las mieses y las frutas. ¿ Por qué los herís y los matáis ?... ¿ haciendo que los pequeñuelos se queden sin padre ni madre, o bien que estos queden sin sus hijitos ?... ¿ Os gustaría que un malvado entrase en vuestra casa y la destruyese, o que os matasen a vuestros padres o que os separasen de ellos ? ¡ Claro que no os gustaría ! Y si es así... ¿ Por qué hacéis a estos inocentes lo que no os gustaría que se os hiciese a vosotros ? ¿ Cómo dejaréis de hacer mal algún día al hombre si de pequeños endurecéis el corazón contra las creaturas que no pueden defenderse, como estos siempre buenos pajaritos ? ¿ No sabéis que dice la Ley: " Ama a tu prójimo como a tí mismo " ? [1]. Quien no ama al prójimo, no puede amar a Dios. Y ¿ quien no ama a Dios, cómo puede ir a su Casa a orar ?... Dios podría decirle, y lo dice en los Cielos: " Vete, no te conozco. Tú... ¿ mi hijo ? ¡ No ! No amas a los hermanos, no respetas en ellos al Padre que los hizo, por esto no eres hermano ni hijo, sino que eres un bastardo; un hijastro ante Dios y un hermanastro para con los hermanos "... ¿ Véis como el Señor eterno ama ?... Durante los meses más fríos hace que encuentren pajitas, para que hechas nido, en ellas vivan los pajaritos. En los calurosos, proporciona sombra con las hojas para protegerlos del sol. Durante el invierno, en los campos está el grano que apenas cubre la tierra y es fácil desenterrarlo y comérselo. En verano su sed se calma con frutas llenas de jugo y pueden hacerse los nidos más fuertes y calientes con pajitas de heno y con la lana de las ovejas, que dejan entre las zarzas. Y es el Señor quien os creó a vosotros hombrecitos, así como creó también a los pájaros, por lo que sois sus hermanos. ¿ Por qué quereis ser distintos a El, pensando que podéis ser crueles contra estos pequeñitos animales?... Sed misericordiosos con todos, no privéis a nadie de lo que se le debe bien sea hermano-hombre o animales que son vuestros siervos y amigos, y Dios... »

« ¡ Maestro ! » grita Simón. « Ya viene Judas. »

« ... y Dios será misericordioso con vosotros; os dará cuanto os sea necesario, como lo da esos inocentes. Id y llevad con vosotros la paz de Dios. »

[1] Cfr. Lev. 19, 18.

Jesús atraviesa el círculo de los muchachos, al que se habían juntado también adultos y va al encuentro de Judas y Juan que apresurados llegan por otra calle. Judas viene triunfante. Juan sonríe a Jesús ... pero no parece que sea muy feliz.

« Ven, ven Maestro. Creo que lo hice bien. Pero ven conmigo. En la calle no se puede hablar. »

« ¿ A dónde, Judas ? »

« A la fonda. He apartado cuatro habitaciones ... ¡ Oh ! son modestas, no te asustes. Tan sólo para poder descansar en un lecho después de tántos sinsabores de este calor; poder comer como gentes y no como pajaritos junto al pozo, y hablar también tranquilamente. He hecho una buena venta. ¿ Verdad, Juan ? »

Juan asiente sin muchas ganas. Pero Judas está tan contento de su obra, que no repara ni en la poca alegría de Jesús ante la perspectiva de un alojamiento cómodo, ni ante el menos entusiasta modo de Juan. Continúa diciendo: « Después de que vendí en más de lo que había pensado me dije: " Es justo que tome un poquitín, cien denarios para dormir y comer. Si nosotros que siempre hemos comido estamos agotados, mucho más debe de estarlo Jesús ". ¡ Mi deber es cuidar de que no se enferme mi Maestro ! Deber de amor, porque tú me amas y yo también. Hay lugar también para vosotros y vuestras ovejas » dice a los pastores. « En todo he pensado. »

Jesús no dice palabra. Lo sigue con los demás.

Llegan a una plaza secundaria. Judas dice: « ¿ Veis aquella casa sin ventanas de esa calle y con la puertecilla tan estrecha, que parece una hendidura? ... Es la casa del orfebre Diómedes. Parece una casa pobre ¿ no es así ? Pero adentro hay tanto oro como para comprar Jericó y ¡ ah ! ... ¡ ah ! ... » Judas ríe con malicia ... « y en ese oro se pueden encontrar también muchos collares y copas, y ... también otras cosas de personas muy influyentes en Israel. Diómedes ... ¡Oh! Todos fingen no conocerlo, pero lo conocen todos; desde los herodianos hasta ... todos, en una palabra. En esa pared lisa, pobre ... se podría escribir " Misterio y Secreto ". ¡ Si hablasen ! Juan, nadie se podría escandalizar con derecho del modo como hice los tratos ... Tú ... tú ... te morías ahogado de vergüenza y de escrúpulos. Ahora bien, escúchame, Maestro. No vuelvas a mandarme con Juan a ciertos negocios. Por poco hace que todo salga mal. No sabe agarrarlas al vuelo, no sabe negar, y con un astuto como Diómedes es menester ser rápidos y francos. »

Juan dice entre dientes: « Decía ciertas cosas ... tan raras y tan ... tan ... Sí, Maestro. No me vuelvas a mandar. No soy capaz sino de amar, yo ... »

« Difícilmente tendremos necesidad de ventas semejantes » responde Jesús, que está serio.

« Allí está la fonda. Ven, Maestro. Hablo yo ... porque ... yo lo hice. »

Entran y Judas habla con el dueño que hace que lleven las ovejas al establo y después conduce personalmente a los huéspedes a un saloncillo donde hay esteras para lecho, sillas y una mesa preparada. Se retira al punto.

« Hablemos pronto, Maestro, mientras los pastores están ocupados en acomodar sus ovejas. »

« Te escucho. »

« Juan puede decir si soy sincero o no. »

« No lo dudo. Entre honrados no es necesario ni juramento ni testimonio. Habla. »

« Llegamos a Jericó a la hora de siesta. Estábamos sudados como animales de carga. No quise dar impresión a Diómedes de tener necesidad urgente. Y primero vine aquí, me refresqué, me puse el vestido limpio y quise que también él lo hiciera. ¡Oh! No queria echarse nada de ungüento ni arreglarse los cabellos ... ¡ Yo ya me había formado mi plan, cuando venía por el camino! ... Cuando el atardecer estaba ya cercano, dije: " Vamos ". Ya estábamos descansados y frescos como dos ricachones en viaje de placer. Cuando estábamos a punto de llegar a la casa de Diómedes, dije a Juan: " Tú me asegundas. No desmientas y sé rápido en entendértelas ". Pero era mejor si lo hubiera yo dejado afuera. Para nada me ayudó. Al contrario ... Por buena suerte soy rápido por dos, y a todo proveí.

De la casa de Diómedes salía el alcabalero. " Bien " dije. " Si sale ese de allí, encontraremos dinero y lo que necesito para hacer comparaciones ". Porque el alcabalero, usurero y ladrón como todos sus iguales, siempre tiene collares que ha arrancado con amenazas y usuras a los desgraciados a quienes impone una tasa mayor de lo lícito, para que pueda así gozar de más crápulas y con mujeres. Es un amigo de Diómedes que compra y vende oro y carne ... entramos, después que me hice conocer. Digo, entramos, porque una cosa es ir al lugar en donde finge trabajar honradamente el oro, y otra es bajar al subterráneo donde él hace sus *verdaderos* negocios. Es menester que él lo conozca a uno muy bien para poder hacer esto. Cuando me vió me dijo: "¿Otra vez quieres vender oro? La situación es muy difícil y tengo poco dinero". Su acostumbrado cantar. Le respondí: "No vengo a vender, sino a comprar. ¿Tienes joyeles de mujeres, que sean bonitos, ricos, preciosos y de oro puro?" Diómedes quedó estupefacto. Preguntó: "¿Quieres una mujer?". "No te preocupes" le respondí. "No se trata de mí. Se trata de este amigo mío que es prometido y quiere comprar oro para su amada".

Y aquí, Juan, empezó a hacerla de chiquillo. Diómedes, que lo miraba, vió que se ponía colorado y dijo como viejo lujurioso que es: "¡Eh! El muchacho al oir solo la palabra 'prometida' siente fiebre de amor. "¿Es muy hermosa tu dama?" preguntó. Dí un puntapié a Juan para despertarlo y hacerle comprender que no hiciera el tonto. Y respondió con un "Sí" tan apagado, que Diómedes entró en sospechas. Entonces tomé yo la palabra: "Sí, hermosa y no debes de interesarte, viejo. No será jamás del número de las mujeres por las que merecerás el infierno. Es una doncella honesta, y en breve será una buena esposa. Saca tu oro. Soy el amigo de bodas de él y tengo el encargo de ayudar al joven... yo, judío y ciudadano". "El es galileo... ¿o no?" ¡Siempre os entregáis por esos cabellos! "¿Es rico?". "¡Mucho!".

Así fuimos para abajo y Diómedes abrió sus cofres y tesoros. Pero dí la verdad Juan... ¿no parecía estar uno en el cielo ante aquellas piedras preciosas y oro?... Collares, entretejidos, brazaletes, aretes, redecillas de oro y piedras preciosas para los cabellos, peinetas, broches y anillos... ¡Ah! ¡Qué esplendor! Con mucha calma de aquí y de allá elegí un collar como el de Aglae, arillos, broches y brazaletes... todo como lo que tenía en la bolsa y en igual número. Diómedes estaba aterrado y preguntaba: "¿Todavía más?... Pero ¿quién es este? Y... la novia ¿quién es? ¿Una princesa?". Cuando tuve todo lo que quería, dije: "¡El precio!"

¡Oh! ¡qué letanía de lamentos preparatorios sobre la situación actual, sobre las tasas, peligros, ladrones! ¡Oh! ¡Que letanía de afirmaciones de honradez! Y luego la respuesta, "Porque se trata de tí, te diré la verdad. Sin exageraciones. Pero menos no puedo, ni siquiera un dracma. Pido doce talentos de plata". "¡Ladrón!" dije. Dirigiéndome a Juan: "Vámonos. En Jerusalén encontraremos uno que sea menos ladrón que éste" simulé que salía. Corrió detrás de mí. " Mi muy grande amigo, mi amigo predilecto, ven, escucha a tu pobre siervo. No puedo menos. Deveras que no puedo. Mira. Hago un verdadero esfuerzo. Me arruino. Lo hago porque siempre me has brindado tu amistad y me has hecho hacer negocios. Once talentos ¿ Qué tal ? Es lo que daría si debiera comprar este oro a quien tiene hambre. Ni un céntimo menos. Sería como quitarme la sangre de las venas ".

¿ Verdad que así hablaba ? ¿ Causaba risa y náuseas. Cuando ví que se mantenía en el precio dí el golpe: " Viejo sucio, comprende que no quiero comprar sino vender. Esto es lo que quiero vender. Mira: es hermoso como el tuyo. Oro de Roma y de nueva cuña. Muchos lo querrán. Es tuyo por once talentos. Lo que pediste por esto. Tú pusiste el precio. Paga tú ". ¡Uf! ¡Entonces...! " ¡Es una traición! ¡Has traicionado la estima que tenía de tí! ¡Eres mi ruina! ¡No puedo dar tanto! " aúllaba. " No puedo ". " Mira que lo llevo a otros ". " No, amigo " y extendía sus manos ganchudas sobre el montón de Aglae. " Entonces, paga, debería yo de pedir doce talentos, pero me conformo con tu último pedido ". " No puedo ". " ¡Usurero! Mira que aquí tengo un testigo y que te puede denunciar como ladrón ... " y le dije otras virtudes que no repito porque aquí está este muchacho...

En fin, como tenía necesidad de vender y hacerlo pronto, le dije una cosita entre él y yo que no observaré... Pues ¿ qué valor tiene una promesa hecha a un ladrón? Y cerramos la venta en diez talentos y medio. Llegamos a este acuerdo en medio de lloriqueos y afirmaciones de amistad y... de mujeres. Y Juan casi se echa a llorar. Pero ¿ qué te interesa que piensen que eres un vicioso ? Basta con que no lo seas. ¿ No sabes que el mundo es así y que eres un aborto del mundo? Un joven que no conoce a lo que sabe una mujer ¿ quién quieres que te crea ? Y si te creen... ¡ Oh ! no me gustaría que pensasen de mí lo que pueden pensar de tí, quienes creen que no tienes deseos de mujer.

Mira, Maestro. Tú mismo cuenta. Tenía un montón de dinero. Pasé por el alcabalero y le dije: " Tómate esta porquería y dame los talentos que Isaac te dió " porque por últimas noticias había sabido también esto, después del negocio. Así pues, por ultimo dije a Isaac-Diómedes: " Acuérdate que el Judas del Templo no existe más. Ahora soy discípulo de un santo. Disimula no haberme conocido jamás, si en algo estimas el cuello " y por poco se lo tuerzo al punto, porque me respondió mal. »

« ¡ Qué te dijo ? » con indiferencia Simón pregunta.

« Me dijo: " Tú ... discípulo de un santo ? Jamás lo creeré, o muy pronto veré aquí también al santo a pedirme mujer ". Me dijo : " Diómedes es una vieja raposa en el mundo. Pero tu eras la joven. Yo todavía podré cambiar aunque he llegado a ser lo que soy de viejo. Pero tú no cambias. Has nacido así ". ¡ Viejo lujurioso ! ¡ Niega tu poder ! ¿ Entiendes ? »

« Y como buen griego dice muchas verdades. »

« ¿ Qué insinúas, Simón ? ... ¿ Hablas por mí ? »

« No. Por todos. Es uno que conoce el oro y los corazones de la misma manera. Es un ladrón lujurioso en todos sus negocios y peor en fama. Pero se escucha en él la filosofía de los grandes griegos. Conoce al hombre, animal con siete branquias de pecado, pulpo que destroza el bien, la honradez, el amor y otras tantas cosas en sí y en los de más. »

« Pero no conoce a Dios. »

« ¿ Y se lo querrías enseñar ? »

« ¿ Yo ? ... Sí ... ¿ por qué ? ... Los pecadores son quienes tienen necesidad de conocer a Dios. »

« Así es. Pero ... el Maestro debe conocerlo para enseñarlo. »

« ¿ Y no lo conozco yo ? »

« Paz, amigos. Vienen ya los pastores. No perturbemos su corazón con estas peleas entre nosotros. ¿ Contaste tú el dinero ? ... Basta. Lleva a buen término todas tus acciones, como has llevado esta y, te lo repito, si puedes, en lo porvenir, no mientas ni siquiera para realizar una acción buena ... »

Los pastores entran.

« Amigos. Aquí hay diez talentos y medio. Faltan sólo diez denarios que Judas tomó para gastos de alojamiento. Tomadlos. »

« ¿ Todo lo das ? » pregunta Judas.

« Todo. No quiero ni siquiera un céntimo. Nosotros tenemos la limosna de Dios y de estos que le buscan honradamente ... y jamás nos faltará lo indispensable. Créelo. Tomadlos y sed felices por causa del Bautista como lo soy Yo. Mañana iréis a su prisión, vosotros Juan y Matías. Simeón y José irán a donde está Elías a contárselo y a darle instrucciones para el futuro. Elías sabe. Después José regresará con Leví. El lugar de encuentro será dentro de diez días en la Puerta de los Peces en Jerusalén, a las seis de la mañana. Ahora comamos y descansemos. Mañana, al amanecer, parto con los míos. No tengo otra cosa que deciros por el momento. Más tarde tendréis noticias de Mí. »

Todo se oscurece cuando Jesús parte el pan.

47. Jesús llora por causa de Judas y Simón Zelote lo conforta

(Escrito el 20 de enero de 1945)

Es una bella campiña en donde se encuentra Jesús. Magníficos arboles frutales, viñedos espléndidos con racimos muy prestos a colorearse de oro y de rubí.

Jesús está sentado bajo un árbol y come la fruta que le ofreció un campesino. Tal vez habló ya antes porque el labrador dice: « Es alegría para mí socorrer tu sed, Maestro. Tu discípulo nos había ya hablado de tu sabiduría, pero nos quedamos sorprendidos el escucharte. Como estamos cerca de la Ciudad santa, frecuentemente vamos a ella a vender frutas y verduras. Entonces se sube al templo y se escucha a los rabíes. Pero no hablan como Tú. Se decía uno por el camino: " Si así son las cosas, ¿ quién se salva ? " Tú por el contrario. ¡ Oh ! ¡ Parece que has aligerado el corazón ! Un corazón que torna a hacerse niño sin que uno pierda la edad. Soy un tonto . . . no me sé explicar. Pero Tú me entiendes. »

« Sí, te entiendo. Quieres decir que con el conocimiento maduro de las cosas, propio de un adulto, sientes que después de haber escuchado la palabra de Dios, vuelve a nacer en tu corazón la simplicidad, la fe, la pureza, y te parece que te haces niño, sin culpas y sin malicia con tanta fe, como cuando asido a la mano de tu mamá subías por primera vez al Templo o cuando rezabas sobre sus rodillas. ¿ Es esto lo que querías decir ? »

« Exactamente esto. Felices vosotros que siempre estáis con El » dice a Juan, Simón y Judas que comen sentados sobre una pequeña barda, higos sabrosos. Y termina: « Yo soy feliz por haberte hospedado una noche. No tengo miedo a ninguna desgracia en mi casa, porque tu bendición ha entrado en ella. »

Jesús responde: « La bendición produce sus efectos y dura si los corazones permanecen fieles a la Ley de Dios y a mi doctrina.

Por el contrario, la gracia cesa si no lo son. Porque si es verdad que Dios da su sol y su aire asi a los buenos como a los malos, para que vivan; a los buenos para que se hagan mejores y a los malos para que se conviertan; es justo también que la protección del Padre se dirija a otra parte, castigando al malvado para traerle a la mente, con los sufrimientos, el recuerdo de Dios. »

« ¿ El dolor, no es siempre un mal ? »

« No, amigo. Desde el punto de vista humano es un mal, pero del sobrehumano, es un bien. Aumenta los méritos de los justos que lo sufren sin desesperarse, sin rebelarse y lo presentan ofreciéndole como sacrificio de expiación por sus propias flaquezas y por las culpas del mundo y como redención de los que no son justos. »

« ¡ Es tan difícil el sufrimiento ! » dice el campesino, al que se le han reunido sus familiares, que son como diez entre adultos y niños.

« Se que el hombre lo considera difícil. Y el Padre sabiendo que el hombre como tal lo consideraría, no dió el dolor a sus hijos. Entró: por la culpa. Pero . . . ¿ por cuánto tiempo dura el dolor sobre la tierra? . . . ¿ Por cuánto en la vida del hombre ? . . . ¡ Poco ! Siempre es poco, aunque así durase toda la vida. Ahora os digo: ¿ No es mejor sufrir por un poco de tiempo, que por siempre? . . . ¿ No es mejor sufrir aquí que en el Purgatorio? Pensad que allá el tiempo está en proporción de uno a mil. ¡ Oh ! En verdad os digo que en lugar de maldecir el dolor se le debería bendecir y llamarlo " gracia ", llamarlo " piedad ". »

« ¡ Oh, Maestro ! Nosotros bebemos tus palabras, como en verano lo hace el sediento al beber agua miel de una jarra fresca. ¿ De veras partes mañana, Maestro ? »

« Sí, mañana, pero regresaré otra vez, para agradecerte lo que has hecho por Mí y por los míos, y para pedirte una vez más pan y descanso. »

« Siempre habrá aquí para Tí, Maestro. »

Se adelanta un hombre que trae un borriquillo cargado de verduras.

« Mira. Si tu amigo quiere ir . . . mi hijo va a Jerusalén para el mercado de Pascua. »

« Ve, Juan. Sabes lo que debes hacer. Dentro de cuatro días nos volveremos a ver. Mi paz sea contigo. » Jesús abraza a Juan y lo besa. Tambien Simón hace lo mismo.

« Maestro » dice Judas « si me parmites, me iré con Juan. Tengo necesidad de ver a un amigo. Cada sábado está en Jerusalén. Iré con Juan hasta Betfagué y después yo solo... es un amigo de casa... sabes... mi madre me dijo... »

« Nada te he preguntado, amigo. »

« Mi corazón llora al dejarte. Pero dentro de cuatro días estaré de nuevo contigo. Y te seguiré en tal forma que hasta te cansarás de mí. »

« Ve, pues. Dentro de cuatro días cuando el alba se levante, estaréis en la Puerta de los Peces. Hasta la vista y que Dios te guarde. »

Judas besa al Maestro y camina cerca del borriquillo que va trotando por la senda polvorienta.

La tarde va bajando sobre la campiña que se cobija en silencio. Simón observa el trabajo de los hortelanos que riegan los surcos.

Jesús por unos momentos se ha quedado en el lugar en que estaba. Despues se levanta, da vuelta por detrás de la casa y se va por el huerto. Se aísla. Se dirige hasta un lugar tupido de granados que están separados entre sí con montones de varas que podrían ser de parras silvestre. No las conozco muy bien. No hay restos de fruta y no soy experta en hojas de plantas. Jesús detrás de los granados se esconde. Se arrodilla y ora... luego pega su rostro contra el suelo, contra la hierba y llora. Esto lo colijo por los suspiros profundos y entrecortados. Un llanto desconsolador, sin sollozos pero muy triste.

Así pasa el tiempo. Hay tan sólo luz crepuscular. Pero no se ha hecho tan oscuro que no se pueda ver. Y dentro de esa poca luz he ahí que se asoma sobre un montón de varas la cara fea y honrada de Simón. Mira, busca, descubre la figura encorvada de Jesús, que tiene cubierto el manto azul-oscuro, que hace que casi se pierda entre las sombras del suelo. Tan solo sobresalen la rubia cabeza y las manos unidas en oración, que van más alla de la cabeza que está apoyada sobre los codos. Simón mira con sus ojos bovinos. Comprende que Jesús está triste por los suspiros que da, y de sus labios hinchados y hasta de color violeta, se oye su voz que dice: « Maestro. »

Jesús levanta el rostro.

« ¿ Lloras, Maestro ? ¿ Por qué ? ¿ Me permites que vaya a donde estás? » En la cara de Simón está dibujada la sorpresa y el dolor.

En realidad es un hombre feo. A su no bello perfil y al color oscuro de aceituna se le añaden las cicatrices azuladas que cual hoyos le dejó su mal. Pero su mirada es tan buena, que su deformidad desaparece.

« Ven, Simón, amigo. »

Jesús está sentado sobre la hierba. Simón hace lo mismo.

« ¿ Por qué estás triste, Maestro mío ? Yo no soy Juan y no podré darte cuanto él te dá, pero tengo deseos de consolarte. Y tengo un solo dolor, y es el de sentirme incapaz de hacerlo. Dime. " ¿ Te he causado algún desagrado en estos últimos días, de manera que te canse el que debas estar conmigo? »

« No, buen amigo. Desde el momento en que te ví, no me has causado ningún desagrado. Y creo que jamás me serás causa de llanto. »

« ¿ Y entonces, Maestro ? . . . No soy digno de tu confianza, pero dados mis años podría ser hasta padre tuyo, y bien sabes que siempre he tenido sed de hijos . . . Permíteme que te acaricie coco si fueses un hijo mío y que haga yo en esta hora las veces de padre y madre. Tienes necesidad de tu Madre para olvidar muchas cosas . . . »

« ¡ Oh, sí . . . de mi Madre ! »

« Pues bien, mientras no llegue el momento en que Ella te consuele, deja a tu siervo la alegría de hacerlo. Maestro, lloras porque hubo quien te desagradara. Hace días que tu rostro es como un sol cubierto por nubes. Te he estado observando. Tu bondad oculta la herida, para que no odiemos al que nos hiere. Pero esta herida te duele y te provoca náuseas. Pero dime, Señor mío : ¿ por qué no alejas la fuente de esta pena? »

« Porque humanamente es inútil y sería contra la caridad. »

« ¡ Ah ! ¡ Has entendido que me refería a Judas ! Tu sufres por él. ¿ Cómo puedes, Tú, Verdad, soportar a ese mentiroso ? . . . Miente y ni color cambia. Es más falso que una zorra. Más cerrado que una piedra. Ahora se ha ido. ¿Qué va a hacer?. . . ¿Será posible que tenga tántos amigos ? . . . Aleja de Tí, Señor mío a ese hombre. »

« Es inútil. Lo que debe ser, será. »

« ¿ Qué quieres decir ? »

« Nada en particular. »

« Lo dejaste ir de buena gana porque . . . porque te causó asco su modo de obrar en Jericó. »

« Así es, Simón. Una vez más te digo : Lo que debe de ser será y

Judas forma parte de este futuro. También él debe ser... [1] »

« Juan me ha contado que Simón-Pedro es todo franqueza y fuego... ¿ Tolerará a este ? »

« Lo debe soportar. También está destinado a algo suyo, y Judas es la tela tosca en que él debe tejer su parte, o si mejor te gusta, es la escuela en que Pedro se ejercitará más que con cualquier otro. Ser buenos con Juan, entender los corazones como Juan, es virtud también de tontos. Pero ser buenos con quien es un Judas, saber comprender los corazones como el de Judas, ser médico y ser sacerdote para ellos es difícil. Judas es vuestra enseñanza viviente. »

« ¿ La nuestra ? »

« Sí, la *vuestra*. El Maestro no es eterno sobre la tierra. Se irá después de haber comido el pan más duro, y bebido el vino más amargo. Pero vosotros os quedareis para ser mis continuadores... y debéis saber. El mundo no termina con el Maestro, sino que continúa hasta el regreso final del Mesías y hasta el juicio final del hombre. En verdad te digo que para un Juan, un Pedro, un Simón, un Santiago, Andrés Felipe, Bartolomé y Tomás, hay por lo menos otras tantas veces siete Judas. Muchos más, muchos más. »

Simón guarda reflexivo, silencio. Luego dice: « Los pastores son buenos. Judas los desprecia pero yo los amo. »

« Yo los amo y alabo. »

« Son almas sencillas, como las que te agradan. »

« Judas ha vivido en la ciudad. »

« Su único pretexto. Muchos también han vivido y sin embargo... ¿ Cuándo irás a la casa de mi amigo ? »

« Mañana, Simón. Y con mucho gusto porque estamos solos tu y Yo. Me imagino que es un hombre culto y experto como tú. »

« Sufre mucho... en el cuerpo y en el corazón. Maestro... me gustaría pedirte un favor: si no te habla de sus tristezas, no le preguntes nada referente a su casa. »

« No lo haré. Sé por quién sufre, pero no quiero confidencias forzadas, el llanto tiene su pudor... »

« Yo se lo he respetado... Pero me causa tánta pena... »

« Tú eras mi amigo y habías dado ya un nombre a mi dolor. Yo para tu amigo soy el Rabí desconocido. Cuando me conozca...

[1] Cfr. Mt. 18, 7; 26, 20-25; Mc. 14, 17-21; Lc. 17, 1; 22, 21-23; Ju. 13, 21-30. Hech. 1, 16.

entonces... ¡ Vámonos ! Ya entra la noche. No hagamos esperar a los que nos hospedan, que deben estar cansados. Mañana al amanecer iremos a Betania. »

48. « También para vosotros los buenos existe la proporción que había entre los buenos y Judas »

(Escrito el mismo día)

Jesús añade:

« Juanito, cuántas veces lloré con el rostro en el suelo por causa de los hombres. ¿ Y vosotros querríais ser menos que yo?

También para vosotros los buenos está la proporción que había entre los buenos y Judas. Cuanto se es mejor tanto más se sufre. También vosotros, y lo digo especialmente de los que tienen cuidado de almas, tenéis necesidad de aprender estudiando a Judas. Vosotros sacerdotes, todos sois, " Pedros " y debéis ligar y soltar. Pero ¡ cuánto, cuánto espíritu de observación, de unión con Dios; cuánto estudio realista, cuántas comparaciones con el método de vuestro Maestro debéis hacer para ser lo que debéis ser!

A alguien le parecerá inútil, humano, imposible cuanto digo. Son los que de costumbre niegan los aspectos humanos de mi vida y me convierten en un ser tan lejos de la vida humana que queda sólo lo divino. Siendo así, ¿ a donde va a terminar la Santísima Humanidad ?... ¿ a dónde el sacrificio de la Segunda Persona que se vistió con carne?...

Era Yo, en realidad, un Hombre entre los hombres. Era hombre y por esto sufría al ver al traidor y a los ingratos. Y por esto me alegraba de que me amase alguien, o se convirtiese a Mí. Y por esto sentía profundamente en el alma y lloraba ante el cadáver espiritual de Judas. Con el corazón en las manos y con el llanto en los ojos lloré ante el amigo muerto. Pero sabía que lo traería Yo a la vida y me alegraba de verlo que estaba con el espíritu en el Limbo. Aquí... aquí tenía enfrente al demonio... y no digo más.

Tú, Juan, sígueme. Demos a los hombres también este don. Y luego... Bienaventurados los que escuchan la palabra de Dios y se esfuerzan en hacer lo que manda. Bienaventurados los que quieren conocerme para amarme, en ellos y para ellos seré bendición. »

49. Encuentro de Jesús con Lázaro en Betania

(Escrito el 21 de enero de 1945)

Es un amanecer resplandeciente de estío. Más bien que aurora es el día que ha empezado, porque el sol está ya fuera de los límites del horizonte y va sacando la cabeza sonriente sobre la tierra que también sonríe. No hay tallo que no ría a través del transparente rocío. Parece como si los astros nocturnos se hubieran pulverizado y convertido en oro y piedras preciosas para cada uno de los tallos, para todas las plantas, aun hasta para las piedras esparcidas en la tierra, que con sus hendiduras de silicato bañadas de rocío, parecen diamantes o polvo de oro.

Jesús y Simón caminan por una vereda que se aleja del camino principal haciendo una " v ". Se dirigen hacia los magníficos huertos y campos de lino, que está más alto que un hombre y que no tardará en que se le siegue. Otros campos más lejanos, parecen de color rosado a causa de las calabazas que se ven en lo amarillo de la paja.

« Estamos ya, dentro de las posesiones de mi amigo. Mira, Maestro, que la distancia estaba en la prescripción de la Ley[1]. Jamás me hubiera permitido engañarte. Detrás de aquel huertecillo está la barda del jardín, y dentro, la casa. Te hice venir por esta vereda precisamente para estar dentro de la distancia permitida. »

« ¡ Es muy rico tu amigo ¡ »

« Mucho. Pero no es feliz. Su casa tiene posesiones también en otras partes. »

« ¿ Es fariseo ? »

« Su padre no lo fué. El ... es muy observante. Te lo dije: un verdadero israelita. »

[1] Cfr. Gén. 2, 2-3; Ex. 16, 27-30; 20, 8-11; 23, 12; 34, 21; 35, 1-3; Dt. 5, 12-15; 2 Esd. 13, 15-22; 1 Mac. 2, 29-41.

Caminan todavía un poco más. He aquí una barda alta, luego más plantas, entre las que sobresale la casa. El terreno se eleva aquí un poco e impide que alguien pueda asomarse al jardín, que es tan grande que lo podríamos llamar parque.

Dan vuelta a la esquina. La barda sigue igual y de ella caen ramitos de rosas y de jazmines olorosos y relucientes en sus corolas bañadas de rocío. Ahora se ve el cancel pesado de hierro. Simón llama a la puerta con el aldabón.

« Simón, la hora es todavía muy temprana para entrar » observa Jesús.

« ¡ Oh ! Mi amigo se levanta a los primeros albores del sol al no encontrar consuelo sino en su jardín y en los libros. La noche es para él un tormento. Maestro, no tardes en darle una alegría. »

Un criado abre el cancel.

« Aseo, buenos días. Dí a tu patrón que Simón Zelote ha venido con su Amigo. »

El criado parte a la carrera, despues de haberlos hecho entrar y decirles: « Vuestro siervo os devuelve el mismo saludo. Entrad que la casa de Lázaro está abierta para los amigos. »

Simón que conoce el lugar, se dirige no por el pasillo central, sino por uno, que entre los rosales va hasta un terrado de jazmines.

De allí es de donde poco después sale Lázaro. Siempre delgado y pálido, como siempre lo he visto, alto, con cabellos cortos y no abundantes, y con su barba rasurada fuera del mentón. Trae un vestido de lino blanquísimo y camina con fatiga, como quien está enfermo de las piernas. Cuando ve a Simón, le hace una señal de saludo afectuoso, y después como puede, corre hacia Jesús, se arrodilla inclinándose hasta el suelo para besar la orla de su vestido y dice: « No soy digno de tanto honor. Pero ya que tu santidad se humilla hasta mi miseria, ven, Señor mío, entra, y toma posesión de mi pobre casa. »

« Levantate, amigo, y recibe mi paz. »

Lázaro se levanta, besa las manos de Jesús, lo mira con veneración no falta de curiosidad. Caminan en dirección de la casa.

« ¡ Cuánto te he esperado, Maestro ! A cada amanecer me decía: " Hoy vendrá ", y a cada crepúsculo: " ¡ Hoy, tampoco lo he visto ! " »

« ¿ Por qué me esperabas con tánta ansia ? »

« Porque . . . ¿ qué esperamos nosotros los de Israel sino a Tí? »

« ¿ Y crees tú, que sea yo el Esperado ? »

« Simón jamás ha dicho mentiras, ni es un muchacho que pierda el control con nubes engañosas. La edad y el dolor lo han hecho maduro como a un sabio. Y luego... aunque él no te hubiese conocido por lo que en realidad eres, tus obras lo hubiesen hablado y te hubiesen llamado " Santo ". Quien hace las obras de Dios debe ser hombre de Dios, y Tú las haces; y las haces de modo que te proclaman el Hombre de Dios. Mi amigo fué a Tí, por la voz pública del milagro y obtuvo un milagro. Y sé que tu camino está cubierto de otros milagros. Si es así... ¿ Porqué no creer que Tú eres el Esperado ?. .. ¡ Oh ! ¡ Que si es dulce creer en lo que es bueno! Tantas cosas no buenas hay que debemos creerlas, por amor a la paz, porque es inútil querer cambiarlas; tantas palabras engañosas que saben a adulaciones, alabanzas y bondad... y son por el contrario sarcasmo y vergüenza; veneno cubierto de miel, y debemos mostrar que así lo creemos pese a que son veneno, vergüenza y sarcasmo... debemos hacerlo porque... no se puede obrar de otro modo y somos débiles contra todo el mundo que es fuerte, y estamos solos contra todo un mundo que es nuestro enemigo... ¿ Por qué entonces tener dificultad en creer en lo que es bueno?... Por lo demás los tiempos están maduros y hay señales de los tiempos. Cuanto faltase todavía a nuestro creer para que fuese completo y en él no hubiese duda, lo pone nuestra voluntad de creer y el hecho de que nuestro corazón se tranquiliza con la seguridad de que la " espera " ha terminado y que ya está el Redentor que es el Mesías... El que devolverá la paz a Israel y a los hijos de Israel, el que... hará que nuestro morir sea sin ansias, porque sabemos que estamos redimidos, y que nos hará vivir sin esa punzante nostalgia de nuestros muertos... ¡Oh!... ¡Los muertos! ¿Por qué extrañarlos, sino porque no teniendo ya más hijos, no tienen todavía al Padre y a Dios? »

« ¿ Hace mucho tiempo que se te murió tu padre ? »

« Hace tres años, y hace siete que murió mi madre. Pero de un tiempo para acá, no los extraño... Querría también yo estar donde creo que están en espera del Cielo. »

« No hubieras entonces, hospedado al Mesías. »

« Es verdad. Ahora soy más que ellos porque te tengo... y el corazón se apacigua con esta alegría. Entra, Maestro. Concédeme la honra de que mi casa sea la tuya. Hoy es sábado y no puedo honrarte con convidar a amigos.. »

« No lo deso. Hoy estoy a la disposición del amigo de Simón y que también es mío. »

Entran en una bella sala donde ligeros los siervos los reciben.

« Os ruego que los sigáis » dice Lázaro. « Podéis refrescaros antes de los alimentos matinales. » Y mientras Jesús y Simón van a otro lugar, Lázaro da órdenes a los criados. Veo que la casa es rica, mejor dicho, señoril...

... Jesús bebe leche que Lázaro quiere por sí mismo servirle antes de los alimentos matinales.

Oigo que Lázaro dice a Simón: « He encontrado a la persona que está dispuesta a comprar tus bienes y al precio que tu intendente creyó ser justo. No quita ni siquiera un dracma. »

« ¿ Pero está dispuesto a observar mis cláusulas ? »

« Lo está. Acepta con la condición de entrar en posesión de esas tierras. Y yo de mi parte estoy contento porque al menos sé de quien me fío. Pero ya que tú no quieres presenciar la venta, él también quiere permanecer desconocido. Te ruego accedas a este deseo suyo. »

« No veo razón que lo impida. Tú, amigo mío, harás mis veces... todo lo que hagas estará bien. Me basta tan sólo con que a mi criado fiel no se le eche a la calle... Maestro, vendo, y por cuenta mía soy feliz de no tener ninguna cosa que me ligue a otra que no sea el servirte. Tengo un viejo y fiel criado, el único que quedó después de mi desgracia, y que, como ya te lo había dicho, me ayudó cuando estaba yo separado y cuidó de mis bienes como si fuesen suyos; aún más, los hizo pasar por tales con el auxilio de Lázaro y así pudo salvarlos y de este modo con ellos socorrerme. No sería equitativo que ahora lo dejase sin casa... ahora que ya está viejo. Decidí que una pequeña casa, en los límites de mis propiedades, se le quedase y que se le de parte del dinero para su futuro sustento. Los viejos son como la hiedra ¿ sabes ? Cuando han vivido siempre en un lugar, sufren mucho cuando se les arranca de allí. Lázaro lo quería consigo, porque Lázaro es bueno, pero preferí obrar de este modo. Sufrirá menos el viejo... »

« También tu eres bueno Simón. Si todos fuesen justos como tú, sería más fácil mi misión... » observa Jesús.

« ¿ Encuentras, Maestro, que el mundo te resiste ? » pregunta Lázaro.

« El mundo?... ¡ No ! Las fuerzas del mundo: Satanás. Si no

fuese el patrón de los corazones y no los tuviese en sus manos no encontraría Yo resistencia. Pero el Mal está contra el Bien, y debo vencer en cada uno el mal para introducir el bien ... ¡ y no todos quieren! »

« Es verdad. No todos quieren. Maestro, ¿ qué palabras encuentras para convertir y doblegar a quien es culpable ? ¿ Palabras de reprensión, como las que la historia de Israel tiene para los culpables, palabras que el último que las empleó fue el Precursor, o bien palabras de misericordia ? »

« Empleo el amor y la misericordia. Crees, Lázaro, que tenga más poder una mirada de amor sobre el caído, que una maldición. »

« ¿ Y si se hace burla del amor ? »

« Insistir una vez más. Insistir hasta donde más no se pueda. ¿ Lázaro conoces esas tierras en que el suelo traidor se traga a los incautos? »

« He leído, porque en mi situación actual leo mucho, ya porque me gusta, ya para pasar las largas horas de insomnio. He leído algo de eso. Sé que hay en la Siria y en Egipto y también entre los Caldeos ... y sé que son como ventosas. Aspiran cuando tienen la presa. Dice un romano que son bocas del infierno, en que moran monstruos paganos. ¿ Es verdad ? »

« No lo es. No son más que formaciones especiales de la costra terrestre. No tiene nada que ver el Olimpo. Nadie va ya más a creer en al Olimpo y ellas continuarán, y el progreso humano no podrá menos que dar una explicación más verídica del hecho, pero jamás negarlo. Ahora Yo digo: Como leiste de ellas, así también habrás leído cómo se puede salvar el que haya caído ahí. »

« Sí, echándole una soga con un palo, también una rama. Algunas veces basta una pequeña cosa para hacer que salga el que se va hundiendo, pero sobre todo el hecho de que lo tranquiliza y hace que desesperadamente no busque otra ayuda más. »

« Pues bien, el culpable, el poseído, es uno que ha sido absorbido por el engañoso suelo cubierto arriba por flores, pero que abajo está de lodo movedizo. ¿ Crees tu que si alguien supiese lo que significa poner en sus manos un solo átomo de sí, no lo haría?... Pero no sabe ... y después, o lo paraliza el espanto y el veneno del mal, o lo hace enloquecer, y para huir del remordimiento de estar perdido, se contorsiona, se apega más al fango, provoca ondas pesadas, con sus movimientos tontos, los cuales apresuran su fin. El amor es la soga, la reata, la rama de que hablaste. Insistir, insistir... hasta que se haya asido... a una palabra... a un perdón... a un perdón más grande que la culpa... que sirva para detener el hundimiento y esperar el auxilio de Dios... Lázaro... ¿ sabes qué poder tiene el perdón ?... Hace que Dios auxilie al que socorre... ¿ Lees mucho ? »

« Mucho. No sé si haga bien. Pero la enfermedad y... otras cosas me han privado de muchos placeres del hombre... y ahora no tengo más pasión que por las flores y por los libros... por las plantas, y... también por los caballos... Sé que me critican. Pero no puedo caminar a pie en mis posesiones en este estado (y descubre sus gruesas piernas vendadas) o cabalgar sobre una mula. Debo usar un carro y que sea veloz. Por esto tengo caballos y los quiero. Pero si Tú me dices que está mal... los mando vender. »

« No, Lázaro. Esas cosas no son las que corrompen. Corrompe lo que intranquiliza el corazón y lo aleja de Dios. »

« Pues bien, Maestro, esto querría saber. Leo mucho. Es mi consuelo. Me gusta saber... creo que en el fondo sea mejor saber que hacer el mal... sea mejor leer que... que hacer otras cosas. No leo tan sólo páginas nuestras. Me encanta también conocer otros mundos. Roma y Atenas me atraen. Sé cuánto mal le vino a Israel cuando se corrompió con los Asirios y el Egipto [2], cuánto mal nos hicieron los gobiernos helenistas [3]. No sé si un particular pueda hacerse el mismo mal que Judas se hizo a sí mismo y a nosotros sus hijos. Tú, ¿ qué piensas ? Quiero que me enseñes. Tú que no eres un rabí, sino el Verbo sabio y divino. »

Jesús lo mira fijamente por unos momentos con una mirada penetrante y al mismo tiempo lejana. Parece que como traspasando el cuerpo de Lázaro, escudriñase su corazón, y pasando más allá, viese algo... Empieza a hablar. « Te perturba lo que lees ? ¿ Te separa de Dios y de su Ley ? »

« No, Maestro. Al revés, me empuja a comparar nuestra verdad con la falsedad pagana. Comparo y reflexiono en las glorias de Israel, sus justos, sus Patriarcas, sus Profetas y las figuras miopes de las histórias de otros. Comparo nuestra filosofía, si así se puede llamar la Sabiduría que habla en los textos sagrados, con la

[2] Cfr. 4 Re. 21, 1-18; 2 Par. 33, 1-20; Is. 30; 31; Ez. 16, 23-29.
[3] Cfr. ambos libros de los Macabeos, por ej. 1 Mac. 1; 2 Mac. 4-7.

pobre filosofía griega y romana que tienen solo chispazos de fuego, pero no la flama segura que arde y resplandece en nuestros sabios. Y luego con aun mayor veneración me inclino a adorar en espíritu a nuestro Dios que habla a Israel a través de sus hechos, de las personas y de nuestros escritos.»

«Entonces, sigue leyendo... Te servirá conocer el mundo pagano... Continúa... puedes hacerlo. En tí no existe el fermento del mal y la gangrena espiritual. Por esto puedes leer y sin temor alguno el amor verdadero que tienes para tu Dios, hace estériles los gérmenes profanos que la lectura puede esparcir en tí. En todas las acciones del hombre existe la posibilidad del bien y del mal. Según se realicen. No es pecado trabajar si se trabaja cuando hay que hacerlo. No es pecado tener ganancias si se contenta uno con lo justo. No es pecado instruirse si con ello no se mata la idea de Dios en nosotros. Mientras que es pecado hacer servicios en el altar, si se hace por propia utilidad. ¿Lo aceptas Lázaro?»

«Sí, Maestro. Había preguntado lo mismo a otros, y han terminado por despreciarme... pero Tú me das la luz y la paz. ¡Oh! ¡Si todos te escuchasen!... Ven, Maestro. Entre los jazmines hay frescura y silencio. Dulce es esperar el atardecer entre su fresca sombra.»

Salen y todo termina.

50. Jesús regresa a Jerusalén y oye a Iscariote en el Templo. En Getsemaní

(Escrito el 22 de enero de 1945)

Jesús está en Jerusalén con Simón. Se abren paso entre la multitud de vendedores y de asnos que parece una procesión en camino, y al hacerlo dice Jesús: «Subimos primero al Templo, antes de ir a Get-Sammi. Rogaremos al Padre en su casa.»

«¿Tan sólo esto, Maestro?»

«Nada más. No puedo entretenerme. Mañana al amanecer convinimos en estar en la Puerta de los Peces, y si la multitud insiste... ¿cómo puedo librarme de ella?. Quiero ver a los demás pastores. Los mando, como verdaderos pastores, por la Palestina, para que inviten a las ovejas a que se reunan, para que el Dueño del Rebaño sea conocido, por lo menos de nombre, de modo que cuando Yo lo diga, sepan que soy Yo el dueño de la grey y vengan a Mí para que las acaricie. »

« ¡ Dulce cosa es tener un Patrón como Tú ! Las ovejas te amarán. »

« Las ovejas, sí . . . pero no los machos cabríos . . . Después de haber visto a Jonás, iremos a Nazaret y luego a Cafarnaún. Simón Pedro y los demás, extrañarán tan larga ausencia . . . Iremos a hacerles felices, y a *hacernos* nosotros a la vez. Aún el verano nos invita a esto. La noche es para el descanso y muy pocos son los que posponen el descanso por el conocimiento de la Verdad. El hombre . . . ¡ Oh ! ¡ El hombre ! Frecuentemente se olvida de tener un alma y piensa y se preocupa tan sólo de la carne. El sol durante el día es fuerte. No deja caminar y no deja enseñar en las plazas ni en los caminos. Hace que el espíritu tenga sueño como el cuerpo, por el sol agotador. Y es bueno . . . que vayamos a instruir a mis discípulos. Allá la dulce Galilea, siempre verde y siempre fresca con sus aguas . . . ¿ Has estado alguna vez allá ? »

« Una vez de paso y en invierno, en uno de mis penosos andares de un médico a otro. Tengo deseos . . . »

« ¡ Oh, es hermosa ! Lo es siempre. En el invierno y más en las otras estaciones. Ahora que es verano, tiene noches, digamos angelicales . . . de veras, parece como si hubiesen sido hechas para que volasen los ángeles. ¡ Son tan claras ! El lago . . . El lago . . . El lago con su anillo de montes más o menos cercanos, parece que fué hecho para hablar de Dios a las almas que lo buscan. Es un pedazo de cielo caído entre el verdor y su firmamento no se oculta nunca, sino que se refleja con sus astros y los multiplica como para presentarlos al Creador esparcidos en una lámina de zafiro. Los olivos descienden casi hasta el nivel de las ondas y están llenos de ruiseñores. Cantan ellos también sus alabanzas al Creador que quiere que vivan en aquel lugar tan dulce y placentero.

¡ Y mi Nazaret ! El sol la besa toda. Es blanca, llena de verdor, sonriente entre dos gigantes que es el Grande y el Pequeño Hermón, y el pedestal de los montes que sostienen el Tabor, pedestal de dulces y verdes pendientes, que se yerguen en dirección a su señor frecuentemente cubierto de nieve, pero también bello cuando el sol corona su cima, que se convierte en un alabastro de color rosado, mientras que en la parte opuesta el Carmelo es de color lapislázuli en algunas horas de fuerte sol en que sus venas de mármoles y de aguas, de bosques y de prados se muestran con sus diversos colores, como una amatista a las primeras luces, y de un color violáceo-celeste al atardecer y es un gigante de color sardónico cuando la luna lo presenta todo negro en el color plateado de su luz. Y luego, más allá, al sur, la alfombra fértil y florida de la Llanura de Esdrelón.

Y luego, luego, ¡ oh, Simón ! ¡ Allá hay una flor ! ¡ que vive sola, que despide aroma de pureza y amor por su Dios y por su Hijo! Es mi Madre. La conocerás, Simón, y me dirás si hay creatura igual a Ella, también en belleza humana sobre la tierra. Es hermosa, pero todo cae bajo lo interno que mana de su corazón. Si un hombre brutal la despojase de sus vestiduras, y la mandase a caminar errante, con todo parecería una Reina con vestiduras reales, porque su santidad le serviría de manto y resplandor.

El mundo puede pagarme mal, pero todo perdono al mundo, porque para venir a él a redimirlo, me cupo la dicha de tenerla a Ella, la humilde y gran Reina del mundo, que éste ignora, pero por la que recibió el bien y por los siglos lo tendrá.

Llegamos al Templo. Guardemos el rito del culto judío. Pero en verdad te digo que la verdadero Casa de Dios, el Arca santa es su corazón, que tiene por velo su carne purísima, y en la que hay virtudes cual brocado. »

Entran y caminan por el primer patio. Pasan un portal y se dirigen a un segundo patio.

« Maestro, mira allí a Judas en medio de aquel montón de gente. Hay también fariseos y sinedristas. Voy a oir lo que dice. ¿ Me permites? »

« Ve. Te espero cerca del Gran Portal. »

Simón va ligero y se mete de manera de poder oir, sin ser visto.

Judas habla con convicción: « . . . y aquí hay personas que todos vosotros conocéis y respetáis, que pueden decir quién soy yo. Pues bien, os digo que El me ha cambiado. El primer redimido soy yo. Muchos de entre vosotros veneran al Bautista. También El lo venera, y lo llama " el santo igual que Elías por su misión, pero todavía mayor que él ". Ahora bien, si el Bautista es esto. El a quien el Bautista llama " el Cordero de Dios " y jura por su santidad haber visto que el fuego del Cielo lo coronaba mientras una voz del Cielo lo proclamaba: " Hijo amado de Dios a quien se deba escuchar" no puede ser menos que el Mesías. Lo es. Os lo juro. No soy un cualquiera ni un tonto. Lo es. Lo he visto en sus obras y he escuchado su palabra. Os lo digo: es El: el Mesías. El milagro le obedece como el esclavo a su dueño. Enfermedades y desgracias caen como cosas muertas y en su lugar llega la alegría y la salud. Los corazones se cambian más que los cuerpos. Podéis verlo en mí. ¿ Tenéis enfermos o penas que aliviar ? Si los tenéis, venid mañana al amanecer a la Puerta de los Peces. Estará El allí y os hará felices. Entre tanto ved: en su nombre doy a los pobres esta ayuda. »

Y Judas distribuye dinero a dos paralíticos y a tres ciegos, y finalmente obliga a una viejecilla a aceptar el resto. Despide a la gente y se queda con José de Arimatea, Nicodemo y otros tres que no conozco.

« ¡ Ah ! ¡ ahora estoy bien ! » exclama Judas, « no tengo ya nada. Soy como El quiere. »

« En verdad que no te reconozco. Pensaba que era una burla; pero veo que lo haces en serio » exclama José.

« En serio. ¡Oh! Soy el primero en reconocerlo. Soy un animal inmundo en su compañía, pero ya he cambiado mucho. »

« ¿ Y no pertenecerás más al Templo ? » pregunta uno de los que no conozco.

« ¡ Oh, no ! Soy del Mesías. Quien se acerca a El, a no ser que sea una víbora, no puede menos que amarlo y de no desear más que a El. »

« ¿ No vendrá, más aquí ? »

« Sí que vendrá. Pero no ahora. »

« Me gustaría escucharlo. »

« Ya habló en este lugar, Nicodemo. »

« Lo sé. Pero estaba con Gamaliel . . . lo ví . . . pero no me detuve. »

« Nicodemo . . . ¿ qué dice Gamaliel ? »

« Dijo " algún nuevo profeta ", no añadió más. »

« ¿ José, no le dijiste lo que te dije ? . . . ¡ Tú eres su amigo ! »

« Se lo dije, pero me respondió: " Tenemos ya el Bautista, y según doctrina de los escribas, por lo menos deben pasar cien años entre esto y la preparación del pueblo para la venida del Rey. Yo digo que se necesitan menos añadió, porque a lo menos el tiempo se ha cumplido ". Y concluyó: " Mas no puedo admitir que el Mesías de este modo se manifieste . . . creí un día que daba principio la manifestación mesiánica, porque su primer resplandor fué un relámpago verdaderamente celestial[1]. Pero después... no hubo más que un largo silencio y creo que me equivoqué ". »

« Trata de hablarle otra vez. Si Gamaliel estuviese con nosotros y vosotros con El... »

« No os aconsejo » protesta uno de los tres. « El Sanedrín es poderoso y Annás lo gobierna con astucia y ambición. Si tu Mesías quiere vivir, le aconsejo que permanezca en la oscuridad. A menos que se imponga con la fuerza. Pero en este caso está Roma... »

« Si el Sanedrín lo escuchase, se convertiría a El. »

« ¡ Ja, ja, ja ! » ríen los tres desconocidos y dicen: « Judas, creíamos que habías cambiado, y que eras inteligente. Si es verdad lo que dices de El, ¿cómo puedes pensar que el Sanedrín lo siga?... Ven, ven, José. Es mejor para todos. Que Dios te guarde Judas. Te hace falta » y se alejan. Judas queda solo con Nicodemo.

Simón se desliza cuidadosamente y va a donde está Jesús. « Maestro, me acuso de haber calumniado a Judas de palabra y de corazón. Ese hombre me desorienta. Casi creía que era un enemigo tuyo, pero lo oí hablar de Tí en tal forma que pocos lo harían entre nosotros, sobre todo aquí donde el odio podría suprimir en primer lugar al discípulo y luego al Maestro. Le ví dar dinero a los pobres, y tratar de convencer a los sanedristas... »

« ¿ Lo ves Simón ? Me felicito con que lo hayas visto en esta ocasión. Lo dirás a los demás cuando lo acusen. Bendigamos al Señor por esta alegría que me proporcionas; por tu honradez al decir: " He calumniado ", y por la obra del discípulo que tenías como a un malvado y que no lo es. »

Oran por largo tiempo, luego se retiran.

« ¿ No te vió ? »

« ¡ No ! Estoy seguro. »

« No le digas nada. Es un alma muy enferma. Una alabanza sería semejante a alimentos fuertes dados a un convaleciente de una alta fiebre estomacal... Lo haría que se enfermase más, porque se gloriaría de saber que es famoso... y donde entra el orgullo... »

« Guardaré silencio. ¿ A dónde vamos? »

« A donde está Juan. A esta hora del calor se encontrará en la casa del Olivar. »

[1] Cfr. cap. 68 pág. 233.

Van ligeros buscando sombra por las calles que son fuego. Pasan el suburbio polvoriento, atraviesan por la puerta de los muros, desembocan por la ofuscante campiña, de esta a los olivos y de ellos a la casa.

Juan está en la cocina fresca y oscura por la manta tendida sobre la puerta. Cabecea. Jesús dice: « Juan. »

« Maestro, ¿ Tú ?... Te esperaba en la tarde. »

« Vine antes. ¿ Cómo has estado? »

« Como un cordero que hubiese perdido a su pastor. Hablaba a todos de Tí, porque al hacerlo, era tenerte un poco. He hablado a algunos familiares, conocidos y extraños. También a Annás... y a un paralítico del que me hice amigo con tres denarios. Me los habían dado y yo se los dí a él. Y también a una pobre mujer, de la edad de mi madre, que lloraba en un grupo de mujeres cerca de una puerta. Le pregunté: " ¿ Por qué lloras ? " Respondió: " El médico me ha dicho: ' Tu hija está enferma de tisis. Resígnate. En los primeros días de octubre morirá'. No tengo más que a ella, es hermosa, buena y tiene quince años. Debía de casarse en primavera, y en lugar del cofre de nupcias debo prepararle el sepulcro ". Le dije: " Conozco yo a un médico que te la puede curar si tienes fe ". " Nadie la puede curar. Ya la vieron tres médicos. Escupe ya sangre ". " Mi médico " dije " no es uno como los tuyos. No cura con medicinas, sino con su poder. Es el Mesías... ". Entonces una viejecilla irrumpió: " ¡ Oh, cree, Elisa ! Conozco a un ciego que ve debido a El! " y entonces pasó la madre de la desconfianza a la esperanza y te está esperando... ¿ Hice bien ? ¡ No hice más que esto ! »

« Hiciste bien. Al atardecer iremos a tus amigos. ¿ Has visto a Judas? »

« No, Maestro. Pero me envió alimentos y dinero, que repartí entre los pobres. Y también me mandó a decir que los usase porque eran suyos. »

« Es verdad, Juan. Mañana iremos a Galilea... »

« Me alegra, Maestro. Pienso en Simón Pedro. ¡ Quién sabe cómo estará esperando ! ¿ Pasaremos también por Nazaret ? »

« También y allí esperaremos a Pedro, a Andrés y a Santiago tu hermano. »

« ¡ Oh ! ¿ Permaneceremos en Galilea ? »

« Estaremos por un tiempo. »

Juan está feliz. Y en medio de su felicidad termina todo.

51. Jesús habla en la Puerta de los Peces con el soldato Alejandro

(Escrito el 24 de enero de 1945)

Nuevamente una aurora y nuevamente las filas de borriquillos que se amontonan en la Puerta semicerrada. Jesús está con Simón y Juan. Algunos vendedores lo reconocen y se apiñan en su derredor. Un soldado de guardia también corre a El, cuando se abre la Puerta y lo saluda: « Salve, galileo. Dí a estos rebeldillos que estén más tranquilos. Se quejan de nosotros, pero no hacen otra cosa que maldecir y desobedecer. Dicen que para ellos todo es culto. ¿ Qué religión tienen si se funda en la desobediencia ? »

« Compádecelos, soldado. Son como quienes tienen a un huésped no grato en su casa y que es más fuerte, por lo que no pueden vengarse más que con la lengua y el desprecio. »

« Bien. Pero nosotros debemos cumplir nuestro deber, y entonces debemos castigarlos. Y de este modo nos hacemos los huéspedes no-gratos. »

« Tienes razón. Debes cumplir con tu deber. Pero hazlo siempre como un humano. Piensa: " Si estuviese en su lugar, ¿ que harías? " Verás que entonces sentirás piedad por los sometidos. »

« Me gusta oirte hablar. No tienes desprecio, ni altanería. Los otros palestinenses nos escupen por detrás, nos insultan, muestran el asco que sienten por nosotros... a no ser que se trate de desplumarnos muy bien, ya sea por causa de alguna mujer o por compras. Entonces el oro de Roma no causa ningún asco. »

« El hombre es hombre, soldado. »

« Sí, y es más mentiroso que el mono. No es con todo agradable el estar entre quien parece una víbora en acecho... También nosotros tenemos casa, madre, esposa e hijos, y la vida nos importa. »

« Mira, si alguien se acordase de esto, no habría más odios. Tú lo has dicho: " ¿Qué religión tienen ? ". Te respondo: Una religión santa que tiene como primer mandamiento el amar a Dios y al prójimo. Una religión que enseña obediencia a las leyes, aun cuando sean de países enemigos.

Porque oid, ¡ oh, hermanos míos en Israel! nada sucede sin que Dios lo permita. También las dominaciones: desgracia sin igual para un pueblo. Pero también ellas, si el pueblo se examina con rectitud, podría decirse que él las quiso con su manera de vivir contraria a Dios. Acordaos de los Profetas[1]. Cuántas veces hablaron sobre esto. Cuántas veces mostraron con hechos pasados, presentes y futuros que el dominador es el castigo, la vara del castigo en las espaldas del hijo ingrato. Y cuántas veces enseñaron la manera de evitarlo: " Si tornaban al Señor ". No es la rebelión ni la guerra las que sanan las heridas y lágrimas y rompen las cadenas, sino el vivir justamente. Entonces Dios interviene. Y ¿ qué cosa pueden las armas y los ejércitos armados contra los fulgores de las cohortes angelicales que luchan en favor de los buenos ?... ¿ Hemos sido castigados ?... Hagamos de modo de que no lo seamos más, viviendo como hijos de Dios. No remachéis vuestras cadenas con nuevos pecados.

No permitáis que los gentiles crean que no teneis religion o que sois más paganos que ellos con vuestro modo de vivir. Sed el pueblo que recibió de Dios la Ley. Observadla. Haced que también los dominadores se inclinen ante vuestras cadenas y que digan: " Están sometidos, pero son más grandes que nosotros. Su grandeza no está en el número ni en el dinero, no en las armas ni en el poderío, sino en el hecho de que vienen de Dios. Aquí resplandece la paternidad de un Dios perfecto, santo, poderoso. Aquí está la señal de una Divinidad verdadera, que brilla a través de su hijos ". Y que mediten en esto, que vengan al conocimiento del Dios verdadero, dejando el error. Cualquiera del pueblo de Dios, aunque sea el más pobre, el más ignorante, puede ser maestro de un gentil, maestro con su manera de vivir y predicar a Dios a los paganos con obras de una vida santa.

Idos. La paz sea con vosotros. »

« Tarda Judas y también los pastores » observa Simón.

« ¿ Esperas a alguien, Galileo ? » pregunta el soldato que había estado escuchando atentamente.

« A algunos amigos. »

« Ven al fresco, al " andrón "[2], el sol quema desde el amanecer. ¿Vas a la Ciudad? »

« No. Regreso a Galilea. »

[1] Pecado divino, invitación divina a convertirse, amenazas divinas, castigo divino por medio de los hombres y elementos, conversión, pecado, perdón y bendiciones divinas; todo es uno de los temas que más trataron los Profetas. Cfr. por ej. Is. 1, 2-9; 5, 25; 9, 7 - 10, 4; Jer. 2-6; 13, 20-27; Lam.; Ez. 4-24; 33, 10-33; Os.; Jl. 1, 1 - 2, 27; Am. 2, 4 - 9, 15; Jon. 3; Miq.; Na.; Zac. 1, 1-6 y especialmente Hab. 1, 12 - 2, 4.

[2] Andrón: era el lugar destinado sólo para los varones (N.T.).

« A pie? »
« Soy pobre. A pie. »
« ¿ Tienes mujer ? »
« Tengo una Madre. »
« También yo. Ven . . . si no te causamos repugnancia como a los demás. »
« Tan sólo la culpa me la causa. »
El soldado lo mira sorprendido y pensativo. « Nosotros nunca tendremos nada contra Tí. Jamás se levantará la espada contra Tí. Eres bueno. Pero los demás . . . »
Jesús está en el andrón. Juan va a la Ciudad. Simón está sentado sobre una piedra que hace de banca.
« ¿ Cómo te llamas ? »
« Jesús. »
« ¡ Ah ! ¿ Eres el que hace milagros en los enfermos ? Pensaba que fueses tan sólo un mago . . . como nosotros tenemos, pero un mago bueno. Porque hay ciertos tipos . . . los nuestros no saben curar enfermos. ¿ Cómo lo haces ? »
Jesús sonríe y calla.
« ¿ Empleas fórmulas mágicas ? ¿ Tienes ungüentos de la médula de los muertos, polvo de serpientes, piedras mágicas de las cuevas de los Pitones ? »
« Nada de esto. Tengo tan sólo mi poder. »
« Entonces eres realmente santo. Nosotros tenemos arúspices y vestales . . . y algunos de ellos hacen prodigios . . . y dicen que son los más santos. ¿ Qué piensas tú ? . . . ¡ Son peores que los demás ! »
« Y si es así . . . ¿ por qué los veneráis ? »
« Porque . . . porque es la religión de Roma. Si un súbdito no respeta la religión de su Estado, ¿ cómo puede respetar al César y a la patria, y así, así otras tantas cosas? »
Jesús mira atentamente al soldado: « En verdad estás muy adelantado en el camino de la justicia. Prosigue, ¡ oh soldado ! y llegarás a conocer lo que tu alma añora por tener, sin siquiera saber su nombre. »
« ¿ El alma ? . . . ¿ Qué cosa es ? »
« Cuando mueras, ¿ a dónde irás ? »
« Bueno . . . no sé. Si muero como héroe, iré a la hoguera de los Héroes . . . si llego a ser un pobre viejo, un nada, probablemente me secaré en mi cuartucho o al borde de un camino. »

« Esto por lo que se refiere al cuerpo. Pero ... ¿ a dónde irá el alma? »

« No se si todos los hombres la tengan o tan sólo los que Júpiter destina a los Campos Elíseos después de una vida portentosa, si es que antes no se los lleva al Olimpo como hizo con Rómulo. »

« Todos los hombres tienen un alma [3] y esto es lo que distingue al hombre del animal. ¿ Te gustaria ser semejante a un caballo?... ¿ a un pez ? ¿ Carne que al morir, no es más que un montón de podredumbre ? »

« ¡ Oh ! ¡ No ! Soy hombre y prefiero serlo. »

« Pues bien, lo que hace que seas hombre, es el alma. Sin ella no serías más que un animal que habla. »

« Y ¿ dónde está ? . . . ¿ Cómo es ? »

« No tiene cuerpo, pero existe. Está en tí. Viene de quien creó el mundo y regresa a El después de la muerte del cuerpo. »

« Del Dios de Israel, según vosotros. »

« Del Dios único, Uno, Eterno, Señor Supremo y Creador del Universo ».

« ¿ Y también un pobre soldado como yo, tiene alma, y regresa ésta a Dios ? »

« También un pobre soldado. Y su alma podrá tener a Dios como a amigo suyo si es buena siempre o como a su juez si fuese mala. »

« Maestro, he aquí a Judas con los pastores y las mujeres. Si veo bien está la niña de ayer » dice Juan.

« Me voy, soldado, sé bueno. »

« ¿ No te volveré a ver ? Quisiera todavía saber ... »

« Estaré en Galilea hasta septiembre. Si puedes, ven. En Cafarnaum o en Nazaret cualquiera te puede dar razón de Mí. En Cafarnaum pregunta por Simón Pedro; en Nazaret por María de José. Es mi Madre. Ven y te hablaré del Dios verdadero. »

« Simón Pedro ... María de José. Iré si pudiere. Si regresas, acuérdate de Alejandro. Soy de la centuria de Jerusalén. »

Judas y los pastores están ya en el andrón.

« La paz a todos vosotros » dice Jesús. E iba a decir algo más, cuando una jovencilla delgaducha, pero sonriente, se abre paso y se arroja a sus pies:

« Tu bendición, una vez más, sea sobre mi, Maestro y Salva-

[3] Entiéndase: un alma espiritual e inmortal.

dor, y mi beso una vez más sea para Tí » y le besa las manos.

« Vete. Alégrate. Sé buena hija y luego buena esposa y buena madre. Enseña a tus futuros hijos mi nombre y mi doctrina. Paz a tí y a tu madre. Paz y bendición a todos los que son amigos de Dios. También paz a tí, Alejandro. »

Jesús se aleja.

« Nos tardamos. Se nos juntaron estas mujeres » explica Judas, « estaban en Getsemaní y querían verte. Nosotros, sin tener noticias uno del otro, habíamos ido allá, para juntarnos contigo. Pero Tú ya te habías ido y ellas allí estaban. Las queríamos dejar... pero se nos pegaron más que las moscas. Querían saber muchas cosas... ¿ Has curado a la muchacha ? »

« Sí. »

« ¿ Hablaste con el soldado ? »

« Sí. Es un corazón honrado y busca la Verdad. »

Judas suspira.

« ¿ Por qué suspiras, Judas ? » pregunta Jesús.

« Suspiro porque... porque querría que los nuestros fuesen los que buscasen la verdad; por el contrario o huyen de ella, o la escarnecen, o permanecen indiferentes. Estoy desilusionado. Tengo deseos de no volver a poner pie aquí, y tan sólo escucharte, como discípulo no puedo hacer gran cosa. »

« ¿ Y crees que Yo si ?... No te desanimes, Judas. Son las luchas del apostolado. Más derrotas que victorias. Acá derrotas, pero allá arriba siempre son victorias. El Padre ve tu buena voluntad, y aunque nada lograses, lo mismo te bendice. »

« ¡ Oh ! Tú eres bueno » Judas le besa la mano « ¿ Llegaré a ser bueno alguna vez? »

« Sí, si lo quieres. »

« Creo haberlo sido en estos días... He sufrido para serlo... porque tengo muchos deseos... pero lo fuí pensando sólo en Tí. »

« Entonces, persevera. Me haces muy feliz. Y ¿ vosotros qué noticias me dais? » pregunta a los pastores.

« Elías te saluda y te manda un poco de alimentos. Dice que no lo olvides. »

« ¡ Oh ! ¡ Yo tengo a todos mis amigos en el corazón ! Vámonos hasta aquel pueblecito. Por la tarde continuaremos. Me siento feliz de estar entre vosotros, de ir a ver a mi Madre y de haber hablado de la verdad a un hombre honrado. Sí, soy feliz. ¡ Si supiéseis lo que para Mí significa realizar mi misión y ver cómo a ella vienen los corazones, esto es al Padre. ¡ Oh, cómo me seguiríais siempre con el espíritu ! . . . »

No veo más.

52. Jesús e Isaac en Doco. Parten para Esdrelón

(Escrito el 25 de enero de 1945)

« Yo te digo Maestro que son mejores los humildes. A los que me dirigí no tuvieron más que burlas o indiferencia. ¡ Oh ! ¡ Los pequeños de Yutta! » Isaac está hablando a Jesús. Todos están sentados en círculo sobre la hierba que hay en las márgenes del río. Parece que Isaac estuviera dando relación de sus trabajos.

Judas interviene, y caso raro, llama al pastor por su nombre: « Isaac, yo pienso como tú. Perdemos tiempo y fe a su contacto. Yo renuncio. »

« Yo no. Pero me hace sufrir. Renunciaré sólo si el Maestro lo manda. Estoy acostumbrado desde hace años a sufrir por ser leal a la verdad. No puedo mentir para congraciarme con los poderosos. Y sabes cuántas veces fueron a burlarse de mí, en mi habitación de enfermo, prometiéndome — ciertamente promesas falsas — ayuda si decía que yo había mentido. Y que ¡ Tú, Jesús, no eras Tú, el recién nacido Salvador! Pero no podía mentir, hubiera sido lo mismo que renunciar a mi alegría, matar mi sola y única esperanza, rechazarte a Tí, ¡ Señor mío ! ¡ Rechazarte a Tí! En la oscuridad de mi miseria, en lo macilento de mi enfermedad, tenía siempre un cielo cubierto de estrellas: la cara de mi madre, única alegría de mi vida de huérfano, la de una mujer que jamás fué mi esposa y a la que he guardado amor aun después de muerta. Eran estas las dos estrellas menores. Después las mayores iguales a brillantísimas lunas: José y María que sonreían a un recién nacido y a nosotros, pobres pastores; y brillante en el centro del cielo de mi corazón, tu rostro, inocente, delicado, santo, santo. ¡ No podía rechazar este cielo mío ! No podía quitarme su luz que es de una pureza sin igual. Más bien habría preferido perder la vida, y aun entre tormentos, que rechazarte, ¡ recuerdo mío bendito, Jesús mío que apenas habías nacido. ! »

Jesús coloca su mano sobre la espalda de Isaac y sonríe.

Judas torna a hablar: « ¿ Entonces tú persistes ? »

« Yo, sí. Hoy, mañana y pasado mañana otra vez. Alguien vendrá. »

« ¿ Cuánto durará tu trabajo ? »

« No lo sé. Pero créeme, basta con no mirar ni hacia adelante ni hacia atrás. Pensar sólo en el día, y si al anochecer se ha logrado algo, decir: " Gracias, Dios mío "; si nada: " Espero con tu ayuda hacer algo mañana ". »

« Eres un sabio. »

« No sé ni siquiera lo que significa eso. Pero hago en mi misión lo que hice en mi enfermedad. Casi treinta años de enfermo... ¡ no son un día ! »

« ¡ Eh ! ¡ Lo creo ! Todavía no había nacido y tú ya estabas enfermo. »

« Estaba enfermo. Pero jamás he contado esos años. Jamás me dije: " Torna Nisam y yo no reflorezco con las rosas. Ni: Torna Tisri y sigo en el lecho ". Seguía adelante hablándome a mí mismo y a los demás de El. Caía en la cuenta de que los años habían pasado, porque quienes habían sido niños un día, me llevaban noticias de sus dulces bodas y las del nacimiento de sus pequeñines. Ahora si miro para atrás, ahora que de viejo me he hecho joven, ¿ qué veo del pasado ? ¡ Nada ! Todo se ha ido! »

« Acá nada. Pero en el Cielo es " todo " para tí, Isaac, y ese " todo " te está esperando » dice Jesús. Luego dirigiéndose a los demás: « Es menester obrar así. También Yo lo hago. Ir adelante, sin fatigas. La fatiga es también una raíz de la soberbia humana. De igual manera la premura. ¿ Por qué se disgusta uno con las derrotas ? ¿ Por qué se inquieta uno con la lentitud?... porque el orgullo dice: " ¿ A mí decirme que no ?... ¿ Conmigo tanta espera?... Eso es falta de respeto para el apóstol de Dios ". ¡ No, amigos! Mirad todo lo creado, y pensad en quien lo hizo. Meditad en el progreso del hombre, y pensad en su origen. Pensad en esta hora que se cumple, y pensad cuántos siglos le precedieron. Lo creado es obra de una creación sin prisa. El Padre no hizo nada desordenadamente. Hizo lo creado en etapas sucesivas. El hombre actual es obra de un avanzar paciente y siempre avanzará más en el saber y en el poder[1]. Estos podrán ser santos ó no, se-

[1] No se alude aquí, ni en las líneas siguientes a evolucionismo alguno, sino sólo al progreso gradual del hombre en el saber y poder.

gún su querer. Mas el hombre no se hizo docto en un momento. Los primeros, los que fueron arrojados del Paraíso[2], debieron aprender todo lenta y continuamente. Aprender hasta las cosas más sencillas: que el grano de trigo es mejor si se le convierte en harina, luego en masa y después se le cuece. Tuvo que aprender a convertirlo en harina y a cocerlo. Aprender como se prende la leña. Aprender cómo se hace un vestido al contemplar el pelaje de los animales. Cómo una casucha, al observar las fieras: como una cama, al observar los nidos. Aprender a curarse con hierbas y con agua observando a las bestias que las emplean por instinto. Aprender a viajar por los desiertos y mares, estudiando las estrellas, domando los caballos; aprendiendo el equilibrio en las aguas, al ver la cáscara de nuez que gallardamente navega sobre las olas de un río... ¡Cuántas derrotas antes del éxito! Pero lo logró. Y seguirá adelante. No será feliz en esto, porque más que en el bien, será experto en el mal. Pero seguirá adelante. ¿No es la Redención una obra de paciencia?... Fué decidida en los siglos de los siglos, y *mucho antes* fué decidida, y ved que viene *ahora,* cuando por siglos la prepararon. Todo es paciencia... ¿Por qué entonces ser impacientes? ¿No podía Dios haber hecho todo en un abrir y cerrar de ojos? ¿No podía el hombre, dotado de inteligencia, salido de las manos de Dios, saber todo en un instante?... ¿No podía Yo haber venido desde el principio de los siglos?... Todo podía haber sido. Pero nada se hizo con violencia. Nada. La violencia siempre es contraria al orden; y Dios, y lo que de Dios viene, es orden. No queráis ser más que Dios.»

«¿Entonces cuándo te conocerán?»

«¿Quién, Judas?»

«El mundo.»

«Jamás.»

«Pero... ¿no eres el Salvador?»

«Lo soy. Pero el mundo no quiere ser salvado. Sólo en la proporción de uno a mil me querrá conocer, y en la proporción de uno a diez mil realmente me seguirá. Y todavía digo más: Ni siquiera mis más íntimos me conocerán.»

«Pero si son tus íntimos, te conocerán.»

«Sí, Judas. Me conocerán como al Jesús, al Jesús israelita, pero no como soy. En verdad os digo que no todos mis íntimos me

[2] Cfr. Gén. 3, 23-24.

conocerán. Conocer quiere decir, amar con fidelidad y esfuerzo... y habrá alguien que no me conocerá.» Jesús tiene su gesto resignado, que siempre tiene cuando predice la futura traición: abre las manos y las tiene así cara a cara, con el rostro afligido que no mira ni hombres, ni cielo, sino tan solo el futuro destino del Traicionado.

« No lo digas, Maestro » suplica Juan.

« Te seguimos nosotros para conocerte mejor » dice Simón, y los pastores le hacen coro.

« Te seguimos como a una esposa y nos eres más caro que ella; somos más celosos por Tí que por una mujer. ¡Oh! ¡No! Te conocemos tanto ya que no podemos desconocerte. El (y Judas señala a Isaac) dice que renegar de tu recuerdo de recién nacido, le hubiera sido más atroz que perder la vida. Y... no eras más que un Niño acabado de nacer. Nosotros tenemos al Hombre y al Maestro. Te escuchamos y vemos tus obras. Tu contacto, tu aliento, tu beso, son nuestra continua consagración y nuestra continua purificación. ¡ Sólo un demonio podría renegar de Tí, después de haber sido un íntimo tuyo! »

« Es verdad, Judas, pero así será. »

« ¡ Ay de él ! ¡ Seré yo quién le ajusticie ! » exclama Juan de Zebedeo.

« No. Al Padre deja la justicia. Sé su redentor. El redentor de esta alma que tiende hacia Satanás. Bueno. Saludemos a Isaac. Ya se hizo tarde. Te bendigo, siervo fiel. Ten en cuenta que Lázaro de Betania es nuestro amigo y que quiere ayudar a mis amigos. Me voy. Tú, quédate. Arame el terreno árido de la Judea. Regresaré. Cuando me necesites, sabes dónde podrás encontrarme. Mi paz sea contigo. » Jesús bendice y besa a su discípulo.

53. Jesús con el pastor Jonás en la llanura de Esdrelón

(Escrito el 26 de enero de 1945)

Por una veredilla por entre campos quemados, segados y amarillentos, Jesús camina con Leví y Juan al lado; detrás, en grupo, vienen José, Judas y Simón. Es de noche, pero no hay alivio. La tierra es un fuego que continúa quemando aún después del incendio del día. El rocío es impotente ante este arder que lo seca antes de tocar el suelo. Tan fuerte es el calor que sale de los surcos y de las hendiduras del suelo. Todos caminan en silencio, fatigados y acalorados. Veo que Jesús sonríe. La noche es clara, aunque la luna menguante se ve apenas en el extremo oriente.

« ¿ Piensas que estará ? » pregunta Jesús a Leví.

« Ciertamente. Por este tiempo se guarda la mies, y todavía no ha empezado la recolección de las frutas. Los campesinos por esto están ocupados en vigilar los viñedos y los árboles frutales de los ladrones. No se alejan, sobre todo cuando los amos son aborrecidos como el que tiene Jonás. Samaría está cercana y cuando ellos pueden . . . ¡ Oh ! con gusto, a nosotros los de Israel nos causan daño. ¿ No saben que luego a los criados se les apalea ? Sí que lo saben. Pero nos odian y esta es la razón. »

« No tengas rencor, Leví » dice Jesús.

« No, pero verás cómo por culpa suya, Jonás fué golpeado hace como cinco años. Desde entonces pasa la noche en guardia. El flagelo es un suplicio cruel. »

« ¿ Nos falta todavía mucho para llegar ? »

« No, Maestro. ¿ Ves allá en donde terminan estos campos y empieza aquel monte oscuro? Allá están las arboledas de Doras, el duro fariseo. Si me permites me adelanto, para que me oiga Jonás. »

« Ve. »

« Pero, Señor mío, ¿ son así todos los fariseos ? » pregunta Juan. « ¡ Oh ! ¡ no querría estar a su servicio ! ¡ Prefiero la barca ! »

« ¿ Es la barca tu predilecta ? » pregunta un poco serio Jesús.

« No. ¡ Eres Tú ! La barca lo era cuando ignoraba que el Amor estaba en la tierra » al punto responde Juan.

Jesús ríe de su vehemencia. « ¿ No sabías que en la tierra estaba el amor? Entonces ¿cómo naciste, si tu padre no amaba a tu madre? » pregunta Jesús como en plan de broma.

« Ese amor es hermoso pero no me seduce. Eres Tú mi amor, eres Tú el Amor, en la tierra para el pobre Juan. »

Jesús lo atrae a Sí y le dice: « Tenía deseos de oirlo decir. El Amor está sediento del amor y el hombre da y dará a su avidez siempre gotas imperceptibles, como estas que caen del cielo y son tan pequeñitas que se evaporan en el aire, al calor del estío. También las gotas de amor de los hombres se evaporarán en medio del aire, muertas al calor de tantas cosas. El corazón todavía las exprimirá ...los intereses, los amores, negocios, avaricia y tantas, tantas cosas humanas, las consumirán. Y... ¿ qué subirá a Jesús?... ¡ Oh, muy poca cosa! Los restos, lo que queda de todos los latidos humanos, los latidos interesados de los hombres para pedir, pedir, pedir, cuando la necesidad apremia. Amarme solo por amor, será una propiedad de pocos: de los Juanes... ¡ Mira una espiga que ha vuelto a nacer! Ha sabido nacer resistiendo al sol, a la sequedad y ha sabido levantarse, crecer, dar espigas... Mira: no hay otra cosa que viva en estos campos desolados más que ella. Dentro de poco los granos maduros caerán al suelo rompiendo la tierna cubierta que los tiene encerrados en el tallo y serán un regalo para los pajarillos, o bien produciendo el ciento por uno, renacerán de nuevo y antes de que en invierno traigan el arado al campo, habrán nuevamente madurado, y saciarán el hambre de muchos pájaros que han venido sufriendo desde las estaciones más crudas... Ves, Juan mío, ¡ cuánto puede hacer una semilla valerosa! Así también serán los pocos que me amen por amor. Uno solo bastará para calmar el hambre de tantos. Uno solo, habrá hermoseado el lugar donde esté. Antes era el inútil. Uno solo dará vida en donde había muerte y a él vendrán todos los hambrientos. Comerán un grano de su amor activo y luego, egoístas y despreocupados, se irán. Pero sin que ellos lo sepan, ese grano habrá echado gérmenes vitales en su sangre, en su espíritu... y regresarán... Y hoy, y mañana, y pasado mañana, como decía Isaac, e irá creciendo en sus corazones el conocimiento del Amor. El tallo, solo, no valdrá para nada. Una paja quemada. Pero ¡ cuánto bien hará su sacrificio! Y por su sacrificio tendrán un gran premio.»

Jesús, que se había detenido un momento ante la espiga seca nacida al borde de la vereda, en una cuneta que en tiempos de lluvia podría ser un riachuelo, prosiguió caminando, mientras Juan lo escuchaba en la forma acostumbrada de alguien que ama, de alguien que bebe no sólo las palabras, sino hasta los movimientos del ser amado. Los demás que entre si hablaban, no caen en la cuenta del dulce coloquio. Han llegado al huerto, se detienen, todos se reunen. El calor es tan grande que sudan no obstante que no tienen manto. Guardan silencio y esperan.

Del follaje espeso, que apenas ilumina la luna, emerge la clara figura de Leví, y detrás otra más oscura.

« Maestro: Jonás está aquí. »

« Mi paz llegue a ti » dice Jesús, antes de que Jonás se acerque a EL.

Jonás no contesta. Corre, y llorando se arroja a sus pies que besa. Cuando puede hablar dice: « ¡Cuánto te he esperado! ¡Cuánto ! Qué desconsuelo al sentir que la vida se iba, que venía la muerte y que tenía que decir: " Y no lo ví ". Sin embargo, no moría toda esperanza. Ni siquiera cuando estuve para morir. También me decía: " Ella dijo: ' Vosotros una vez más le serviréis ' y Ella no podía haber dicho una cosa que no fuese verdad. Es la Madre del Emmanuel. Por esto ninguna más que Ella tiene a Dios consigo, y tiene a Dios y sabe lo que es Dios ". »

« Levántate. Ella te saluda. La tienes cerca, muy cerca. Nazaret la hospeda. »

« Tú . . . Ella . . . ¿En Nazaret? . . . ¡Oh! ¡Si lo hubiese sabido ! Por la noche, en los meses fríos de invierno, cuando la campiña duerme y los malos no pueden causar daño alguno a los agricultores, hubiese ido corriendo, a besaros los pies, y hubiera regresado con mi tesoro de estar en lo cierto. ¿ Por qué no te manifestase, Señor? »

« Porque no era la hora. Mas ya la llegado. Es menester saber esperar. Tú lo dijiste: " En los meses helados cuando la campiña duerme " . . . y sin embargo ya ha sido sembrada . . . ¿ No es verdad ? . . . Yo también, pues, era como el grano sembrado. Tú me habías visto cuando era sembrado, después desaparecido, sepultado bajo un silencio obligatorio, para crecer y llegar al tiempo de la mies y resplandecer a los ojos de quien me había visto apenas nacido, y a los ojos del mundo. Ese tiempo ha llegado. Ahora el recién nacido está pronto para ser pan del mundo. Ante todo busco a mis fieles y les digo: " Venid, saciaos conmigo ". »

El hombre lo escucha con una sonrisa feliz, y como si consigo hablase: « ¡ Oh ! ¡ Eres exactamente Tú ! ¡ Eres exactamente Tú ! »

« ¿ Estuviste a punto de morir ?. . . ¿ cuándo ? »

« Cuando me medio mataron porque a dos parras mías les habían robado. ¡ Mira cuantos cardenales ! » Se baja el vestido mostrando las espaldas que son como una pintura de cicatrices caprichosas. « Con un cordel de hierro me pegó. Contó los racimos que habían cogido, y si veía donde una uva había sido arrancada, me daba otro golpe . . . hasta que me dejó así, semimuerto. Me socorrió María, la joven esposa de un compañero mío y que siempre me ha querido. Su padre era antes que llegase, el administrador, y cuando vine aquí, mostré amor a la niña porque se llamaba María. Me ha cuidado y después de dos meses me curé, porque las llagas con el calor se habían infectado y me producían calenturas. Dije al Dios de Israel: " No importa. Haz que vea otra vez a tu Mesías... y no importa lo que sufro. Tómalo como sacrificio. No tengo más que ofrecerte. Soy esclavo de un hombre, y eso Tú lo sabes. Ni siquiera se me permite ir a tu altar en Pascua. Tómame por hostia, pero dámelo ". »

« Y el Altísimo te contestó, Jonás, ¿ quieres servirme, como tus compañeros lo hacen? »

« ¿ Y en qué forma ? »

« Como ellos lo hacen. Leví sabe y te dirá cuán sencillo es servirme. Quiero tan sólo tu voluntad. »

« Esa te la dí desde que Tú apenas habías nacido. Por ella todo lo he vencido, los desconsuelos como los odios. Sucede... que aquí no se puede hablar sino poco... el amo, en cierta ocasión me pegó con el pie porque yo insistía en que Tú ya estabas. Pero cuando él no estaba y a los que les podía tener confianza... ¡ Oh ! ¡ Les contaba el prodigio de aquella noche ! »

« Pues bien, hoy es el prodigio de encontrarnos. Casi a todos os he encontrado y a todos fieles. ¿ No es esto una maravilla ? Tan solo por haberme contemplado con fe y amor os habéis hecho justos ante Dios y ante los hombres. »

« ¡ Oh ! Desde ahora tendré valor. ¡ Valor ! Porque sé que estás y puedo decir : : " El está aquí. Id a donde está... ! " Pero ¿ a dónde Señor mío? »

« Por todo Israel. Hasta septiembre estaré en Galilea. Nazaret o Cafarnaún frecuentemente me hospedarán y allí se me podrá encontrar... Después... estaré por todas partes. He venido a reunir a las ovejas de Israel. »

« ¡ Señor mío ! Encontrarás muchos que no son ovejas. Desconfía de los grandes de Israel. »

« No me harán ningun daño hasta que no llegue la hora. Tú dí a los muertos, a los que duermen y a los vivos: " El Mesías está entre nosotros ". »

« Señor... ¿ a los muertos ? »

« A los muertos en su corazón. Los demás, los muertos en el Señor, se regocijarán con la alegría cercana de verse libres del Limbo. Dílo a los muertos. Yo soy la vida. Dílo a los que duermen: Soy el Sol que se levanta y quita el sueño. Dilo a los vivos: Yo soy la verdad que buscan ellos. »

« ¿ Y curas también a los enfermos ? Leví me ha contado lo de Isaac. Tan sólo para él hay un milagro, porque es tu pastor, ¿ o también para todos? »

« Para los buenos hay milagro como premio justo. Para los hombres buenos lo hay para empujarlos hacia la bondad verdadera. También para los malvados, si se hace, es para sacudirlos y persuadirlos que Yo soy y que Dios está conmigo. El milagro es un regalo. El regalo es para los buenos. Pero el que es misericordioso, que ve que la dureza humana no puede algo poderoso, recurre también a este medio para decir: " Lo he hecho todo por vosotros y de nada me ha valido. Decid, pues, vosotros, ¿ que más puedo hacer ? " »

« Señor, no te desdeñes de entrar en mi casa. Si me aseguras que en los terrenos no entra un ladrón, querría hospedarte, y llamar a tu alrededor a los pocos que te conocen a través de mi palabra. El patrón nos ha doblado y quebrado como tallos inútiles. No tenemos otra cosa más que la esperanza de un premio eterno. Pero si te muestras a los corazones intimidados, tendrán una fuerza más. »

« Voy. No tengas miedo de los árboles ni de los viñedos. Puedes creer que los ángeles harán guardia. »

« ¡ Oh Señor ! Yo he visto a tus siervos celestiales. Creo y estoy seguro de Tí. ¡ Benditas estas plantas y estas viñas que tienen viento y canción de alas y de voces angelicales ! ¡ Bendito este suelo que santifican tus pies ! ¡ Ven, Señor Jesús ! Oid, plantas y vides. Oid surcos. Ahora os repito el Nombre que os confié para tranquilidad mía. Jesús está aquí. Escuchad, y por ramas y por viñedos pase la linfa. Está con nosotros el Mesías. »

Todo termina con estas palabras preñadas de alegría.

54. Regreso a Nazaret después de haber dejado a Jonás

(Escrito el 27 de enero de 1945)

Apenas, apenas un parpadear de luz. En la puerta de una pobre choza, y diría mucho llamarla casa, están Jesús, los suyos, Jonás y los otros desgraciados campesinos como él. Es la hora de separarse.

« ¿No te volveré a ver, Señor mío? » pregunta Jonás... « Nos has traido la luz al corazón. Tu bondad ha hecho de estos días una fiesta que durará por toda la vida. Tu has visto cómo nos tratan. Más se preocupan del borriquillo que de nosotros. A las plantas se les cuida mejor que a nosotros, porque valen dinero. Nosotros somos tan sólo máquinas que lo fabrican. Y se nos hace trabajar hasta que alguno muera a causa de esto. Pero tus palabras han sido como alas acariciadoras. Nos ha parecido que el pan abundaba y que era más sabroso porque lo partías con nosotros, el pan que ni siquiera da a sus perros. Vuelve a partirlo con nosotros, Señor. Me atrevo a decirlo sólo porque Tú eres. Para cualquiera otro sería una ofensa ofrecer un albergue y comida que hasta el mendigo desdeña. Pero Tu... »

« En ellos encuentro un perfume y un sabor celestial, porque hay en ellos fe y amor. Regresaré, Jonás. Quédate en tu lugar, como animal amarrado a la estaca. Tu lugar sea tu escala de Jacob[1]. En realidad desde el Cielo bajan y suben los ángeles, cuidadosos en recoger todos tus méritos para llevarlos a Dios. Regresaré, para aliviar tu espíritu. Sedme fieles todos. ¡ Oh ! ¡ Querría daros la paz humana también pero... no puedo ![2]. Os debo decir: sufrid todavía. Y esto es triste cosa para uno que ama... »

« Señor, si Tú nos amas, no se sufre. Antes no teníamos a nadie que nos amase... ¡ Si pudiese al menos ver a tu Madre ! »

« No te angusties. Te llevaré a Ella. Cuando la estación sea más suave, vendré con Ella. No te expongas a castigos inhumanos por

[1] Cfr. Gén. 28, 12; Ju. 1, 51.

[2] Expresión que se justifica y se ilustra con algunos pasos evangélicos, por ej. Mt. 10, 34-39; 16, 24-28; Mc. 8, 34 - 9, 1; Lc. 9, 23-27; 12, 51-53; 14, 25-27; 22, 41-44; 24, 25-27; Ju. 12, 24-26; Flp. 2, 8-9. Jesús se doblegó ante la voluntad del Padre eterno, llevó la cruz y por eso fue glorificado. A los discípulos verdaderos no les puede caber suerte diferente.

el ansia de verla. Espérala, como se espera el levantarse de una estrella, de la primera estrella. De pronto se te aparecerá, así como lo hace la estrella vespertina que ahorita no estaba, pero que de pronto aparece en el cielo. Y piensa que desde ahora Ella esparce sus dones sobre tí. Adiós a todos vosotros. Mi paz sea el escudo contra las durezas de quien os llena de temor. Adiós, Jonás. No llores. Con fe paciente has esperado tántos años. Te prometo ahora que muy poco esperarás. No llores. No te dejaré solo. Tu bondad dió seguridad a mi llanto infantil [3]. ¿ No te basta la mía para secar el tuyo? »

« Sí... pero te vas... y yo me quedo... »

« Jonás, amigo, no dejes que me vaya afligido con el peso de no poderte ayudar. [4] »

« No lloro, Señor... Pero ¿ cómo lograré poder vivir sin verte más, ahora que se que estás vivo? »

Jesús vuelve a acariciar al viejo deshecho y luego se separa. Pero, de pie en los bordes de la miserable área, abre los brazos y bendice la campiña. Luego se pone en camino.

« ¿ Qué hiciste, Maestro ? » pregunta Simón, que notó el desacostumbrado ademán.

« He puesto una señal en todas las cosas, para que Satanás no pueda dañarlas, dañando a esos infelices. No podía más... [5] »

« Maestro... vamos más aprisa. Te querría decir una cosa que nadie oiga. » Se separan del grupo y Simón toma la palabra: « Querría decirte que Lázaro tiene órdenes de usar el dinero para socorrer a todos los que en nombre de Jesús a él llegasen. ¿ No podríamos librar a Jonás? Ese hombre está acabado y no tiene más alegría que la de tenerte. Démosela. ¿ Cuál quieres que sea allí su trabajo ? Libre sería tu discípulo en esta llanura tan hermosa y desolada. Acá los más ricos de Israel tienen tierras óptimas y las exprimen con cruel usura, exigiendo de sus trabajadores el ciento por uno. Lo sabía desde hace años. Acá podrás estar poco, porque acá impera la secta farisea y no creo que será amiga. Esos trabajadores, oprimidos y sin luz son los más infelices en Israel. Tú lo oiste, ni siquiera para Pascua tienen paz ni plegarias, mientras los duros amos, con grandes gestos y ademanes fingidos se ponen en primera fila entre los fieles. Tendrán a lo menos la ale-

[3] Esto es: de recién nacido.
[4] Cfr. not. 2.
[5] Véase la misma not. ant.

gría de saber que Tú estás, de oir repetidas veces a alguien que no cambiará ni una jota de tus palabras. Maestro, si te parece, da órdenes y Lázaro lo hará. »

« Simón, ya había comprendido por qué te despojabas de todo. No me es desconocido el pensamiento del hombre. También por esto te amé. Al hacer feliz a Jonás, haces feliz a Jesús. ¡ Oh ! ¡Cómo me angustia el ver sufrir a quien es bueno! Mi condición de pobre y despreciado del mundo no me causa angustia alguna. Si Judas me oyese, diría: " Pero ¿no eres Tú, el Verbo de Dios ? Manda y las piedras se convertirán en oro y en panes para los miserables ". Repetiría las asechanzas de Satanas[6]. Deseo quitar el hambre a los que la tienen, pero no como Judas querría. Todavía no estais bien preparados para comprender la profundidad de lo que digo. Pero óyeme: Si Dios proveyese a todo, haría un hurto a sus amigos. Les privaría de la facultad de ser misericordiosos y de obedecer con esto a su mandato del amor. Mis amigos deben tener esta señal de Dios, junto con El: La santa misericordia que consiste en obras y en palabras. Y la desgracia de otros, proporciona a mis amigos la manera de ejercitarla. ¿ Has comprendido mi pensamiento? »

« Es profundo. Lo medito. Me humillo al comprender cuán obtuso sea yo y cuán grande Dios que nos quiere con todos sus atributos que seamos más benignos para llamarnos hijos suyos. Dios se me revela en su perfección múltiple a cada luz que derramas en mi corazón. De día en día, como uno que avanza a un lugar desconocido, aumenta mi conocimiento de esto inmenso que es la perfección, que quiere llamarnos " hijos " y me parece que subo cual águila o que me sumerjo como un pez en las dos profundidades sin confín, como lo son el cielo y el mar, y cuánto más subo y me sumerjo menos toco el límite . . . ¿ Qué es, pues, Dios ? »

« Dios . . . es la Perfección inalcanzable, Dios es la belleza completa, Dios es la Potencia infinita, Dios es la Esencia incomprensible, Dios es la Bondad insuperable, Dios . . . es el Amor hecho Dios. ¡ Es el amor ! ¡ Es el Amor ! Dices que cuánto más conoces a Dios en su perfección, tanto más te parece subir o sumergirte en las dos profundidades sin límites, de azul sin sombras . . . Pero cuando comprendas el Amor hecho Dios, no subirás

[6] Cfr. Mt. 4, 3; Lc. 4, 3.

ni te sumergirás más en lo azul, sino en remolino incandescente de llamas y serás arrojado a una beatitud que te será muerte y vida. Tendrás a Dios con una posesión completa, cuando, por tu voluntad, habrás llegado a comprenderlo y merecerlo. Entonces te enclavarás en su perfección. »

« ¡ Oh, Señor ! »... Simón está aniquilado.

Se escucha un silencio. Se llega al camino. Jesús se detiene en espera de los demás. Cuando se reune el grupo, Leví se arrodilla: « Debo dejarte, Maestro. Pero tu siervo te ruega una cosa. Llévame con tu Madre. Este es huérfano como yo. No me niegues a mí lo que a él concedes de que vea el rostro de tu Madre... »

« Ven. Cuando se pide en nombre de mi Madre, en nombre de mi Madre lo doy »...

...Jesús va solo. Camina aprisa entre bosques de olivos cargados de aceitunas maduras. El sol, aun cuando está ya metiéndose, flechea más allá de la cubierta verde-grisácea de las plantas útiles y pacíficas, pero no atraviesa por las ramas entretejidas sino con sutiles ojillos de luz. La vía principal, metida entre dos riberas, es una cinta de ardiente e incandescente polvo.

Jesús con la sonrisa en los labios llega hasta la zanja... y con más ganas sonríe. ¡He ahí Nazaret!... parece temblar con el sol, tanta es su incandescencia. Jesús baja todavía más veloz. Llega al camino. No se preocupa más del sol. Parece como si volase, por lo veloz que camina, con el manto que se había puesto para protegerse la cabeza, se hincha y golpetea a ambos costados. La calle está sola y silenciosa, hasta llegar a las primeras casas. Se oye alguna voz de niño o de mujer que sale, o del interior de los huertos que dejan caer sobre el camino sus ramas. Jesús se aprovecha de estos manchones de sombras para escapar del sol implacable. Da vuelta por una callecita que está medio envuelta en la sombra. Allí hay mujeres que se remolinean en un pozo. Casi todas lo saludan y le dan la bienvenida.

« La paz a todas vosotras... pero no hagáis ruido. Quiero dar una sorpresa a mi Madre. »

« Su cuñada se acaba de ir ahora con un cántaro fresco, pero regresa. Han quedado sin agua. El manantial se ha secado o se pierde en el suelo ardiente antes de llegar a tu huerto. No sabemos bien, pero María de Alfeo, ahora lo estaba diciendo. ¡ Mírala ! »

La madre de Judas y Santiago viene con un cántaro sobre la

cabeza y con uno en la mano. No ve de pronto a Jesús y grita: « Así lo hago más pronto. María está tristísima porque sus flores se mueren de sed. Son todavía las de José y las de Jesús, y parece que le quitan el corazón al verlas fenecer. »

« Pero ahora que me vea ... » dice Jesús mostrándose detrás del grupo.

« ¡ Oh, Jesús mío ! ¡ Bendito seas ! Se lo voy a decir ... »

« ¡ No ! Yo voy. ¡ Dame los cántaros ! »

« La puerta está solo entreabierta. María está en el huerto. ¡ Oh ! ¡Qué feliz será! ¡También esta mañana hablaba de Tí! Pero ... ¡venir con este sol ! ¡ Estás todo sudado ! ¿ Vienes solo ? »

« No, con mis amigos. Me les adelanté, para ver primero a Mamá. ¿ Y Judas ? »

« Está en Cafarnaum. Va frecuentemente ... » No añade más María. Sonríe mientras con su velo seca el rostro bañado de Jesús.

Los cántaros están llenos. Jesús se pone dos al hombro con su cinturón y lleva otro en la mano. Se va, da vuelta, llega a la casa, empuja la puerta, entra a la habitacioncilla que parece oscura por el sol de fuera. Despacio separa la manta que separa la puerta del huerto y mira. María, de pie está cerca de un rosal con la espalda vuelta a la casa, y le dan compasión las plantas sedientas. Jesús pone los cántaros en tierra, pero el bronce suena al chocar contra la tierra.

« ¿ Eres tú, María ? » dice la Madre sin volverse. « ¡ Ven, ven, mira este rosal! Y estos pobres lirios. Todos morirán, si no se les socorre. Trae también cañas para sostener este tronco que se cae. »

« Todo te lo traigo, Mamá. »

María se vuelve al punto. Por un momento queda con los ojos abiertos, luego con un grito corre con los brazos extendidos hacia su Hijo, que abiertos los tiene y la espera con una sonrisa que es todo amor.

« ¡ Hijo mío ! »

« ¡ Mamá ! ¡ Mamá ! »

La expansión es larga, delicada. María es tan feliz que no ve, no siente qué acalorado está Jesús. Pero poco después lo nota: « ¿Por qué Hijo a estas horas? Estás colorado y sudas como una esponja. Ven, ven adentro. Que la Mamá te seque y te refresque. Ahorita te traigo un vestido nuevo y sandalias limpias. Pero ... ¡ Hijo ! ¡ Hijo ! ¿ Por qué caminas con este sol ? ... Las plantas mueren de calor y ¡ Tú, flor mía, andas caminando ! »

« Para venir primero contigo, Mamá. »

« ¡ Oh querido ! ¿ Tienes sed ? ¡ Cierto que la tendrás ! Ahora te preparo . . . »

« Sí, con tu beso, Mamá. Con tus caricias. Déjame estar aquí, con mi cabeza en tu espalda, como cuando era pequeñín. ¡ Oh, Mamá ! ¡ Qué falta me haces ! »

« Pero dime que vaya, Hijo mío, e iré. ¿ Qué cosa te ha faltado con mi ausencia ? Lo que te gustaba comer ? . . . ¿ Vestidos lavados ? . . . ¿ cama bien hecha ? ¡ Oh, díme, Alegría mía, que te falto ! Tu sierva, oh Señor mío, tratará de proveerlo. »

« Ninguna otra cosa que no fueses Tú . . . »

Jesús que ha entrado cogido de la mano de su Madre y que se ha sentado en el banco que está junto a la pared, tiene frente a Sí a María que lo rodea con sus brazos y que tiene la cabeza contra el corazón, y la besa y la mira atentamente.

« Deja que te mire, que mi mirada se llene de Tí, santa Madre mía. »

« Primero el vestido. Hace mal estar así sudado. Ven. »

Jesús obedece. Cuando regresa con un vestido nuevo, el coloquio torna, suave.

« Venía con discípulos y amigos pero los dejé en el bosque de Melca. Mañana al amanecer, vendrán. Yo . . . no podía esperar más. ¡Mi Mamá . . .! » y le besa las manos. « María de Alfeo se ha ido para dejarnos solos. Ella también ha comprendido mi sed de tí. Mañana . . . mañana tú te deberás a mis amigos y Yo a los nazarenos. Pero esta tarde tu eres la Amiga mía, y Yo el Tuyo[7]. Te los traje . . . ¡oh Mamá! Encontré a los pastores de Belén. Dos de los que traigo son huérfanos. También te traje uno que tiene necesidad de tí para vencerse. Y a otro que es un justo y que ha llorado. Luego a Juan . . . Te traigo los recuerdos de Elías, Isaac, Tobías (ahora Matías), Juan y Santiago y de Jonás el más desgraciado. Te llevaré con él. Se lo prometí. Buscaré los otros. Samuel y José están en la paz de Dios. »

« ¿ Estuviste en Belén ? »

« Sí, Mamá. Llevé los discípulos que tenía. Y te traje estas florecitas nacidas entre las piedras de la entrada. »

[7] " Tú eres mi Amiga y Yo el tuyo " . . . expresión que debe entenderse bajo la luz del Antíguo Testamento del Cantar de los Cantares y la de los Santos Padres refiriéndose a Jesús, el nuevo Adán y María la nueva Eva.

« ¡ Oh ! » María toma los tallos secos y los besa. « ¿ Y Anna ? »
« Murió en la matanza de Herodes. »
« ¡ Oh ! ¡ Desgraciada ! ¡ Tanto que te quería ! »
« Los Betlemitas han sufrido mucho. No han sido justos con los pastores, por lo mucho que han sufrido. »
« Pero . . . contigo ¿ se portaron bien ? »
« Sí, por eso se les tiene compasión. Satanás está envidioso de su bondad y los empuja hacia el mal. También estuve en Hebrón. Los pastores, perseguidos . . . »
« ¡ Oh ! ¿ Hasta ese punto ? »
« Sí. Zacarías los ayudó y por él tuvieron amo y pan, aunque eran duros. Pero son almas justas, y con las persecuciones y heridas se han hecho piedras santas. Los he juntado. Curé a Isaac y . . . dí mi nombre a un pequeñuelo. En Yutta, donde Isaac moría y de donde se levantó, hay un grupo inocente que se llama María, José y Yesaí . . . »
« ¡ Oh ! ¡ Tu nombre ! »
« Y el tuyo y el del justo. En Keriot, patria de un discípulo, murió un israelita fiel sobre mi pecho, por la alegría de haberme tenido . . . Y después . . . ¡ Oh ! cuántas cosas tengo que contarte, ¡ Amiga mía, querida Mamá ! Ante todo te pido, te ruego que tengas mucha piedad con los que mañana vendrán. Escucha : me aman . . . pero no son del todo perfectos . . . Tú, Maestra en virtud . . . ¡ Oh ! ¡ Mamá ! ayúdame a hacerlos buenos . . . Yo quisiera salvar a todos . . . » Jesús ha caido a los pies de María. Ahora ella aparece en su majestad de Madre.
« ¡ Hijo, mío ! ¡ Qué quieres que pueda hacer la Mamá más que Tú? »
« Santifícalos . . . Tu virtud santifica. A propósito te los he traído, Mamá . . . un día te diré : " Ven " porque entonces habrá necesidad de santificar los espíritus, para que encuentre en ellos la voluntad de redención. Yo solo no podré . . . Tu silencio será tan bueno como mis palabras. Tu pureza ayudará mi poder. Tu presencia tendrá lejos a Satanás . . . y tu Hijo, Mamá, encontrará fuerzas al saber que estás cerca. Vendrás, ¿ no es verdad que vendrás, dulce Madre mía ? »
« ¡Jesús! ¡Querido Hijo! . . . No te siento feliz . . . ¿Qué tienes, criatura de mi corazón? ¿Fué duro el mundo contigo? . . . ¿No? . . . ¡ Me consuelo al creerlo . . . pero . . . ¡ Oh, sí, iré ! A dónde Tú quieras. Como Tú quieras. Cuando Tú quieras . . . Ahora mismo bajo

el sol, bajo las estrellas; en el hielo o entre chubascos. ¿ Me quieres ? ¡ Heme aquí ! »

« No. Ahora, no. Pero un día . . . ¡ Cómo es dulce la casa y tus caricias ! Déjame dormir así, con mi cabeza en tus rodillas. ¡ Estoy muy cansado ! Siempre soy tu hijito . . . » y Jesús se duerme realmente, cansado y fatigado, sentado sobre la estera, con la cabeza reclinada sobre las rodillas de la Madre que feliz lo acaricia en la cabellera.

55. El día siguiente en la casa de Nazaret

(Escrito el 28 de enero de 1945)

Veo a María que descalza y solícita va y viene por su casita a los primeros albores del día. Con su vestido azul pálido parece una delicada mariposa que roza sin ruido alguno paredes y objetos. Se acerca a la puerta que da a la calle y la abre con cuidado para no hacer ruido, la deja entreabierta, después de haber echado una mirada por la calle que todavía está solitaria. Vuelve a poner todo en orden, abre puertas y ventanas, entra en el cuarto de trabajo, donde desde que ya no es carpintería, está el telar de María, y también allí tiene en qué ocuparse. Cubre con cuidado uno de los telares en que hay un tejido comenzado, y una sonrisa aflora al verlo.

Sale al huerto. Las palomas se le amontonan sobre los hombros y con vuelos breves, de un hombro al otro, para tener el mejor lugar, peleadoras y celosas de sus cuidados, la acompañan hasta una despensa donde están sus alimentos. Toma trigo y les dice: « Aquí, hoy aquí. No hagáis ruido. ¡Está muy cansado! » Luego toma harina, va a una habitación en donde está el horno y se pone a amasarla para hacer el pan.

Sonríe. ¡ Qué sonriente está hoy la mamá ! Parece la joven Madre de Navidad, tan rejuvenecida parece de la alegría. De la masa toma un tanto, lo pone aparte, lo cubre, continúa su trabajo, está colorada, por sus cabellos hay una leve mancha de harina.

María de Alfeo entra quedito: « ¿ Ya trabajando ? »

« Sí, hago el pan, y mira: las tortas de miel que a El tanto le gustan »

« Hazlas. Hay mucha masa. Te la preparo. »

María de Alfeo, robusta y más gruesa, trabaja con fuerzas en su pan, mientras María pone miel y mantequilla en sus panecillos, y hace muchos redondos que pone sobre una lámina.

« No sé cómo hacer para avisar a Judas... Santiago no se atreve... y los demás... » María de Alfeo suspira.

« Hoy vendrán, Simón Pedro viene siempre el segundo día después del sábado con los pescados. Lo enviaremos a casa de Judas. »

« Quién sabe si quiera ir... »

« Simón jamás me dice que no. »

« La paz sea en este vuestro día » dice Jesús apareciendo.

Las dos mujeres se sobresaltan con su voz.

« ¿ Ya te levantaste ?... ¿ Por qué ?... Quería que durmieras... »

« He dormido como un niño, Mamá. Tú no debes haber dormido. »

« Te he mirado dormir... Siempre así lo hacía cuando eras pequeño. Siempre sonreías en sueños... y esas sonrisas me quedaban todo el día como una perla en el corazón... Pero esta noche no sonreías, Hijo, suspirabas como si estuvieses afligido... » María lo mira con ansia.

« Estaba cansado, Mamá. Y el mundo no es esta casa donde todo es sinceridad y amor. Tú... Tú sabes quién soy y puedes entender qué significa para Mí, el contacto con el mundo. Es como quien camina por un camino sucio y lodoso. Aún cuando uno camine atento, lo salpica a uno un poco el fango, y el hedor le llega a uno aun cuando no se respire... y si a este hombre le gusta la limpieza y el aire puro, puedes imaginar cuánto le fastidie... »

« Sí, Hijo. Lo entiendo. Pero me duele que sufras... »

« Ahora estoy contigo y no sufro. Es el recuerdo... y me ayuda para que mi alegría de estar contigo sea mucho más grande. » Y Jesús se inclina para besar a su Madre. Acaricia también a la otra María, que toda colorada entra, porque estuvo prendiendo el horno.

« Será necesario avisar a Judas » es la preocupación de María de Alfeo.

« No es necesario. Judas estará aquí hoy. »

« ¿ Cómo lo sabes ? »

Jesús sonríe y calla.

« Hijo, todas las semanas, en este día, viene Simón Pedro. Me quiere traer los pescados que cogió en las primeras horas. Llega un poco después de las seis. Estará contentísimo hoy. Simón es bueno. En el tiempo que se queda, nos ayuda ¿ no es así, María ? »

« Simón Pedro es un hombre sincero y bueno » dice Jesús. « Pero también el otro Simón, que dentro de poco veréis, es un gran corazón. Voy a su encuentro. Están por llegar. »

Jesús sale, mientras las mujeres que han puesto el pan en el horno, regresan a la habitación donde María se pone las sandalias y se pone un vestido blanquísimo de lino.

Pasa algún tiempo y mientras esperan, María de Alfeo pregunta: « ¿ No pudiste terminar aquel trabajo ? »

« Pronto lo terminaré y mi Jesús tendrá el consuelo de la sombra, sin preocuparse de nada. »

La puerta se abre de fuera: « Mamá, he aquí a mis amigos. Entrad. »

Entran en grupo los discípulos y los pastores. Jesús toma por las espaldas a los dos pastores y los presenta a María: « He aquí a los dos hijos que buscan una Madre. Sé su alegría, Señora. »

« Os saludo ... ¿Tú?... Leví ... ¿Tú? No sé pero por la edad, El me dijo, que eres José. Este nombre es aquí un nombre dulce y sagrado. Ven, venid. Con alegría os digo: mi casa os acoge y una Madre os abraza en recuerdo del gran amor que vosotros (tú en tu padre) tuvisteis por mi Niño. »

Los pastores, parece como si estuvieran encantados, tanto es su éxtasis.

« Soy María. Sí. Tú viste a la Madre feliz de ver a mi Hijo entre corazones leales. »

« Este es Simón, Mamá. »

« Mereciste el favor, porque eres bueno. Lo sé. Que la gracia de Dios sea siempre contigo. »

Simón más experto en las costumbres del mundo, se inclina hasta la tierra llevando los brazos cruzados sobre el pecho y dice: « Te saludo, Madre verdadera de la Gracia, y no pido otra cosa al Eterno, ahora que conozco la Luz y a tí, más que una bella luna. »

« Este es Judas de Keriot. »

« Tengo una madre, pero mi amor por ella desaparece ante la veneración que siento por tí. »

« No por mí. Por El. Yo soy, porque El es. Para mí no quiero nada. Sólo pido para El. Sé cuánto honraste a mi Hijo en tu ciudad. Pero yo te digo: Sea tu corazón el lugar en que El reciba de tí todo el honor. Entonces yo te bendeciré, con corazón de Madre. »

« Mi corazón está debajo del calcañal de tu Hijo. Feliz opresión. Solo la muerte destruirá mi lealtad. »

« Este es nuestro Juan, Mamá. »

« Estuve tranquila desde el momento en que supe que estabas cerca de Jesús. Te conozco y me tranquilizo en el alma al saber que estás con mi Hijo. Sé bendito, quietud mía. » Lo besa.

La voz ronca de Pedro se oye desde afuera: « He aquí al pobre Simón que trae su saludo y... » Entra y queda con la boca abierta.

Después echa por tierra el canasto redondo que pendía sobre la espalda y se tira por tierra diciendo: « ¡ Ah, Señor Eterno ! ¡ Pero... no, esto no me lo debías de haber hecho, Maestro! Estar aquí... ¡y no notificármelo... al pobre Simón ! ¡ Dios te bendiga, Maestro! ¡Ah! ¡Qué feliz soy! ¡No podía estar más sin tí! » y le acaricia la mano sin hacer caso a Jesús que le dice: « Levántate, Simón. Pero levántate, pues. »

« Me levanto, sí. Pero... ¡ Ey ! tú, ¡ muchacho ! (el muchacho es Juan) ¡ tú al menos podías haber corrido a decírmelo ! Ahora, pronto, despáchate a Cafarnaum a avisar a los demás... y primero a casa de Judas. Está por llegar tu hijo, mujer. Pronto. Haz de cuenta que eres una liebre con los perros por detrás. »

Juan sale riéndose.

Al fin Pedro se ha levantado. Pero todavía tiene entre sus cortas, toscas manos, de venas alzadas, la larga mano de Jesús que la besa sin dejarla, no obstante quiere entregar el pescado que está en el canasto en tierra.

« ¡Eh! ¡No! No quiero que te me vayas otra vez sin mí. Jamás ¡jamás así sin verte! Te seguiré como la sombra sigue al cuerpo y la cuerda al ancla. ¿ Dónde estuviste, Maestro ?... Me decía: " ¿ Donde estará, qué estará haciendo ?... Y ese muchacho de Juan, sabrá tener cuidado de El? ¿Estará atento de que no se canse mucho?... Que no se quede sin comer ? ". ¡Eh! Te conozco... ¡estás más delgado! Sí, más delgado. ¡No te cuidó bien! Le diré que... Pero... ¿dónde estuviste, Maestro? ¡No me dices nada! »

« Espero que me dejes hablar. »

« Es verdad. Pero... ¡ah! Verte es como un vino nuevo. Se le sube a uno tan sólo con olerlo. ¡Oh! ¡Mi Jesús! » Pedro está a punto de llorar por el gozo.

« También Yo he deseado verte, a todos vosotros, aun cuando estaba con amigos queridos. Mira, Pedro, estos dos son los que me han amado desde cuando tenía pocas horas de nacido. Todavía más: ya han sufrido por Mí. Aquí hay un hijo sin padre ni madre por mi causa. Pero encontrará tantos hermanos cuantos sois vosotros ¿ o no es verdad ? »

« ¿ Me lo pides, Maestro ? Pero si por una suposición el Demonio te amase, lo amaría yo porque te ama. Sois pobres también como veo. Somos, pues, iguales. Venid que os bese. Soy pescador, pero tengo el corazón más tierno que un pichoncito. Es sincero. No os fijéis si soy áspero. Lo duro es afuera. Dentro soy todo miel y mantequilla. ¡ Con los buenos porque con los malvados . . . ! »

« Este es un nuevo discípulo. »

« Me parece haberlo visto antes . . . »

« Sí. Es Judas de Keriot. Tu Jesús por medio de él tuvo una buena acogida en esa ciudad. Os ruego que os améis, aunque seais de diversas regiones. Sed hermanos todos en el Señor. »

« Y a como tal lo trataré, si lo es él. ¡Eh . . . sí . . . ! (Pedro mira fijamente a Judas con una mirada franca y amonestadora) ¡ eh . . . sí . . . es mejor que lo diga, así me conocerá al punto y bien ! Lo digo: no tengo mucha estima en general de los judíos y de los ciudadanos de Jerusalén en particular. Pero soy honrado y en mi honradez te aseguro que hago a un lado todas las ideas que tengo de vosotros y que quiero ver en tí, sólo al hermano discípulo. Toca a tí que no cambie yo ni de pensamiento ni de decisión. »

« ¿ También contra mí tienes iguales prejuicios ? » le pregunta sonriendo el Zelote.

« ¡Oh! ¡No te había visto! ¿Contra tí? . . . ¡Oh ! Contra tí no. Tienes pintada en la cara la honradez. Se te brota la bondad del corazón hasta afuera, como un bálsamo oloroso dentro de una copa porosa. Algunas veces, cuanto más uno envejece, tanto más se hace uno falso y malvado. Pero tu eres, como aquellos vinos alabadísimos. Entre más añejos, más secos y buenos. »

« Has juzgado bien, Pedro » dice Jesús. « Venid ahora. Mientras las mujeres trabajan para nosotros, metámonos debajo de ese emparrado fresco. ¡Qué hermoso es estar aquí con los amigos! Luego iremos todos juntos por la Galilea y por otras partes. O sea: todos, no. Leví, ahora que ha satisfecho su deseo, volverá a donde está Elías a decirle que María le manda sus saludos. ¿ Verdad, Mamá? »

« Que lo bendigo, y también a Isaac y a los demás. Mi Hijo me ha prometido llevarme con ellos ... iré a vosotros, primeros amigos de mi Niño. »

« Maestro, querría que llevase a Lázaro el escrito que sabes. »

« Prepáralo, Simón. Hoy es día de gran fiesta. Mañana por la tarde partirá Leví a tiempo para llegar antes del sábado. Venid, amigos ... »

Salen a la verde huertecilla y todo termina.

56. Lección de Jesús a los discípulos en el olivar

(Escrito el 29 de enero de 1945)

Veo que Jesús con Pedro, Andrés, Juan, Santiago, Felipe, Tomás, Bartolomé, Judas Tadeo, Simón, Judas Iscariote y el pastor José salen de la casa y van no lejos de Nazaret, a la vecindad inmediata bajo un olivar espeso.

Dice: « Venid a mi alrededor. En estos meses de presencia y de ausencia me he formado un juicio de vosotros. Os he conocido y conozco con experiencia de hombre, el mundo. Ahora he pensado en enviaros al mundo. Pero antes debo haceros maestros, haceros capaces de enfrentaros al mundo con dulzura y sagacidad, con calma y constancia, con conciencia y ciencia de vuestra misión.

Aprovecharé este tiempo del sol ardiente, que impide que se haga viaje alguno por la Palestina, para vuestra instrucción y formación de discípulos. He escuchado cual músico lo que en vosotros desentona y quiero poneros en tono con la armonía celestial que debéis transmitir al mundo, en nombre mío.

He detenido a este hijo (y señala a José) porque le doy el encargo de llevar a sus compañeros mis palabras, para que también allá se forme un núcleo robusto que me anuncie, no tan solo con decir que estoy, sino con las características más esenciales de mi doctrina.

Como primera cosa os digo, que es absolutamente necesario en vosotros el amor y la unión. ¿ Qué cosa sois ?... Personas de toda clase social, de toda edad y de diversas regiones. He querido escoger a quienes carecen de enseñanza y conocimientos, para que más fácilmente penetre Yo con mi doctrina, y porque — estando vosotros destinados a evangelizar a los que ignoran completamente al Dios verdadero — quiero que al acordarse de su antigua ignorancia de Dios no los desprecien y con piedad los enseñen, al recordar con cuánta piedad Yo los amaestré.

Oigo en vosotros una objeción: " ¡ No somos paganos, ni tampoco carecemos de cultura intelectual" ¡ No ! no lo sois. Pero no sólo vosotros, aun cuando también los que de entre vosotros representan a los doctos y a los ricos, habéis sido educados en una religión, desnaturalizada por muchas razones que no tiene más que el nombre de tal. En verdad os digo que hay muchos que se glorían de ser hijos de la Ley. Pero de ellos ocho de cada diez, no son más que idólatras que han confundido entre neblinas de mil pequeñas religiones humanas la verdadera, la santa y eterna Ley del Dios de Abraham, Isaac y Jacob. Por lo cual cuidándoos el uno al otro, vosotros pescadores humildes y sin cultura, como vosotros que sois mercaderes e hijos de mercaderes, oficiales o hijos de oficiales, ricos o hijos de ricos, decid: " Todos somos iguales. Todos tenemos las mismas debilidades y todos tenemos necesidad de igual adiestramiento. Hermanos en los defectos personales o nacionales, debemos desde ahora en adelante ser hermanos en el conocimiento de la Verdad y en el esfuerzo de practicarla ".

Sí, hermanos. Quiero que así os llaméis y como tales os consideréis. Sois como una sola familia. ¿ Qué familia próspera es la que el mundo admira?... La que está unida y la que está concorde. Si un hijo se hace enemigo del otro, si un hermano daña al otro, ¿ puede durar acaso la prosperidad de esa familia ? ¡ No ! En vano el padre de familia se esforzará en trabajar, en allanar las dificultades, en imponerse al mundo. Sus esfuerzos son inútiles, porque las propiedades se acaban, las dificultades aumentan, el mundo se ríe de esta situación perpetua de lucha que despedaza corazones y riquezas, que unidas eran fuertes contra el mundo, en un montocillo de pequeños, pequeños intereses contrarios, de los que se aprovechan los enemigos de la familia para acelerar más pronto su ruina.

Jamás seais así vosotros. Permaneced unidos. Amaos. Amaos

para enseñar a amar. Ved. También lo que nos rodea, nos enseña esta gran fuerza. Ved este enjambre de hormigas que todo se dirige a un lugar.

Sigámoslo, y descubriremos la razón de su esfuerzo que no es inútil al ir a un punto... Ved aquí. Esta pequeña hermanilla descubrió con sus minúsculos órganos, que no podemos ver con facilidad, un gran tesoro debajo de ese montón de raíces silvestres. Puede ser que se trate de una migaja de pan que se le haya caido a algún agricultor que vino a ver sus olivos, o a algún caminante que se haya refugiado bajo esta sombra, para comer, o a un niño que alegre jugaba entre la hierba. ¿Cómo podría ella sola llevar hasta su nido este tesoro que era mil veces mayor que ella?... Y ha llamado a una hermana y le ha dicho: "Mira, date prisa a decir a las demás, que aquí hay alimento para toda la tribu y por muchos días. Corre, antes de que un pájaro descubra el tesoro y llame a sus compañeros y se lo coman".

La hormiguita corrió fatigosamente entre las escabrocidades del terreno, subiendo y bajando entre los arenales y pajillas hasta llegar al hormiguero. Su voz fué: "Venid, una de nosotras os llama. Encontró para todas, pero ella sóla no puede traerlo aquí, venid"... y todas, también las que estaban cansadas de haber trabajado todo el día y que descansaban en las galerías del hormiguero, corrieron; aun las que estaban amontonando provisiones en las celdillas de amasajo. Una, diez, cien, mil... Ved... Lo toman con sus tenazas, lo levantan y convierten sus cuerpos en carreta, lo arrastran con las patitas que hacen fuerza en el suelo. Esta cae, más allá la otra, y más allá como que se inmoviliza porque la punta del pan, la detiene en un hoyo que se abre entre su patita y una piedra; pero esta, tan pequeña, una muy joven de la tribu, se detiene... pero ved que toma aliento y parte... ¡Oh! ¡Cómo todas están unidas! Mirad: El pedazo de pan está entre todas, y camina, camina despacio, pero avanza. Sigámoslo... Todavía un poco, hermanas pequeñas, todavía un poco y vuestra fatiga obtendrá su premio. No pueden más. Pero no ceden. Descansan y otra vez prosiguen... Ahora llegan al hormiguero. ¿Y, luego?... Luego el trabajo de partir en pedacitos el gran migajón. Observad qué trabajo. Quien corta y quien lleva... Se ha acabado. Ahora todo está bien y contentas desaparecen entre esas quebraduras para ir a su galería. Son hormigas.

Ninguna otra cosa más que hormigas y sin embargo son fuertes, porque están unidas. Meditad en esto. ¿ Tenéis algo que preguntarme? . . . »

« Quisiera preguntarte si ya no regresamos más a Judea » pregunta Judas Iscariote.

« ¿ Quién lo dijo ? »

« Tú, Maestro. Has dicho que prepararías a José para que fuese a instruir a los demás que están en Judea. ¿ Te fué tan mal que no quieres regresar allá? »

« ¿ Qué te hicieron en Judea ? » Tomás pregunta curioso, y el fogoso Pedro al mismo tiempo exclama: « ¡Ah! tenía razón en decir que habías regresado agotado. ¿ Qué te hicieron los " perfectos " de Israel? »

« Nada, amigos. Ninguna otra cosa más que la que también acá encontraré. Si diera vueltas por toda la tierra, encontraría amigos mezclados entre enemigos. Judas, te había pedido que guardases secreto . . . »

« Es verdad, pero . . . No, no puedo callar cuando veo que prefieres la Galilea a mi Patria. Eres injusto, no más. Allá también recibiste honores . . . »

« Judas, Judas . . . ¡Oh Judas! tu reproche es injusto. Tu mismo te acusas, al dejarte llevar de la ira y de la envidia. Me había dado mañas en dar a conocer, tan solo el bien que recibí en Judea, y sin mentir había podido decir con alegría estas cosas buenas para que os amasen a los de Judea. Con alegría porque el Verbo de Dios no conoce separaciones de lugares, antagonismos, enemistades, discriminaciones. A todos vosotros os amo. A todos . . . ¿ Cómo puedes decir que prefiero la Galilea, cuando quise hacer los primeros milagros y las primeras manifestaciones en el sagrado sitio del templo y de la Ciudad Santa que es cara a cualquier israelita? ¿Cómo puedes decir que soy parcial, si de vosotros los once discípulos, mejor dicho, de los diez porque mi primo es de la familia, ¿cuántos sois de Judea? . . . y si a vosotros agrego los pastores, ¿puedes ver de cuántos de Judea soy amigo? ¿Cómo puedes decir que no os amo a vosotros los judíos, si cuando nací y cuando me preparé a la misión quise que hubiese dos judíos contra uno solo de Galilea? . . . y me acusas de injusticia, pero examínate, Judas, y mira si el injusto no eres tú. »

Jesús ha hablado majestuosa y dulcemente. Pero si no hubiese dicho más, habrían sido suficientes las tres veces que pronunció la palabra « Judas » al principio del discurso, para darle una gran lección. La primera vez lo dijo el Dios majestuoso que llama al respeto; la segunda el Maestro que enseña de un modo paternal; la tercera fué de súplica de un amigo acongojado por los modales del otro.

Judas mortificado tiene la cabeza baja, pero aún sigue enojado y feo al dejar ver sus sentimientos.

Pedro no sabe callar. « Y por lo menos pide perdón, muchacho. Si estuviese en lugar de Jesús, no te bastarían palabras. ¿Que El sea injusto ?... ¡ Eres un irrespetuoso señorito ! ¿ De este modo os educan en el Templo ? ¿O a tí no te pudieron educar ?... porque si ellos son ... »

« Basta, Pedro. Dije lo que tenía que decir. También de esto os hablaré mañana. Y ahora repito lo que había dicho a estos en Judea: No digáis a mi Madre que los judíos maltrataron a su Hijo. Está muy afligida al haber intuído que tuve aflicciones. Respetad a mi Madre. Vive en la sombra y en el silencio. Tan solo es activa en la virtud y en orar por Mí, por vosotros y por todos. Haced que las luces negras del mundo y las agrias disputas se queden lejos de su retiro envuelto en la reserva y en la pureza. No introduzcais ni siquiera el eco del odio donde todo es amor. Respetadla. Tiene más valor que Judit[1] y lo veréis. Pero no la obliguéis antes de que sea la hora a gustar las heces que son los sentimientos de los desgraciados en el mundo, de los que ni siquiera saben por asomo qué cosa signifique Dios y la Ley de Dios. De aquellos de los que al principio os hablaba: los idólatras que se creen conocedores de Dios y por lo cual unen la idolatría y soberdia. Vámonos. »

Jesús de nuevo se dirige a Nazaret.

[1] Cfr. Jud. 8-16 y especialmente 13, 1-16.

57. Lección de Jesús a los discípulos cerca de su casa

(Escrito el 30 de enero de 1945)

Todavía Jesús está instruyendo a sus discípulos que ha llevado a la sombra de un gran nogal, cercano al huerto de María, y que mece sus ramas hasta adentro del huerto. El día es tempestuoso y anuncia temporal, tal vez por esto Jesús no se ha alejado mucho de su casa. María va y viene de la casa al huerto, cada vez levanta la cabeza y dirige una sonrisa a Jesús que está sentado sobre la hierba, junto a un tronco, rodeado de discípulos.

Dice Jesús: « Os dije ayer que lo que una palabra imprudente provocó, me sirvió de lección para hoy. Hela aquí.

Pensad realmente y que os sirva de regla en el obrar, que ninguna cosa permanece siempre oculta. Pues, o es Dios que tiene cuidado de darla a conocer mostrando las obras de un hijo suyo por medio de signos milagrosos, o por medio de las palabras de los justos que reconocen los méritos de un hermano. O bien, es Satanás quien, por medio de la boca de un imprudente, sin añadir más, hace revelaciones de lo que los buenos quisieron guardar en silencio para evitar faltas de caridad, o deformar la verdad de modo que cree confusión en las inteligencias. Por esto siempre llega el momento en que lo oculto viene a ser conocido. Así pues, tenedlo presente siempre, y que os sirva de freno en el mal, sin que por esto queráis hacer alarde del bien que cumplís. ¡ Cuántas veces uno obra por bondad, verdadera bondad, pero que es humana! Y al ser humana, esto es, no gozando de una perfecta intención, busca que su obrar sea conocido a los hombres, y levanta espuma y se enoja al ver que se permanece desconocido y busca la manera de no serlo. No amigos, no debe ser así.

Haced el bien y ofrecedlo al Señor eterno. ¡ Oh ! El sabrá, si es que os conviene, darlo a conocer a los hombres. Si por el contrario os pudiese privar de vuestra acción justa con una complacencia de orgullo, entonces el Padre lo guarda en secreto, y lo reserva para darle gloria en el Cielo ante la presencia de toda la corte celestial.

Y quien ve una acción no juzgue sólo por las apariencias. Nunca acuséis, porque las acciones de los hombres pueden tener aspectos feos y ocultar diversos motivos. Por ejemplo, un padre puede decir a su hijo flojo y borracho: " Lárgate ", y esto puede parecer dureza y que se reniega de los deberes paternales. Pero no siempre es así. Su " lárgate " está bañado más con el llanto amargo suyo que con el de su hijo, y con las palabras que le acompañan y con el deseo que con ellas quiere dar a entender: " Volverás . . . cuando te hubieres arrepentido de tu pereza ".

Es también justicia para con los demás hijos, porque impide que un borracho acabe en los vicios lo que es de los demás y suyo. Pero al revés, está mal, si estas palabras las dice un padre que es culpable para con Dios y para con su prole, porque en su egoísmo piensa ser más que Dios y juzga tener derecho aun sobre el corazón de su hijo. ¡ No ! . . . El corazón es de Dios y ni siquiera Dios hace fuerza al espíritu para que se entregue o no. En el mundo los actos parecen iguales. ¡ Pero qué diversos son el uno del otro! El primero es justicia, el segundo arbitrariedad culpable. Por esto no juzguéis jamás a nadie.

Pedro dijo ayer a Judas: " ¿ Qué maestro tuviste ? " . . . que no diga más. Nadie acuse a los otros de lo que ve en uno o en si mismo. Los maestros tienen una palabra única para todos los discípulos. ¿ Cómo sucede, pues, que diez discípulos sean justos y diez malvados ? . . . La razón es que cada uno de ellos, por sí mismo agrega lo que tiene en el corazón, y este se inclina ya hacia el bien, ya hacia el mal, si el bien que inculca lo anula el mal que reina en el corazón . . . el primer factor de éxito, reside en vosotros. El maestro trabaja vuestro " yo ". Pero si no sois susceptibles de mejorar, ¿ qué cosa puede hacer el maestro ? . . . ¿ Qué soy Yo ? En verdad os digo que no habrá maestro más sabio, paciente y perfecto que Yo. Y sin embargo, también se dirá de uno de los míos: " Pero ¿ qué Maestro tuvo ? ".

Al juzgar no os dejéis llevar jamás por motivos personales. Ayer Judas al amar a su región más de lo razonable creyó ver que era Yo injusto con ella. Frecuentemente el hombre se somete a motivos que no pueden sopesarse, como son el amor patrio, o el amor por una idea, y se desvía como alcón desorientado de su meta. Dios es la meta. Para ver bien hay que ver todo en Dios. No ponerse a sí mismo o a otra cosa sobre Dios. Y si uno se equivoca realmente . . . ¡ Oh Pedro ! ¡ Oh vosotros ! No seais intransigentes. El error que uno de vosotros ha cometido, ¿ no lo habéis hecho alguna vez también ? . . . ¿ Estáis seguros ? . . . y supongamos que no lo hayais cometido, ¿ que tenéis que hacer ? . . . Dar gracias a Dios y . . . Basta. Estar atentos, muy atentos siempre. Para no caer mañana en lo que hasta el día de hoy se había evitado. Veis . . . Hoy el firmamento está oscuro por el granizo que viene y nosotros al escudriñar el cielo dijimos: " No nos alejemos de casa ". Pues bien si así sabemos juzgar las cosas, que por más peligrosas que sean, son nada con respecto a los peligros de perder la amistad de Dios con el pecado . . . ¿ Por qué no sabemos juzgar donde puede haber peligro para el alma ?

Mirad, por ejemplo, a mi Madre. ¿ Podéis imaginar en Ella inclinación al mal?... Pues bien, ya que el amor la empuja a seguirme, dejará su casa cuando mi amor lo quiera. Pero esta mañana, Ella, después de haberme rogado Ella, Ella... mi Maestra, me decía: " Entre tus discípulos es menester que esté también tu Madre, Hijo. Quiero aprender tu doctrina ", Ella que poseyó esta doctrina en su seno, y mucho antes en su corazón, como un don que Dios daba a la futura Madre de su Verbo Encarnado. Ella dijo: " Pero... juzga Tú, si puedo ir sin que pueda perder la unión con Dios, sin que me acerque a lo que es mundo, y que Tú afirmas que penetra con sus hedores, y pueda corromper este corazón mío que fué y es y quiere pertenecer sólo a Dios. Me examino y por cuanto sé, me parece que puedo hacerlo, porque (...y aquí Ella sin saber se tributó la mayor alabanza) porque no encuentro diferencia entre mi inocente paz de cuando era una flor del Templo a la que poseo, ahora que hace seis lustros que soy mujer de hogar. Pero soy yo una sierva indigna que no conoce y que mal juzga todavía las cosas del espíritu. Tú eres el Verbo, la Sabiduría, la Luz. Y puedes ser luz para tu pobre Mamá que se resigna a no verte más, antes que no ser grata al Señor"... Y debí decirle, con el corazón que se me estremecía de admiración: " Mamá, Yo te lo digo: el mundo no te corromperá antes bien, el mundo será perfumado por tí ".

Mi Madre, lo acabáis de oir, supo ver los peligros del vivir en el mundo, también para Ella. Y ¿ vosotros hombres no los veréis ? ¡ Oh ! Satanás a la verdad está en acecho. Y sólo los que vigilan serán los vencedores. ¿ Los demás ?... ¿ Preguntáis por los demás ? Para los demás será lo que está escrito. »

« ¿ Qué cosa está escrito, Maestro ? »

« "... y Caín se echó sobre Abel y lo mató. El Señor dijo a Caín: " ¿ Dónde está tu hermano ?... ¿ Qué has hecho con él ?... La voz de su sangre clama a Mí. Así pues, serás maldito sobre la tierra, que ha sabido gustar la sangre que el hombre derramó abriendo las venas de su hermano, y jamás cesará esta horrible sed de la tierra por la sangre humana. Ella, envenenada con esta sangre, será estéril para tí, más que una mujer ajada por los años. Y huirás a buscar paz y pan y no los encontrarás. Tu remordimiento te hará ver sangre en cada flor y hierba, en cada gota de agua y alimento. El cielo te parecerá sangre, sangre el mar, y del Cielo, de la tierra y del mar se levantarán tres voces que llegarán a tí: La de Dios, la del Inocente y la del Demonio, y para no escurcharlas te darás muerte' "[1]. »

« No dice así el Génesis » observa Pedro.

« No, el Génesis, no. Lo digo Yo. Y no me equivoco. Por los nuevos Caínes de los nuevos Abeles lo digo. Por los que, no vigilándose a sí mismos y al enemigo, llegarán a ser una cosa con él. »

« Pero entre nosotros no los habrá, ¿ no es así, Maestro ? »

« Juan: Cuando el Velo del Templo se rasgue, sobre toda Sión brillará escrita una gran verdad. »

« ¿ Cuál, Señor mío ? »

« Que los hijos de las tinieblas en vano estuvieron en contacto con la Luz. Acuérdate de ello, Juan. »

« ¿ Seré, yo, un hijo de las tinieblas ? »

« No, tú no. Pero no lo olvides para explicar el crimen al mundo. »

« ¿ Cual crimen, Señor ? ... ¿ El de Caín ? ... »

« No. Este es el primer acorde del himno de Satanás. Hablo del crimen perfecto[2]. El crimen inconcebible. El que, para entenderlo, es menester mirarlo a través del Sol divino del amor y a través de la meta de Satanás. Porque sólo el amor perfecto y el odio perfecto, sólo el bien infinito y el mal infinito pueden explicar semejante ofrenda y semejante pecado. ¿ Habéis oido ? ... Parece que Satanás oye y aulla con el deseo de realizarlo. Vámonos antes de que las nubes se abran en medio de rayos y granizo. »

Bajan corriendo por la zanja y saltan al huerto de María, cuando la tempestad furiosa se desata.

[1] Cfr. Gén. 4, 8-12.

[2] En todo este trozo se establece un parangón entre el crimen de Caín, primer fraticidio en el orden del tiempo, y el futuro crimen de Judas, el deicidio, el más grande en orden a la gravedad: varias frases, con que Jesús alarga y explica el Génesis y que Pedro dice que no se encuentran en este libro, aparecerán en las expresiones de Judas desesperado por haber traicionado a Jesús.

58. Lección a los discipulos con María Santísima en el huerto de Nazaret

(Escrito el 31 de enero de 1945)

Jesús sale al huerto que aparece empapado completamente con el temporal del día anterior. Ve a su Madre, que inclinada mira las plantitas. La saluda y se acerca. ¡ Cuán dulce es el beso que se dan ! Jesús le pasa el brazo izquierdo por la espalda, la atrae y la besa en la frente, cerca de los cabellos, luego baja su cabeza para que su Madre le bese en la mejilla. Pero lo que completa la delicadeza de ello es la mirada que acompaña el beso. El de Jesús henchido de amor, amén de majestuoso y protector; el de María, todo veneración, pese a que no es más que amor. Cuando se besan, parece que el mayor en edad sea Jesús, y que María sea una hija joven a quien el padre, o el hermano mayor, da el beso matinal.

« ¿ Les hicieron mal a tus flores, el granizo de ayer tarde y el viento de la noche ? » pregunta Jesús.

« Ningún daño, Maestro. Tan sólo desarreglaron sus corolas » antes que María lo hiciera, responde la voz un poco ronca de Pedro.

Jesús levanta la cabeza y ve a Simón Pedro que, con la túnica corta, trabaja en levantar las ramas encorvadas de la higuera.

« Estás ya trabajando? »

« ¡ Eh ! Nosotros los pescadores dormimos como los peces : a cualquier hora, en cualquier lugar, cuando nos dejan descansar. Y se acostumbra uno. Esta mañana al amanecer, oí que rechinaba la puerta y me dije : " Simón, se ha levantado Ella. ¡ Apúrate ! ¡ Ve con tus manazas a ayudarle ! " Me imaginaba que pensaría en sus flores azotadas por el viento toda la noche. Y no me equivoqué. ¡Eh! ¡Conozco a las mujeres! . . . También mi mujer se revuelve en la cama como un pescado en la red, cuando hay tempestad, y . . . piensa en sus plantas . . . ¡ Pobrecita ! Algunas veces le digo : " Te apuesto a que te revuelves menos cuando tu Simón es agitado como una paja en el lago ". Más . . . soy injusto, porque es una buena mujer. Ni parece que tenga una madre tan . . . Bien. ¡ Cállate, Pedro ! No hay razón de esto. No conviene murmurar y hacer saber imprudentemente lo que es mejor callar . . . Ve, Maestro que también en mi cabeza de borriquillo ha entrado tu palabra. »

Jesús con una sonrisa le responde: « Allá tú que lo dices porque quieres. Por mi parte no tengo más que admirar tu experiencia de hortelano. »

« Ya ha ligado las ramas de las vides que se habían caido, hasta ha apuntalado aquella que está muy cargada, y ha pasado un cordel debajo de ese granado que creció por un solo lado. »

« ¡De veras! parece un viejo fariseo. No se inclina más que hacía donde le conviene. Lo he tratado como si fuese una vela y le he dicho: " No sabes que lo justo está en el medio?... Ven aquí, testarudo, sino te rompes con tanto peso ". Ahora estoy detrás de esta higuera, más bien por egoísmo. Pienso en el hambre de todos: ¡Higos frescos y pan caliente! ¡Ah! ¡Ni siquiera Antipas, ha tenido una comida tan sabrosa! Pero conviene ir despacio, porque la higuera tiene ramitas tiernas como el corazón de una jovencilla cuando pronuncia su primera palabra de amor; yo peso mucho, y los higos mejores están en lo alto. Se han secado con los primeros rayos de este sol. Deberán estar sabrosísimos. ¡ Eh tú, muchacho! No me estés tan sólo mirando. ¡ Despiértate ! ¡ Dame esa canasta ! »

Juan que ha salido del cuarto de carpintería obedece y sube también en la frondosa higera. Cuando bajan los dos pescadores, han salido del mismo cuarto, Simón Zelote, José y Judas Iscariote. No veo más.

María trae pan fresco: panecillos oscuros y redondos, y Pedro, con su cuchillo los abre y sobre ellos parte los higos. Ofrece primero a Jesús, luego a María y después a los demás. Comen con gusto en el huerto fresco y hermoso de un sol matinal sereno, debido también a la lluvia del día anterior que ha lavado el aire. Pedro dice: « Es viernes... Maestro, mañana es sábado... »

« ¿ Has hecho algún descubrimiento ? » observa el Iscariote.

« ¡ No ! Pero el Maestro sabe lo que quiero decir... »

« Lo sé. Esta tarde iremos al lago, donde dejaste la barca, y navegaremos a Cafarnaum. Mañana allí hablaré. »

Pedro está que no cabe.

Entran en grupo Tomás, Andrés, Santiago, Felipe, Bartolomé y Judas Tadeo, que durmieron ciertamente en otra parte. Se saludan. Jesús dice: « Permanescamos unidos aquí. Así también habrá un nuevo discípulo. Ven, Mamá. »

Se sientan, quién sobre una piedra, quién sobre una pequeña silla y forman un círculo alrededor de Jesús que se ha sentado en el banco de piedra que da a la casa. A su lado está su Madre y a sus pies, Juan, que ha querido estar en tierra con tal de tenerlo cerca. Jesús habla, despacio, majestuosamente como siempre.

« ¿ Con qué paragonaré la formación apostólica ?. . . Con la naturaleza que nos rodea. Veis. La tierra en el invierno parece muerta. Pero dentro de ella están las semillas que trabajan y las linfas que se nutren de savia, se depositan en selvas subterráneas, si así se pudiera llamar a las raíces, para tener después mucha abundancia de ellas en la parte superior cuando sea el tiempo de florecer. También a vosotros se os puede comparar con esta tierra invernal: seca, despojada, fea. Pero sobre vosotros ha pasado el sembrador y ha echado una semilla. Cerca de vosotros ha pasado el Labrador y ha aflojado la tierra dura alrededor de vuestro tronco, que es duro y áspero como ella, para que llegue a las raíces alimento de las nubes y del aire, y lo robustezcan para cuando de sus frutos. Y vosotros habéis recogido la semilla y el trabajo, porque hay buena voluntad de fructificar en la obra de Dios.

Se puede comparar la formación apostólica a la tempestad que azotó y dobló lo que encontró a su paso, y que pudo haber parecido una fuerza inútil. Pero ved cuánto bien ha hecho. Hoy el aire está más puro, nuevo, sin polvo y sin el calor sofocante. El sol es el mismo de ayer, pero no tiene más esa fuerza que parecía fiebre, porque nos llega a través de estratos purificados y frescos. A las hierbas y a las plantas se les ayuda como a los hombres, porque la limpieza, la calma, son cosas que sirven. También los contrastes son buenos para llegar a un conocimiento exacto y a un mayor entendimiento. De otro modo no habría sido más que una desgracia. ¿ Y qué cosa son los contrastes sino los temporales que provocan las nubes de diversos tipos ? Y . . . ¿ no acaso estas nubes se acumulan poco a poco en los corazones con vapores inútiles, con pequeños celos, con humeante soberbia ?. . . Después llega el viento de la gracia y las une, para que descarguen todos sus malos humores y venga la calma?

También la formación apostólica es semejante al trabajo que Pedro hacía esta mañana para dar alegría a mi Madre, esto es enderezar, ligar, sostener, o también desatar, según los casos y la necesidad, para hacer de vosotros " los fuertes " en el servicio de Dios. Enderezar las ideas equivocadas, ligar las fuerzas carnales, sostener las debilidades, cortar, según la necesidad, las inclinaciones, despojarse de la esclavitud y de la timidez. Vosotros debéis ser libres y fuertes. Como águilas que abandonando el picacho donde nacieron, se remontan en el aire siempre más arriba. El servicio de Dios es el vuelo. Las afecciones son los picachos.

Uno de vosotros está triste hoy porque su padre se acerca a la muerte y se acerca con el corazón cerrado a la verdad y al hijo que la sigue. Más que cerrado: hostil. Todavía no le ha dicho lo peor: " ¡ Lárgate ! " de lo que ayer hablaba Yo, proclamándose más que Dios. Pero su corazón cerrado y sus labios cosidos no son capaces ni de decir siquiera: " Sigue la voz que te llama ". Ni el hijo ni Yo pretenderíamos que dijese con sus labios: " Ven y que contigo venga el Maestro. Y Dios sea bendito por haber escogido en mi casa un siervo para Sí, y con ello da vida a un parentesco mucho más sublime que el de la sangre con el Verbo del Señor ". Pero por lo menos Yo, por bien suyo, y el hijo todavía por un motivo mayor, no querríamos oir de sus labios palabras de enemigo.

Que no llore este hijo. Que sepa que en Mí no existe rencor ni desprecio por su padre, sino tan sólo piedad. He venido a estarme unos pocos días, a pesar de que conozco la inutilidad de ello, pues no querría que un día este hijo me dijese: " ¡ Oh ! ¿ Por qué no viniste ? " vine, para darle a entender que todo es inútil cuando el corazón se cierra dentro del odio. Vine también, para consolar a una buena mujer que sufre ante esta disensión de la familia, como sufriría con el cuchillo que le quitase pedazos de carne. Pero tanto el hijo como esta buena mujer sepan que no respondo con odio al odio. Respeto la sinceridad del viejo creyente que es leal, aun cuando tiene una fe desviada, a lo que fué su religión hasta el momento. Hay muchos así en Israel... Por esto os digo: Los paganos me aceptarán más que los hijos de Abraham. El género humano ha corrompido la idea del Salvador y ha rebajado la realeza sobrenatural a una pobre idea de soberanía humana. Debo de aserrar la dura corteza del hebraísmo, penetrar y romper para llegar al fondo y llevarle la fecundación de la Nueva Ley, allá en donde está su alma.

¡ Oh ! ¡ Qué diferente ! Israel creció alrededor del núcleo vital de la Ley del Sinaí y se ha convertido en un fruto monstruoso de pulpa con capas siempre más fibrosas y duras, protegidas por fuera con una corteza resistentísima que no permite penetración alguna, ni aun para echar fuera la semilla, pues el Eterno juzga que ha llegado el momento en que el hebraísmo forme una nueva planta de la fe en el Dios Trino y Uno. Yo, para hacer que la voluntad de Dios se cumpla y el hebraísmo se convierta en cristianismo, debo cortar, perforar, penetrar, hacer camino hasta el núcleo, calentarlo con mi amor para que se estimule, se agrande, germine, crezca, crezca, crezca y se convierta en la planta poderosa del Cristianismo, religión perfecta, eterna, divina.

En verdad os digo que al hebraísmo sólo en el uno por ciento se le podrá perforar. Por ello no considero réprobo a ese israelita que no me ama y que no querría darme al hijo.

Así, pues, digo al hijo: No llores por la carne y la sangre que sufren al sentir que la carne y la sangre de quien te engendró te rechazan. También te digo: No llores ni siquiera por el alma. Tu sufrimiento trabaja más que cualquier otra cosa en favor de la tuya y de la de él, de la de tu padre que no comprende ni ve. Añado aún más: No te formes remondimientos porque hayas querido ser más de Dios que de tu padre. A todos digo: Más que el padre, la madre y los hermanos, es Dios. He venido a unir no según la tierra, la carne ni la sangre, sino según el espíritu y el cielo. Por esto debo separar la carne y la sangre para llevarme conmigo los corazones, ya desde la tierra, aptos para el cielo, para que sean siervos de Dios.

Por esto he venido a llamar los " fuertes " y hacerlos todavía más fuertes, porque de " fuertes " está hecho mi ejército de mansos. No llores, primo. Tu dolor, te lo aseguro, habla a Dios en favor de tu padre y de tus hermanos más que cualquier palabra, no sólo tuya, sino también mía. Créeme, no entra la palabra donde el preconcepto forma una barrera. Pero la gracia sí.

En verdad os digo que cuando os llamo para Dios no hay un obedecer mayor que este. Y es necesario obedecer sin pararse siquiera a calcular cuánto y cómo reaccionarán los demás con nuestro ir a Dios. Ni siquiera detenerse a sepultar a su padre. Recibiréis premio por este heroísmo, y premio no tan sólo para vosotros, sino también para aquellos de los que os separáis con un gemido en el corazón, y cuya palabra frecuentemente os hiere más que una bofetada, porque os acusa de ser hijos ingratos y os maldice, en su egoísmo, como a rebeldes. ¡No! ¡No! No rebeldes. Santos.

Los primeros enemigos de los que son llamados son los familiares. Pero es menester saber distinguir entre amor y amor, y a aprender a amar sobrenaturalmente. Esto es, amar más al dueño. Amar a los padres en Dios, pero no más que a Dios.»

Jesús calla, se dirige al primo, que con la cabeza inclinada, a duras penas contiene el llanto. Lo acaricia.

«Judas... Yo he dejado a mi Madre para seguir mi misión. Que esto te quite cualquier duda de tu sinceridad en el obrar. Si no hubiese sido un acto bueno ¿se lo habría Yo hecho a mi Madre, que fuera de Mí, no tiene a otro?»

Judas se pasa la mano de Jesús sobre la cara y asiente con la cabeza, pero no puede decir nada.

«Vamos los dos solos, como cuando éramos pequeños, y Alfeo decía que Yo era el más juicioso muchacho de Nazaret. Vamos a llevar al viejo este hermoso racimo de uvas de oro. Que no crea que lo olvido y que soy su enemigo. También tu madre y Santiago se alegrarán. Les diré que mañana estaré en Cafarnaum y que su hijo es todo para él. Sabes, los viejos son como los niños: celosos y suspicaces de que se les olvide. Es necesario compadecerlos...»

Jesús se va dejando en el huerto enmudecidos a los discípulos ante la revelación de un dolor y de una incompatibilidad entre un padre y un hijo por causa suya. María ha acompañado a su hijo hasta la puerta y torna suspirando de dolor.

Todo termina.

59. Curación de la Bella de Corozaim. Predica en la sinagoga de Cafarnaum

(Escrito el 1o de febrero de 1945)

Jesús sale de la casa de la suegra de Pedro junto con sus discípulos, menos Judas Tadeo. El primero que lo ve es un muchachillo, y lo dice hasta los que no quieren enterarse. Jesús en la ribera del lago, sentado en la barca de Pedro, se ve al punto rodeado de gente que alegre lo saluda por su regreso, y le hacem mil preguntas, a las que responde con su insuperable paciencia sonriente y cariñoso, como si todo ese griterío fuera una armonía celestial.

Se acerca también el arquisinagogo. Jesús se levanta para saludarlo. Su saludo recíproco es de un orientalismo respetuoso.

« ¿ Maestro, puedo esperarte para que instruyas al pueblo ? »

« Sin duda, si tu y el pueblo lo deseais. »

« Lo hemos deseado durante todo este tiempo. Lo puede decir el pueblo » y de hecho lo confirma con un nuevo griterío.

« Entonces a media tarde estaré contigo. Idos todos. Debo ir a buscar a alguien que me necesita. »

La gente se aleja de mala gana, mientras Jesús con Pedro y Andrés van en la barca por el lago. Los otros discípulos quedan en tierra.

La barca navega por un breve espacio y luego los dos pescadores la dirigen a un pequeño recodo entre dos colinillas, que parece que en un principio no fuese sino una sola, la cual se partiese por el centro debido a la erosión del agua o a un terremoto. Forma un pequeño fiordo que por no ser noruego, no tiene abetos, sino olivos malhechos, que han nacido, no se sabe cómo, en esas paredes a pico, entre rocas abiertas y picachos salientes. Han entretejido sus ramas torcidas por los vientos del lago que aquí deben ser fuertes. Han formado como un techo, bajo el que espumea un caprichoso riachuelo, todo rumor porque es una completa cascada, todo espuma porque se precipita de metro en metro, pero en realidad es un verdadero enanillo entre los ríos.

Andrés salta al agua para jalar la barca lo más cerca posible a la ribera y atarla a un tronco, mientras Pedro arrea la vela y asegura una piedra que sirva de puente a Jesús.

« Pero » dice « te aconsejaría que te descalzases y te quitases el vestido y que hicieras como nosotros. Ese loco de allí (y señala al riachuelo) hace revolver el agua del lago y por eso el puente no es seguro. »

Jesús obedece sin discutir. En tierra vuelven a ponerse las sandalias y Jesús también por su parte el vestido largo. Los otros dos se quedan con las túnicas cortas de color oscuro.

« ¿ Dónde está ? » pregunta Jesús.

« Se habrá metido en la selva, al oir nuestras voces. Sabes... con lo que tiene sólo para cubrirse... »

« Llámala. »

Pedro grita fuertemente: « Soy el discípulo del Rabí de Cafarnaum. Aquí está el Rabí. Ven fuera. »

Ni una señal de vida.

« No se fía » dice Andrés. « Un día alguien llamó diciendo: " Ven, que hay comida " y después la emprendió a pedrades contra ella. Nosotros la vimos entonces por vez primera, porque, yo al menos, no me acordaba de cuando era la Bella de Corozaim. »

« ¿ Y qué hicisteis entonces ? »

« Le arrojamos un pedazo de pan y pescado y un trapo que era un pedazo de vela rota que usábamos para secarnos, porque estaba desnuda. Después huimos para no contaminarnos. »

« ¡ Bueno ! ¿ Por qué habéis regresado ? »

« Maestro ... Tú no estabas y pensábamos qué podríamos hacer para darte más a conocer. Pensamos en todos los enfermos, en todos los ciegos, cojos, mudos ... y también en ella. Nos dijimos: " Hagamos la prueba ". ¿Sabes?... muchos ... ¡Oh! por culpa nuestra, nos tomaron por locos y no nos quisieron escuchar. Otros por el contrario nos creyeron. Yo hablé con ella. Vine solo en barca durante varias noches de luna. La llamaba y le decía: " En el peñasco, a los pies del olivo, hay pan y pescado. No tengas miedo " y me iba. Ella debía de esperar hasta ver que me hubiese ido para venir, porque nunca la veía. La sexta vez la ví de pie en la ribera, exactamente en donde estás. ¡ Me esperaba ... ! ¡ Qué horror ! No escapé sino porque pensé en Tí. Me dijo: " ¿ Quién eres ? ¿ Por qué tienes piedad de mí ? ... ". Le respondí: " Porque soy discípulo de la Piedad ". " ¿ Quién es ? ". " Jesús de Galilea ". " ¿ Y os enseña a tener piedad de nosotros ? " " De todos ". " ¿ Pero sabes quién soy yo ? ". " La Bella de Corozaim, ahora leprosa ". " ¿ Y también para mí hay piedad ? ". " El dice que su piedad es para todos; y nosotros para ser como El, debemos tenerla también ". Maestro, aquí la leprosa blasfemó sin querer, diciendo: " Luego ... también El debió haber sido un gran pecador ". Le dije: " ¡ No ! Es el Mesías, el Santo de Dios ". Tenía ganas de decirle: " Eres maldita por tu lengua " pero no dije más que eso porque pensé: " En su desgracia no puede pensar en la misericordia divina ". Entonces se puso a llorar y dijo: " Oh, si es Santo, no puede, no puede tener piedad de la Bella. ¡ No ! Tendría de la leprosa ... pero por la Bella, no. Y yo que esperaba ... ". " ¿Qué esperabas, mujer? " le pregunté. " La curación ... volver al mundo ... entre los hombres... no como una bestia en cueva de animales, a los que causo horror". Le dije: "¿Me juras que si vuelves al mundo serás honesta?". Y ella: "Sí. Dios me ha castigado justamente por mis pecados. Estoy arrepentida. Mi alma lleva consigo la expiación, pero para siempre aborrece el pecado". Entonces me pareció que podía en tu nombre prometerle salvación. Me dijo: "Regresa, regresa otra vez... Háblame de El... Que mi corazón antes que mis ojos, lo conozca..." Y venía a hablar de Tí, como sé...»

«Y Yo he venido a dar la salvación a la primera convertida de mi Andrés» (pues es Andrés el que ha hablado, mientras Pedro había ido corriente arriba, brincando de piedra en piedra y llamando a la leprosa).

Pasando un rato apareció con su horrible figura, entre las ramas de un olivo. Ve y grita.

«Baja, pues» exclama Pedro. «No te quiero lapidar. ¡Allá! ¿lo ves?... es el Rabí Jesús.»

La mujer se descuelga por la pendiente, digo exagerando, porque velozmente baja, llega a los pies de Jesús antes que Pedro volviese al Maestro y grita: «¡Piedad, Señor!»

«¿Puedes creer que Yo te la pueda tener?»

«Sí, porque eres Santo y porque estoy arrepentida. Soy el pecado, pero Tú eres la Misericordia. Tu discípulo ha sido el primero en tener misericordia de Mí y ha venido a traerme pan y fe. Límpiame, Señor, antes el alma que la carne. Porque yo soy tres veces impura y si me debes dar una limpieza, *una sola,* mira, yo te pido la de mi alma pecadora. Antes de haber oido tus palabras, que él me repetía, yo pensaba para mí: "Cúrame para regresar entre los hombres". Ahora que sé, me digo: "Ser perdonada para tener vida eterna".»

«Te perdono. No recaigas otra vez sin embargo...»

«¡Que seas bendito! Viviré en mi cueva en la paz de Dios... libre.... ¡Oh! libre de remordimientos y de temores. ¡No más miedo a la muerte porque estoy perdonada! ¡No más miedo a Dios porque ahora Tú me has absuelto!»

«Ve al lago y lávate. Está allí dentro hasta que te llame.»

La desgraciada piltrafa de mujer, hecha esqueleto, corroída, con la cabellera despeinada, seca, lisa, se levanta del suelo y entra en el lago, se mete con todo y su resto de vestido que bien poco le sirve.

«¿Por qué la has mandado a que se bañe? Es verdad que su

hedor enferma, pero... no entiendo» dice Pedro.

«Mujer, sal y ven aquí. Toma esa tela que está en esa rama» (es la que usó Jesús para secarse cuando atravesó el breve espacio entre la barca y la tierra).

La mujer obedientemente emerge, desnuda, pues en el agua se le quedó el pedazo de harapo que tenía al ir a tomar el seco. Pedro que es el primero en verla echa un grito, mientras Andrés, más púdico, le vuelve las espaldas. Pero al grito de su hermano se vuelve y grita también. La mujer, que tenía tan sólo los ojos fijos en Jesús, y no se preocupaba en otra cosa, a los gritos, y al ver las manos que le hacen señas, se mira... y ve que con su vestido harapiento se quedó también en el lago su lepra. No corre, como podría imaginarse uno. Se agasapa, se encoge toda en el camino, avergonzada de su desnudez, emocionada hasta el punto, que no puede hacer cosa alguna que no sea un llanto largo y débil, que es más estrujante que un grito.

Jesús se mueve... llega hasta donde está... le pone en la espalda la tela, le acaricia ligeramente la cabeza y le dice: «¡Se buena! ¡Adiós! Por la sinceridad de tu arrepentimiento has merecido el favor. Crece en la fe del Mesías y obedece a los preceptos de la purificación.»

La mujer llora, llora y llora... Sólo cuando oye el golpeteo de los remos, con que Pedro retira la barca, levanta la cabeza, tiende los brazos y grita: «¡Gracias, Señor, gracias! ¡Bendito, bendito seas!»

Jesús le hace un ademán de despedida antes que la barca dé vuelta en el recodo del pequeño fiordo y desaparezca...

...Jesús, ahora con todos los discípulos, entra en la Sinagoga de Cafarnaum después de haber atravesado la plaza y la calle que conducen allí. La noticia del nuevo milagro debe haber ya recorrido porque hay muchos murmullos y comentarios.

Exactamente en el umbral de la puerta de la sinagoga veo al futuro apóstol Mateo. Ahí se queda, mitad dentro y mitad fuera, no se si avergonzado o retraído por las señales de los ojos que todos ponen al verlo, o por algún epíteto poco agradable que le viene dirigido. Dos entiesados fariseos recogen a propósito sus amplios mantos, como si tuviesen miedo de contraer una peste al tocar el vestido de Mateo.

Jesús al entrar, lo mira atentamente por un segundo y por un segundo se detiene. Mateo, no más baja la cabeza.

Pedro, apenas había pasado un poco, dice en voz baja a Jesús: « ¿ Sabes quién es ese hombre tan bien adornado y que tiene más perfume que una mujer ? ... Es Mateo nuestro tasador ... ¿ Qué viene a hacer aquí ? ... Es la primera vez. Tal vez no encontró compañeros, y sobre todo compañeras, con quienes pueda pasar el sábado, gastando en orgías lo que nos chupa con tasas duplicadas y triplicadas para tener dinero para el fisco y para el vicio. »

Jesús mira de tal manera enojado a Pedro, que este se pone colorado como una manzana, baja la cabeza, se espera de modo que siendo el primero se queda al último en el grupo apostólico.

Jesús está en su lugar. Después de los cantos y oraciones recitadas con el pueblo, se vuelve a hablar. El arquisinagogo le pregunta si quiere algún rollo, pero le responde: « No es necesario. Tengo ya el tema. »

Y empieza: « El Gran Rey de Israel, David de Belén, después de haber pecado, lloró [1] al arrepentirse en su corazón, al gritar a Dios que se arrepentía y que le pedía perdón. El corazón de David se había nublado en las neblinas del sentido, y le había estorbado ver el rostro de Dios, comprender su palabra.

El rostro, dije. En el corazón del hombre hay un punto en que se recuerda el rostro de Dios, el punto más selecto, el que es nuestro Sancta Sanctorum, del que vienen las santas inspiraciones y las santas decisiones, el que despide perfume como un altar, resplandece como una hoguera, canta como un coro de serafines. Mas ... cuando en nosotros el pecado humea, entonces ese punto se ofusca en tal forma que cesan la luz, el perfume, el canto y tan sólo queda el olor a humo espeso y el sabor a cenizas.

Pero cuando vuelve la luz, porque un siervo de Dios la haya traido consigo a esa oscuridad, entonces el corazón ve su fealdad, su baja condición, y horrorizado exclama como el rey David: " Ten piedad de mí, Señor, conforme a la grandeza de tu misericordia y por tu infinita bondad, lávame de mi pecado " [2]. Pero no dice: " No puedo ser perdonado, y por esto continúo en el pecado " por el contrario [3]: " Estoy humillado, contrito lo estoy, pero te ruego, Tú que sabes cómo me he encontrado en el pecado, de echarme agua y limpiarme para que torne a ser cual la

[1] Cfr. 2 Re. 11 y 12.
[2] Cfr. Sal. 50, 3.
[3] Cfr. Sal. 50, 7 y 9.

nieve de las cimas ". Añade[4]: " Mi holocausto no será de corderos ni de bueyes sino un arrepentimiento verdadero de corazón. Porque sé que esto es lo que quieres de nosotros y no lo desprecias ".

Esto decía David después de su pecado, y después de que el siervo del Señor, Natán, lo había hecho que se arrepintiera. Los pecadores con mayor razon pueden decir esto, ahora que el Señor no les manda un siervo suyo, sino al Redentor mismo, a su Verbo, el cual, justo y dominador no sólo de los hombres, sino también de cielos e infiernos, ha brotado entre su pueblo como la luz de la aurora, que brilla sin nubes cuando se levanta el sol matinal.

Habéis leído en qué forma el hombre, presa de Mammón, sea más débil que un esqueleto moribundo, aun cuando antes hubiése sido " el fuerte ". Sabéis cómo Sansón no valió ya nada luego que cedió al sentido. Quiero que comprendáis la lección de Sansón, hijo de Manué, destinado a vencer los filisteos opresores de Israel[5].

La primera condición para que fuese tal, era que desde su concepción permaneciese alejado de todo lo que provoca los bajos sentidos y une en matrimonio las entrañas del hombre con carne inmunda: o sea vino, cerveza y carnes grasosas que encienden la cintura con fuego impuro. Condición segunda: Que para ser el libertador, fuese consagrado al Señor desde la infancia y para siempre fuese nazareo. Consagrado es no sólo el que externa, sino internamente se conserva santo. Entonces Dios está con él.

Pero la carne es carne, y Satanás es tentación. Y tentación es de la carne, que excita al hombre y a la mujer y se aprovecha para combatir a Dios en su corazón y en sus santos mandamientos. Ved entonces que la robustez del " fuerte " tiembla, y se convierte en piltrafa que acaba con las dotes que Dios le había dado. Escuchad, pues: Sansón fué amarrado con siete cordeles de nervios frescos, con siete sogas nuevas, enclavado en el suelo con siete trenzas de sus cabellos. Y siempre vencía. Pero no en vano se tienta al Señor, ni a su bondad. No es lícito. El perdona, perdona, perdona, pero exige voluntad de salir del pecado para continuar perdonando. Necio es el que dice: " Señor, perdón " y después ¡ no huye de lo que le induce a nuevo pecado! Sansón, tres

[4] Cfr. Sal. 50, 19.
[5] Cfr. Jue. 13-16.

veces victorioso, no huyó de Dalila, el sentido, el pecado, y cansado hasta donde más no se puede, dice el Libro, y acabándosele el ánimo, reveló el secreto: " Mi fuerza está en mis siete trenzas ".

¿ Hay alguno entre vosotros, que hastiado hasta el cansancio del pecado, sienta que las fuerzas se le acaban, porque no hay cosa que más agote que la mala conciencia, y que está por entregarse vencido al enemigo ? ¡ No ! quienquiera que seas, no, no lo hagas. Sansón dió a la tentación el secreto para vencer sus siete virtudes: las siete trenzas simbólicas, sus virtudes, o sea la fidelidad de nazareo. Cansado se durmió en el seno de la mujer y fué vencido. Ciego, esclavo, impotente, por no haber sido fiel al voto. Tornó a ser " el fuerte ", el " libertador " cuando en el dolor de un sincero arrepentimiento encontró su fuerza... Arrepentimiento, paciencia, constancia, heroísmo y luego... ¡ Oh, pecadores, os prometo que seréis los libertadores de vosotros mismos! En verdad os digo que no hay bautismo que valga, ni rito que sirva, si no hay arrepentimiento y voluntad de renunciar al pecado. En verdad os digo que no hay pecador más grande, que no pueda hacer renacer con su llanto las virtudes que el pecado le había arrebatado del corazón.

Hoy una mujer, una culpable de Israel, a quien Dios castigó por su pecado, ha obtenido misericordia por su arrepentimiento. Misericordia, dije, pero no la tendrán los que no la usaron con ella después de castigada. ¿ No tenían esos tales en sí, la lepra de la culpa?... Que se examine cada uno... y que tenga piedad si es que la quiere obtener. Yo os extiendo mi mano por esta arrepentida que torna entre los vivos después de una horrenda separación. Simón de Jonás, no Yo, llevará el óbolo a la arrepentida que, en los umbrales de la vida, regresa a la vida verdadera. Y no murmuréis, vosotros grandes. No murmuréis. No estaba Yo, cuando era la Bella. Vosotros estabais. Y no digo más. »

« Nos acusas de haber sido sus amantes ? » pregunta rabioso uno de los dos viejos.

« Cada uno tenga enfrente de sí, su corazón y sus acciones. No acuso. Hablo en nombre de la justicia ¡ Vámonos ! » y Jesús sale con los suyos.

Pero dos que parece, conozcan algo a Judas le detienen y oigo que le dicen: « ¿ También tú estás con El ?... ¿ Es realmente Santo? »

El Iscariote tiene una de sus salidas que desorientan: « Os aseguro que no llegaréis ni al menos a sospechar su santidad. »

« Pero curó en sábado ¿ ó no ? »

« ¡ No ! Perdonó en sábado . . . y ¿ qué día más propicio para el perdón sinó el sábado ? . . . ¿ No me dais nada para la redimida ? »

« No damos nuestro dinero a las prostitutas. Se ofrece al Templo santo. »

Judas echa una risotada irreverente y los deja plantados. Alcanza al Maestro que está entrando en la casa de Pedro, que le dice: « Mira, el pequeño Santiago apenas fuera de la sinagoga, me dió dos bolsas en lugar de una, y siempre por encargo del desconocido. ¿ Quién es Maestro ? Tú lo sabes . . . ¡ Dímelo ! »

Jesús sonríe: « Te lo diré cuando hayas aprendido a no murmurar de nadie. »

Y todo termina.

60. Santiago de Alfeo es recibido entre los discípulos. Jesús predica cerca del banco de Mateo

(Escrito el 2 de febrero de 1945)

Es una mañana de mercado en Cafarnaum. La plaza está llena de vendedores de toda clase de mercancías. A ella, Jesús llega viniendo del lago y ve que vienen a su encuentro sus primos Judas y Santiago. Se apresura a su vez, y después de abrazarlos con cariño, pregunta ansioso: « Vuestro padre . . . ¿ qué pasó? »

« Nada de nuevo por lo que se refiere a su salud » responde Judas.

« Y entonces ¿ a qué viniste ? . . . Te había dicho que te quedaras. »

Judas baja la cabeza y calla. Pero el que se expansiona es Santiago que dice: « Por mi culpa él no te obedeció. Sí. Por culpa mía. Pero no puede soportar más. Todos en contra . . . Y ¿ por qué ? ¿ Hago mal acaso en amarte ? ¿ lo hacemos acaso ? Hasta aquí un escrúpulo del mal me había detenido, pero ahora que sé, ahora que has dicho que sobre Dios no hay nadie, ni el padre, ya no pude soportar. ¡ Oh ! Traté de ser respetuoso, de hacer entender razones, de corregir las ideas. Dije: " ¿ Por qué me combatís ? Si es el Profeta, si es el Mesías... ¿ Por qué quereis que el mundo diga: 'Su familia no lo quería. Cuando todos lo seguían, ella no lo hizo' ? Porque si fuera el infeliz que vosotros decís, ¿ no debemos nosotros los de su familia, estar cerca de su demencia, para impedirle que se dañe o que nos dañe ? " ¡ Oh ! Jesús, de este modo hablaba yo, para discutir humanamente como ellos razonaban. Pero tú sabes que Judas y yo no creemos que estés loco, Tú sabes que en ti vemos al Santo de Dios. Tú sabes que siempre te hemos considerado como a nuestra Estrella Mayor. Pero no nos han querido comprender. Ni siquiera nos han querido escuchar. Y me he venido. Entre la elección de Jesús o la familia, te he escogido. Heme aquí, pues, si me quieres. Si no, seré entonces el hombre más infeliz porque no tendré nada: Ni tu amistad, ni el amor de la familia. »

« ¿ Resuelto ?... ¡ Oh ! Santiago mío, mi pobre Santiago. ¡ No hubiera querido verte sufrir así, porque te amo ! Pero si el Jesús-Hombre llora contigo, el Jesús-Verbo se regocija por tí. ¡ Ven ! Estoy cierto que la alegría de ser portador de Dios entre los hombres aumentará de día en día tu gozo hasta llegar al éxstasis completo en la última hora de la tierra, y en la eterna del cielo. »

Jesús se vuelve y llama a sus discípulos que prudentemente se habían mantenido retirados unos cuantos metros.

« Venid amigos. Mi primo Santiago desde ahora es de mis amigos y por esto, amigo vuestro. ¡ Cuánto he deseado esta hora, este día para él, mi amigo perfecto de infancia, mi buen hermano de juventud ! »

Los discípulos alegres dan la bienvenida a Santiago y a Judas que hacía días no miraban.

« Te habíamos buscado en casa... estabas en el lago. »

« Sí, en el lago por dos días con Pedro y los demás. Pedro ha tenido una buena pesca ¿ Verdad ? »

« Sí y ahora esto me desagrada porque deberé entregar más dracmas a aquel ladrón... » y señala al alcabalero Mateo cuyo banco está rodeado de gente que paga por la tierra o por los frutos.

« Será todo en proporción, digo. Más pescados, más pagas, pero también más ganancias. »

« No, Maestro. Más pesco, más gano. Pero si hago cálculos después de la pesca, ese de allá, me hace pagar no el doble sino el cuádruplo... ¡ Chacal ! »

« ¡ Pedro ! Acerquémonos a él. Quiero hablar. Hay gente siempre cerca del banco de la alcabala. »

« ¡ Ya lo creo ! » refunfuña Pedro. « Gente y maldiciones. »

« Pues bien, iré Yo a introducir bendiciones. Quién sabe si entre un poco de honradez en el alcabalero. »

« ¡ Puedes estar tranquilo que tú palabra no entrará en esa piel de cocodrilo ! »

« ¡ Veremos ! »

« ¿ Qué le vas a decir ? »

« Directamente, nada. Pero hablaré en tal forma que sirva también para él. »

« Dirás que es un ladrón tan grande el que asalta en las calles, como quien despelleja a los pobres que trabajan por tener pan, no por mujeres ni ebriedades ... »

« ¿ Pedro, quieres hablar tú por mí ? »

« No, Maestro, no sabría hacerlo bien. »

« Y con el vinagre que tienes dentro, te harías mal a tí y a él. »

Han llegado cerca del banco de la alcabala. Pedro hace por pagar. Jesús lo detiene y le dice: « Dame las monedas, hoy pago Yo. » Pedro lo mira sorprendido y le entrega una bolsa de cuero con el dinero.

Jesús espera su turno y cuando está enfrente del alcabalero dice: « Pago por ocho canastos de Simón de Jonás. Allí están los canastos, a los pies de los trabajadores. Verifica si quieres, pero entre honrados basta sólo la palabra. Y creo que me tienes por tal. ¿ Cuánto es la tasa ? »

Mateo, que estaba sentado en su banco, en el momento en que Jesús dijo: « Creo que como a tal me tienes » se pone de pie. Bajo de estatura y ya un poco viejo, más o menos como Pedro, muestra con todo una cara cansada de alegrías y una vergüenza completa. Tiene al principio la cabeza inclinada, después la levanta y mira a Jesús, que también lo mira atenta y seriamente como dominándolo con su imponente estatura.

« ¿ Cúanto ? » torna Jesús a preguntar.

« No hay tasa para el discípulo del Maestro » responde Mateo, y en voz baja, añade: « Ruega por mi alma. »

« La llevo conmigo porque recojo la de los pecadores. Pero tú ... ¿ por qué no la curas ? » y Jesús al punto vuelve las espaldas para ir a Pedro que está empapado de admiración. También los otros están. Hablan en voz baja, o lo hacen con los ojos.

Jesús recargado a un árbol, a unos diez metros de Mateo, empieza a hablar.

« El mundo se puede comparar con una gran familia cuyos miembros desempeñan quehaceres diversos y todos son necesarios. Hay agricultores, pastores, viñadores, carpinteros, pescadores, albañiles, leñadores, herreros, escribanos, soldados, oficiales destinados a especiales funciones, médicos, sacerdotes, de todo hay. El mundo no podría componerse de una sola clase. Todas las profesiones son necesarias, todas santas, si todos hacen lo que deben, con honradez y justicia. ¿ Cómo se puede llegar a esto si Satanás tienta por todas partes? Si se piensa en Dios que todo lo ve, aun las obras ocultas, y en su ley que dice: " Ama a tu prójimo como te amas tú mismo, no hagas a otro lo que no querrías que se te hiciese; no robar de ningun modo " [1].

Decidme, vosotros que me estáis escuchando: Cuando muere uno, ¿ se lleva acaso su dinero ? . . . y cuando alguien fuese tan necio de querer tenerlo en el sepulcro, ¿puede usarlo en la otra vida? ¡ No ! El dinero se convierte en metal mohoso al contacto de la corrupción de un cuerpo descompuesto. Y su alma estaría en otra parte desnuda, más pobre que el bienaventurado Job [2], sin tener ni siquiera un céntimo, aun cuando aquí o en la tumba hubiese dejado millones y millones. Antes bien, ¡ escuchad, escuchad ! En verdad os digo que difícilmente se conquista el Cielo con riquezas, sino más bien y casi siempre se pierde con ellas, aún cuando fueren riquezas que se hubiesen adquirido honestamente, bien por herencia, bien por ganancia. Porque pocos son los ricos que saben justamente usar de ellas.

Entonces . . . ¿ qué se necesita para tener este cielo bendito, este descansar en el seno del Padre? . . . Es menester no tener sed de riquezas. En el sentido de no quererlas tener a cualquier precio, aun faltando a la honradez y amor. En el sentido de que, si tienen, no se les ame más que al cielo y que al prójimo, y se niegue la caridad al que tuviere necesidad. No tener sed en el sentido de que puedan proporcionar mujeres, placeres, banquetes, vestiduras suntuosas que son una bofetada para el que tiene frío y hambre. Existe, existe una moneda que cambia el dinero injusto en valores que son reconocidos en el Reino de los Cielos. Es la san-

[1] Cfr. Ex. 20, 15; 21, 16; Lev. 19, 11 y 18; Dt. 5, 19; 24, 7; Mt. 5, 43; 7, 12; 22, 39; Lc. 6, 31; Rom. 13, 8-10; Gal. 5, 14; Sant. 2, 8.
[2] Cfr. Jb. 2, 7-10.

ta astucia de hacer de las riquezas humanas, frecuentemente injustas o causa de injusticia, riquezas eternas. En otras palabras, ganar con honradez, devolver lo que injustamente se obtuvo, usar de los bienes con parsimonia y despego, saberse separar de ellas, porque antes o después ellas nos dejan y pensar por otra parte que el bien llevado a cabo jamás nos abandona.

A todos nos gustaría ser " justos " y como tales ser tenidos y que Dios nos premie como a tales. Pero ... ¿ cómo puede Dios premiar a quien tan sólo tiene el nombre de justo ?... pero ¿ no las obras ? ¿ Cómo puede decir: " Te perdono " si ve que el arrepentimiento es tan sólo de palabra y que no va acompañado de un verdadero cambio de espíritu? No hay arrepentimiento mientras dure el deseo por el objeto que pecamos. Pero cuando uno se humilla, cuando uno se corta la parte moral de una mala pasión, digamos mujer u oro y dice uno: " Por Tí Señor y no por esto ", entonces sí, realmente está arrepentido. Dios lo recoge con estas palabras: " Ven, te quiero como a un inocente y como a un héroe ". »

Jesús ha terminado. Se va sin siquiera voltear a donde está Mateo, que se acercó al círculo de los oyentes, desde las primeras palabras.

Cuando están cerca de la casa de Pedro, su mujer corre al encuentro de su marido para decirle algo. Pedro hace señas a Jesús de que se le acerque. « Está la madre de Judas y de Santiago. Quiere hablar contigo, pero no quiere que la vean. ¿ Cómo hacemos? »

« Bien. Yo entro en casa como para descansar y vosotros id a distribuir las limosnas entre los pobres. Ten también el dinero de la tasa que no quiso. Vete. » Jesús hace señal a todos de que se vayan, mientras Pedro les habla de que vengan juntos.

« Dónde está la mamá, mujer? » pregunta Jesús a la mujer de Pedro.

« En la terraza, Maestro. Allí hay sombra y está fresco. Sube también Tú. Allí se está mejor que en otra parte de la casa. »

Jesús sube por la escalera. En un ángulo bajo el viñedo, sentada en un banquillo cercano a la baranda, vestida todo de oscuro, con el velo en la cara, está María de Alfeo. Llora quedito, sin hacer ruido. Jesús la llama: « María! ¡ Amada tía! » Levanta ella su pobre cara angustiada y extiende las manos: « ¡ Jesús ! ¡ Traigo un gran dolor en el corazón ! »

Jesús está cerca de ella. Le hace que siga sentada. El sigue de pie con su manto todavía echado en el hombro. Pone una mano en la espalda de su tía y la otra en las manos de ella, y le dice: « ¿ Qué te pasa ? ¿ por qué lloras tanto ? »

« ¡ Oh Jesús ! Escapé de casa diciendo: " Voy a Caná a buscar vino y huevos para el enfermo ". En casa está tu Madre que cuida como sólo Ella sabe hacerlo, y estoy tranquila. Pero en realidad vine aquí. He corrido durante dos noches para llegar aquí lo más pronto. Y no puedo más . . . pero el cansancio no importa. ¡ Es el dolor del corazón que me hace mal! . . . Mi Alfeo . . . mis hijos . . . ¡Oh! ¿Por qué entre los de una misma sangre hay tanta diferencia, y por qué esta es como dos piedras de una máquina, que muelen el corazón de una madre ? . . . ¿ Están contigo Judas y Santiago ? . . . ¿ Sí ? . . . Entonces sabe, ¡ oh Jesús ! . . . Mi Alfeo ¿ por qué no comprende ? . . . ¿ Por qué se muere ? . . . ¿ Por qué quiere morir así ? . . . ¿ Y Simón y José ? ¿ Por qué, por qué están contra Tí y no contigo ? »

« No llores, María. No les tengo rencor. Se lo dije también a Judas. Los entiendo y los compadezco. Si por esto lloras, no llores más. »

« Lloro, sí, porque te ofenden. Por esto y luego, luego . . . porque no quiero que mi esposo muera como enemigo tuyo. Dios no lo perdonará . . . y yo . . . ¡oh! no lo tendré para siempre en la otra vida . . . » María realmente está angustiada. Gruesas lágrimas caen sobre su mano izquierda que Jesús ha soltado, la besa de cuando en cuando, y levanta su pobre cara destrozada.

« No » dice Jesús. « No, no digas así. Perdono. Y si perdono Yo . . . »

« ¡Oh! ven Jesús. Ven a salvarle el alma y el cuerpo. Ve. . . empiezan a decir también, para acusarte . . . ya empezaron a decir que has quitado dos hijos a un padre que muere, y lo dicen por Nazaret ¿ entiendes ? . . . y añaden: " Por todas partes hace milagros, pero en su casa, no puede hacerlos " y . . . como te defiendo diciendo: " ¿Qué cosa puede hacer si lo habéis casi arrojado con vuestros reproches, si no creeis? . . . " no me dejan en paz. »

« Dijiste bien. Si no creeis, ¿qué puedo hacer donde no se cree? »

« ¡Oh, Tú lo puedes todo! ¡Creo por todos! Ven. Haz un milagro . . . por tu pobre tía . . . »

« No puedo [3]. » Jesús al decir esto se ve que está tristísimo. De

[3] " No puedo ". Esta expresión y otras iguales o semejantes que aparecen en este

pie y apretando contra su pecho la cabeza de la que está llorando, parece como si confesase su impotencia a la naturaleza serena, que parece llamarla como testigo de su pena de no poder por decreto eterno.

La mujer llora más fuerte.

« Eschucha, María. Se buena. Yo te juro que si pudiese, si conviniese hacerlo, lo haría. ¡Oh! obtendría del Padre esta gracia, por tí, por mi Madre, por Judas y Santiago y también, sí, también por Alfeo, José y Simón. Pero ... no puedo. Un gran dolor oprime tu corazón y no puedes entender la justicia del poder mío. Te la puedo decir, pero no la comprenderías. Cuando llegó la hora del tránsito de mi padre, y tu sabes si era justo y si mi Madre lo amaba ... no lo devolví a la vida. No es razonable que la familia en que vive un santo, esté libre de las desventuras inevitables de la vida. Si así no fuese, debería Yo ser eterno en la tierra, y sin embargo pronto moriré, ni María, mi Santa Madre podrá arrebatarme de la muerte. No puedo. Lo que puedo es esto, y lo haré. » Jesús se ha sentado y ha tomado la cabeza de su tía: « Haré esto. Por este dolor tuyo, te prometo la paz a tu Alfeo. Que no estarás separada de él en la otra vida. Te doy mi palabra de que nuestra familia estará reunida en el cielo, toda junta en la eternidad ... y que mientras Yo viva y también después infundiré siempre a mi querida tía tanta paz, tanta fuerza hasta convertirla en un apóstol para otras tantas mujeres, a las que tú como una de ellas, te les podrás fácilmente acercar. Serás mi amiga amada en este tiempo de evangelización. La muerte, no llores, la muerte de Alfeo te liberta de los deberes conyugales y te eleva a la sublimidad mística de un sacerdocio femenino, muy necesario cerca del altar de la Gran Víctima y cerca de tantos paganos que doblarán su corazón ante el santo heroísmo de las mujeres discípulas, que no ante el de los discípulos. ¡Oh! tu nombre será, querida tía, como una llama en el cielo cristiano ... no llores más. Ve en paz. Fuerte, resignada y santa. Mi Madre ... ha sido viuda antes que tú ... y te consolará como sabe Ella. Ven. No quiero que partas sola bajo este sol. Pedro te acompañará con la barca hasta el Jordán y de allí a Nazaret en un borriquillo. Cálmate. »

cap. deben interpretarse a la luz de Mc. 6, 1-6; Lc. 22, 42; Filip. 2, 8; y del mismo contexto en que se les da suma importancia a tres principios: la necesidad de sujetarse al decreto eterno de Dios, la necesidad del sufrimiento (cfr. también nota 2 de la pág. 539) necesidad de la fé (y cuyo obstáculo es la incredulidad).

« Bendíceme, Jesús. Dame fuerzas, Tú. »

« Sí, te bendigo y te beso, buena, tía. » Y la besa tiernamente, y la retiene por un tiempo contra su pecho hasta que ve que se ha serenado.

61. Jesús en Betsaida predica a la gente

(Escrito el 3 de febrero de 1945)

Jesús está en Betsaida. Habla de pié en la barca que lo ha llevado hasta allí y que casi enclavada en la arena, está amarrada a una estaca de una piedra rudimentaria de moler. Mucha gente, sentada sobre la arena, en forma de círculo lo escucha. Jesús ya empezó su discurso.

« ... por esto también comprendo que me amáis vosotros de Cafarnaum, vosotros que me habéis seguido, dejando los negocios, las comodidades para oir la palabra que os hace doctos. Sé muy bien, que más que descuido de negocios, lo que es merma en vuestra bolsa, os trae burlas y hasta daño social. Sé que Simón, Elí, Urías y Joaquín me son contrarios. Hoy lo son y mañana me serán enemigos. Y os digo, porque a nadie quiero engañar, ni a vosotros, mis leales amigos, que para dañarme a Mí, para causarme dolor, para vencerme al aislarme, ellos, los poderosos de Cafarnaum, emplearán todos los medios ... insinuaciones como amenazas, burlas sin igual y calumnias.

El enemigo estará echando mano de todo para arrebatar almas al Mesías y convertirlas en su presa. Os digo: quien persevera, se salvará; pero también os digo: quien ama más a su vida y el bienestar, que a la salvación eterna, puede irse, dejarme, ocuparse de la vida insignificante y del transitorio bienestar. Yo no detengo a nadie.

El hombre debe de ser libre. He venido para libertarlo del pecado y por lo tanto del espíritu. De las cadenas de una religión deformada, opresora, que seca todos los ríos con cláusulas, palabras, preceptos, la palabra verdadera de Dios, que es neta, breve luminosa, fácil, santa, perfecta. Mi venida es un cedazo de las conciencias. Recojo mi grano en la era, lo apaleo con la doctrina del sacrificio y lo cierno en el cedazo de su misma voluntad. La paja, la zahina, la algorrobilla, la cizaña... ligeras e inservibles caerán por su propio peso de mal y serán alimento de los pájaros, y en mi granero entrará sólo el grano selecto, puro, fuerte y bueno. El grano de los santos.

Durante los siglos había habido un desafío entre el Eterno y Satanás, que enorgullecido por su primera victoria sobre el hombre, dijo a Dios: " Tus creaturas para siempre serán mías. Ninguna cosa, ni el castigo, ni siquiera la Ley que les quieres dar, los hará capaces de ganarse el cielo, y este lugar tuyo del que me has arojado; a mí *el único inteligente* entre tus creaturas, quedará vacío, inútil, triste como todas las cosas inútiles ".

Y el Eterno respondió al Maldito: " Podrás hacer todavía esto mientras tu veneno sea el único que reine en el hombre. Mandaré Yo a mi Verbo y su palabra neutralizará el tuyo. El sanará los corazones, curará la locura con que los has satanizado y... ellos volverán a mi redil y el Cielo se poblará. Lo he hecho para ellos. Tu rechinarás tus hórridos dientes con impotente rabia, allá en tu tétrico reino que es prisión y lugar maldito, y sobre tí los ángeles harán volver la piedra de Dios, la sellarán y contigo y los tuyos, tan sólo habrá tinieblas y odio, entre tanto que la luz y el amor, el canto y la beatitud, la libertad infinita, eterna, sublime pertenecerá a los míos ". Y Mammón con una risa burlona dijo: " Y yo te juro por mi infierno que cuando llegue la hora vendré. Estaré junto a todos los evangelizadores, y veremos cuál de los dos es el vencedor ".

Así es, Satanás os pone acechanzas para heriros. Y también Yo os rodeo por lo mismo. Los competidores somos dos: Yo y él. Vosotros estáis en medio. El duelo del amor con el odio, de la sabiduría con la ignorancia, de la bondad con el mal, es por causa vuestra y al rededor vuestro. Yo me basto para apartar de vosotros los golpes del malvado. Me interpongo entre las armas de Satanás y vuestro ser, y acepto que se me hiera en lugar vuestro porque os amo. Pero los golpes en vuestro interior, esos debéis retirarlos con vuestra voluntad, viniendo a Mí, poniéndoos en mi camino que es Verdad y Vida. Quien no tenga ganas del Cielo, jamás lo tendrá. Quién no ha sido apto para ser discípulo del Mesías, será paja ligera que el viento del mundo arrastrará consigo. Quien es enemigo del Mesías, es semilla mala que renacerá en el reino satánico.

Sé porqué habeis venido vosotros de Cafarnaum. Tengo conciencia pura del pecado que se me culpa, y en nombre de un pecado que no existe; se murmura detrás de Mí, y se insinúa que oirme y seguirme es haceros cómplices con el pecador, hecho del que no tengo ningún cuidado en dar razón a estos de Betsaida. Entre vosotros, ciudadanos de Betsaida, hay personas de edad que no han olvidado, por diversas razones, a la Bella de Corozaim. Hay hombres que pecaron con ella, hay mujeres que por ella gimieron. Gimieron y — ¡Oh! todavía no os lo había dicho: " Amáis a los que os causan mal " — gimieron y después se alegraron cuando supieron que la podredumbre había hecho presa de ella, que había salido fuera de sus entrañas impuras a lo exterior de su magnífico cuerpo. Esa corrupción era la figura de aquella mucho más dura que había roído su alma de adúltera, homicida y prostituta. Setenta veces siete adúltera con cualquier hombre que tuviera dinero. Homicida siete veces siete por sus concepciones bastardas; prostituta por el vicio y ni siquiera por necesidad.

¡Oh, comprendo... esposas traicionadas! Comprendo vuestro júbilo cuando se os dijo: " Las carnes de la Bella huelen horrible y están deshechas, más que las de una carroña tirada en la zanja de un camino, y que es presa de cuervos y gusano ". Pero os digo: sabed perdonar. Dios os ha vengado y luego El ha perdonado. Perdonad también vosotras. Yo la he perdonado en nombre vuestro, porque sois buenas, ¡ oh mujeres de Betsaida ! que me saludáis con el grito: " Bendito el Cordero de Dios. ¡ Bendito el que viene en el nombre del Señor ! " ¡ Si ! soy el Cordero, y como a tal me conocéis... ¡ Sí ! ... vengo entre vosotras, Yo el Cordero y todas vosotras debéis de ser ovejas mansas. También las que llevaron hace tiempo un dolor lejano de esposas traicionadas, y que con instinto de fiera defendían su nido. No podría, Yo que soy el Cordero, permanecer entre vosotras si sois tigresas y hienas.

El que ha venido en el nombre santísimo de Dios para recoger justos y pecadores para llevarlos al Cielo, fué también a ver la arrepentida y le dijo: " Queda limpia. Vete y expía ". Esto lo hice en sábado, y de esto se me acusa. Acusación oficial. La segunda es la de haberme acercado a una prostituta, a una que *lo fué* y que entonces no era sino un alma que lloraba sobre sus pecados.

Pues bien... Yo digo: Lo hice y lo haré. Traedme el Libro de la Escritura, escudriñadlo, estudiadlo, desentrañadlo. No encontraréis jamás un punto donde se prohiba al médico que cure a un enfermo, al levita que se ocupe del altar, y al sacerdote que no escuche a un fiel, tan sólo porque es sábado. Y Yo, si encontraseis ese punto y me lo mostraseis, os diría, golpeándome el pecho: " Señor, he pecado ante tu presencia y ante la de los hombres. No soy digno de perdón. Pero si eres compasivo con tu siervo, Te bendeciré hasta el último aliento de mi vida ". Porque esa alma era una enferma. Y los enfermos son los que tienen necesidad de médico. Era un altar profanado, y tenía necesidad que un levita lo limpiase. Era una fiel que iba a llorar en el templo verdadero de Dios y tenía necesidad del sacerdote que la presentase. En verdad os digo que si no cumplo con mi deber y que si pierdo una sola alma de las que sienten el acicate de salvación, Dios Padre me pedirá cuenta de ella y me castigará por esa alma perdida.

Este es mi pecado según los poderosos de Cafarnaún. Podría haber esperado para el día siguiente al sábado para hacerlo. Sí. Pero ¿ por qué retardar más de veinticuatro horas, a que un corazón contrito se ponga nuevamente en paz con Dios?... En aquel corazón había humildad verdadera, sinceridad clara, dolor perfecto. Lo leí en su corazón. La lepra todavía estaba sobre su cuerpo, pero su corazón estaba ya curado por el bálsamo de años de arrepentimiento, de lágrimas, de expiación. Ese corazón no tenía necesidad, para acercarse a Dios, sin que su acercamiento viciase el aire santo que rodea a Dios, de otra cosa que de la que lo consagrase otra vez. Lo hice. Salió limpia del lago también en su cuerpo, pero mucho más limpia en su corazón. Cuántos, ¡ oh ! ... ¡ Cuántos entre los que entraron en las aguas del Jordán para obedecer la orden del Precursor, no salieron de él limpios !

Porque su bautismo no era un acto voluntario, sentido, sincero de un espíritu que quisiese prepararse a mi llegada, sino tan sólo una forma para que aparentasen ser perfectos en santidad a los ojos del mundo. Y era por esto hipocresía y soberbia. Dos culpas que aumentaban el cúmulo de las que ya existían en sus corazones. El bautismo de Juan no era más que un símbolo que quería decir: " Limpiaos de la soberbia, humillándoos hasta confesaros pecadores; de la lujuria, lavándoos de su escoria ". Es el alma la que se bautiza por voluntad vuestra, para estar limpia a la invitación de Dios. No hay culpa tan grande que no pueda lavarse primero con el arrepentimiento, después con la gracia a fin que la pueda lavar el Salvador[1]. No hay pecador tan grande que no pueda levantar su cara estropeada y sonreír con una esperanza de redención. Basta con que tal acto sea completo al renunciar a la culpa, heroico al resistir la tentación, sincero en la voluntad de renacer.

Os digo una verdad que a mis enemigos parecerá blasfemia, pero vosotros sois mis amigos. Hablo especialmente a vosotros, mis discípulos y elegidos, y luego a todos quienes me escucháis. Os digo: los ángeles, espíritus puros y perfectos, que viven en la luz de la Santísima Trinidad y en ella se gozan, reconocen que la perfección que tienen es inferior a la vuestra, ¡ oh hombres, lejanos del Cielo! Son inferiores porque no tienen poder de sacrificarse, de sufrir para cooperar a la redención del hombre ¿ y qué os parece ? Dios no toma un ángel para decirle: " Sé el Redentor del género humano ", sino toma a su Hijo, y sabiendo que, por más que sea incalculable el sacrificio e infinito su poder, todavía falta — y es una muestra de bondad paternal que no quiere hacer diferencia entre el Hijo de su amor y los hijos de su poder — al conjunto de los méritos que se contrapondrán al de los pecados de cada momento que el género humano va acumulando, por esto no toma a los ángeles para completar la medida [2] y no les dice: " Sufrid para imitar al Mesías " sino que lo dice a vosotros hombres. Os dice: " Sufrid, sacrificaos, sed semejantes a mi Cordero. Sed corredentores . . . ". ¡Oh! Yo veo cohortes de ángeles que, dejando por un instante de rodear en éxtasis de adoración el Centro que es Dios Trino, se arrodillan, vueltos a la tierra y dicen: " ¡Benditos vosotros que podéis sufrir con el Mesías y por el Dios Eterno, que es nuestro y vuestro! ".

Muchos todavía no lograrán comprender esta grandeza. Está muy por alto del hombre. Pero cuando la Hostia fuere inmolada, cuando el Grano eterno resucitare para no morir más, después que le hubiesen tomado, golpeado, despojado y sepultado en las entrañas de la tierra, entonces verán al que ilumina e ilustra sobrenaturalmente los espíritus, aun los más retardados, pero que siguieron firmes al Mesías Redentor, y entonces comprenderéis

[1] Nótese que en el contexto se trata también del bautismo de Juan, rito penitencial que precedió al bautismo cristiano y a la Pasión de Cristo; y también nótese que el arrepentimiento puede nacer también de la sola voluntad que recibe moción del Espíritu Santo buena voluntad y arrepentimiento, fundamento humano insustituible de toda conversión.

[2] Cfr. Col. 1, 24.

que no he blasfemado, sino que os he anunciado la dignidad más alta del hombre: la de ser corredentores[3], aún cuando antes se era sólo un pecador. Entre tanto preparaos para ello con pureza de corazón y de propósitos. Cuanto más puros seais, tanto mejor comprenderéis. Y es porque la impureza, cualquiera que sea, es siempre humo que oscurece y apesanta la vista y la inteligencia.

Sed puros. Empezad por el cuerpo para que lo seais en el espíritu. Empezad por los cinco sentidos para pasar a las siete pasiones. Empezad por la vista, por el sentido que es rey y que abre el camino al hambre más voraz y complicada. Los ojos ven la carne de la mujer y desean la carne. Los ojos ven las riquezas de los ricos y desean el oro. Los ojos ven el poder del gobernante y desean el poder. Tened ojos tranquilos, honestos, morigerados y puros. Cuanto más puros sean vuestros ojos tanto más puro será vuestro corazón. Vigilad vuestros ojos, que siempre están ávidos de descubrir manzanas tendadoras. Sed castos en las miradas si quereis ser castos en el cuerpo. Si tuviéseis castidad en la carne, tendréis castidad en las riquezas y en el poder. Tendréis toda castidad y seréis amigos de Dios.

No tengáis miedo de que se os haga burla porque sois castos. Temed tan solo el ser enemigos de Dios. Oí un día decir: " El mundo se burlará de Tí como de un mentiroso y de eunuco si muestras no apetecer a la mujer ". En verdad os digo que Dios ha dejado el matrimonio para elevaros a fin de que a imitación suya procreeis y para que coopereis con El a poblar los Cielos. Pero hay un estado mucho más alto, ante el cual se inclinan los ángeles porque ven su sublimidad sin poder imitarla. Un estado que fué perfecto todo el tiempo desde el nacimiento hasta la muerte porque no excluye a los que no son ya vírgenes sino que destruyen su fecundidad ya sea femenina o masculina anulando su virilidad animal para ser fecundos tan solo en el espíritu. Es el eunuquismo sin imperfección natural, sin mutilación violenta o voluntaria. El eunuquismo que no impide acercarse al altar[4], antes por el contrario, en los siglos que están por venir, le servirá y lo rodeará. El eunuquismo más alto, el que tiene como instrumento amputador, la voluntad de pertenecer sólo a Dios y conservar para El, casto el cuerpo y el corazón, para que brillen siempre

[3] Cfr. not. ant.
[4] Cfr. Lev. 21, 16-24; Mt. 19, 10-12; 1 Cor. 7, 1 y 7-8 y 32-34.

con el esplendor que ama el Cordero.
He hablado al pueblo y a los elegidos de entre el pueblo. Ahora, antes de entrar a partir el pan y compartir la sal en la casa de Felipe, os bendigo a todos: a los buenos como premio, y a los pecadores para infundirles valor de acercarse al que vino a perdonar. La paz sea con vosotros. »
Jesús desciende de la barca y pasa entre la multitud que se agolpa alrededor. En la esquina de una casa todavía está Mateo que ha escuchado desde allí al Maestro, pero no se atrevió a más. Llegado Jesús a ese punto, se detiene y como si bendijese a todos, bendice una vez más y mira a Mateo. Sigue el camino entre el grupo de los suyos, seguido del pueblo, y desaparece en una casa.
Todo termina.

62. Llamamiento de Mateo para ser discípulo [1]

(Escrito el 4 de febrero de 1945)

Todavía estamos en la plaza de Cafarnaum, pero es una hora en que todavía hace mucho calor; en que el mercado ha terminado y allí están sólo los ociosos y los niños que juegan.
Jesús en medio de su grupo, llega del lago a la plaza, acaricia a los niños que corren a su encuentro y le platican sus confidencias. Una niña muestra un golpe que le sangra en la frente y de ello acusa al hermanito.
« ¿ Por qué has herido así a tu hermanita ? ¡ No está bien ! »
« No lo hice a propósito. Quería tumbar aquellos higos y tomé un bastón. Era muy pesado y se me cayó sobre ella... cogía higos también para ella... »
« ¿ Es verdad, Juana ? »
« Es verdad. »
« Entonces puedes ver que tu hermano no te *quiso* hacer mal. Quería antes bien tenerte contenta. Ahora *al punto* haced las paces y daos un beso. Los buenos hermanitos y también los buenos niños, jamás deben saber lo que es rencor. ¡ Ea, pues... ! »
Los dos niños se besan con lágrimas. Los dos lloran juntos:

[1] Cfr. Mt. 9, 9-11; Mc. 2, 13-17; Lc. 5, 27-32.

Ella porque le duele el golpe y él porque le pesa de haber causado ese dolor.

Jesús sonríe al ver ese beso lleno de lagrimones: « ¡ Oh ! Ahora, porque veo que sois buenos os corto higos ... y sin bastón. ¡ Os apuesto ! » Como es alto, extiende el brazo y sin esfuerzo alguno los corta y se los da.

Acude una mujer: « Toma Maestro y ahora te traigo pan. »

« No eran para Mí. Eran para Juana y Tobías. Ellos querían ... »

« ¿ Y habéis molestado para esto al Maestro ? ... ¡ Oh qué necios! Señor, perdona. »

« Mujer, se trataba de hacer las paces ... y las hice con el objeto mismo de la guerra: los higos. Pero los niños jamás son necios. Les gustan los higos dulces y a Mí ... me gustan los corazones dulces e inocentes. Me quitan mucha amargura ... »

« Maestro ... son los señores esos, los que no te aman. Pero nosotros, el pueblo, te queremos mucho. Ellos son pocos, nosotros muchos ... »

« Lo sé mujer. Gracias por tu consuelo. La paz sea contigo. ¡ Adiós Juana ! ¡ Adios Tobías ! Sed buenos. No os hagais mal y no os lo queráis hacer. ¿No es así? »

« Sí, sí, Jesús » responden los dos pequeñines.

Jesús con su sonrisa al comenzar a caminar dice: « Ahora que con la ayuda de los higos el cielo se ha despejado donde había nubes, vámonos a ... ¿ A donde queréis ir ? »

Los apóstoles no saben. Quien dice a un lugar, quien a otro. Pero Jesús mueve siempre la cabeza sonriendo. Pedro dice: « Yo renuncio. A menos que Tú no lo digas ... Hoy tengo ideas negras. Tú no viste. Pero cuando desembarcábamos estaba allí Elì, el fariseo. ¡ Más verde que lo acostumbrado ! ¡ Y nos miraba de tal modo ! »

« ¡ Dejadlo que mire ! »

« ¡ Eh ! No hay remedio. ¡ Pero te aseguro, Maestro, que para hacer paces con ese no bastan dos higos! »

« ¿Qué cosa dije a la mamá de Tobías? " He hecho paces con el objeto mismo de la guerra ", y trataré de hacer paces al volver a ver a los principales de Cafarnaún, puesto que según ellos les he ofendido. De este modo se contentarán. »

« ¿ Quién ? ... »

No responde Jesús a la pregunta y continúa: « No lo lograré, probablemente, porque en ellos falta la voluntad de hacer las paces, pero oid: Si en todas las disputas el más prudente supiese ceder y en lugar de encarnizarse en tener razón, aconsejase, aun cuando cediese la mitad de lo que, supongamos que asi fuese, de su derecho, sería siempre el mejor y más santo. No siempre uno causa mal por estar en el bando que quiere hacer algo. Algunas veces se hace sin querer. Pensad siempre en esto y perdonad. Elí y los demás creen servir a Dios con justicia obrando como obran. Con paciencia y constancia, con mucha humildad y buen contentamiento, trataré de persuadirlos a que ha llegado un nuevo tiempo y que Dios, *ahora*, quiere que se le sirva conforme a lo que enseño. La astucia del apóstol está en las buenas maneras y su arma es la constancia, el éxito es el ejemplo y la oración para los que hay que convertir. »

Han llegado a la plaza. Jesús va derecho al banco de la alcabala, donde Mateo está haciendo sus cuentas y verificando el dinero que subdivide en categorías y lo pone en bolsitas de diversos colores y las coloca en una caja fuerte de hierro, que dos esclavos transportan a otro lugar. Apenas levanta la cabeza para ver quién era el que se había retardado en pagar. Entre tanto Pedro jala de una manga a Jesús y le dice: « No tenemos nada que pagar, Maestro. ¿ Qué haces ? »

Jesús no le hace caso. Mira atentamente a Mateo que se ha puesto de pie al punto en actitud reverente. Le da una segunda mirada que traspasa. No es la del juez severo de otras veces. Es una mirada de llamamiento y de amor. Lo envuelve, lo llena de amor. Mateo se pone colorado. No sabe qué hacer, qué decir . . .

« Mateo, hijo de Alfeo, ha llegado la hora. Ven . . . ¡ Sígueme ! » Majestuosamente ordena Jesús.

« ¿Yo . . . Maestro? ¡Señor! ¿Pero sabes quién soy?. . . Lo digo por Tí, no por mí . . . »

« Ven, y sígueme, Mateo, hijo de Alfeo » repite con voz más dulce.

« ¡Oh! ¿Cómo es posible que haya alcanzado favor ante Dios?. . . ¿ Yo . . . yo . . . ? »

« Mateo, hijo de Alfeo, he leído en tu corazón. Ven, ¡sígueme! » La tercera invitación es una caricia.

« ¡ Oh ! ¡ Al punto Señor ! » y Mateo con lágrimas en los ojos, sale por detrás del banco, sin preocuparse siquiera por recoger las monedas esparcidas sobre de él, ni de pedir la caja fuerte, ni de nada. « ¿ A dónde vamos, Señor ? » pregunta cuando está cerca de Jesús « ¿ a dónde me llevas ? »

« A tu casa. ¿ Quieres dar hospedaje al Hijo del Hombre ? »

« ¡ Oh ! pero . . . pero ¿ qué dirán los que te odian ? »

« Yo escucho lo que se dice en los Cielos, y es: " Gloria a Dios por un pecador que se salva " . . . y el Padre dice: " Para siempre la misericordia se levantará en los Cielos y se derramará sobre la tierra, porque con un amor eterno, con un amor perfecto te amo, por eso también contigo uso de misericordia " . . . Ven. Y que el venir a tí, además de santificar tu corazón, santifique también tu casa. »

« La tengo ya purificada, por una esperanza que tenía en el alma . . . pero cómo podría creer que fuese verdadera la razón . . . ¡ Oh ! Yo con tus santos . . . » y mira a los discípulos.

« Sí, con mis amigos. Venid. Os uno y sed hermanos. »

Los discípulos están de tal modo estupefactos que no encuentran palabra alguna. Detrás de Jesús y Mateo caminan en grupo en la plaza que está completamente vacía de gente y van por un estrecho paso de la calle que arde bajo un sol abrasador. No hay ser viviente alguno en las calles. Tan sólo sol y polvo.

Entran en casa. Una hermosa casa con un portón que se abre hacia afuera. Un hermoso atrio lleno de sombra y frescura, luego un pórtico ancho que hay en el jardín.

« ¡ Entra, Maestro mío ! ¡ Traed agua y de beber ! »

Los criados corren a traerles.

Mateo sale a dar órdenes, mientras Jesús y los suyos se refrescan. Regresa y dice: « Ahora ven, Maestro. La sala está fresca . . . ahora vendrán amigos . . . ¡ Oh ! ¡ Quiero que se haga una gran fiesta! Es mi regeneración. Es la mía . . . esta es la circuncisión verdadera . . . Me has circuncidado el corazón con tu amor . . . Maestro, será la última fiesta . . . ahora no más fiestas para el publicano Mateo. No más fiestas mundanales . . . sólo la fiesta interna de haber sido redimido y de servirte a Tí . . . de ser amado por Tí . . . cuánto he llorado . . . no sabía cómo hacer . . . quería ir . . . pero . . . ¿ cómo ir a Tí ? . . . ¿ a Ti, santo . . . con mi alma sucia? »

« Tú la lavabas con el arrepentimiento y caridad para Mí y para el prójimo. Pedro . . . Ven aquí. »

Pedro que todavía no ha hablado, pues sigue tan estupefacto, da un paso adelante. Los dos hombres, igualmente ya de edad, de estatura baja, robustos, están frente a frente, y Jesús ante ellos,

los mira con una hermosa sonrisa.

« Pedro, me has preguntado muchas veces quién era el desconocido de la bolsa que llevaba Santiago. Míralo. Lo tienes enfrente. »

« ¿Quién?... Este lad... ¡Oh! ¡Perdona, Mateo! Pero ¿quién podía pensar que lo fueses? y... exactamente tú, nuestra desesperación por la usura, ¿fueses capaz de arrancarte cada semana un pedazo de corazón, al dar ese rico óbolo? »

« Lo sé. Injustamente os tasé. Pero mirad, me arrodillo ante todos vosotros y os digo: ¡ No me arrojéis! El me ha acogido. No seáis más severos que El. »

Pedro que está junto a Mateo, lo levanta de golpe, en peso, ruda pero cariñosamente: « ¡Ea! ¡Ea! Ni a mí, ni a los demás. A El pide perdón. Nosotros... ¡eh! más o menos todos somos ladrones como tu... ¡Oh! ¡Lo dije! ¡Maldita lengua! Pero soy así: lo que pienso lo digo, lo que tengo en el corazón lo tengo en los labios » y besa a Mateo en las mejillas.

Los otros también lo hacen con más o menos cariño. Digo así porque Andrés lo hace con reserva, debido a su timidez y Judas Iscariote se muestra frío. Parece como si abrazase un montón de serpientes, pues apenas si lo abraza.

Mateo sale al oir un rumor.

« Pero, Maestro » dice Judas Iscariote « me parece que esto no sea prudente. Ya te empezaron a acusar los fariseos de aquí, y Tú... ¡ un publicano entre los tuyos ! ¡ Un publicano después de una prostituta ! ... ¿ Has determinado arruinarte ? Si es así, dílo que... »

« Que nosotros desfilamos ... ¿ es así ? » concluye irónicamente Pedro.

« ¿ Y quién está hablando contigo ? »

« Sé que no estás hablando conmigo, pero yo, por el contrario, hablo con tu alma de señorito, con tu purísima alma, con tu sabia alma. Sé que tú, miembro del Templo, sientes hedor del pecado en nosotros, pobres, que no pertenecemos al Templo. Sé que tú, judío perfecto, amalgama de fariseo, saduceo y herodiano, medio escriba y migaja de esenio... quieres otras palabras nobles... te sientes mal entre nosotros, como un alosa cualquiera en una red llena de pescados sin valor. Pero... ¿qué quieres que hagamos?... El nos tomó y nosotros... nos quedamos. Si te sientes mal... vete tú. Respiraremos mejor todos. También El.

Como lo ves, está descontento de mí y de tí. De mí porque falto a la paciencia y también, también a la caridad, pero más de tí que no entiendes nada, con toda tu tela de nobles atributos, y que no tienes ni caridad, ni humildad, ni respeto. No tienes nada, muchacho, sino un gran humillo... y quiera Dios que ese humo no sea nocivo. »

Jesús de pie, disgustado, con los brazos cruzados, la boca cerrada y con los ojos duros ha dejado que hablase Pedro. Después se dirige a este y le dice: « ¿ Has dicho todo, Pedro ? ¿ También tú has purificado tu corazón de la levadura que había dentro? Has hecho bien. Hoy es Pascua de Acimos para un hijo de Abrahan, el llamamiento del Mesías es como la sangre del Cordero sobre vuestras almas, y donde está no bajará más la culpa. No bajará si el que la recibe no le fuere fiel. Liberación es mi llamamiento y se le festeja con diversas clases de levadura. »

A Judas, no dice nada. Pedro mortificado guarda silencio.

« Regresa Mateo » dice Jesús « con amigos. No les enseñemos otra cosa que no sea virtud. Quien no lo pueda, salga. No seais iguales a los fariseos que oprimen con preceptos y son los primeros en no observarlos. »

Vuelve a entrar Mateo con otras personas, y el banquete empieza. Jesús está en medio, entre Pedro y Mateo. Hablan de muchas cosas y Jesús con paciencia explica a Ticio y Cayo lo que desean. Hay quejas contra los fariseos porque los desprecian.

« Pues bien, venid a quien no os desprecia. Y luego obrad en tal forma, que al menos, los buenos no os puedan despreciar » responde Jesús.

« ¡ Tú eres bueno, pero eres solo ! »

« No. Estos son como Yo y... además está el Padre que ama a quien se arrepiente y quiere volver a su amistad. Si al hombre le faltase cualquier cosa, pero tuviese al Padre, ¿ no sería la alegría del hombre más que completa? »

El banquete ha llegado a los postres, cuando un criado hace señal al dueño de la casa y le dice algo.

« Maestro: Elí, Simón y Joaquín piden permiso de entrar y de hablarte. ¿ Los quieres ver ? »

« ¡ Claro ! »

« Pero... mis amigos son publicanos. »

« Y ellos vienen a ver exactamente esto. Dejémoslos que los vean. De nada serviría esconderlo. No serviría para el bien, porque la malicia aumentaría el hecho, hasta llegar a decir que había también prostitutas. Que entren. »

Los tres fariseos entran, miran alrededor con una sonrisa proterva y están a punto de hablar, pero Jesús, que se ha levantado e ido a su encuentro junto con Mateo, se les adelanta. Pone una mano en la espalda de Mateo y dice: « ¡ Oh hijos verdaderos de Israel! os saludo, y os doy una gran noticia que ciertamente alegrará vuestros corazones perfectos de israelitas, los cuales quieren como él, que todos los corazones observen la Ley para dar gloria a Dios. Pues bien, Mateo, hijo de Alfeo, desde hoy no es más el pecador, el escándalo de Cafarnaún. Una oveja roñosa de Israel ha sido curada. ¡ Alegráos ! Después se curarán otras ovejas pecadoras en vuestra ciudad, de cuya santidad os interesais mucho y se harán igual que gratas, santas ante el Señor. Mateo deja todo para servir a Dios. ¡ Dad el beso de paz al israelita extraviado que torna al seno de Abrahan! »

« ¿ Y torna con los publicanos en estrepitoso banquete?... ¡Oh! ¡A la verdad que se trata de una conversión favorable! Elí, mira allí a ese Josías el procurador de mujeres. »

« Y a Simón, hijo de Isaac, el adúltero. »

« Y aquel... es Azarías el cantinero, en cuya cantina los romanos y judíos juegan a los dados, pelean, se emborrachan y van a las mujeres. »

« Pero, Maestro. ¿Sabes al menos quiénes son esos? ¿Lo sabías? »

« Lo sabía. »

« ¿Y vosotros, vosotros de Cafarnaún, vosotros discípulos, por qué lo habéis tolerado? ¡Me admira, Simón de Jonás! »

« ¡Tú, Felipe, que aquí todos conocen, y tú, Natanael! ¡Pero yo veo fantasmas! ¡Tú, verdadero israelita! ¿Cómo es posible que hubieses permitido que tu Maestro comiese con publicanos y pecadores? »

« Ya no hay más vergüenza en Israel? » Los tres están escandalizadísimos.

Jesús dice: « Dejad en paz a mis discípulos. Yo lo quise. Yo solo. »

« ¡Eh! ¡Bien! Se comprende... ¡Cuando se quiere hacer a otros santos y no se és, se cae pronto en errores imperdonables ! »

« Y cuando se educan los discípulos en la falta al respeto — y todavía me está quemando la risa irreverente que me hizo ese judío y del Templo, ¡a mí, Elí el Fariseo! — no se puede hacer otra cosa que faltar al respeto a la Ley. Se enseña lo que se sabe. »

« Te equivocas, Elí. Os equivocais todos. Se enseña lo que se sabe. Es verdad Y Yo que *sé* la Ley, la enseño a quien no la sabe: por eso a los pecadores. Vosotros... os conozco dueños de vuestra alma. Los pecadores no lo son. Busco y busco su alma, se las vuelvo a dar, para que a su vez me la traigan, tal como está: enferma, herida, sucia y Yo la curo y la limpio. Para esto he venido. Los pecadores son los que tienen necesidad del Salvador. Y vengo a salvarlos. Comprendedme... no me odieis sin razón. »

Jesús es dulce, persuasivo, humilde... pero ellos son tres cardos espinosos... y salen con gesto de disgusto.

« Se fueron... Ahora nos criticarán por todas partes » murmura Judas Iscariote.

« ¡Deja que lo hagan! Procura sólo que el Padre no tenga nada que criticarte. No te apenes, Mateo, ni vosotros amigos suyos. La conciencia nos dice: " No hagáis el mal ". Y eso es más que suficiente. »

Jesús vuelve a sentarse en su lugar y todo termina.

63. Jesús en el lago de Tiberíades. Lección a los discípulos cerca de la misma ciudad

(Escrito el 5 de febrero de 1945)

Jesús con todos los suyos — son 13 y El — van por el lago de Galilea, siete en cada barca. Jesús va en la de Pedro, la primera. Junto con Pedro están Simón, José y los dos primos. En la otra, los dos hijos de Zebedeo con Iscariote, Felipe, Tomás, Natanael y Mateo.

Las barcas se deslizan esbeltas, empujadas por un viento fresco boreal, que apenas si peina el agua con hilillos de espuma que simula un tul azul turquesa en el hermoso lago sereno. Las barcas van dejando dos estelas que prontamente se funden en un beso, confundiendo sus espumas alegres en una sola sonrisa de agua, pues las barcas van muy cerca, apenas si separadas unos dos metros.

De barca a barca se intercanbian palabras y noticias. De esto colijo que los galileos ilustran y explican a los judíos los puntos del lago, su comercio, sus características, la distancia del lugar de partida al de llegada, o sea de Cafarnaún a Tiberíades. Las barcas no pescan, se les emplea tan solo para el transporte de pasajeros.

Jesús está sentado en la proa y se ve claramente que goza de la belleza que le rodea, del silencio, de todo ese cielo limpio, y de las aguas que rodean las riberas verdes, esparcidas por todos los poblados blancos. No pone atención a la conversación de los discípulos que están en la proa. Va recargado sobre un montón de velas, casi siempre con la cabeza inclinada sobre el espejo de zafiro que es el lago, como si estudiase el fondo y se interesase de cuanto vive en las transparentes aguas. Pero... quién sabe en que está pensando... Pedro le pregunta dos veces si el sol — que ya está en alto y cuyos rayos ya calientan aunque todavía no queman en la barca — le perturba: otra vez le dice si quiere también pan y queso como los demás. Pero Jesús no quiere nada, ni cosa que le defienda ni alimento. Y Pedro lo deja en paz.

Un grupo de barquichuelas de recreo, pequeñas, pero ricas de baldaquinos de púrpura y de mullidos cojines, se atraviesa por el camino que llevan las barcas de los pescadores. Estrépito, risas, perfumes pasan con ellas. Van ahí hermosas mujeres con alegres romanos y palestinenses. Más romanos, por lo menos no palestinenses, pues alguno será griego, lo deduzco de las palabras de un joven alto, delgado, moreno como una oliva madura, todo elegante con un vestido rojo, que en los bordes lleva un pesado adorno en greca, y va ceñido con un cinturón que es una obra maestra de artífice.

Dice: « ¿ La Hélade es hermosa ? Pero ni siquiera mi olímpica patria tiene este azul y estas flores. Y a la verdad, nada extraño es que las diosas la hayan abandonado para venir aquí. Arrojemos flores sobre las diosas, ¡ que no griegas sino judías lo son... ! Arrojémosles rosas... » y esparce sobre las mujeres que van en su barca, pétalos de espléndidas rosas; y avienta otras a la barca cercana.

Responde un romano: « ¡Echa, echa, griego! Pero Venus está conmigo. Yo no defloro, yo recojo las rosas en esta hermosa boca. ¡Es más dulce! » y se inclina a besar la boca abierta y sonriente de María de Mágdala, que con la cabeza sobre las piernas del romano, va recostada sobre cojines.

Las barquichuelas están ya casi a punto de chocar contra las pesadas barcas, debido a la impericia de los bogadores o a una racha de viento. « Atentos, si queréis vivir » grita Pedro enfurecido mientras vira con un golpe de barra para evitar el choque. Insultos de hombres y gritos de espanto de mujeres van de barca en barca. Los romanos insultan a los galileos con : « Alejaos, perros judíos » Pedro y los otros galileos no dejan caer el insulto y Pedro especialmente, rojo como un gallo de pelea, de pie sobre el borde de la barca que se balancea, con las manos en la cintura, responde vivamente, y no perdona ni a romanos, ni a griegos, ni a hebreos ni hebreas. Antes bien a estas dedica un collar de apelativos honoríficos que dejo en la pluma. El altercado dura mientras la maraña de quillas y de remos no se deshace, y cada quien se va por su camino.

Jesús no cambió de posición. Se quedó sentado, ausente, sin miradas, ni palabras a las barcas ni a sus ocupantes. Apoyado sobre el codo, sigue mirando la lejana ribera como si nada sucediese. Le avientan también a El una flor. No sé quien haya sido, con seguridad una mujer, porque oigo una risilla femenina que acompañó el acto. Pero El . . . nada. La flor le pega casi en la cara y cae sobre las tablas para ir a quedar a los pies de Pedro que sigue hirviendo.

Cuando las barquichuelas se van ya alejando, veo que Magdalena se pone de pie, y sigue la señal que le hace una compañera de vicio, o sea que le señala con sus ojos espléndidos, el rostro sereno y lejano de Jesús. ¡ Qué lejos del mundo ese rostro . . . !

« Dí Simón » dice el Iscariote « tú que eres judío como yo, responde. Aquella hermosísima rubia en las piernas del romano, que estaba de pie hace poco ¿ no es la hermana de Lázaro de Betania ? »

« Yo no sé nada » responde seco Simón Cananeo. « Hace poco que he tornado entre los vivos y aquella mujer es joven . . . »

« ¡ Espero que no me vayas a decir que no conoces a Lázaro de Betania! Sé bien que eres su amigo y que has estado allí con el Maestro. »

« ¿ Y si eso fuese ? »

« Y puesto *que así lo es,* yo digo, que debes conocer también a la pecadora, que es la hermana de Lázaro. ¡También las tumbas la conocen! Diez años hace que está en la boca de todos. Apenas llegada a la pubertad empezó a ser ligera de cascos. Pero ¡ desde hace cuatro años! No puedes ignorar el escándalo, aunque estuvieras en el "valle de los muertos". Toda Jerusalén habló de ella, y Lázaro se encerró entonces en Betania... hizo bien, por otra parte, nadie hubiera puesto un pie en su espléndido palacio de Sión a donde también ella iba y venía. Quiero decir: ninguno que fuese santo. En el campo se sabe... ¡Y luego... está por todas partes como si fuera su propia casa... ahora ciertamente está en Magdala... se habrá encontrado un nuevo amor... ¿No respondes?... Puedes desmentirme?»

« No desmiento. Callo. »

« Entonces, ¿ella es? ¡También tú la has conocido! »

« La conocí de pequeña y pura. La vuelvo a ver ahora... pero la reconozco. Impúdicamente refleja la cara de su madre, que era una santa. »

« Y entonces ¿por qué querías casi negar, que tu amigo fuese su hermano? »

« Nuestras llagas y las de los que amamos, tratamos de tenerlas cubiertas. Sobre todo cuando uno es honrado. »

Judas ríe forzado.

« Dices bien, Simón, y tú eres un hombre honrado » observa Pedro.

« ¿Y tú la habías reconocido? Seguro que vas a Mágdala a vender tu pescado, y quién sabe cuántas veces la habrás visto!... »

« Muchacho, ten en cuenta que cuando uno tiene los riñones cansados de un trabajo honrado, no se le antojan las mujeres. Se prefiere sólo el lecho casto de nuestra esposa. »

« ¡Eh! ¡Pero lo bello a todos gusta! Al menos que no se sea otra cosa, se le mira. »

« ¿ Por qué ?... ¿Para decir: " No es comida para tu mesa"? No, ¿sabes? de mi trabajo en el lago he aprendido varias cosas y una de ellas es que peces de agua dulce y de fondo no están hechos para agua salada ni vertiginosa. »

« ¿ Qué quieres decir ? »

« Quiero decir que cada uno debe de estar en su lugar, para no morir de mala muerte. »

« ¿ Te hacía morir la Magdalena ? »

« No. Tengo el cuero duro. Pero... me lo dices. ¿Te sientes tal vez mal? »

« ¿ Yo ?... ¡ Ni siquiera la he visto !... »

« Mentiroso, apuesto que te habrás arrepentido de no haber estado en esa primera barca para tenerla más cerca... Me habrías soportado con la condición de estar más junto... y tan cierto es lo que estoy diciendo, que me honras con tu palabra, en honor suyo, después de tantos días de silencio. »

« ¿Yo? pero... ¡ni siquiera me hubiera visto! Miraba ella fijamente al Maestro! »

« ¡Ah! ¡Ah! ¡Ah! ¡Y dices que no la mirabas! ¿ Cómo has hecho para ver a dónde miraba, si tú no la veías? »

A la ironía de Pedro todos ríen menos Jesús y Zelote.

Jesús que ha hecho como que no oía, pone fin a la discusión preguntando a Pedro. « ¿Es aquello Tiberíades? »

« Sí, Maestro, ahora llegamos. »

« Espera. ¿ Puedes meterte en aquel lugar tranquilo?... Querría hablaros sólo a vosotros. »

« Mido el fondo y te lo diré. » Pedro echa una pértiga larga y lento va hacia la playa. « Se puede, Maestro. ¿ Avanzo más hacia la playa ? »

« Todo lo que puedas. Hay sombra y paz. Me gusta. »

Pedro va hasta la ribera. La tierra está lejos todavía como unos quince metros. « Ahora tocaré. »

« Detente. Y vosotros acercaos lo más que podáis para oir. »

Jesús deja su lugar y se sienta en el centro de la barca, en una banca que va de lado a lado. Enfrente tiene la otra barca, y alrededor a los que venían con El.

« Escuchad. Os parecerá que algunas veces no pongo atención a vuestras conversaciones y que por eso sea Yo un Maestro descuidado que no se preocupa de sus discípulos. Tened en cuenta que mi alma no os abandona ni un instante. ¿ Habéis visto a un médico cuando estudia a un enfermo de un mal que no conoce y que tiene síntomas raros? No separa sus ojos de él. Después de haberlo visitado, lo vigila, cuando duerme y cuando está despierto, por la mañana y por la tarde, cuando está callado y cuando habla, porque todo puede ser un medio y guía para decifrar la enfermedad oculta y curarla. Lo mismo hago con vosotros. Os tengo unidos con hilos invisibles, pero sensibilísimos, que están en Mí y me transmiten aun las más leves vibraciones de vuestro *yo*.

Os dejo que penséis que sois libres, para que manifestéis cada vez más lo que sois, cosa que sucede cuando un alumno o un maníaco, cree que el vigilante lo ha perdido de vista. Sois un grupo de personas, pero formáis un núcleo, esto es, una sola cosa. Y pues que sois un grupo complejo, que va tomando cuerpo, hay que estudiarlo en sus características particulares, más o menos buenas, para formarlo, juntarlo, limpiarlo, aumentarlo en faces poliédricas y hacer un único objeto perfecto. Por esto os estudio, aun cuando dormís.

¿ Qué sois ?... ¿ Qué debéis de ser ?... Sois la sal de la tierra. En tal os debéis de convertir: sal de la tierra. Con la sal se preservan las carnes de corrupción y otras cosas. Pero si la sal perdiese su fuerza, ¿podría salar algo?... Quiero salar al mundo con vosotros, para que sepa saborear lo celestial. Pero ¿ cómo podéis salar si perdéis vuestro sabor ?

¿ Qué cosa hace que perdáis el sabor de lo celestial?... *Lo que es humano*. ¿ No es verdad que el agua del mar no es buena para beber porque está salada?... sin embargo si alguien toma un vaso de agua de mar y lo vacía en una jarra de agua dulce, entonces sí se puede beber, porque el agua del mar se ha diluído en tal forma que perdió su propio sabor. El género humano es como el agua dulce que se mezcla con vuestra sal celestial. Todavía más, si dado el caso en que se pudiese hacer venir un hilo de agua de mar e introducirlo en el lago ¿ podríais después, encontrar el hilo del agua salada?... ¡ No ! Habría desaparecido en medio de tanta agua dulce. Así acontece con vosotros cuando immergís vuestra misión, mejor dicho, la sumergís en mucha humildad. Sois hombres. Lo sé. Pero ... y Yo, ¿ qué soy ? Soy quien tiene consigo toda la fuerza. Y ¿qué hago? Os comunico esta fuerza, porque os he llamado. Pero ¿de qué sirve que os la comunique si luego la perdéis bajo una avalancha de cosas y sentimientos humanos?

Vosotros sois, debéis de ser la luz del mundo. Os escogí: Yo, Luz de Dios, de entre los hombres para continuar iluminando al mundo después de que hubiere regresado al Padre. Pero ... ¿podréis dar luz si sois linternas apagadas o llenas de humo?... ¡ No ! Antes bien, con el humo — es peor el humo que una mecha del todo apagada — oscureceríais ese rayo de luz, que los corazones aun pudieran tener. ¡Oh! ¡Desgraciados de aquellos que al buscar a Dios, se dirigen a los apóstoles y en lugar de luz obtienen humo! Escándalo y muerte conseguirán. Pero maldición y castigo tendrán los apóstoles indignos. ¡ Grande es vuestra suerte ! pero también, ¡ grande y terrible compromiso ! Acordaos que a quién más se le dió, más obligado está a dar. Y a vosotros se os ha dado lo máximo de instrucción y de dones. Yo, el Verbo de Dios, os instruyo, y de Dios recibís el don de ser "los discípulos" esto es, los continuadores del Hijo de Dios.

Querría que meditáseis siempre esta lección vuestra, que escudriñéis y que calculéis... y si uno siente poder ser fiel — no quiero ni siquiera decir: si uno no se siente sino pecador e impenitente; digo tan solo: si uno siente poder ser fiel — pero no siente en sí el valor del apóstol, que se retire. ¡El mundo para quién lo ama es ancho, hermoso, suficiente y vario! Ofrece todas las flores y todos los frutos para el vientre y los sentidos. Yo no ofrezco sino una sola cosa: la santidad. Esta en la tierra, es la cosa más angosta, pobre, insípida, espinosa y perseguida. En el cielo, su angostura se torna en inmensidad, su pobreza en riqueza, sus espinas en una alfombra de flores, su rigidez en sendero liso y suave, su persecución en paz y beatitud. Pero acá, tan solo el héroe puede ser santo. No os ofrezco más que esto.

¿Queréis permanecer conmigo?... ¿Os sentís con fuerzas para hacerlo? ¡Oh! ¡No os miréis con ojos de estupor y de dolor! Muchas veces me oiréis hacer la misma pregunta y cuando la oigáis pensad que mi corazón llora al hacerla, porque no respondéis a vuestra vocación. Entonces examinaos y juzgad con honradez y sinceridad, y decidid. Decidid para no ser de los réprobos. Decid: "Maestro, amigos, conozco que no he sido hecho para este camino. Os doy el beso de compañero y os digo, rogad por mí". Mejor así que traicionar... Mejor así...

¿Qué decís... ¿A quién traicionar?... ¿A quién?... A Mí. A mi causa, o sea, a la causa de Dios, porque Yo soy uno con el Padre y vosotros también os traicionaríais. Traicionaríais a vuestra alma y la entregaríais a Satanás. ¿Quereis permanecer hebreos? No os fuerzo a cambiar. Pero no traicionéis. No traicionéis vuestra alma, ni al Mesías, ni a Dios. Os juro que ni Yo, ni los fieles a Mí os criticarán, ni os señalarán para que las multitudes fieles os desprecien. Hace poco un hermano vuestro dijo una *gran* palabra: "Se trata de tener ocultas nuestras llagas y las de los que amamos" Y el que se separase sería una llaga, una gangrena que, nacida en nuestro organismo apostólico, se separaría completamente como una gangrena y dejaría una señal dolorosa que cuidadosamente esconderíamos.

No. No lloréis, amigos. No lloréis. No os guardo rencor, ni soy intransigente por veros tan lentos. Apenas os he tomado y no puedo exigir que seais perfectos. Pero ni después de años lo exigiré, aun cuando inútilmente haya repetido cien o docientas veces las mismas cosas. Antes bien, escuchad: con los años seréis menos ardientes que ahora que sois neófitos. La vida es así... el linaje humano es así... pierde su ímpetu después de su primer choque. Pero (Jesús de pronto se levanta) Yo os juro que venceré. Purificados, por selección natural, fortificados con lo sobrenatural, vosotros lo mejores os convertiréis en mis héroes. Héroes del Mesías. Héroes del Cielo. El poderío de los Césares será polvo respecto a la realeza de vuestro sacerdocio. Vosotros, pobres pescadores de Galilea, vosotros desconocidos judíos, vosotros, un puñado entre la masa de los hombres que actualmente viven, seréis más célebres, aclamados, venerados que César, y que todos los Césares que haya tenido y tenga la tierra. Vosotros célebres, vosotros benditos en un futuro próximo y en los siglos más remotos, hasta el fin del mundo.

Yo os elijo a esta suerte sublime. A vosotros que sois sinceros en la voluntad, y para que seais capaces de ella os doy las líneas esenciales de vuestro carácter de apóstoles.

Estar siempre alertas y prontos. Vuestras cinturas estén ceñidas, siempre ceñidas, y vuestras lámparas encendidas como lo hace quien de un momento a otro debe de partir o de salir al encuentro de quien está por llegar. Y de hecho, vosotros seréis, hasta que la muerte os detenga, los incansables peregrinos en busca del extraviado; y hasta que la muerte la apague, vuestra lámpara debe de estar en alto y encendida para señalar el camino a los extraviados que vienen al redil del Mesías.

Debéis ser fieles al dueño que os ha colocado en este servicio. El siervo a quien el amo encontrase siempre alerta y la muerte en estado de gracia, será premiado. No podéis, no debéis decir: "Soy joven, tengo tiempo de hacer esto o aquello y después pensaré en mi dueño, en la muerte, en mi alma". Mueren los jóvenes como los viejos, los fuertes como los débiles. Y viejos y jóvenes, fuertes y débiles están expuestos igualmente al asalto de la tentación. Pensad que el alma puede morir antes que el cuerpo y podéis cargar, sin saberlo, junto con vosotros un alma en corrupción. El morir de un alma es tan insensible, como la muerte de una flor. No lanza grito alguno, no tiene ninguna convulsión... inclina tan sólo su llama, cual cansada corola y se apaga. Algunas veces después de mucho tiempo, otras, tal vez inmediatamente, el cuerpo cae en la cuenta de que lleva dentro de sí un cadáver en gusanos, y enloquece de espanto, y se mata para escapar de este conubio... ¡Oh! ¡No escapa! Cae exactamente con su alma agusanada en un bullir de serpientes en el Infierno.

No seais injustos cual corredores de cambios o de oradores que luchan por dos clientes opuestos. No seais falsos como los políticos que llaman "amigo" a este y a aquel, y después son enemigos de aquel y de este. No queráis ser dobles. A Dios no se le hace burla ni se le engaña. Portaos con los hombres como os portáis con Dios, porque la ofensa que se hace a los hombres, se hace a Dios. Procurad que Dios os vea, como queréis ser vistos de los hombres.

Sed humildes. No podéis echar en cara a vuestro Maestro de que no lo sea. Os doy ejemplo. Haced como hago. Humildes, dulces, pacientes. El mundo se conquista con esto, no con violencia y fuerza. Sed fuertes y violentos contra los vicios. Arrancáoslos, aún cuando os arranqueis pedazos del corazón. Os dije hace algunos días que vigiláseis el mirar pero no lo sabéis hacer. Os digo: es mejor que os hagáis ciegos arrancándoos los ojos voraces, más bien que ser lujuriosos.

Sed sinceros. Soy verdad, en las cosas sublimes y en las humanas. Quiero que también vosotros seais francos. ¿Por qué andar con engaños conmigo?... ¿con los hermanos o con el prójimo?... ¿por qué jugar al engaño? ¿Que sois tan orgullosos y no tenéis ni el orgullo de decir: "No quiero que se me tache de mentiroso"? Sed francos con Dios. ¿Creeis poderlo engañar con oraciones largas y a la vista de todos? ¡Oh! ¡Pobres hijos! ¡Dios ve el corazón!

Sed sencillos, puros al hacer el bien, también al hacer limosna. Un publicano supo serlo antes de su conversión y ¿vosotros no lo podréis?... Te alabo, Mateo, por la oferta pura, semanal que tan sólo Yo y el Padre conocíamos, y te cito como ejemplo. También esto es castidad, amigos. No descubráis el bien que hiciéreis... ¿cómo descubriríais a una joven hija vuestra a los ojos de una multitud?... Sed vírgenes en hacer el bien. Y el acto es virgen cuando no tiene ningún pensamiento de alabanza o de estima, o de acicate de soberbia.

Sed esposos fieles a Dios en vuestra vocación. No podéis servir a dos señores. El lecho nupcial no puede acoger al mismo tiempo a dos esposas. Dios y Satanás no pueden dividirse vuestros brazos. El hombre no puede, y no pueden ni Dios ni Satanás compartir un triple abrazo que se dan los tres. Procurad estar lejos de tener hambre de oro, de carne y de poder. Satanás os ofrece eso. ¡ Oh ! ¡ Sus mentirosas riquezas ! Honores, éxito, poder, abundancia: mercados obscenos que ocupan vuestra alma como dinero. Contentaos con poco. Dios os da lo necesario. Basta. Esto os lo garantiza, como lo garantiza a las avecillas del aire, y vosotros valeis mas que ellas. Pero quiere de vuestra parte confianza y que seais parcos. Si tenéis confianza, El no os desilusionará. Si sois parcos, su don cotidiano os bastará.

No seais paganos, aun cuando por nombre sois de Dios. Paganos son los que aman más que a Dios el oro y el poder para aparecer semidioses. Sed santos y seréis semejantes a Dios en la eternidad.

No seais intransigentes. Todos vosotros, pecadores, tratad de ser con los demás como querríais que fuesen con vosotros: esto es, llenos de compasión y perdón.

No juzguéis. ¡Oh! ¡No juzguéis! Poco hace que estáis conmigo, y habéis comprobado cuántas veces, Yo, inocente he sido mal juzgado y he sido acusado de pecados que no existen. El mal juicio es una ofensa. Y solo el que es verdadero santo no responde ofensa con ofensa. Por lo cual absteneos de ofender para no ser ofendidos. Así no faltaréis a la caridad, ni a la santa, querida, suave humildad, la enemiga de Satanás al par que la castidad. Perdonad, perdonad siempre. Decid: " Perdono, oh Padre, para que Tú perdones mis inumerables pecados ".

Procurad ser mejores hora tras hora, con paciencia, firmeza, heroicidad. Y . . . ¿quién os dice que no sea una cosa dura el ser buenos? . . . antes bien os digo: es la más grande fatiga de todas. Pero el premio es el cielo y por esto vale la pena aceptar esta lucha.

¡Amad! ¡Oh! ¿qué palabras puedo deciros para persuadiros al amor? Ninguna es apta para llevaros a este, pobres hombres a quienes Satanás instiga. Ahora bien, yo digo: " Padre, apresura la hora de purificación. Esta tierra y esta grey están secas y enfermas. Pero existe un rocío, que lo puede ablandar y limpiar. Abre, abre esa fuente. Abreme . . . ¡a Mí abreme! Mira, Padre, ardo en deseos de hacer tu querer que es el Mío y el del Amor Eterno. ¡Padre, Padre, Padre! Mira a tu Cordero y sé su Sacrificador ". »

Jesús realmente está inspirado. De pie, con los brazos abiertos en cruz, con el rostro al cielo, con el azul del lago que tiene de fondo . . . con su vestido de lino parece un ángel que orara.

La visión termina.

64. En Tiberíades Jesús busca en la casa de Cusa a Jonatás

(Escrito el 6 de febrero de 1945)

Tengo ante mi vista la hermosa ciudad de Tiberíades que en su conjunto me dice que es nueva y rica. Está mejor delineada que otras ciudades palestinenses y presenta un conjunto armónico, que ni siquiera Jerusalén lo tiene. Hermosas y rectas calles, que tienen ya el sistema de drenaje, por lo que las aguas y las inmundicias no se estancan en ellas. Plazas anchas con fuentes y las más bellas están hechas de trozos de mármol. Palacios que rivalisan el estilo de Roma, con portales llenos de luz.

El ojo puede descubrir anchos vestíbulos, a través de algunos portones que a esta hora matutina están ya abiertos; columnados de mármol decorados con mantas preciosas, sillas y mesas. Casi todos los vestíbulos tienen en el centro un patio que tiene en el suelo mármol con una fuente con surtidor y tanques también de mármol llenos de plantas en flor.

En realidad no es otra cosa más que una imitación de la arquitectura de Roma que ha sido copiada perfectamente bien. Las casas más hermosas son las que están junto al lago. Las tres primeras, que están paralelas, son verdaderamente señoriales. La primera situada en la avenida que suavemente bordea el lago, en realidad es maravillosa. Donde termina sigue una hilera de villas cuya fachada principal no da al lago sino a los jardines que están enfrente de él y que bajan hasta el pie de las olas. Todas tienen un pequeño portón, en que están atracadas barcas de transporte con baldaquinos preciosos y cojines de púrpura.

Parece que Jesús haya descendido de la barca de Pedro no en el puerto de Tiberíades sino en algún otro lugar, tal vez en los suburbios, y viene caminando por la avenida que bordea el lago.

« ¿Has estado alguna vez en Tiberiades, Maestro? » pregunta Pedro.

« Nunca. »

« ¡Eh! ¡Antipas ha hecho bien las cosas, y en grande, para adular a Tiberio! ¡ Es un verdadero vendido ese . . . ! »

« Me parece que es una ciudad más bien de descanso que de comercio. »

« Los negocios están del otro lado. Tiene mucho comercio.

Es rica. »

« ¿ Estas casas, son palestinenses ? »

« Sí y no. Muchas pertenecen a romanos, pero muchas ... ¡eh!.. ¡si! Aunque estén llenas de estatuas y de tonterías son de hebreos. » Pedro suspira y murmura: « ... ¡ Si nos hubiesen quitado tan solo la independencia ! ... pero ... nos han quitado la fe ... ¡Estamos haciéndonos más paganos que ellos. ! »

« No es culpa de ellos, Pedro. Tienen sus costumbres y no nos obligan a que las tengamos. Somos nosotros los que queremos corrompernos. Por utilidad, por moda, por servilismo ... »

« Dices bien. El primero es el Tetrarca ... »

« Maestro, hemos llegado » dice el pastor José. « Esta es la casa del mayordomo de Herodes. »

Se detienen en el borde de la avenida, donde se bifurca y sigue una calle. Las villas quedan, pues, entre esta y el lago. La casa señalada es la primera, hermosísima, envuelta en un jardín tapizado de flores. Fragancia, ramas de jazmines y rosas se extienden hasta el lago.

« ¿ Y aquí está Jonatás ? »

« Aquí. Eso me dijeron. Es el mayordomo del mayordomo. A él le fué bien. Cusa no es malo y es justo en reconocer los méritos de su mayordomo. Es uno de los pocos de la corte que es honrado. ¿ Voy a llamarlo ? »

« Ve. »

José va al gran portón y toca. Acude el portero. Hablan entre sí. Veo que José tiene un gesto de desagrado y que el portero saca su cabeza gris y mira a Jesús y luego pregunta algo a José, el cual asiente. Hablan otra vez entre sí.

Después viene a Jesús, que ha estado esperando pacientemente bajo la sombra de un árbol. « No está Jonatás. Se encuentra en el Alto Líbano. Fué a llevar al aire fresco y puro a Juana de Cusa, que está muy enferma. Dice el criado que fué él porque Cusa está en la corte, y que no puede venir dado el escándalo producido con la fuga de Juan Bautista, y que la enferma empeoraba y que el médico dijo que moriría. Pero el criado dice que entres a descansar. Jonatás les ha hablado del Mesías niño y tu nombre les es conocido y te esperan. »

« ¡ Vamos ! »

El grupo se encamina. El portero que ha estado espiando, llama a los demás criados abre el portón hasta ahora cerrado, y corre al encuentro de Jesús con verdadero respeto.

« Derrama, Señor, tu bendición sobre nosotros y sobre esta malhadada casa. Entra. ¡ Oh ! ¡ cuánto pesará a Jonatás el no haber estado! Su esperanza era verte. Entra, entra y contigo tus amigos. »

En el atrio hay siervos y criadas de todas edades. Todos se inclinan respetuosamente a saludar pese a su curiosidad. Una anciana llora en un rincón. Jesús entra y bendice con su ademán y saludo de paz. Le ofrecen descanso y se sienta en una silla y todos le rodean.

« ¡Oh! Jonatás nos ha alimentado con tu historia. Jonatás es bueno. Dice que lo es porque lo hizo el beso que te dió. Pero también es bueno, porque lo es. »

« Yo dí besos también y me los dieron... pero como tú dices, solo en los buenos aumentan la bondad... ¿ Está ahora ausente ?... Vine por él. »

« Ya lo dije: está en el Líbano. Allá tiene amigos. Es la última esperanza para la joven patrona, y si esto no da resultado... »

La anciana que está en el rincón llora más fuerte. Jesús interrogativamente la mira.

« Es Ester, la nodriza de la patrona. Llora porque no se resigna a perderla. »

« Ven, madre. No llores así » dice Jesús. « Ven aquí cerca de Mí. ¡No está dicho que enfermedad quiera decir muerte! »

« ¡Oh! ¡Es muerte! Desde que tuvo aquel parto único e infeliz ¡se me muere! Las adúlteras secretamente paren y viven, y ella, ella que es buena, honrada, amada, muy amada, ¡ debe morir ! »

« Pero... ¿ qué cosa tiene ? »

« Fiebre que la consume... es como una lámpara que ardiese en medio de un ventarrón... que aumenta su fuerza de día en día, y ella cada vez más débil. ¡Oh! Yo quería ir con ella, pero Jonatás prefirió criadas jóvenes, porque ella no tiene fuerzas y se le carga en peso y yo ya no sirvo... Para eso, no, pero... para amarla, sí. La recibí del seno de su madre... yo también estaba casada, y hacía un mes que había tenido un hijo, y yo le dí la leche, porque su madre, débil, no podía... he sido para ella madre, desde que fué huerfana y que apenas sabía decir " mamá ". Tengo canas ya y estoy arrugada de velar sus enfermedades. Yo fuí quien la vistió para su matrimonio, yo la llevé al tálamo... sonreí con ella con sus esperanzas de ser madre... lloré con ella sobre el hijo muerto... He recibido todas las sonrisas y lágrimas de su vida... Le he dado todas las sonrisas y consuelos de mi corazón... y ahora muere, y no la tengo cerca de mí...» La anciana da compasión.

Jesús la acaricia pero es inútil. « Escucha, madre... ¿ tienes fe ? »

« ¿ En Tí ?... Sí. »

« En Dios, mujer. ¿ Puedes creer que todo lo puede Dios ? »

« Lo creo y creo que Tú, su Mesías, lo puedes. ¡Oh! En la ciudad ya se habla de tu poder. Aquel hombre (y señala a Felipe) hace tiempo que hablaba junto a la sinagoga de tus milagros. Y Jonatás le preguntó: " ¿ Dónde está el Mesías ? " y le contestó: " No sé ". Jonatás me dijo entonces: " Si estuviese aquí, yo te juro, que ella sanaría ". Pero tú no estabas aquí... y él partió con ella... y ahora estará para morir... »

« No. Ten fe. Dime claramente lo que tienes en el corazón. ¿ Puedes creer que ella por tu fe *no* morirá ? »

« ¿Por mi fe? ¡Oh! si la quieres te la doy. Toma mi vida, mi vieja vida pero tan sólo déjame verla sana. »

« Yo soy la vida. Doy vida pero no muerte. Tú, un día le diste la vida con la leche de tú seno, y era una pobre vida que podía acabar. Ahora con tu fe le das una vida ilimitada. Sonríe, madre. »

« Pero ella no está... » La vieja oscila entre la esperanza y el temor. « Ella no está y tú... estás aquí. »

« Ten fe. Escucha. Voy a Nazaret por algunos días. Tengo también allá amigos enfermos... después iré al Líbano. Si Jonatás regresa dentro de seis días, mándalo a Nazaret, a Jesús de José. Si no viene, iré Yo. »

« ¿ Cómo lo hallarás ? »

« Me guiará el arcangel de Tobías [1] Tú robustécete en la fé. No te pido sino esto. No llores más, madre. »

La anciana, por el contrario, llora más fuerte. Está a los pies de Jesús y tiene la cabeza sobre las rodillas divinas, mientras besa y baña con sus lágrimas la mano bendita. Jesús, con la otra la acaricia, y mientras los otros criados le insisten en que deje de llorar, dice: « Dejadla que llore. Es un llanto que la alivia. Le hace bien. ¿ Seréis felices todos, si la patrona sana ? »

[1] Cfr. Tob. 5-12.

« ¡Oh! Es muy buena. Cuando alguien es así, no es patrón, es un amigo y se le ama. La amamos. Créelo. »

« Lo veo en vuestros corazones. Vosotros también sed buenos. Ya me voy. No puedo esperar. Tengo la barca. Os bendigo. »

« Maestro regresa, regresa otra vez. »

« Regresaré muchas veces. Adiós. La paz sea en esta casa y en todos vosotros. »

Jesús sale con los suyos, acompañado de los criados que lo aclaman.

« ¡Eres más conocido aquí que en Nazaret! » observa tristemente Santiago su primo.

« Esta casa la preparó alguien que tenía verdadera fe en el Mesías. Para Nazaret yo soy el carpintero... Nada más. »

« Y... y nosotros no tenemos la fuerza de anunciarte por lo que eres... »

« ¿No la tenéis? »

« No, primo. No somos heroicos como los pastores... »

« ¿ Lo crees, Santiago ? » Jesús sonríe mirando a su primo que tanto se asemeja a su padre putativo, por el color castaño moreno de sus ojos y cabellos, lo mismo que su cara. Por su parte, Judas, aparece pálido, con su barba rubia y ondulada cabellera, con los ojos azules que ligeramente recuerdan los de Jesús. « Pues bien, Yo te digo que no te conoces. Tú y Judas sois dos fuertes. »

Los primos sacuden la cabeza.

« Os persuadireis de que no me equivoco. »

« ¿ Vamos de veras a Nazaret ? »

« Sí. Quiero hablar con mi Madre... y hacer alguna otra cosa más. Quien quiera venir, que venga. »

Todos quieren ir. Los primos son los que están más contentos:

« ¿ Se trata del padre y de la madre... entiendes ? »

« Entiendo. Pasaremos por Caná y luego iremos allá. »

« ¿Por Caná? ¡Oh! entonces vamos a la casa de Susana. Nos dará huevos y frutas para papá, Santiago. »

« Y por supuesto que también de su buena miel. ¡A él tánto que le gusta! »

« Y lo alimenta. »

« ¡Pobre padre! ¡Sufre tanto! Como planta desenraizada siente que se le acaba la vida, y no quisiera morirse... » Santiago mira a Jesús, con una muda plegaria... Pero Jesús no da señales de haberlo visto. « José también murió con dolores, ¿no es verdad? »

« Sí » responde Jesús. « Pero sufría menos porque estaba resignado. »

« Y . . . como te tenía a Tí. »

« También Alfeo podría tenerme . . . »

Los primos suspiran con tristeza, y todo termina.

65. Jesús en casa de su tío Alfeo y luego en la suya

(Escrito el 7 de febrero de 1945)

Jesús con los suyos se encuentra por las bellas colinas de Galilea. Para escapar del sol que todavía está alto, aunque muy cercano al ocaso, caminan bajo los árboles, que casi todos son olivos.

« ¡ Más allá de aquel promontorio está Nazaret » dice Jesús. « Dentro de poco estaremos allí. Al llegar a las afueras de la ciudad nos separaremos. Judas y Santiago irán a casa de su padre, como su corazón lo desea. Pedro y Juan distribuirán la limosna entre los pobres, que de seguro están cerca de la fuente. Los demás y Yo iremos a casa para cenar y luego pensaremos en el reposo. »

« Nosotros regresamos a la casa del buen Alfeo. Se lo prometimos la otra vez. Pero Yo iré tan sólo para saludarlo. Cedo mi lecho a Mateo que todavía no está acostumbrado a las incomodidades » dice Felipe.

« No, tú no, que eres viejo. No lo permito. He tenido hasta ahora un lecho fino . . . pero ¡ qué sueños infernales tenía yo ! Creedme, ahora me siento tan tranquilo que me parece dormir entre plumas aun cuando esté acostado sobre piedras. ¡Oh! ¡ es la conciencia la que te deja o no te deja dormir ! » responde Mateo.

Se prende una disputa caritativa entre Tomás, Felipe, Bartolomé y Mateo, que, es claro, son los que estuvieron la otra vez en casa de este Alfeo, (que no es el padre de Santiago, porque éste al hablar con Andrés, dice: « Habrá siempre un lugar para tí como la otra vez, aunque el padre esté más enfermo »). Tomás gana: « Yo soy el más joven del grupo. Yo soy el que cedo la cama, Mateo, deja que lo haga. Poco a poco te acostumbrarás. ¿ Crees que me pesa? No. Soy como un enamorado que piensa . . . " Estaré en lo duro pero cerca de mi amor ". » Tomás que frisa en los treinta y ocho años, jovial ríe y Mateo cede.

Nazaret se encuentra ya con sus primeras casas a pocos metros.

« Jesús . . . nos vamos. » dice Judas.

« Está bien. »

Los dos hermanos se van casi corriendo.

« ¡Eh! el padre es padre » murmura Pedro. « Y aunque si es duro, siempre es sangre nuestra, y la sangre jala más fuerte que una soga. Y además . . . me gustan tus primos. Son muy buenos. »

« Son muy buenos, sí. Y son tan humildes que ni siquiera se ponen a reflexionar en la medida que lo son. Creen tener siempre defectos porque su alma siempre ve lo bueno en otros, a excepción suya. Mucho que aprovecharán . . . »

Están ya en Nazaret. Algunas mujeres ven a Jesús y lo saludan, también algunos hombres y niños lo hacen. Pero acá no hay aclamaciones al Mesías como en otros lugares. Acá son amigos que saludan al amigo que regresa. Quien más, quien menos expansivamente. Observo en muchos de ellos una curiosidad irónica al ver el grupo heterogéneo que viene con Jesús y que ciertamente no es grupo de dignatarios reales, ni de pomposos sacerdotes. Acalorados, empolvados, vestidos modestamente, menos Judas Iscariote, Mateo, Simón y Bartolomé — los he puesto en orden decreciente en elegancia — semejan un grupo de campesinos viajeros por algún mercado, que no a seguidores de un rey, el cual, de sí, no tiene sino la imponencia de su estatura y sobre todo la de su aspecto.

Avanzan algunos metros y luego Pedro y Juan se separan para ir a la derecha, mientras Jesús prosigue con los demás hasta una placita llena de niños que gritan alrededor de un estanque lleno de agua al que vienen sus mamás.

Un hombre ve a Jesús y hace una señal de sorpresa aun sin creerlo. Se apresura a ir a El y lo saluda: « ¡Bienvenido, no te esperaba tan pronto! Ten, besa a mi último nieto. Es el pequeño José. Nació en tu ausencia » y le extiende el pequeñito que tiene entre sus brazos.

« ¿ Le has puesto de nombre, José ? »

« Sí. No me olvido del que fué casi pariente mío, y más que pariente, mi *gran* amigo. Ahora también he puesto todos los nombres más amados a mis nietos: Anna, mi amiga de cuando yo era pequeño y Joaquín. Después María . . . ¡ Oh ! ¡ Qué fiesta cuando nació! Recuerdo cuando me la dieron para que la besase y me dijeron: " Ves?... Aquel arcoiris ha sido el puente por donde Ella bajó del Cielo. Los ángeles caminan por allí " y... en verdad que parecía un angelito... ¡Tan hermosa era!... Ahora, aquí tienes a José. Si hubiese sabido que regresabas pronto te hubiese esperado para la circuncisión. »

« Te agradezco tu amor por mis abuelos y por mis padres. Es un niño bonito. Que sea justo para siempre como el justo José » Jesús mece al pequeñín que dibuja sonrisitas llenas de leche.

« Si me esperas, voy contigo. Espero que estén llenas las ánforas. No quiero que se fatigue mi hija María. Pero mejor, mira, le voy a hacer así: Las doy a los tuyos, si quieren, y hablo un poco contigo aparte. »

« ¡Claro que las llevamos! No somos reyes asirios » exclama Tomás que es el primero en tomar una.

« Entonces, ved, María de José no está en casa. Está en la de su primo, pero la llave está en mi casa. Decid que os la den para que entreis a ella, a la carpintería, quiero decir. »

« Sí, Sí, id también a casa. Ya iré Yo. »

Los apóstoles se van y Jesús se queda con Alfeo.

« Quería decirte, soy tu verdadero amigo... y cuando uno es verdadero amigo, y uno es más viejo y del lugar puede hablar. Creo que *deba* hablar... Yo... yo no quiero darte consejos. Eres más ententido que yo. Solo quiero ponerte sobre aviso de que... ¡Oh! No quiero hacerla de espía ni ponerte en mal a tus parientes. Pero yo creo en Tí, Mesías y... y me siento mal al ver que ellos dicen que no eres Tú, o sea, el Mesías; que Tú eres un enfermo, que estás arruinando la familia y a los parientes. La ciudad... ¿sabes?... Alfeo es muy estimado y por eso la ciudad también lo escucha, y ahora está enfermo y da compasión... También el dolor algunas veces sirve para hacer cosas injustas. Mira, yo estaba aquella tarde en que Judas y Santiago te defendieron y defendieron la libertad de seguirte... ¡Oh! ¡Qué escena! No sé cómo tu Madre pueda aguantar y la pobre María de Alfeo. En ciertas situaciones de familia las mujeres son siempre las víctimas. »

« Ahora mis primos están en la casa de su padre... »

« ¿De su padre...? ¡Oh! ¡Los compadezco! El viejo está realmente fuera de sí, y será por la edad, o mejor dicho por la enfermedad, que se comporta como un loco. Si no lo estuviese me daría mucha mayor compasión porque... pondría en peligro su alma. »

« ¿ Piensas que tratará mal a sus hijos ? »

« Estoy seguro. Me desagrada por ellos y por las mujeres... ¿ A dónde vas ? »

« A casa de Alfeo. »

« ¡ No ! ¡ Jesús ! ¡ No quieras que te falte al respeto ! »

« Los primos me aman más que a ellos mismos, y justo es que les pague con igual amor... allí hay dos mujeres a quienes amo ... Voy. No me entretengas. » Jesús apresura el paso para ir a la casa de Alfeo, mientras el otro se queda pensativo en medio de la calle.

Jesús camina veloz. Hélo ya que se acerca al huerto de Alfeo. Le llega el llanto de una mujer y los gritos descompasados de un hombre. Más de prisa va Jesús a través del huerto verdeante hasta pocos metros que separan el camino de la casa. Ya está casi en los umbrales de la casa cuando su Madre saca la cabeza y lo ve.

« ¡ Mamá ! »

« ¡ Jesús ! »

Dos gritos de amor. Jesús quiere entrar, pero María dice: « No, Hijo » y se pone en el umbral con los brazos abiertos y las manos puestas en el marco de la puerta. Una barrera de carne y de amor, que repite: « No, Hijo, no lo hagas. »

« Déjame, Mamá que no pasará nada. » Jesús está tranquilísimo, a pesar que la marcada palidez de María ciertamente lo turba. Toma su muñeca delgada, le quita la mano del marco y pasa.

En la cocina, esparcidos por el suelo hechos un montón viscoso, están los huevos que trajeron de Caná. De la otra habitación sale una voz quejumbrosa de un viejo que insulta, acusa, se lamenta, con uno de esos arrebatos seniles tan injustos, impotentes, dolorosos cuando se ven y penosos al sufrirlos. « ...ved mi casa destruida, convertida en el hazmereír de todo Nazaret, ¡ y yo aquí solo, sin ayuda, herido en el corazón, en el respeto, en mis necesidades ! ... ¡ Esto es lo que te toca Alfeo, por haberte portado como un verdadero fiel ! Y ... ¿ por qué ? ¿... Por qué?... Por un loco. Un loco que hace locos a mis estúpidos hijos. ¡Ay! ¡Ay! ¡qué dolores! »

Y se oye la voz llena de lágrimas de María de Alfeo que suplica: « ¡Calma, Alfeo, calma! ¿Ves que te haces mal? Espera a que te ayude... Tú que siempre eres bueno, siempre justo... ¿Por qué ahora te portas así contigo? ¿Conmigo?... ¿con tus pobres hijos?... »

«¡Nada! ¡Nada! ¡No me toques! ¡No quiero! ¿Buenos los hijos? ¡Ah, sí! ¡En realidad, dos ingratos! Me traen miel después de haberme convertido en un vaso de hiel. ¡Me traen huevo y frutas después de que se han atragantado de mi corazón! Lárgate, lárgate, te lo digo. Lárgate. No te quiero. Quiero a María. Ella sabe hacerlo. ¿Dónde está esa débil mujer que no sabe hacerse obedecer de su Hijo? »

María de Alfeo, arrojada, entra a la cocina en el momento en que Jesús está por entrar en la habitación de Alfeo. Lo ve y se le arroja a la espalda llorando desesperada, mientras María, la Virgen, humilde y paciente va a donde está el viejo iracundo.

« No llores, tía. Ahora voy Yo. »

« ¡Nooh! ¡No hagas que te insulten! Parece un loco. Tiene el bastón. No, Jesús, no. Les pegó también a sus hijos. »

« No me hará nada » y Jesús suave pero resueltamente hace a un lado a su tía y entra.

« La paz sea contigo, Alfeo. »

El viejo, que está por acostarse en medio de mil quejas e insultos a María porque no sabe cómo hacerlo (antes había dicho que Ella era la única que sabía) se voltea de golpe: « Aquí . . . aquí . . . ¿ para burlarte de mí ? . . . ¿ También esto ? »

« No, a traerte paz. ¿Por qué tan intranquilo? ¡Te pones peor! Mamá, deja. Yo lo levanto. No te haré mal y no te costará trabajo. Mamá, levanta las cobijas » y Jesús toma con cuidado aquel montón de huesos que se desquebrajan, anhelante, duro, quejumbroso, miserable, y lo recuesta con cuidado como si fuese un recién nacido. « Así, así, como hacía yo con mi padre. Más arriba está la almohada. Te sentirás mejor y fácilmente respirarás. Mamá, ponle esa bajo la cintura. Estará más cómodo. Ahora, así, la luz, que no le hiera los ojos, pero sí que pueda entrar aire puro. ¡ Muy bien ! Vi una pócima en el fuego. Tráela, Mamá y que esté bien dulce; estás sudando y te resfrías. Te hará bien. »

María obediente, sale.

« Pero yo . . . pero yo . . . ¿ Por qué eres bueno conmigo ? »

« Porque te quiero mucho. Lo sabes. »

« Yo te quería, pero ahora . . . »

« Ahora no me quieres más. Lo sé. Pero Yo te quiero, y esto me basta. Luego me amarás . . . »

« Y entonces . . . ¡ay! . . . ¡ay! . . . ¡qué dolores! Y entonces, si es verdad que me quieres, ¿por qué ofendes mis canas? »

« No te ofendo, Alfeo, de ningún modo. Te respeto. »

« ¿ Respeto ?... Soy el hazmerreír de Nazaret, eso sí. »

« ¿Por qué, Alfeo, dices eso? ¿En qué cosa te hago el hazmerreír?»

« En los hijos. ¿Por qué son rebeldes?... ¡Por Tí! ¿Por qué se burlan de mí los demás?... Por Tí. »

« Dime: ¿si Nazaret te alabase por la suerte de tus hijos, experimentarías igual dolor ? »

« ¡Claro que no! Pero Nazaret no me alaba. Me alabaría si de verdas fueses Tú como alguien que va a la conquista. Pero abandonarme por uno que es poco menos que un loco, que va por el mundo atrayéndose odios y burlas... ¡Pobre en medio de pobres! ¡Ah! Quién no se burlaría... ¡Pobre casa mía! ¡Pobre casa de David! ¡Cómo termina! Y ¿yo debía vivir tanto para contemplar tal desgracia?... verte a Tí, última palmera de la estirpe gloriosa, hecho un demente por demasiado servilismo. ¡Ah! La desgracia vino sobre nosotros desde el día en que mi cobarde hermano se dejó unir con aquella insípida, prepotente mujer que ejerció sobre él todo su imperio. Dije entonces: " José no es para el matrimonio. ¡ Será infeliz ! " y lo fué. El sabía cómo era, y nunca había querido saber nada de casamiento. ¡Maldición a la Ley de huérfanas herederas! [1] Maldición al destino y maldición a aquellas bodas. »

La " Virgen heredera " con la pócima en la mano regresa a tiempo para oir las lamentaciones de su pariente. Se ve mucho más pálida, pero su actitud paciente no ha perdido la calma. Se dirige a Alfeo y con una dulce sonrisa le ayuda a beber.

« Eres injusto, Alfeo. ¡Pero has sufrido tánto que todo se te perdona! » dice Jesús que le está levantando la cabeza.

« ¡Oh, sí! ¡Mucho he sufrido! ¡Dices que eres el Mesías y que haces milagros! Así dicen. Al menos, que si me curaras para pagarme los hijos que te has llevado. Cúrame... y te perdonaré. »

« Tú, perdona a los hijos. Comprende su corazón y Yo te daré consuelo. Si tienes rencor, no puedo hacer nada [2]. »

« ¿Perdonar? » El viejo hace un movimiento rápido que, claro es, hace más agudos los espasmos, lo que de nuevo lo enfurece.

« ¿Perdonar?... ¡Jamás! ¡Lárgate!... ¡Lárgate, si has de decirme esto ! ¡ Largo ! Quiero morirme sin ser más perturbado. »

[1] Cfr. Núm. 26, 33; 27, 1-11; Jos. 17, 3-4.
[2] Cfr. Mt. 5, 43-48; Mc. 6, 1-6; Lc. 6, 27-35; pág. 539, not. 2; pág. 578, not. 3.

Jesús tiene un gesto de resignación. « Adiós, Alfeo. Me voy... ¿ De veras debo irme ?... Tío, ¿ de veras debo irme ?... »

« Si no me curas, sí, vete. Y dí a esas dos serpientes que su viejo padre muere teniéndoles rencor. »

« No. Esto, no. No pierdas tu alma. No me ames, si quieres. No creas que soy el Mesías. Pero no odies. No odies, Alfeo. Búrlate de Mí. Dime loco. Pero no odies. »

« Pero... ¿ por qué me quieres tanto si te insulto ? »

« Porque soy Aquel a quien no quieres reconocer. Soy el Amor. Mamá, me voy a casa. »

« Sí, Hijo mío. Iré pronto. »

« Te dejo mi paz, Alfeo. Si me necesitas, mándame llamar a cualquier hora y vendré. »

Jesús sale tranquilo como si nada hubiese pasado. Tan sólo está más pálido.

« ¡ Oh ! Jesús, Jesús, perdónalo » gime María de Alfeo.

« Claro que sí, María. No hay necesidad ni siquiera de hacerlo. A uno que sufre todo se le perdona. Ahora está ya más calmado. La gracia trabaja aun sin que los corazones sepan. Y luego ahí están tus lágrimas, y también el dolor de Judas y Santiago y su fidelidad a su vocación. La paz sea a tu angustiado corazón, tía. » La besa y sale al huerto para irse a casa.

Cuando está ya por poner el pie en la calle, se ven Pedro y Juan que corren uno tras del otro anhelantes.

« ¡Oh, Maestro! Pero... ¿qué sucedió? Santiago me dijo: " Corre a mi casa. ¡ Quién sabe cómo sea tratado Jesús ! " Pero... no me equivoco. Vino Alfeo el de la fuente y dijo a Judas: " Jesús está en tu casa " y entonces así dijo Santiago... tus primos están espantadísimos. Yo no entiendo nada. Pero te veo... y me tranquilizo. »

« Nada, Pedro. Un pobre enfermo a quien los dolores hacen insoportable. Ahora ya todo se acabó. »

« ¡Oh! ¡Me da gusto!... ¿Y tú por qué aquí? » Pedro con un tono de voz no muy suave interpela a Iscariote que también se ha acercado.

« Me parece que también tú estás. »

« Me pidieron que viniera y he venido. »

« También yo he venido. Si el Maestro está en peligro y *en su patria*, yo que lo defendí en Judea, puedo defenderlo también en Galilea. »

« Para esto bastamos nosotros. Pero en Galilea no hay necesidad. »

« ¡Ah! ¡Ah! ¡En realidad! Su patria lo arroja como un alimento indigesto. Bien. Estoy contento de tí que te escandalizaste con un pequeño incidente ocurrido en Judea, donde El es desconocido. ¡Aquí, al contrario! ... » y Judas termina con un silbido que es un poema de sátira.

« Oye, muchacho. No estoy de buen humor para aguantarte. Olvida todo, si algo se te atora. Maestro ... ¿ te hicieron algún mal? »

« No, Pedro mío. Te lo aseguro. Vamos más aprisa a consolar a los primos. »

Se van, entran en el grande taller de carpintería. Judas y Santiago están junto al banco de carpintero. Santiago de pie, Judas sentado en un banquillo con los codos sobre el banco y la cabeza entre las manos. Jesús se les acerca sonriente, para asegurarles que su corazón los ama.

« Alfeo está más tranquilo ahora. Los dolores se calman y todo está en paz. También vosotros tranquilizaos. »

« ¿ Lo viste ? ... y ¿ mamá ? »

« Ví a todos. »

Judas pregunta: « ¿ También a los hermanos ? »

« No, no estaban allí. »

« Estaban. No quisieron dejarse ver. Pero nosotros los vimos. ¡Oh ! si hubiésemos cometido un crimen, no nos hubieran tratado así. ¡Y pensar que veníamos volando desde Caná por la alegría de volverlo a ver y traerle lo que le gusta! Lo amamos ... pero no nos comprende más ... ya no nos cree. » Judas dobla el brazo y llora con la cabeza sobre el banco. Santiago es más fuerte, pero su cara muestra un martirio interno.

« No llores, Judas. Y tú, no sufras. »

« ¡Oh, Jesús! Somos sus hijos ... y nos ha maldecido. Pero aun cuando esto nos destroza, ¡no daremos paso atrás! ¡Somos tuyos, y tuyos seremos aun cuando nos amenazasen con la muerte! » exclama Santiago.

« ¿ Y tú decías que no eras capaz de heroísmo ? Yo lo sabía. Lo dices por tu propia boca. En verdad, serás fiel aún hasta la muerte. Y tú también. » Jesús los acaricia. Ellos sufren. El llanto de Judas empapa la parte curva de la piedra. Y aquí tengo la ocasión para ver mejor el alma de los discípulos.

Pedro, que en su honrada cara refleja dolor, exclama: « ¡Eh! ¡Si!

Es un dolor... cosas tristes. Pero, muchachos míos (y los sacude con cariño) no todos merecen esas palabras... Yo... yo caigo en la cuenta que he sido un afortunado porque se me llamó. Esa buena mujer mía, siempre me dice: " Es como si yo estuviese repudiada, porque no eres ya mío. Pero yo digo: ' ¡Oh feliz repudio! ' ". También decidlo vosotros. Perdéis un padre, pero conseguís a Dios. »

José el pastor, que siempre ha sido huérfano, está sorprendido que un padre pueda ser causa de llanto, dice: « Yo creía que era el más infeliz porque no tenía padre. Ahora caigo en la cuenta que es mejor llorarlo muerto que tenerlo por enemigo. »

Juan se limita a besar y a acariciar a sus compañeros. Andrés suspira y guarda silencio. Se muere por hablar, pero su timidez no se lo permite. Tomás, Felipe, Mateo y Natanael hablan en voz baja en un rincón como quien respeta un dolor verdadero. Santiago de Zebedeo, ruega a Dios, apenas si se nota, para que dé paz.

Simón Zelote... ¡Oh! ¡Cuánto me gusta su actitud! Deja su rincón y se acerca a los dos afligidos, pone una mano sobre la cabeza de Judas y el otro brazo alrededor de los hombros de Santiago y dice: « No llores, hijo. El nos lo había dicho, a mí y a tí: " Os uno a tí que por mi causa pierdes a un padre, y a tí que tienes corazón de padre sin tener hijos ". No comprendimos la profecía que encerraba en sus palabras. Pero El lo sabía. Pues bien: yo os ruego. Soy viejo y siempre he soñado en que se me llamase " padre ". Acéptadme por tal, y yo, como padre, os bendeciré mañana y tarde. Os ruego que me aceptéis por tal. »

Los dos hacen señal que sí entre sollozos más fuertes.

María entra y corre junto a los dos afligidos. Acaricia a Judas en su cabellera oscura y a Santiago en las mejillas. Está pálida como un lirio. Judas le toma la mano y se la besa diciendo: « ¿ Qué está haciendo? »

« Durmiendo, hijo. Vuestra mamá os manda un beso » y besa a los dos.

Se oye irrumpir la áspera voz de Pedro: « Oye, ven aquí un momento, que te quiero decir una cosa » y veo que Pedro ase con su robusta mano un brazo de Iscariote y lo lleva fuera, a la calle. Luego torna solo.

« A dónde lo enviaste? » pregunta Jesús.

« ¿ A donde ?. . . a tomar el aire, sino acabaría yo por dárselo de otro modo... y no lo hice tan sólo por Tí. ¡Oh! Ahora se está mejor. Quien ríe ante un dolor es un áspid, y yo aplasto a las serpientes... Aquí estás Tú... y tan sólo lo mandé al claro de la luna. Será... pero más bien yo me haré un escriba, cosa que Dios sólo puede hacer en mí, puesto que apenas comprendo que estoy en el mundo, pero él, ni aun con la ayuda de Dios, se hará bueno. Te lo asegura Simón de Jonás, y no me equivoco. ¡No! ¡No te molestes! No piensa que ha habido verdaderamente una tristeza. Es más seco que una piedra bajo el sol de agosto. ¡Ea, muchachos! Que aquí hay una Madre que más dulce no la tiene siquiera el Cielo. Aquí hay un Maestro que es más bueno que todo el Paraíso, aquí hay tantos corazones honrados que os aman sinceramente. Las borrascas hacen bien: hacen caer el polvo. Mañana estaréis más frescos que las flores, más ligeros que los pájaros para seguir a nuestro Jesús.»

Y con estas palabras sencillas y buenas, Pedro termina.

Jesús después dice:

«Después de esta visión pondrás la que te concedí en la primavera del cuarenta y cuatro, en que pido a mi Madre sus impresiones sobre mis discípulos. Por lo demás sus figuras morales han dado ya suficiente resplandor para que pueda ponerse aquí la visión, sin crear en nadie escándalo. No tenía necesidad de aconsejarme con alguien. Pero cuando estábamos solos, mientras los discípulos estaban esparcidos entre familias amigas o en lugares vecinos, durante mis permanencias en Nazaret, cómo gozaba Yo en hablar y pedir consejo a mi dulce amiga: a mi Madre, y obtener un sí de su boca de gracia y de sabiduría de cuánto había Yo visto. No fuí otra cosa con Ella más que "El Hijo". Y entre los nacidos de mujer, no ha habido una mujer más digna del nombre de "Madre" que Ella, con todas las perfecciones de las virtudes humanas y morales. Ni ha habido uno que se haya comportado como "hijo" en el respeto, confianza y amor que Yo.

Y ahora que vosotros tenéis un mínimo de conocimiento de los Doce, de sus virtudes, defectos, carácter, y luchas ¿hay alguien todavía que diga que me fué muy fácil unirlos, elevarlos, educarlos? Y ¿hay alguien que piense ser fácil la vida de apóstol, y para ser apóstol, ó bien que *para creerse tal*, juzga tener derecho a una vida llana, sin dolores, dificultades, ni derrotas? ¿Hay todavía alguien que, porque me sirve pretende que sea Yo *su* siervo, y que haga milagros a cada paso a su favor, convirtiendo su vida en una alfombra tapizada de flores, fácil y humanamente gloriosa?... Mi vida, mi trabajo y mi servicio son la cruz, el dolor, las renuncias, el sacrificio... Yo lo he hecho. ¡Que lo hagan quienes quieran llamarse "míos"!»

66. Jesús pregunta a su Madre acerca de los discípulos

(Escrito la tarde del 13 de febrero de 1944)

Ahora estoy viendo, dos horas después de lo escrito anteriormente la casa de Nazaret. Reconozco la habitanciocilla del adiós, que da al huerto donde las plantas están llenas de follaje.

Jesús está con María. Están sentados juntos en la banca de piedra junto a la pared. Parece que la cena ya ha terminado y que, mientras los demás, si es que alguien hubiese — no veo a nadie — ya se retiraron, y la Madre y el Hijo se sienten felices de estar cerca y en trabar una dulce conversación. La voz interna me dice que es una de las primeras veces que Jesús regresa a Nazaret después del Bautismo, del ayuno en el desierto y de la formación del colegio apostólico antes mencionado. Cuenta a su Madre sus primeras jornadas de evangelización, sus primeras conquistas de corazones... y María está pendiente de los labios de su Jesús.

Está más delgada, más pálida, como si hubiera sufrido mucho durante este tiempo. Tiene dos grandes ojeras, como las de alguien que ha llorado mucho y que está preocupado. Pero ahora está feliz y sonríe. Sonríe acariciando la mano de su Jesús. Es feliz con tenerlo allí. Con estar de corazón a corazón en el silencio de la noche que va entrando.

Debe ser verano, porque la higuera tiene ya sus primeros frutos maduros que se extienden hasta la casa, y Jesús corta algunos poniéndose de pie, y da los más bonitos a su Madre, limpiándolos con cuidado y se los presenta como si fuesen cálices blancos de estrías rojas, con su corona de pétalos blancos por dentro y púrpura por fuera. Los presenta en la palma de la mano y sonríe al ver que le gustan a su Mamá.

Después a quemarropa le pregunta: « Mamá, ¿has visto mis discípulos?... ¿Qué piensas de ellos? »

María que está para llevar a la boca el tercer higo, levanta la cabeza, suspende su movimiento, se sobresalta y mira a Jesús.

« ¿Qué piensas de ellos ahora que te los he presentado? » recalca Jesús.

« Creo que te aman y que podrás obtener mucho de ellos. Juan... ama a Juan como Tú sabes amar. Es un ángel. Y estoy tranquila cuando pienso que está contigo. También Pedro es bueno... Es duro porque es ya viejo, pero franco y de convicción. Y su hermano... te aman por ahora como son capaces de hacerlo. Después te amarán más. También nuestros primos, ahora que se han convencido te serán fieles. Pero... el hombre de Keriot... ese no me gusta, Hijo. Su ojo no es limpio y su corazón mucho menos. Me causa miedo.»

« Contigo es muy respetuoso.»

« *Demasiado respetuoso.* También contigo es muy respetuoso. Pero no es por Tí, Maestro; es por Tí, su futuro Rey de quien espera utilidades y gloria. Era un nadie, apenas un poco más que los demás de Keriot. Pero ahora espera desempeñar a tu lado un papel de importancia y... ¡Oh, Jesús!... No quiero faltar a la caridad, pero pienso, aun cuando no quiero pensarlo, que en caso que lo desilusiones, no dudará en reemplazarte, o en tratar de hacerlo. Es ambicioso, avariento y vicioso. Está más preparado para ser un cortesano de un rey terrenal que no un apóstol tuyo, Hijo mío. ¡Me causa miedo! » y la Mamá mira a su Jesús con los ojos aterrorizados y su cara pálida.

Jesús lanza un suspiro. Piensa. Mira a su Madre. Le sonríe para darle fuerzas: « También *esto* es necesario, Mamá. Si no fuese él, sería otro. Mi colegio debe representar el mundo, y en el mundo no todos son ángeles y no todos son del temple de Pedro y de Andrés. Si escogiese todas las perfecciones, ¿ cómo podrían las pobres almas enfermas atreverse a poder llegar a ser mis discípulos?... He venido a salvar lo que estaba perdido, Mamá. Juan por sí ya está salvo... pero ¡ cuántos otros no lo están ! »

« No tengo miedo de Leví. Se redimió porque quiso serlo. Dejó su pecado con su banco de alcabalero y se hizo un alma nueva para venir contigo... Pero Judas de Keriot, no. Y además el orgullo llena más su vieja alma manchada. Pero Tú sabes estas cosas, Hijo. ¿ Por qué me las preguntas ?... No puedo sino rogar y llorar por Tí. Tú eres el Maestro también de tu pobre Mamá.»

La visión termina aquí.

67. « ¡ Cuán grande es la fragilidad humana de los apóstoles ¡ »

Dice Jesús:

« Mi mirada había leído en el corazón de Judas Iscariote. Nadie debe pensar que la Sabiduría divina, no haya sido capaz de comprender aquel corazón. Pero como dije a mi Madre, él me era necesario[1]. ¡ Ay de él, que fué traidor ! Pero era necesario un traidor. Doble, astuto, avariento, lujurioso, ladrón; más inteligente y más culto que el resto de la masa, había sabido imponerse a todos. Audaz, me allanaba el camino, aun cuando fuese difícil. Le gustaba sobre todo, sobresalir y hacer resaltar su puesto de confianza que tenía conmigo. No era servicial por instinto de caridad, sino que era uno como aquellos que llamaríais "convenencieros ". Esto también le permitía tener la bolsa y acercarse a las mujeres. Dos cosas que, juntas con la tercera: los cargos humanos, amaba desenfrenadamente.

La Pura, la Humilde, la Separada de las riquezas terrenales, no podía menos que sentir asco por aquella sierpe. También Yo lo tenía. Yo sólo, y el Padre y el Espíritu, sabemos qué esfuerzos tuve que hacer para tenerlo junto a Mí. Te lo explicaré en otra ocasión.

Igualmente no ignoraba la hostilidad de los sacerdotes, fariseos, escribas y saduceos. Eran zorras astutas que trataban de empujarme a su trampa para atraparme. Tenían hambre de mi sangre, y buscaban poner engaños a fin de sorprenderme, para tener armas con qué acusarme, y quitarme de en medio. La asechanza duró tres largos años y no se aplacó sino cuando me vieron muerto. Esa noche durmieron felices. La voz del acusador se había extinguido para siempre. Lo creian. ¡No! No estaba todavía extinguida. No lo será jamás y truena y truena y maldice a sus semejantes. ¡ Cuánto dolor tuvo mi Madre por culpa de ellos ! Y no olvido ese dolor.

Que el pueblo sea mudable no es cosa nueva. Es la fiera que lame la mano del domador, si está armada con la vara o si ofrece un pedazo de carne a su hambre. Pero basta que caiga el do-

[1] Lea el cap. anterior y compárelo con Mt. 18, 5-11; 26, 20-25; Mc. 14, 17-21; Lc. 17, 1-3; 22, 14 y 21-23; Ju. 13, 21-30.

mador, y no pueda usar la vara, o que no tenga nada para su hambre, que ella se arroja y lo destroza. Basta decir la verdad y ser buenos, para que la multitud lo odie a uno después del primer momento de entusiasmo. La verdad es reproche y aviso. La bondad despoja de la vara y logra hacer que los buenos no tengan miedo. Por lo cual: "Crucifícale"... después de haber dicho: "¡Hosanna!". Mi vida de Maestro está llena de estos dos gritos. El último fué: "Crucifícale". El hosanna es como el aliento que toma el cantor para dar un agudo. María en la tarde del Viernes Santo volvió a oir dentro de sí todos los hosannas mentirosos, que fueron aullidos de muerte para su Hijo, y quedó deshecha. Esto también no lo olvido.

La debilidad de los apóstoles. ¡Cuánta! Los llevaba en los brazos, para levantarlos al Cielo, cual piedras pesadas que tiraban hacia la tierra. También los que no se creían ministros de un rey temporal, como Judas Iscariote, los que no pensaban como él en subir, cuando llegare la oportunidad, al trono, mas estaban siempre ansiosos de gloria [2]. Llegó el día en que mi Juan y su hermano ambicionaron esta gloria que os fascina cual espejismo aun en las cosas celestiales. No es el anhelo santo del Paraíso, que deseo que tengáis.

Pero no sólo esto, sino que es un intercambio odioso, a la manera de un usurero, porque por un poco de amor que habéis dado a quien Yo os dije que debíais entregaros completamente, pretendéis un puesto a su derecha en el Cielo.

No, hijos, no. Primero es necesario saber *beber todo* el cáliz que bebí Yo. Todo: con su caridad prodigada en recompensa del odio, con su castidad contra las voces de los sentidos, con su heroicidad en las pruebas, con su holocausto por amor de Dios y de los demás hermanos. Luego, cuando todo el deber se haya cumplido, hay que decir: "Somos siervos inútiles" y esperar que mi Padre y vuestro os conceda, por su bondad, un lugar en su Reino. Es menester despojarse, como me has visto despojado en el Pretorio, de todo lo que es humano, conservando solo lo que es indispensable como el don de Dios que es la vida y darla por los hermanos a los que podemos ser más útiles desde el cielo que en la tierra, y dejar que Dios os revista con la estola inmortal emblanquecida con la sangre del Cordero.»

[2] Cfr. Mt. 20, 23; Mc. 10, 35-40.

68. Juana de Cusa es curada cerca de Caná [1]

(Escrito el 8 de febrero de 1945)

Los discípulos están cenando en el amplio taller de carpintería de José. El gran banco sirve de mesa, en la que hay todo lo que es necesario. Veo que el taller es también dormitorio. En los otros dos tablones de carpintero hay esteras que sirven de lecho, y lechos bajos (esteras sobre tapetes) han sido colocados junto a las paredes. Los apóstoles hablan entre sí y con el Maestro.

« ¿ Vas de veras al Líbano? » pregunta Iscariote.

« No prometo nunca si no voy a cumplir. Dos veces lo prometí: a los pastores y a la nodriza de Juana de Cusa. He esperado cinco días desde que lo dije, y he añadido el día de hoy por prudencia. Pero ahora, voy. Apenas salga la luna, partiremos. El camino será largo aun cuando usemos la barca hasta Betsaida. Quiero dar alegría a mi corazón, saludando también a Benjamín y Daniel. Tú ves qué almas tienen los pastores. ¡Oh! merecen que uno vaya a honrarles, pues ni Dios se quita algo al honrar a un siervo suyo, antes bien aumenta su justicia. »

« ¡ Con este calor ! ¡ Mira lo que haces ! Lo digo por Tí. »

« Las noches están menos sofocantes. El sol por un poco se encontrará en León y los temporales harán que no se sienta tanto, pero lo repito. No obligo a nadie que venga conmigo y a mi alrededor, todo es espontáneo. Si tenéis negocios u os sentís cansados, quedaos. Nos volveremos a ver después. »

« Muy bien. Tú lo dices. Tengo que ver por los intereses de mi casa. Llega el tiempo de la vendimia y mi madre me rogó que viera a algunos amigos . . . de hecho sabes que soy el cabeza de mi familia. Quiero decir: Soy el hombre en la familia. »

Pedro rezonga: « Menos mal que se acuerda que la madre es siempre la primera después del padre. »

Sea que Judas no oiga, o no quiera oir, no da señales de comprender lo que dijo Pedro, a quien por otra parte, Jesús refrena con una mirada, mientras Santiago de Zebedeo, sentado junto a Pedro, le jala el vestido para hacerlo callar.

« Ve, pues, Judas. Comprendo que *debes ir*. No hay que faltar a la obediencia a la madre. »

[1] Cfr. Lc. 8, 1-3.

« Me voy al punto, si lo permites. Llegaré a Naim a tiempo de encontrar alojo. Adiós, Maestro, adiós amigos. »

« Se amigo de la paz y merece tener a Dios siempre contigo. ¡ Adiós ! » dice Jesús, mientras los demás saludan con un gesto simultáneo.

No hay ninguna aflicción en verlo partir, al contrario ... Pedro, tal vez por miedo a que Judas se arrepintiese, le ayuda a apretar las cintas de su alforja y a ponérsela; lo acompaña hasta la puerta del taller que está abierta, como lo está la que da al huerto para que se ventile la habitación asfixiante después de un día de mucho calor; se queda en el umbral para verlo partir, y cuando ve que se ha alejado, hace un gesto de alegría y de irónico saludo, y vuelve restregándose las manos. No dice nada ... pero ya lo ha dicho todo.

Alguien que lo ha visto, se ríe para sus adentros, pero Jesús no lo nota, porque está mirando fijamente a su primo Santiago que se ha enrojecido y deja de comer las aceitunas. Le pregunta: « ¿ Qué te pasa ? »

« Dijiste: " no se debe faltar a la obediencia a la madre ... " ¿ y entonces nosotros ...? »

« No tengas escrúpulo. Como línea de conducta así es. Cuando no es uno más que *hombres* y no más que hijos. Pero cuando está uno cerca de otra naturaleza y de otra paternidad, no. Ella es más sublime, si se le sigue según sus órdenes y deseos. Judas llegó primero que tú y que Mateo ... pero está muy atrás todavía. Es menester que se forme, y lo hará muy despacio. Tened caridad con él ¡ tenla, Pedro ! Lo comprendo ... pero te digo: ten caridad. Soportar a las personas molestas es otra virtud. ¡Usala! »

« Sí, Maestro ... Pero cuando lo veo así ... así ... Bien, calla, Pedro, que El te comprende muy bien ... me parece que soy una vela muy hinchada con el viento ... Se me va la cabeza, se me va con el esfuerzo y se me rompe siempre alguna cosa ... Pero Tú sabes, mejor dicho, no sabes, porque como barquero no sabes nada, por eso te digo yo, que si a una vela se le rompen los amarres por la fuerte tensión, te juro que esta da una bofetada al barquero tonto, que lo deja viendo estrellas ... pues yo siento que ... me parece que estoy a punto de que todos mis lazos se rompan ... y entonces ... es mejor, sí, que de cuando en cuando se vaya. De este modo la vela se amaina porque no hay viento, y tengo tiempo de reforzar amarres. »

Jesús sonríe y mueve la cabeza, compadeciendo al justo y sanguíneo Pedro.

Se oye el golpetear herraduras y vocecillas de muchachos en la calle. « ¿Quién es?... ¿quién es ¡Detente hombre! » y antes de que Jesús y los discipulos caigan en la cuenta, ante el umbral de la salida se ve el cuerpo negro y sudoroso de un caballo, del que se apea un jinete que se precipita dentro como un bólido y se postra a los pies de Jesús y le besa con veneración.

Todos miran asombrados.

« ¿ Quién eres ? ... ¿ Qué quieres ? »

« Soy Jonatás. »

Con un grito responde José, que por estar sentado detrás del banco y por la rapidez de la llegada no pudo conocer a su amigo. El pastor corre ligero a él: « ¡ Tú, pero tú ! »

« Sí. ¡Adoro a mi Señor amado! Treinta años de esperanza. ¡Oh! ¡Larga espera! mas, ahora han florecido como flor de un agave solitario, y florecido de golpe en un éxtasis feliz, y tanto más feliz cuanto más lejano ! ¡ Oh, mi Salvador! »

Mujeres, niños y alguno que otro hombre, entre quienes está el bueno de Alfeo de Sara, con un pedazo todavía de pan y queso en la mano, se agolpan a la salida y hasta dentro de la habitación.

« Levántate, Jonatás. Estaba ya a punto de ir a buscarte y también a Benjamín y a Daniel ... »

« Lo sé ... »

« Levántate, para que te de el beso que he dado a tus compañeros. » Lo obliga a levantarse y lo besa.

« Lo sé » repite el viajero robusto, bien parecido y bien vestido. « Lo sé, Ella tenía razón. ¡No era delirio de una que muere! ¡Oh! ¡ Señor Dios ! ¡ Cómo te ve el alma y cómo te siente, cuando Tú la llamas! » Jonatás está conmovido.

Se recobra. No pierde su tiempo. Con rostro de adoración y sin embargo lleno de vida va a su objeto: « Jesús, Salvador y Mesías nuestro, he venido a pedirte que vengas conmigo. Hablé con Ester y me dijo ... pero antes Juana te había hablado y me dijo ... ¡ Oh ! No os burleis de un hombre feliz, vosotros que me estais escuchando, feliz y angustiado hasta que no oiga tu " Voy ". ¿ Sabes ?... estaba yo de viaje con la patrona que muere. ¡ Qué viaje ! De Tiberíades a Betsaida fue bueno. Pero después, al dejar la barca y tomar un carro, por más que lo habían preparado lo mejor posible, fué una tortura. Se caminaba despacio y de noche, pero ella sufría. En Cesarea de Filipo estuvo a punto de morir con vómitos de sangre. Nos detuvimos... a la tercera mañana, hace siete días, me mandó llamar. Parecía ya muerta, ¡ tan pálida estaba y tan agotada se veía! Cuando le hablé, abrió sus dulces ojos de gacela agonizante y me sonrió. Me hizo señal con su mano helada de que me inclinase, porque tiene solo un hilillo de voz, y me dijo: " Jonatás, llévame otra vez a la casa. Pero *pronto* ". Fué tan grande el esfuerzo en dar la orden, que ella que siempre es más dulce que una niña buena, se le pusieron rojas las mejillas y por un instante sus ojos se llenaron de fulgor. Continuó: " Soñé mi casa de Tiberíades. Dentro de ella había uno con rostro de estrella, alto, rubio, con ojos de cielo y una voz más dulce que el sonido del arpa que me decía: 'Yo soy la Vida. ¡ Ven, regresa, te espero para dártela! '... ¡ quiero ir ! ". Yo le decía: " Patrona mía, ¡ No puedes ! ¡ Estás mal ! Ahora, cuando estés mejor... ¡Lo veremos! " Lo tomé yo por delirio de una agonizante. Pero ella lloró y luego... ¡Oh! Es la primera vez, desde hace seis años que le sirvo como a mi patrona, se sentó como pudo, ella que no puede hacer nada y... se enojó y me dijo: " Siervo, lo quiero, soy tu patrona. ¡ Obedece ! " Y luego cayó con vómitos de sangre. Creía que muriese... Yo dije: " Contentémosla. ¡ Morir por morir!... no tendré ningún remordimiento de haberla descontentado en su fin, después que siempre quise tenerla contenta "... ¡ Qué viaje ! No quería descansar sino entre las nueve y doce. He matado casi los caballos para llegar pronto. Llegamos a Tiberíades a las tres, de esta mañana... y Ester me dijo... Entonces comprendí que Tú la habías llamado, porque esa era la hora y el día en que prometiste el milagro a Ester y te apareciste al alma de mi patrona. Quiso regresar apenas habían dado las tres y me ha mandado por delante... ¡Oh! ¡Ven, Salvador mío! »

« Voy al punto. La fé merece su premio. Quien me quiere me tiene. ¡ Vamos ! »

« Oye, he dado una bolsa a un joven a quien dije: " Tres, cinco, cuantos borriquillos tengas si no tenéis caballos, y pronto, a la casa de Jesús ". Están por llegar. Iremos así más pronto. Espero encontrarla cerca de Caná. Si al menos... »

« ¿ Qué cosa Jonatás ? »

« Si al menos estuviese viva... »

« Viva está. Pero aunque estuviese muerta, Yo soy la Vida. He aquí a mi Madre. »

La Virgen a quien alguien le habría llevado la noticia, viene corriendo seguida de María de Alfeo. « ¿ Hijo, partes ? »

« Sí, Madre, voy con Jonatás. Ha venido. Sabía que te lo podría presentar. Por eso esperé un día más. »

Jonatás primero la había saludado inclinándose profundamente con las manos cruzadas sobre el pecho, y ahora se arrodilla, levanta un tantín el vestido de María y besa la orla: « Te saludo, Madre de mi Señor. »

Alfeo de Sara dice a los curiosos: « ¡Oh! ¿Qué decís de esto? ¿ No es cosa vergonzosa que tan solo nosotros seamos los que no tenemos fe ? »

Se oye un gran ruido de cascos por la calle. Son los asnos. Creo que serán todos los de Nazaret, son tantos que bastaría para un escuadrón. Jonatás escoge los mejores y contrata, pagando sin regatear; toma consigo a dos nazarenos con otros borriquillos por temor de que algún animal pierda las herraduras por el camino, y para que pueda regresar toda esa caballería. María y la otra María ayudan a cerrar los sacos y las alforjas.

María de Alfeo dice a sus hijos: « Dejaré aquí vuestros lechos... y me parecerá que os tengo a vosotros. Hijos, sed buenos, dignos de Jesús... y yo... seré feliz... » gruesas lágrimas corren por sus mejillas.

Por su parte María ayuda a su Jesús, lo acaricia con amor, haciéndole mil recomendaciones y encargos para los otros dos pastores libaneses, porque Jesús ha dicho que no regresará hasta haberlos encontrado.

Parten. La noche ha entrado y la luna aparece con su cuarto creciente. A la cabeza van Jesús y Jonatás, detrás los demás. Mientras están en la ciudad van al paso, pero apenas llegan a las afueras, van al trote de los borriquillos.

« Está en el carro con Ester » explica Jonatás « ¡Oh, mi patrona! ¡Qué alegría de hacerla feliz! ¡Traerte a Jesús! ¡Oh, Señor mío! Mira a mi lado, mira... Tienes exactamente el rostro de estrella que te vió y eres rubio y tienes ojos azules y tu voz es igual al sonido del arpa... ¡Oh! ¡pero tu Madre! ¿La llevarás algún día a la patrona? »

« La patrona vendrá a verla a Ella y se harán amigas. »

« ¿Si?... ¡Oh... sí!... lo puede ser. Juana es esposa y fué madre, pero tiene un alma pura como la de una virgen. Puede estar cerca de María bendita. »

Jesús vuelve su rostro al oir una risotada fresca de Juan, a la que imitan todos los otros.

« Soy yo, Maestro, que hago reir. En la barca estoy más seguro que un gato, pero ¡aquí arriba! ¡Parezco un barril de madera suelto en el puente de una nave con el viento del sudoeste! » dice Pedro.

Jesús sonríe y lo anima, prometiéndole que pronto terminará el trote.

« ¡Oh! No es nada. Si los muchachos se ríen, nada hay de malo. Vamos, vamos a hacer feliz a esa buena mujer. »

Jesús vuelve otra vez su rostro por otra explosión de risas. Pedro exclama: « ¡No! Esto no te lo digo, Maestro... y ¿por qué no ? Sí que te lo digo, decía yo: " Nuestro *supremo* ministro se roerá las manos, cuando sepa que no estuvo cuando tenía que hacerla de pavorreal cerca de una dama ". Y se ríen. Pero es así, estoy seguro que si le hubiera pasado por el magín no habría tenido viñedos paternos que cuidar. »

Jesús no contradice.

El camino se hace pronto con esos asnos bien alimentados. Al claror de la luna se ha llegado a Caná.

« Si me permites me adelanto. Detengo el carro. El zarandeo le hace mucho mal. »

« Sí. »

Jonatás va a galope de su caballo.

Todavía se camina a la luz blanca de la luna y luego de pronto la forma oscura de un gran carro cubierto, parado a la orilla del camino. Jesús anima a su borriquillo, que se arroja a un breve galopeo. Ha llegado a donde está el carro. Se apea.

« ¡El Mesías! » anuncia Jonatás.

La vieja nodriza se echa del carro al camino, del camino al polvo. « ¡Oh! ¡Sálvala! Está muriendo. »

« ¡Aquí estoy! » Y Jesús sube al carro, donde hay un montón de cojines y sobre ellos un cuerpo macilento. Hay una lamparilla en el rincón y copas y jarras. Hay una sierva que llora, mientras seca el sudor helado de la agonizante. Jonatás acude con uno de los faroles del carro.

Jesús se inclina sobre la mujer que ya no tiene fuerzas y que realmente está muriendo. No hay diferencia entre la blancura del vestido de lino y la palidez hasta un poco azulada de las manos y venas secas. Tan sólo las tupidas cejas, las largas y negrísimas pestañas, dan color a la nívea cara. No tiene ni siquiera, en sus mejillas enjutas el infausto color rojo de los tuberculosos, la respiración es difícil y en los labios semiabiertos hay una sombra purpúrea.

Jesús se arrodilla a su lado y la mira. La nodriza le toma una mano y la llama. Pero el alma, ya en los umbrales que despiden a la vida, no oye más.

Han llegado los discípulos, los dos jóvenes de Nazaret, y se arremolinan junto al carro.

Jesús pone una mano en la frente de la moribunda, que por un instante abre sus ojos nublados, vagos y luego los cierra.

« Ya no oye » deplora la nodriza, y llora más fuerte.

Jesús hace un ademán: « Madre, oirá, ten fe » y luego llama: « ¡Juana!... ¡Juana! Soy Yo. Yo que te amo. Soy la Vida. Mírame, Juana. »

La moribunda abre sus grandes ojos negros con un mirar más vivo, y mira el rostro que está junto a ella. Tiene un movimiento de alegría y una sonrisa brota. Mueve despacio los labios sin voz, con palabras que no tienen sonido.

« Sí, soy Yo, viniste ... y vine a salvarte. ¿Puedes creer en Mí? »

La agonizante asiente con la cabeza. Toda la vitalidad se ha acumulado en la mirada y en las palabras que no puede pronunciar.

« Pues bien (Jesús, aunque continúa de rodillas y con la mano izquierda en la frente, se endereza y toma la posición de milagro) pues bien: Yo lo quiero. Se sana. Levántate. » Quita la mano y se pone en pie.

Una fracción de minuto y luego Juana de Cusa, sin ayuda de nadie, se sienta, da un grito y se lanza a los pies de Jesús con una voz fuerte y llena de felicidad: « ¡Oh! ¡Amarte toda mi vida! ¡Para siempre! ¡Tuya! ¡Para siempre tuya! ¡Nodriza! ¡Jonatás! ¡Estoy curada! ¡Oh! ¡Pronto! Corred a decirlo a Cusa. Que venga a adorar al Señor. ¡ Bendíceme una vez más, oh Salvador mío! » Llora y rie mientras besa el vestido y las manos de Jesús.

« Te bendigo, sí. ¿Qué otra cosa quieres que te haga? »

« Ninguna, Señor, a no ser que me ames y que me permitas que te ame. »

« Y ... ¿ no querríais un niño ? »

« ¡ Oh ! ¡ Un niño ! ... Lo que Tú quieras, Señor. Te entrego todo: mi pasado, mi presente y mi futuro. Todo te lo dedico y todo te lo doy. Da a tu sierva lo que sabes que es mejor para ella. »

« La vida eterna, entonces. Sé feliz. Dios te ama. Me voy. Te bendigo y os bendigo. »

« No, Señor, quédate en mi casa que ahora, ¡ oh ! ahora es un rosal en flor. Permíteme que entre contigo nuevamente... ¡ Soy feliz ! »

« Voy. Pero tengo a mis discípulos. »

« Mis hermanos, Señor. Juana tendrá para ellos como para Tí de comer y de beber y... descanso. ¡ Hazme feliz ! »

« Vamos, devolved los borriquillos y sigamos a pie. El camino es corto. Caminaremos despacio para que nos podáis seguir. Adiós Ismael; adiós, Aser. Saludad a mi Madre, y a mis amigos. »

Los dos nazarenos, sin saber qué decir, se van con sus asnos, mientras que por su lado el carro emprende el regreso con corazones llenos de alegría. Detrás vienen los discípulos comentando el hecho.

Todo termina.

69. Jesús en el Líbano con los pastores Benjamín y Daniel

(Escrito el 10 de febrero de 1945)

Jesús camina al lado de Jonatás por un borde verde y lleno de sombra. Detrás vienen los discípulos que hablan entre sí. Pedro se les separa adelantándose y franco como siempre, pregunta a Jonatás: « ¿ Pero no era más corto el camino que va a Cesarea de Filipo ? Hemos tomado este... y ¿ cuándo llegaremos ? Tú, con tu patrona has ido por aquel. »

« Con una enferma me atreví a todo. Pero piensa que yo soy uno de la corte de Antipas; y Filipo desde aquel incesto, no ve con buenos ojos a los de la corte de Herodes... no tengo miedo por mí... pero no quiero que vosotros y particularmente el Maestro, tengáis molestias y os crean enemigos. La Palabra es necesaria en la Tetrarquía de Filipo como en la de Antipas... y si os odian, ¿ cómo podréis ir ?... Cuando regreseis podeis tomar aquel camino, si os gusta. »

« Alabo tu prudencia, Jonatás. Al regreso pienso pasar por tierras fenicias » dice Jesús.

« Están envueltas en las tinieblas del error. »
« Me acercaré a sus confines para recordarles que hay una Luz. »
« ¿ Crees que Filipo se vengaría con un siervo del mal que su hermano le hizo? »
« Sí, Pedro. El uno es igual al otro. Los dominan todos los instintos más bajos, y no hacen distinción. Créeme, parecen animales y no humanos. »
« Y sin embargo a nosotros, mejor dicho a El, pariente de Juan, lo debería de estimar. Juan en el fondo, habló en su nombre y a su favor, al hablar en el nombre de Dios. »
« No os preguntaría siquiera de donde venís, ni quiénes sois. Si os viese conmigo, si me reconociese o algún enemigo de la casa de Antipa me señalase con el dedo, como procurador de ella, al punto seríais encarcelados. ¡ Si supiéseis qué fango hay detrás de los vestidos de purpura! Ventas, injurias, delaciones, lujuria y robos son el alimento de sus almas . . . ¿ Alma ? . . . ¡ Bueno ! digamos así. Creo que ni alma tengan. ¿ Lo veis: Juan tuvo buen fin. Pero ¿ por qué fué libertado Juan ? . . . Por una venganza entre dos oficiales de la corte. Uno, para quitar de en medio al otro, a quien favorecía tánto Antipas de modo que tenía a Juan bajo su custodia, por una suma, de noche, abrió la cárcel . . . yo creo que haya adormecido a su rival con vino endrogado, y a la mañana siguiente . . . el miserable perdió la cabeza en lugar del Bautista que había escapado . . . una vergüenza, te lo digo yo. »
« Y ¿ tu patrón aguanta ?. . . ¡ Me parece bueno ! »
« Lo es pero no puede obrar de otro modo. Su padre y el padre de su padre, pertenecieron a la corte de Herodes el Grande y el hijo ha tenido que serlo por fuerza. No aprueba. Pero no puede sino limitarse a tener lejos de esa corte de vicio a su mujer. »
« Y ¿ no podría decir : " Me causas asco " ? . . . ¿ e irse ? »
« Podría, pero aunque es bueno, no es todavía capaz de más. Eso significaría de seguro la muerte. Y . . . ¿ quién quiere morir por honradez de espíritu, llevada hasta el punto más sublime? . . . Un santo como el Bautista. Pero ¡ nosotros, pobrecillos ! »
Jesús que los ha dejado hablar entre sí, interviene: « Dentro de no mucho tiempo, en cualquier punto de la tierra conocida habrá, plantados como flores de un prado abrileño, santos que serán felices de morir por esta honradez a la gracia y por amor a Dios. »
« ¿ De veras ? ¡ Oh ! Me gustaría saludar a esos santos y decirles: " ¡ Rogad por el pobre Simón de Jonás ! " » dice Pedro.

Jesús le mira de hito en hito y sonríe.

« ¿ Por qué me miras así ? »

« Porque tú los verás como su ayudante... y los verás cuando a tí te asistan. »

« Señor, ¿ a qué cosa ? »

« Para llegar a ser la piedra consagrada del Sacrificio, sobre la que se celebrará y edificará mi Testimonio. »

« No entiendo. »

« ¡ Entenderás ! »

Los otros discípulos que se habían acercado y oído, hablan entre sí.

Jesús se vuelve: « En verdad os digo que probaréis uno u otro suplicio, por ahora es el de la renuncia a las comodidades, a los afectos, a los intereses. Después vendrá algo mucho más vasto, que os ceñirá las frentes con una corona inmortal. Sed fieles. Todos vosotros lo seréis y obtendréis esto. »

« ¿ Nos matarán tal vez los judios o el Sanedrín porque te amamos? »

« Jerusalén lava los umbrales de su Templo con la sangre de sus Profetas y de sus santos. Pero también el mundo espera que se le lave... hay templos y templos de dioses horribles. Serán en el porvenir templos del Dios verdadero, y la lepra del paganismo se limpiará con el agua lustral hecha con la sangre de los mártires. »

« ¡ Oh ! ¡ Dios Altísimo, Señor, Maestro ! ¡ Yo no soy digno de tanto ! ¡ Soy débil ! ¡ Tengo miedo al dolor ! ¡ Oh, Señor !... O haz que regrese tu siervo o dame la fuerza. No me gustaría, Maestro, hacerte perder la cara con mi villanía. » Pedro se ha arrojado a los pies del Maestro y le suplica con el corazón en la boca.

« Levántate, Pedro mío. No tengas miedo. Tienes todavía mucho que caminar... y vendrá la hora cuando no querrás sino terminar el último trabajo y entonces todo tendrás del Cielo y de tí mismo. Yo admirado te estaré contemplando. »

« Tú lo dices... y yo creo. ¡ Pero soy un hombre tan pobre! »

Tornan a caminar...

...y después de una corta interrupción vuelvo a ver cuando la llanura ha desaparecido y empiezan a trepar por un monte tupido y cada vez más alto. No debe ser ni el mismo día, porque, mientras entonces la mañana era ardiente, ahora es un bello amanecer que se enciende en todos los pistilos de gotas diamantinas.

Han pasado ya bosques y bosques de coníferas que dominan las alturas, y como catedrales verdes acogen entre sus columnas a los peregrinos infatigables.

Verdaderamente este Líbano es una cadena maravillosa. No sé si todo el conjunto sea el Líbano, o tan solo este monte. Lo que veo son barrancas llenas de árboles que se yerguen para formar un nudo alto envuelto en crestas y aberturas, con valles y llanuras por las que corren, para después de entrar en el valle, ríos que parecen cintas de plata teñidas levemente de azul... Pájaros de todas clases llenan los bosques de coníferas con sus cantos y vuelos. Se aspira un perfume de resina en esta hora matinal. Volteándome hacia el valle, mejor dicho, hacia el occidente, se ve lejano reir el mar, ancho, tranquilo, solemne y toda la costa que se alarga hacia el norte y hacia el sur con sus ciudades, sus puertos y los cursos caprichosos de los ríos que desembocan en el mar, formando apenas una coma de luz en la tierra seca con la poca agua que el sol de estío seca, y una huella amarillenta en el azul marino.

« Estos lugares son hermosos » comenta Pedro.

« Y no hace mucho calor » dice Simón.

« Con estos árboles, el sol molesta poco... » añade Mateo.

« ¿ De aquí llevaron los cedros del Templo ? » pregunta Juan.

« De aquí. Estos bosques son los que proporcionan la mejor madera. El patrón de Daniel y de Benjamín tiene muchísimos, además de muchísimo ganado. Los parten allí mismo y luego los transportan al valle por algunos pasillos o sobre los hombros. El trabajo es difícil cuando tienen que emplearse enteros, como sucedió en el Templo. Pero paga bien y muchos le sirven. Y luego es muy bueno. No es como aquel feroz de Doras. ¡Pobre Jonás ! » contesta Jonatás.

« Pero ¿ cómo es posible que sus servidores sean como esclavos ? Me dijo Jonás, a mí que le aconsejaba: " Déjalo ahí plantado y vente con nosotros, Simón de Jonás tendrá siempre para tí un pan "; me dijo: " No puedo si no me rescato ". ¿ Qué historia es esa? »

« Doras no es el único en Israel en obrar del modo siguiente; cuando ve a un siervo bueno, lo lleva con astucia sutil para que sea su esclavo. Le carga con deudas inmensas que no son verdaderas y cuando el pobre no puede pagar y la suma es crecida, le dice: " Eres mi esclavo por deudas ". »

« ¡ Oh ! ¡ Qué vergüenza ! ¡ Y es fariseo ! »

« Sí. Jonás mientras tuvo ahorros, pudo pagar... luego... en un año hubo granizo, en otro sequía. El grano y la vid dieron poco y Doras multiplicó el daño por diez, y otros diez más... Luego Jonás se enfermó por el mucho trabajo. Doras le prestó dinero para que se curara, pero quiso el doce por ciento y como Jonás no lo tenía lo añadió a lo demás. En fin: después de algunos años había una deuda que lo convirtió en esclavo. Y no lo dejará nunca que se vaya... Siempre encontrará otras razones y otras deudas... » Jonatás está triste al pensar en su amigo.

« Y tu patrón no podría... »

« Qué... ¿ Que lo trate como a hombre ?... Pero ¿ quién se mete con los fariseos? Doras es uno de los más poderosos; creo que sea hasta pariente del Sumo Pontífice... al menos así se cuenta. Una vez que fué apaleado casi hasta morir y yo lo supe y lloré tanto que Cusa me dijo: " Lo rescato para darte gusto ! " Pero Doras se rió en su cara y no aceptó nada. ¡Eh! Aquel de allá... tiene los campos más ricos de Israel... pero te juro... están abonados con la sangre y lágrimas de sus siervos. »

Jesús mira a Zelote y este a El. Ambos están afligidos.

« Y ¿ el de Daniel, es bueno ? »

« Por lo menos es humano. Exige pero no oprime. Y ya que los pastores son honrados, los trata con amor. Son los jefes del pastizal. A mí me conoce y respeta porque soy siervo de Cusa y.. podría serle útil en algo... Pero... ¿ por qué, Señor, el hombre es así de egoísta ? »

« Porque el amor fué estrangulado en el Paraíso terrenal; pero Yo he venido a aflojar esa soga y poner de nuevo vida en el amor. »

« Ahora estamos en las posesiones de Eliseo. Los pastizales todavía están lejos, pero a esta hora las ovejas están encerradas en los rediles por el sol. Voy a ver si están » y Jonatás parte casi a la carrera.

Después de algún tiempo regresa con dos fuertes pastores que verdaderamente se precipitan por la pendiente para venir a Jesús.

« La paz sea con vosotros. »

« ¡ Oh ! ¡ Oh ! ¡ Nuestro Niño de Belén ! » dice uno; y el otro: « Paz de Dios, que has venido a nosotros, bendito seas. ». Los dos están inclinados hasta tocar la hierba. No se saluda tan profundamente el altar, como estos lo hacen ante el Maestro.

« Levantaos, os doy la bendición, y soy feliz de hacerlo para que venga con alegría sobre quien es digno de ella. »

« ¡ Oh ! ¿ Dignos, nosotros ? »

« Sí, vosotros, siempre fieles. »

« Y ¿ quién no lo habría sido ? ¿ Quién puede borrar esa hora ? ¿ Quién podría decir: " ¿ No es verdad lo que vimos " ? ¿ Quién podría olvidar que Tú nos sonreiste por meses, cuando al regresar por la tarde de las ovejas, te llamábamos y Tú batías las manitas al sonido de nuestras flautas ? . . . ¿ Te acuerdas, Daniel ? Casi siempre vestido de blanco entre los brazos de su Madre, te veíamos entre los rayos del sol en el jardín de Anna o desde la ventana, y parecías una flor que descansaba en la nieve del vestido materno. »

« Y aquella vez que viniste, cuando ya dabas los primeros pasos, a acariciar un corderito de lana menos ondulada que tus cabellitos . . . ¡ Qué dichoso estabas ! Y nosotros no sabíamos qué hacer de nuestras rústicas personas. Querríamos haber sido ángeles para que no nos vieras tan feos . . . »

« ¡ Oh, amigos míos ! Veía vuestro corazón y lo sigo viendo. »

« Y nos sonríes como entonces. »

« ¿ Y has venido hasta aquí para ver a estos pobres pastores ? »

« A mis amigos. Ahora estoy contento. Os he encontrado a todos y no os perderé más. ¿ Podéis dar hospedaje al Hijo del Hombre y a sus amigos? »

« ¡ Oh ! ¡ Señor ! ¿ Pero lo pides ? No nos falta ni pan ni leche. Si tuviésemos un sólo bocado te lo daríamos porque estuvieses con nosotros. ¿ Verdad, Benjamín? »

« Te daríamos el corazón por comida, ¡ oh Señor nuestro tan suspirado! »

« Bueno, vámonos. Hablaremos de Dios . . . »

« Y de tus padres, Señor. ¡José tan bueno! ¡María . . .! ¡Oh! ¡la Madre! Ved este narciso cubierto de rocío. Es bello y puro en su cabeza que parece una estrella diamantina. Pero Ella . . . ¡Oh! está sucio si se le compara a la Madre. Su sonrisa era purificación; el encontrarse con Ella una fiesta y el oirla, santificación. ¿Te acuerdas tu también de aquellas palabras, Benjamín? »

« Sí, te las puedo repetir, Señor. Porque cuanto Ella nos dijo, en los meses que pudimos oirla, está escrito (y se golpea el pecho) en el corazón. Es la página de *nuestra* sabiduría. Y esta la comprendemos aun nosotros, porque es palabra de amor. Y el amor . . . ¡Oh! ¡el amor lo entienden todos! Ven Señor, entra y bendice esta morada feliz! »

Entran en una habitación, cerca de un extenso redil y todo termina.

70. Jesús en la ciudad marítima. Recibe cartas acerca de Jonás

(Escrito el 11 de febrero de 1945)

Jesús se encuentra en la bellísima Ciudad marítima que está en donde el mapa dice " golfo bellísimo ", el cual es amplio y bien proyectado capaz de muchos navíos; y que es todavía más seguro porque tiene un dique. Se le debe emplear para objetivos militares, porque veo trirremes romanas con soldados a bordo, no se si para cambio de tropas o para refuerzo de la fortaleza. El puerto, o sea la ciudad porteña, me recuerda vagamente Nápoles, dominada por los montes del Vesuvio.

Jesús está sentado en una casa pobre cercana al puerto. Ciertamente es casa de pescadores, tal vez amigos de Pedro o de Juan, porque veo que estos se encuentran muy a sus anchas en ella y con sus moradores. No veo al pastor José y naturalmente tampoco veo a Iscariote que todavía está ausente. Jesús habla amigablemente con los miembros de la familia y con otros que han venido a oirlo. No se trata de una verdadera predicación. Son palabras sencillas de consejo, de consuelo, como sólo El puede darlas.

Vuelve a entrar Andrés, que parece haber salido a algún encargo, porque todavía tiene en las manos unas grandes tortas. Se pone colorado al acercarse. Debe ser para él un suplicio el llamar la atención, y más bien que hablar, murmura entre dientes: « Maestro ... ¿Podrías venir conmigo? Hay ... un poco de bien que se puede hacer. Tú eres el único que puede. »

Jesús se levanta sin preguntar siquiera de qué se trata. Pero Pedro le pregunta: « ¿ A dónde lo llevas ? Está muy cansado. Es hora de cenar. Lo pueden esperar también mañana. »

« No ... hay que hacerlo pronto. Es ... »

« Pero habla, ¡gacela atemorizada! ¡Ved si un hombre viejo y grandote deba ser así! ... ¡ Me parece un pececillo metido en la red! »

Andrés se pone más colorado. Jesús lo defiende con atraerlo

a Sí. « A mí me gusta así, déjalo en paz. Tu hermano es como agua saludable. Trabaja en lo profundo y sin ruido, sale como un hilo de la tierra, y quien lo toca, es curado. ¡ Vamos, Andrés ! »

« ¡ Yo también voy ! ¡ Quiero ver a dónde te lleva ! » replica Pedro.

Andrés suplica: « No, Maestro. Tú y yo solos. Si hay gente no se puede ... es cosa de corazones ... »

« ¿ Qué hay ? ... ¿ Ahora la hacemos de casamentero ? »

Andrés no contesta a su hermano. Dice a Jesús: « Un hombre quiere repudiar a su esposa ... y yo he hablado. Pero no soy capaz ... Mas ... si Tú hablas ... lo logras, porque el hombre no es malo. Es ... es ... él te lo dirá. »

Jesús sale con Andrés sin añadir más.

Pedro queda por un momento dudoso y luego dice: « Pero yo voy. Quiero a lo menos ver a dónde van » y sale, no obstante que los otros le digan que no lo haga.

Andrés está a punto de dar vuelta por una callecilla pueblerina, y Pedro detrás. Rodean por un plazuela llena de comadres, y ... Pedro detrás. Se meten en un portón que da a un ancho patio rodeado de chozas bajas y pobres. Digo portón, porque hay un arco, pero puerta no hay, y ... Pedro detrás. Jesús entra en una de estas chozas con Andrés. Pedro se queda allí afuera. Una mujer lo ve y le pregunta: « ¿ Eres pariente de Ava ? ¿ Y esos dos también? Venisteis a llevárosla? »

« ¡ Calla, gallina ! No debo ser visto ! »

Hacer callar a una mujer es cosa muy dificil. Y puesto que Pedro la fulmina con unos ojazos, se va a hablar con otras comadres. El pobre de Pedro en un momento está rodeado de un círculo de mujeres, muchachos ... y hasta hombres, que solo para imponerse mutuamente silencio, hacen tanto ruido que denuncian su presencia. Pedro está que se muere de rabia ... pero de nada sirve.

Del interior llega la voz llena, hermosa, calmada de Jesús, junto con la estrujante de una mujer, y con la voz ronca, dura de un hombre: « Si ha sido siempre buena esposa ¿ por qué repudiarla ? ¿ Te ha faltado en algo ? »

« No, Maestro, ¡ te lo juro ! ¡ Lo he amado como a la pupila de mis ojos! » gime la mujer.

El esposo, breve y duro, contesta: « No me ha faltado en ninguna otra cosa más que en ser estéril. Quiero hijos. No quiero la maldición de Dios sobre mi nombre [1].»

« Tu mujer no tiene la culpa de serlo.»

« Me culpa a mí y a los míos como de una traición...»

« Mujer, se sincera. ¿ Sabías que eras estéril ?»

« No. Era y soy en todo como todas. También el médico lo ha dicho. Pero no logro tener hijos.»

« ¿ Ves que no te ha traicionado ? También ella lo sufre. Respóndeme sinceramente. Si fuese madre, ¿ la repudiarías ?»

« No. Lo juro. No tendría razón. Pero el rabí me dijo, y también el escriba: " La estéril es la maldición de Dios en el hogar y tu tienes el derecho y el deber de darle el papel de divorcio y no afligir tu virilidad privándote de hijos ". Hago lo que dice la Ley.»

« No. Escucha. La Ley dice: " No cometerás adulterio [2] " y tú estás por cometerlo. Así dice el mandamiento. Y si por la dureza de vuestros corazones Moisés concedió el divorcio [3] fué para impedir trifulcas y concubinatos que Dios no quiere. Luego vuestros vicios siempre obraron sobre la cláusula de Moisés y obtuvo las cadenas infames y las piedras homicidas que son la condición actual de la mujer, víctima siempre de vuestro capricho, de vuestra arrogancia, de la asquerosidad y ceguedad de vuestros afectos. Yo te digo: No te es lícito hacer lo que quieres hacer. Tu acción es una ofensa para Dios. ¿Acaso Abrahán repudió a Sara?... ¿y Jacob a Raquel? y... ¿Elcana a Anna? y... ¿Manúe a su mujer? ¿Conoces al Bautista? ¿Sí? pues bien: su madre fué estéril hasta la vejez en que dió a luz al Santo de Dios [4]; así como la esposa de Manúe parió a Sansón [5], Anna de Elcana a Samuel [6] y Raquel a José [7] y Sara a Isaac [8]... Así es como Dios premia la continencia del esposo, la compasión por la estéril, la fidelidad a las bodas y el premio que es celebrado en los siglos. Así también da sonrisas al llanto de las estériles; y no son más estériles, ni vilipendiadas, sino gloriosas en la alegría de ser madres. No te es lícito ofender el amor de ésta. Sé justo y también honrado. Dios te premiará con creces tu mérito.»

[1] Cfr. Gén. 30, 22-24; Dt. 28, 15-19; 1 Re. 1, 4-8; 2 Re. 6, 20-23; Os. 9, 10-14.
[2] Cfr. Ex. 20, 14; Dt. 5, 18.
[3] Cfr. Dt. 24, 1-4; Mt. 19, 1-9; Mc. 10, 1-12.
[4] Cfr. Lc. 1, 5-19.
[5] Cfr. Jue. 13.
[6] Cfr. 1 Re. 1, 1-20.
[7] Cfr. Gén. 30, 1 y 22-24.
[8] Cfr. Gén. 11, 30; 17, 15-21; 21, 1-7.

« Maestro, Tú sólo hablas así ... Yo no sabía. Había preguntado a los doctores y me habían dicho: " Hazlo ", pero ni una palabra de que Dios premia con dones una acción buena. Estamos en sus manos ... y nos cierran los ojos y el corazón con una mano de hierro. No soy malo, Maestro, no te desdeñes de mí. »

« No me desdeño. Me causas más lástima que esta mujer que está llorando. Porque su dolor tendrá fin con la vida; y el tuyo empezará entonces, y para toda la eternidad. Piénsalo. »

« No, que no empiece. No lo quiero. ¿ Me juras por el Dios de Abraham que cuanto dices es verdad? »

« Yo soy Verdad y Ciencia. Quién cree en Mí, tendrá en El, justicia, sabiduría, amor y paz. »

« Quiero creerte. Sí, quiero creerte. Siento que hay en Tí algo que no hay en los demás. Mira. Voy a ir el sacerdote y le diré: " Ya no la repudio. ¡La tengo y pido sólo a Dios que me ayude a sentir menos el dolor de no tener hijos! ". Anna, no llores. Diremos al Maestro que venga otra vez para que yo sea bueno, y tú ... sigue amándome. »

La mujer llora más fuerte por el contraste entre el dolor de antes y la alegría de ahora.

Jesús, por el contrario, sonríe. « No llores. Mírame, mujer. »

Ella levanta la cabeza. Mira su rostro luminoso, con su rostro mojado en lágrimas.

« Ven aquí, hombre. Arrodíllate junto a tu esposa. Ahora os bendigo y santifico vuestra unión. Oid: " Señor Dios de nuestros padres, que hiciste a Adán del lodo y le diste de compañera a Eva, para que te poblasen de hombres la tierra, creándolos en tu santo temor, desciende con tu bendición y misericordia, abre y fecunda las entrañas que el Enemigo tenía cerradas para conducir a un doble pecado de adulterio y de desesperación. Ten piedad de estos dos hijos, Padre Santo, Creador Supremo. Hazlos felices y santos. Que ella sea fecunda como una viña, y que él la proteja como el olmo que la sostiene. Desciende, ¡oh Vida, a dar vida! Desciende ¡oh Fuego a calentar! Desciende, ¡oh Poderoso!, a obrar. ¡Desciende! Haz que para la fiesta de Gracias, para el tiempo de las fecundas mieses, ellos te ofrezcan su manípulo vivo, su primogénito hijo, consagrado a Tí, Eterno que bendices a los que en Tí esperan " [9]. »

[9] Hermosa plegaria, digna de los Santos Padres y antiguos compositores de oraciones litúrgicas. Alguna cosa semejante, pero tal vez no tan concisa, ni clara, se encuentra, por ejemplo, en el rito bizantino para la bendición de las nupcias.

Jesús ha orado con voz potente con las manos puestas en las dos cabezas inclinadas.

La gente no se detiene más y se amontona, el primero que está en línea es Pedro.

« Alzaos. Tened fe y sed santos. »

« ¡ Oh ! ¡ Quédate, Maestro ! » ruegan los dos reconciliados.

« No puedo. Volveré repetidas veces. »

« Quédate, quédate. Háblanos también a nosotros » grita la gente.

Jesús bendice pero no se detiene. Sólo promete que regresará pronto. Y se dirige a la casa en donde se hospeda, seguido de unos cuantos.

« Hombre curioso ¿ qué te debo hacer ? » pregunta por el camino a Pedro.

« Lo que Tú quieras. Pero entre tanto yo estuve... »

Entran a la casa, despiden al pueblo que comenta las palabras escuchadas y se sientan a cenar.

Pedro todavía está picado de la curiosidad: « Maestro, ¿ pero... de veras vendrá el hijo ? »

« ¿ Me has visto alguna vez que prometa algo y no lo cumpla? ¿Te parece que yo abuse de la confianza de mi Padre para mentir y engañar? »

« No... pero... ¿ podrías hacer así con todos los esposos ? »

« Podría. Pero lo hago sólo donde veo que un hijo puede ser estímulo a la santificación. Donde podría ser obstáculo no lo hago. »

Pedro se rasca la cabeza y calla.

Entra el pastor José. Está todo lleno de polvo como quien ha caminado mucho.

« ¿Tu? ¿Cómo, pues? » pregunta Jesús después del beso de saludo.

« Tengo cartas para Tí. Me las dió tu Madre, y una es la suya. Aquí están. » José saca tres pequeños rollos de una especie de pergamino delgado, amarrados con una cinta. La más grande tiene un sello. La otra tiene tan sólo un nudo y la tercera, un sello roto. « Esta es la de tu Madre » dice José indicando la del nudo.

Jesús la desenvuelve y lee: Primero en voz baja y luego en alta: « " A mi amado Hijo, paz y bendición. Llegó a casa a las primeras horas de las calendas de la luna de Elul, un enviado de Betania. Era Isaac el pastor, a quien dí el beso de paz y también reposo en tu nombre y en agradecimiento mío. Me trajo estas dos cartas que te remito, y me dijo de palabra que Lázaro, el amigo de Betania, te ruega que condesciendas a su súplica. Amado Jesús, mi bendito Hijo y Señor, yo también tengo que pedirte dos cosas. Una, que recuerdes que prometiste llamarme a mí, tu pobre Mamá, para que la instruyas en la Palabra. La segunda que te pido es que no vengas a Nazaret sin haberme antes avisado ". »

Jesús de pronto deja de leer, se pone en pie y va hacia donde están Santiago y Judas. Los abraza estrechamente y dice como mentalmente: « " Alfeo ha regresado al seno de Abraham la última luna llena, y el duelo de la ciudad fué grande... " » Los dos hijos lloran sobre el pecho de Jesús que continúa: « " ... a última hora te quiso tener. Pero estabas lejos. Pero esto sirvió para consolar a María que ve en ello el perdón de Dios, y también debe de tranquilizar a los sobrinos ". ¿ Oís ?... Ella lo dice... Y Ella sabe lo que dice. »

« Dame la carta » suplica Santiago.

« No, te haría mal. »

« ¿ Por qué ? ¿ Qué cosa más penosa puede decir que la muerte de un papá? »

« Que nos ha maldecido » suspira Judas.

« No, ni esto » dice Jesús.

« Tú lo dices... para no afligirnos. Pero así es. »

« Lee, entonces. »

Y Judas lee: « " Jesús te ruego y también María, que no vengas a Nazaret hasta que el duelo haya terminado. El amor que tenían los Nazaretanos por Alfeo los hace injustos contra Tí, y tu Madre llora por eso. El buen amigo Alfeo me consuela y calma al pueblo. Ha causado mucho rumor lo que contaron Aser e Ismael de la mujer de Cusa, pero por ahora Nazaret es un mar agitado con vientos contrarios. Te bendigo, Hijo mío, y te pido paz y bendición en mi alma. Paz a los sobrinos. Tu Mamá ". »

Los apóstoles comentan y consuelan a los dos hermanos que lloran. Pedro dice: « Y ¿estas... no las lees ? »

Jesús hace señal que sí y toma la de Lázaro. Llama a Simón Zelote. Leen juntos en un rincón, luego abren el otro rollo y también lo leen, discuten entre sí, y veo que Zelote trata de persuadir a Jesús acerca de algo pero no lo logra.

Jesús con los rollos en la mano, viene a la mitad de la habitación y dice: « Oid amigos. Todos somos una familia y no hay secretos entre nosotros y si es piedad tener oculto el mal, es justicia publicar el bien. Oid lo que escribe Lázaro de Betania: " Al Señor Jesús, paz y bendición, y paz y salud al amigo Simón. Recibí tu carta y cual siervo tuyo he puesto todo mi empeño, mi grano de arena en todos los medios disponibles para contentarte y tener la honra de no ser un siervo inútil. Fuí a la casa de Doras, a su castillo en Judea, a rogarle que vendiese al siervo Jonás como Tú deseas. Confieso que si Simón, amigo mío fiel, no me hubiese dicho que me lo pedía por Tí, no habría visto la cara de ese burlón, cruel y nefasto chacal. Por Tí, Maestro mío y Amigo, me siento capaz de afrontar aun a Mammón, porque pienso que quien trabaja por Tí, te tiene cerca y por lo mismo está defendido. Y ciertamente no me ha faltado la ayuda, porque contra toda previsión, gané. Dura fué la discusión e indignas las repulsas. Tres veces tuve que inclinarme ante ese poderoso carnicero. Luego me dijo que esperara varios días. Al final he aquí la carta que envió y digna de una serpiente. Yo casi me atrevía a decirte: Deja tu propósito porque él no es digno de Tí. Pero no hubo otro modo y acepté en tu nombre y firmé. Si hice mal repréndeme. Pero créeme, busqué el medio mejor de servirte y que tenía a la mano. Ayer vino un discípulo tuyo judío, diciendo que venía en tu nombre a saber si había noticias que llevarte. Se llama Judas de Keriot. Pero preferí esperar a Isaac para darle la carta. Me extrañó que hubiéses mandado a otro, sabiendo que cada sábado viene Isaac a mi casa, para descansar. Tengo otra cosa que añadir. Tan solo te ruego, al besar tus santos pies, que los dirijas a la casa de tu siervo y amigo Lázaro, como me prometiste. A Simón, salud. A Tí, Maestro y Amigo, da el beso de paz y suplica le bendigas. Lázaro ".

Y la otra: " A Lázaro, salud. He decidido que por la doble suma tendrás a Jonás. Estas son las condiciones y no cambiaré ninguna, por ningún motivo. Quiero que antes, Jonás termine las cosechas del año, esto es, será consignado en la luna de Tisri, hasta el final de ella. Quiero que venga personalmente Jesús de Nazaret, al que ruego que entre bajo mi techo para conocerlo. Quiero pago inmediato, después de haber hecho el contrato normal. Adiós. Doras ". »

« ¡ Qué peste ! » grita Pedro. « Pero ¿ quién es el que paga ? Quién sabe cuanto pida y nosotros ... ¡ estamos siempre sin ningún céntimo! »

« Paga Simón. Para tenerme contento a Mí y al pobre de Jonás.

No adquiere sinó una piltrafa humana, que para nada le servirá, pero conquista un gran mérito en el Cielo. »

« ¡ Tú ! ¡ Oh ! » todos están sorprendidos, hasta los hijos de Alfeo salen de su dolor por la sorpresa.

« Es él. Es justo que sea conocido. »

« También sería justo que se supiese por qué Judas de Keriot fué a casa de Lázaro. ¿Quién lo había enviado ? . . . ¿ Tú ? »

Jesús no responde a Pedro, está muy serio y pensativo. Sale de su meditación sólo para decir: « Dad reposo a José y luego vámonos a reposar. Prepararé la respuesta para Lázaro . . . ¿ Está Isaac todavía en Nazaret? »

« Me está esperando. »

« Iremos todos. »

« ¡ Noo ! Tu Madre dice . . . » Todos susurran.

« Callaos. Así lo quiero. Mi Madre habla siempre con su corazón de amor. Yo juzgo con la razón. Prefiero hacer esto mientras no está Judas, y quiero tender mi mano amiga a los primos Simón y José, y llorar con ellos antes de que termine el duelo. Luego regresaremos a Cafarnaum, a Genezaret, al Lago, en una palabra, para esperar que termine la luna de Tisri. Y tomaremos a las Marías con nosotros. Vuestra madre porque tiene necesidad de amor y se lo daremos. Mi Madre tiene necesidad de paz y Yo soy la suya. »

« ¿ Crees que en Nazaret ? . . . » pregunta Pedro.

« No creo nada. »

« ¡Ah! ¡Bien! Porque si te causaren algún mal, o le diesen alguna pena . . . ¡ se la tendrían que arreglar conmigo! » dice Pedro con los cabellos todos en desorden.

Jesús lo acaricia, pero está muy pensativo. Diría más bien, triste. Después va con Judas y Santiago y se sienta. Los abraza para consolarlos.

Los otros hablan en voz baja para no turbar su dolor.

71. Jesús en casa de María de Alfeo. Hace paces con su primo Simón

(Escrito el 12 de febrero de 1945)

La tarde va cayendo en medio de un rojo crepúsculo, que cual fuego que se apaga, toma el color plomizo, que cambia luego en morado oscuro. Una tinta espléndida, extraordinaria, que peina, esfumándose poco a poco, el occidente, hasta desaparecer en el cobalto oscuro del cielo, allá por el oriende, donde avanzan cada vez más las estrellas y la luna con su arco creciente, que está ya en su segunda fase. Los campesinos se apresuran a regresar a sus hogares donde los hornos están ya encendidos y de los que sale en volutas el humo.

Jesús está ya a punto de entrar a Nazaret, y sin hacer caso a lo que otros dicen, no quiere que alguien vaya a avisar a su Madre.

« Nada sucederá. ¿ Para qué turbarla de antemano ? » dice.

Helo ya entre las casas. Algún saludo, algún susurro detrás de El, alguno que otro descaradamente le vuelve las espaldas y se oye el ruido de puertas y ventanas cuando pasa el grupo apostólico.

La mímica de Pedro es un poema. Pero también los otros están un poco intranquilos. Los hijos de Alfeo parecen dos sentenciados. Caminan con la cabeza baja, al lado de Jesús, mas observan todo. De cuando en cuando tienen miradas de temor y de preocupación por Jesús. El, como si nada sucediese, responde con su acostumbrada afabilidad a los saludos, se inclina a acariciar a los niños que, en su simplicidad, no toman parte en ello, y son siempre amiguitos suyos, para quienes es muy cariñoso.

Uno, un pedazo de carne, gordo, gordo, que tendrá apenas cuatro años, corre a su encuentro separándose de su mamá y le tiende los bracitos diciendo: « ¡ Cárgame ! » y luego que lo tiene en brazos, lo besa con su boquita toda embadurnada de higos que está comiendo. Y lleva su amor hasta ofrecerle un pedacito, diciendo: « ¡ Toma, está sabroso ! » Jesús acepta lo que le da y ríe al ver que ese pedacito de hombre se lo pone en la boca.

Isaac, con los cántaros al hombro, viene de la fuente. Ve a Jesús, lo deja por tierra y grita: « ¡Oh, mi Señor! » y corre a su encuentro. « Tu Madre ha regresado a casa. Estaba en la de la cuñada. Pero ... ¿ recibiste la carta ? » pregunta.

« Por eso estoy aquí. No digas nada a Mamá por ahora. Primero voy a la casa de Alfeo. »

Isaac, prudente, no dice otra cosa que: « Te obedeceré » y carga de nuevo los cántaros y se dirige a casa.

« Ahora vamos nosotros. Vosotros amigos, nos esperaréis aquí. No me tardo. »

« ¡ Eso no ! No entraremos en la casa del luto, pero estaremos allí afuera. ¿ No es verdad ? » dice Pedro.

« Pedro tiene razón. Estaremos en la calle. Pero cerca de Tí. »

Jesús cede a la voluntad de todos. Sonríe y dice: « No me harán nada. Creedlo. No son malos. Están sólo humanamente apasionados. Vamos. »

Ya están en la calle que lleva a la casa. Ya están en los límites del huerto. Jesús va delante. Detrás Judas y Santiago. Jesús está ya en los umbrales de la cocina, y en ella, cerca de la hoguera, está María de Alfeo que llora y cocina. En un rincón Simón y José, con otros hombres, están sentados en círculo. Entre ellos está Alfeo de Sara. Están allí, silenciosos cual estatuas. ¿Será la costumbre? No sé.

« Paz en esta casa y paz al espíritu que la ha abandonado. »

La viuda da un grito y un movimiento instintivo de retirar a Jesús, de interponerse entre El y los otros. Simón y José se levantan hoscos y turbados. Pero Jesús no muestra haber caído en la cuenta de su actitud hostil. Se dirige a los dos: (Simón tiene alrededor de cincuenta años, o algo más por la cara) y les tiende las manos en actitud de amorosa invitacion. Los dos más que nunca no saben qué hacer, pero no se atreven a hacer ninguna villanía. Alfeo de Sara tiembla y se le ve el sufrimiento. Los otros están mudos, en espera de una señal.

« Simón, tu que eres ya el cabeza de familia, ¿ por qué no me das la bienvenida? Vengo a llorar contigo. Cómo hubiera querido estar con vosotros en la hora del dolor. Pero no fué mi culpa que hubiese estado lejos. No seas malo Simón. Lo debes confesar. »

El hombre parece inconmovible.

« Y tú, José, que tienes un nombre tan querido para mí ¿ por qué no aceptas mi beso ? ¿ No me permitís que llore con vosotros ? La muerte es un lazo para los afectos verdaderos. Y nosotros nos amamos. ¿ Por qué debemos ahora estar separados ? »

« Por culpa tuya, nuestro padre murió en dolores » dice con dureza José.

Y Simón: « Debías de haberte quedado. Sabías que estaba por morir. ¿ Por qué no te quedaste ? Te quería . . . »

« No habría podido hacer por él cuanto hice [1]. Vosotros lo sabéis . . . »

Simón, hombre más recto, dice: « Es verdad. Sé que viniste y que te echó fuera. Pero era un enfermo y estaba afligido. »

« Lo sé y lo dije a tu madre y a tus hermanos: " No le guardo rencor, porque comprendo su corazón ", pero sobre todos está Dios, y Dios quería ese dolor para todos. Para Mí que, creedlo, he sufrido como si me hubiesen arrancado un pedazo de carne viva; para vuestro padre, que en este sufrimiento ha logrado comprender una gran verdad que le había quedado oscura durante toda su vida; para vosotros, porque por este dolor, tenéis la manera de ofrecer un sacrificio agradable, más que el de un becerro inmolado; y para Santiago y Judas, que en formación son iguales a tí, ¡ oh Simón mío !, porque un dolor tan grande es para ellos un peso mayor y los oprime como una piedra de moler y los hace adultos de edad perfecta ante los ojos de Dios. »

« ¿ Qué verdad vió papá ? Una sola: que su sangre, en la última hora le fué enemiga » objeta con dureza José.

« No, más que la sangre es el espíritu. Comprendió el dolor de Abrahan [2] y por eso tuvo a Abrahan por ayuda! » responde Jesús.

« ¡ Si fuese verdad ! Pero ¿ quién lo asegura ? »

« Yo, Simón. Y más que Yo, la muerte de tu padre. ¿ No me buscó? Tú lo dijiste. »

« Lo dije, es verdad. Quería a Jesús, Y decía: " ¡ Al menos el espíritu no está muerto! El lo puede hacer. Lo rechacé y no vendrá. ¡Oh, muerte sin Jesús! ¡Qué horrible eres, oh muerte! ¿Por qué lo eché fuera? » decía estas cosas y añadía: " El muchas veces me preguntó: ' ¿Me voy? ' y . . . yo lo arrojé . . . ahora no viene más ". Te necesitaba. Te necesitaba. Tu Madre te mandó buscar, pero no te encontraron en Cafarnaum, y él lloraba mucho, y con las últimas fuerzas que le quedaban tomó la mano de tu Madre y quiso que estuviese cerca. No hablaba sino con fatiga, pero repetía: " La Madre es un poco del Hijo. Tengo a la Madre para tener

[1] Cfr. pág. 539, not. 2; pág. 578, not. 3.
[2] Cfr. Gén. 22, 1-19.

algo de El, porque tengo miedo a la muerte". ¡ Pobre papá ! »

Se sucede una escena oriental de gritos y actos de dolor, en la que todos toman parte. También Santiago y Judas, que se han atrevido a entrar. El más apacible es Jesús, que tan sólo llora.

« ¿ Tú lloras ? . . . ¿ entonces lo amabas ? » pregunta Simón.

« ¡Oh Simón! ¿me lo preguntas? ¿Crees que hubiera permitido este dolor, si hubiera podido? Yo estoy con el Padre, pero no soy más que el Padre [3] »

« Curas a los agonizantes, pero ¡ a él no lo curaste ! » con rencor reprocha José.

« No creía en Mí. »

« Es verdad, José » observa Simón, el hermano.

« No creía y no dejaba su rencor. No puedo nada en donde hay incredulidad y odio [4]. Por eso os digo: No odiéis más a vuestros hermanos. Aquí están. Que su aflicción no reciba el peso de vuestro rencor. Vuestra madre está más destrozada por el odio que respira, que por la muerte que en sí misma todo lo acaba, pues vuestro padre ha alcanzado la paz, porque el haberme deseado fué perdón de Dios para él. De Mí no hablo y para Mí no pido nada. Estoy en el mundo, pero no soy del mundo. El que vive dentro de Mi, me paga muy bien con lo que el mundo me niega. Sufro con mi humanidad, pero levanto el espíritu más allá de la tierra y me alegro en las cosas celestiales. ¡ Pero ellos !. . . No faltéis a la ley del amor y de la sangre. Amaos. La sangre de Santiago y Judas no os ha ofendido. Aun si hubiere sido así, perdonadlos. Ved con ojos justos las cosas y veréis que ellos son los más ofendidos, pues que no son comprendidos en la necesidad que experimenta su alma que Dios ha tomado. Y pese a ello, en ellos no existe odio, sino el deseo de amor. ¿ No es verdad, primos ? »

Judas y Santiago, a quienes la madre tiene junto a sí, asienten con su llanto.

« Simón, eres el mayor. Da el ejemplo . . . »

« Yo . . . por mí . . . pero el mundo . . . pero Tú . . .»

« ¡ Oh ! ¡ El mundo ! Olvida y cambia con cada aurora que amanece . . . y Yo ¡ Ven ! dame tu beso de hermano, Yo te amo. Lo sabes. Despójate de esas escamas que te hacen duro y que no son tuyas, sino que un extraño te las ha puesto, y es menos justo

[3] Cfr. not. 1 ant.
[4] Cfr. not. 1 ant.

que tú. Juzga siempre con tu recto corazón.»

Simón, todavía con un poco de repugnancia abre los brazos. Jesús lo lleva a sus hermanos que se besan entre llantos y lamentos.

« Ahora tú, José.»

« No. No insistas. Tengo en mi mente el dolor de mi padre.»

« Es verdad que tú lo perpetúas con ese rencor tuyo.»

« No importa. Soy fiel.»

Jesús no insiste. Se vuelve a Simón: « Ya es tarde. Si quisieseis... Nuestro corazón arde en deseos de venerar las cenizas. ¿ Dónde está Alfeo ? ¿ Dónde le habéis colocado ? »

« Detrás de la casa. Donde el olivar termina junto a la zanja. Un sepulcro digno.»

« Te ruego que me lleves ahí. María, toma alientos. Tu esposo se regocija porque ve en tu pecho a los hijos. Quedaos. Voy con Simón. ¡ Quedaos en paz ! José: Te digo lo que dije a tu padre: " No te guardo rencor. Te amo. Cuando me necesites, llámame. Vendré a llorar contigo ". Adiós.» Y Jesús sale con Simón...

Los apóstoles sacan tamaños ojos, pero ven que los dos están de buen acuerdo y se aplacan.

« ¡ Venid también vosotros ! » dice Jesús. « Son mis discípulos, Simón. También ellos quieren honrar a tu padre. Vamos.»

Se encaminan por el olivar, y todo termina.

72. La Gracia de Dios obra siempre donde hay voluntad de ser justos

(Continuación de lo anterior)

Dice Jesús:

« Como ves, Simón, menos terco, se doblegó, si no del todo, al menos en parte a la justicia con espíritu pronto; y no fue al punto mi discípulo ni mucho menos mi apóstol, como en tu ignorancia lo creíste hace más de un año [1]. Después de este encuentro

[1] Párrafo siguiente, pág. 650, nn. 7 y 8.

con ocasión de la muerte de Alfeo, se convirtió en espectador, pero no en enemigo. Protector de su madre y de la mía, cuando alguien tenía que escoltarlas y defenderlas de la burla de la gente. No tenía valor de imponerse a quienes me llamaban " loco "; pues era muy humano para avergonzarse un poco de Mí, y estaba preocupado de los peligros de toda la familia y de mi apostolado que era contrario a las sectas.

Pero ya estaba en el sendero del bien, en el que despues del Sacrificio, supo continuar, cada vez más seguro, hasta derramar su sangre por Mí. La gracia a veces obra a la manera de un rayo, a veces es muy lenta, pero siempre obra donde hay voluntad de ser justos. »

73. Jesús acogido mal en Nazaret [1]

(Escrito la tarde del 13 de febrero de 1944)

Estoy viendo un gran salón cuadrado. Digo salón, porque por lo que puedo entender es la sinagoga de Nazaret (así me lo dice quien me habla en el interior) ya que no hay otra cosa que paredes desnudas, pintadas de color amarillo y una especie de púlpito. Hay un atril alto con rollos encima. Atril o escritorio, como usted quiera llamarlo, no es otra cosa más que una tabla inclinada, levantada sobre un palo y sobre la que están alineados los rollos.

Hay gente que ora, no como oramos nosotros, sino vueltos hacia un lado con las manos separadas como un sacerdote suele tenerlas en el altar.

Hay lámparas puestas sobre el púlpito del atril.

No veo la razón de esta visión, que no cambia y se queda fija por un tiempo, pero Jesús me dice que la escriba y lo hago [2].

Desde el principio me encuentro en la sinagoga de Nazaret.

Ahora el rabí lee. Oigo la cantinela de su voz nasal, pero no entiendo las palabras que son pronunciadas en una lengua que

[1] Cfr. Lc. 4, 16-30.

[2] Entre las descripciones precedentes y la que sigue, está la " visión " que es el cap. 66, pág. 618.

ignoro. Entre la gente está también Jesús con sus primos los apóstoles y con otros que son ciertamente parientes suyos, pero a quienes no había conocido.

Después de la lectura, al rabí vuelve la mirada a la multitud en muda pregunta. Jesús se adelanta y pide poder dirigir hoy la palabra.

Oigo su hermosa voz que lee el paso de Isaías citado por el Evangelio[3]: « El Espíritu del Señor está sobre de Mí ... » y oigo el comentario que de él hace, llamándose « el portador de la Buena Nueva, de la Ley de amor que substituye el rigor de antes con la misericordia, por la que conseguirán la salvación, todos los que la culpa de Adán ha enfermado en el corazón y en la carne y por consiguiente, porque el pecado suscita siempre el vicio y el vicio también la enfermedad física. Por ella todos los que son prisioneros del espíritu del Mal obtendrán liberación. He venido a romper estas cadenas, a volver a abrir el camino del cielo, a dar luz a las almas ciegas y oído a las sordas. Ha llegado el tiempo de la gracia del Señor. Está ella entre vosotros, es la que os habla. Los Patriarcas desearon ver este día, cuya existencia la voz del Altísimo ha proclamado y cuyo tiempo predijeron los profetas[4]. Ha llegado a ellos la Voz en alas de un ministerio sobrenatural, y conocen que el alba de este día se ha levantado y que su entrada al Paraíso está ya muy cerca y se alegran con sus espíritus, que santos, no les falta otra cosa sino mi bendición para ser ciudadanos del Cielo. Vosotros estáis viendo el día, venid a la luz que se ha levantado. Despojaos de vuestras pasiones para ser ágiles en el seguimiento del Mesías. Tened la buena voluntad de creer, de mejorar, de querer la salvación y esta se os dará. Está en vuestras manos. Pero no la doy sino a quien tiene buena voluntad de poseerla. Porque sería una injuria a la gracia darla a quien quiere continuar sirviendo a Mammón. »

Un murmullo se levanta en la sinagoga. Jesús mira a su alrededor. Lee en sus rostros y corazones y prosigue: « Comprendo lo que estáis pensando. Vosotros, pues, de Nazaret, querríais un privilegio, pero no porque tengáis una gran fuerza de fe sino de egoísmo. Por lo que os digo que en verdad ningún profeta es bien mirado en su patria. Otras regiones me han acogido y me acoge-

[3] Cfr. Is. 61, 1-3; Lc. 4, 18-19.

[4] Cfr. Gén. 17; Mt. 13, 10-17; Lc. 10, 23-24; Ju. 8, 31-59; 1 Pe. 1, 10-12. Además cfr. pág. 271, not. 1; pág. 468, not. 1; pág. 473, not. 4.

rán con mayor fe, aun aquellos cuyo nombre es un escándalo entre vosotros. Allá cosecharé mis seguidores, mientras que en esta tierra nada podré hacer [5] porque me está cerrada y me es hostil. Os recuerdo a Elías y a Eliseo. El primero encontró fe en una mujer fenicia, y el segundo en un Sirio [6] y en favor de uno y otra hicieron milagros. Los que morían de hambre en Israel, no tuvieron pan para su hambre, ni limpieza porque su corazón no tenía la buena voluntad, como perla que pudiese ver el profeta. También esto sucederá de nuevo a vosotros que sois hostiles e incrédulos a la palabra de Dios. »

La multitud comienza a hacer tumulto y dice palabras injuriosas tratando de poner la mano sobre Jesús, pero los apóstoles primos: Judas, Santiago y Simón [7] lo defienden y entonces los fariseos nazarenos, arrojan fuera de la ciudad a Jesús. Lo siguen con amenazas, no solamente verbales, hasta la cima del monte. Pero Jesús se vuelve y los inmoviliza con su mirar magnético, e incólume pasa en medio de ellos, desapareciendo sendero arriba.

Veo un pequeño, un pequeñísimo poblado. Un puñado de casas. Está más alto que Nazaret, que se ve allá abajo, y distante unos pocos kilómetros. Un poblado verdaderamente miserable.

Jesús y María, sentados en una pequeña barda cerca de unas casuchas, están hablando. Tal vez es la casa de algún amigo, o de quien le da hospedaje, según las leyes de la hospitalidad oriental. Jesús se ha refugiado allí después de que lo arrojaron de Nazaret, para esperar a los apóstoles que se habían esparcido por la región mientras El estuvo con su Madre.

No están con El sino los tres apóstoles primos [8], quienes en estos momentos están en la cocina y hablan con una mujer anciana a quien Tadeo llama " madre ". Por lo que entiendo es María de Cleofás. Es una mujer más bien anciana, y reconozco que es la que estuvo con María Santísima en las bodas de Caná. Ciertamente María de Cleofás y sus hijos han ido allí para que Jesús y su Madre puedan libremente hablar.

María está afligida. Se ha enterado de lo que ha sucedido en la sinagoga y está adolorida. Jesús la consuela. María suplica a su

[5] Cfr. pág. 539, not. 2; pág. 578, not. 3.
[6] Cfr. 3 Re. 17, 7-16; 4 Re. 5; Lc. 4, 25-27.
[7] Cfr. cap. ant.
[8] Como not. 7 ant.

Hijo que se aleje de Nazaret, donde todos están en contra suya, aun los parientes que lo tienen por un loco deseoso de suscitar rencores y disputas.

Una sonrisa se dibuja en los labios de Jesús. Parece como si dijese: « ¡No faltaba más! No te preocupes. » Pero María insiste. El Hijo responde: « Mamá, si el Hijo del Hombre tuviese que ir únicamente a donde le aman, debería de dejar la tierra e irse al Cielo. Dondequiera tengo enemigos, porque la Verdad es odiada y Yo soy la Verdad. Pero no he venido a encontrar un amor fácil. He venido para hacer la voluntad del Padre y redimir al Hombre. El amor eres Tú, Mamá, amor que me compensa de todo. Tú y esta pequeña grey que diariamente aumenta con alguna ovejita que arranco de los lobos de las pasiones y llevo al redil de Dios. Lo demás es un deber. He venido para cumplir ese deber y debo complirlo aún cuando me parta en pedazos contra las piedras de los durísimos corazones que se oponen al bien ¡Antes bien, cuando haya caído bañando con mi sangre los corazones, los suavizaré estampando y anulando al Enemigo. Mamá, para esto bajé del Cielo. No puedo sino desear que se cumpla. »

« ¡Oh! ¡Hijo! ¡Hijo mío! » María tiene la voz destrozada. Jesús la acaricia. Noto que María tiene sobre la cabeza además del velo, el manto. Más que nunca está velada cual sacerdotisa.

« Me ausentaré por algún tiempo para contentarte. Cuando esté cerca te mandaré avisar. »

« Manda a Juan. Me parece ver un poco de Tí al verlo a él. También su madre está preocupada por Tí y por mí. Ella espera, es verdad, un puesto de privilegio para sus hijos. Hablará de ello contigo. Pero está entregada a Tí sinceramente. Y cuando se vea libre de su fragilidad humana, que fermenta en ella y en sus hijos, como en otros, como en todos, Hijo mío, será grande en la fe. Es doloroso que todos esperen de Tí un bien humano, un bien que aunque no sea humano, es egoísta. Es el pecado en ellos y su concupiscencia. Aun no ha venido la hora bendita y *temida,* aunque el amor de Dios y del hombre me la hacen desear, en que anularás el pecado. ¡Oh! ¡Aquella hora! ¡Cómo tiembla el corazón de tu Madre por ella! ¿Qué te harán, Hijo? ¿Hijo Redentor, de cuyo martirio tan grande hablan los Profetas?[9] »

« No te preocupes, Mamá. Dios te ayudará en esa hora. Dios me

[9] Cfr. por ej. Is. 61; Sal. 21, etc.

ayudará y te ayudará y despues será la paz. Te lo digo de una vez. Ahora vete que el atardecer está pronto y largo el camino. Te bendigo. »

74. Jesús con su Madre en casa de Juana de Cusa

(Escrito el 13 de febrero de 1945)

Veo que Jesús se encamina a la casa de Cusa. Cuando el portero ve quién es el que va llegando, da un grito de alegría que retumba por toda la casa. Jesús entra sonriente y bendiciendo.

Juana corre del jardín ahora en flor, a precipitarse a besar los pies del Maestro. Viene también Cusa, que profundamente se inclina y besa la orla del vestido de Jesús.

Cusa es un tipo como de unos cuarenta años, no muy alto, pero recio, cabello negro entre los que se ve uno que otro hilo de plata sobre sus sienes, ojos vivos y oscuros, color pálido y barba cuadrada, negra y bien cuidada.

Juana es más alta que su marido. De su pasada enfermedad no conserva sino una acentuada delgadez, que no es la antigua que le hacía parecer como esqueleto. Parece una sutil y flexible palma que remata en la hermosa cabecita de ojos negros, profundos y dulcísimos. Sus negrísimos cabellos los tiene graciosamente peinados. La frente lisa y alta da la impresión de ser más blanca bajo aquellos cabellos, y la pequeña boca bien dibujada, sobresale con su color rojo entre las mejillas de un color pálido y fino, como lo tienen ciertas camelias.

Es una mujer bellíssima... es la que da la bolsa a Longinos en el Calvario. Entonces era la mujer que lloraba, deshecha y toda velada. Aquí sonríe y tiene la cabeza descubierta. Pero es ella.

« ¿A qué debo la alegría de tener a mi huésped? » pregunta Cusa.

« A que tengo necesidad de estar un poco, mientras espero a mi Madre. Vengo de Nazaret... y debo traer a mi Madre por algún tiempo. Iré a Cafarnaum con Ella. »

« ¿ No se queda conmigo ? No soy digna, pero... » dice Juana.

« Lo eres mucho, pero mi Madre trae consigo a su cuñada, viuda hace unos cuántos días. »

« La casa es grande para poder hospedar a más de uno. Me has dado tanta alegría que todo me parece mínimo por Tí. Ordena, Señor. Tú que alejaste la muerte de este hogar y le has devuelto mi rosa tan bella y floreciente » dice Cusa apoyando la petición de su mujer, a quien parece amar mucho. Lo colijo por la forma como la mira.

« No ordeno, sino acepto. Mi Madre está cansada y ha sufrido mucho en estos últimos tiempos. Teme por Mí y quiero mostrarle que hay alguien que me ama. »

« ¡Oh! ¡Entonces traela aquí! ¡La amaré como hija y como esclava! » dice Juana de Cusa.

Jesús asiente. Cusa va al punto a dar órdenes pertinentes y mientras la visión se desdobla, dejo a Jesús en el espléndido jardín oyendo hablar a Cusa y a su mujer. Yo me separo y veo que un carro veloz y cómodo llega a Nazaret, en el que Jonatás ha ido a traer a María.

Naturalmente, la ciudad se pone en alarma por el hecho. Y cuando María y la cuñada, atendidas como dos reinas por Jonás, suben al carro, después de haber confiado a Alfeo de Sara las llaves de la casa, la confusión crece. El carro parte, mientras Alfeo se venga de lo que villanamente hicieron a Jesús en la sinagoga con estas palabras: « ¡Los samaritanos son mejores que nosotros! ¿Veis cómo uno de los de Herodes venera a la Madre de El? . . . ¡ Y nosotros ! Me da vergüenza ser nazareno. »

Hay un verdadero tumulto entre los dos bandos. Hay quien defeccione del partido contrario para ir con Alfeo y preguntarle miles de cosas.

« Pero claro » responde Alfeo, « son huéspedes en la casa del Procurador. Oisteis lo que dijo su mayordomo: " Mi patrón te suplica que honres su hogar " . . . ¿Honrar, entendéis? Y es el rico y poderoso Cusa, y la mujer es una princesa real. ¡Honrar! y nosotros, más bien, vosotros, lo habéis apedreado. ¡ Qué vergüenza! »

Los nazaretanos no le contestan y Alfeo se envalentona. « ¡Teniendo a El se tiene todo! y no es necesario el apoyo humano. Pero ¿ os parece inútil tener a Cusa como amigo? ¿Os parece bien que él os desprecie? Es el Procurador del Tetrarca . . . ¿sabéis? ¡No decís nada! ¡Sed, sed los samaritanos con el Mesías! Os atraeréis el odio de los grandes. Y entonces . . . ¡Oh! ¡Entonces os querré ver! ¡Sin auxilio del Cielo y sin ayuda de la tierra! ¡Estúpidos! ¡Perversos! ¡Incrédulos! » La granizada de injurias y más injurias continúa, mientras los nazaretanos, se van yendo mudos cual perros apaleados. Alfeo queda sólo como un arcángel vengador a la entrada de la casa de María...

...Ya es muy avanzada la noche, el magnífico camino que va por el lago aparece y en él el carro de Jonatás tirado de robustos caballos. Los siervos de Cusa que hacen de centinelas a la puerta, dan la señal y corren con las lámparas, aumentando la claridad de la luna.

Juana y Cusa acuden luego. También se deja ver sonriente Jesús y detrás suyo el grupo apostólico. Cuando María baja, Juana se postra hasta el suelo y la saluda: « Preces a la Flor de estirpe real. ¡Alabanza y bendiciones a la Madre del Verbo Salvador! » y Cusa hace una inclinación, que más profunda no la haría ante Herodes y dice: « Bendita la hora que te condujo a mi casa. Bendita tú, Madre de Jesús. »

María, dulce y humildemente responde: « Bendito nuestro Salvador, y benditos los buenos que aman a mi Hijo. »

Entran todos en casa, acogidos con las más vivas señales de obsequio. Juana tiene por la mano a María y sonriendo dice: « Me permitirás que yo te sirva ¿ no es verdad ? »

« No a mí. A El, siempre a El sírvele y ámelo y me habréis dado todo. El mundo no lo ama... ese es mi dolor. »

« ¡Lo sé! ¿Por qué una parte del mundo no lo ama y la otra estaría dispuesta a dar su vida por El ? »

« Porque es la señal de contradicción para muchos. Porque El es el fuego que purifica el metal. El oro queda limpio. Caen las escorias al fondo y se les arroja afuera. Esto se me dijo desde que El era un pequeñín[1]... y no pasa día en que la profecía no se cumpla... »

« No llores, María. Lo amarenos y defenderemos » dice Juana por consolarla.

El llanto silencioso de María continúa y que sólo Juana ve, pues ambas están sentadas juntas en un rincón semioscuro.

Todo termina.

[1] Cfr. Lc. 2, 33-35.

75. Jesús en la vendimia en la casa de Anna. Milagro en el niño paralítico

(Escrito el 14 de febrero de 1945)

En todas las campiñas de Galilea, el alegre trabajo de la vendimia ha comenzado. Los hombres, subidos en altas escaleras parece como si estuviesen colgando de los terrados y viñedos; las mujeres en la cabeza llevan los cestos cargados como de oro y rubíes a donde están pisando las uvas. Cantos, risotadas, chanzas vuelan de colina en colina, de huerto en huerto, juntamente con el olor del mosto y el zumbar de abejas que parecen ebrias y que veloces y danzarinas van a los ramos de uvas que todavía les quedan algunas, a los cestos y cubas donde se pierden los pedazos de uva que tanto buscan, entre el espeso jugo de mosto. Los niños manchados con el mismo jugo parecen una parvada de golondrinas que van por la hierba, por los atajos y por las calles.

Jesús se dirige a un poblado que está cerca del lago y que aunque es una llanura, parece una cañada entre dos cadenas de montes que van hacia el sur. Está bien regada porque un río (tal vez sea el Jordán) la atraviesa. Jesús pasa por el camino principal y lo saludan con el grito de: « ¡Rabí! ¡Rabí! » y El pasa bendiciendo.

Antes de llegar al poblado hay una rica propiedad, a cuya entrada hay dos ancianos esposos que esperan al Maestro.

« Entra. Cuando termine el trabajo, todos vendrán aquí para oirte. ¡ Cuánta alegría me das ! Parte de Tí como la linfa por los ramos de uvas y se convierte en vino de alegría de los corazones. ¿ Es aquella tu Madre ? » pregunta el dueño de la casa.

« Es Ella. Os la he traído porque ahora también se encuentra en el ejército de mis discípulos. El último soldado en orden de leva, el primero en orden de fidelidad. Es el apóstol. Me predicó desde antes que Yo naciese . . . Madre: ven. Un día, en los primeros tiempos en que Yo evangelizaba, esta madre hizo que no te extrañase, se portó tan dulce para tu cansado Hijo. »

« El Señor te dé gracia, mujer buena. »

« Tengo gracia porque tengo al Mesías y a tì. Ven. La casa está fresca y tranquila. Podrás descansar. Estarás cansada. »

« No me cansa otra cosa que el odio del mundo. Pero seguirlo y oirlo ha sido mi deseo desde mi más lejana infancia. »

« ¿ Sabías que serías la Madre del Mesías ? »

« ¡Oh! ¡No! [1] Sólo tenía esperanza de vivir para oirlo y poder servirle y ser la última entre sus evangelizados, ¡pero fiel! ¡Oh! . . . ¡ fiel ! »

« Lo oyes y le sirves y eres la primera. También yo soy madre y tengo hijos sabios. Cuando los oigo hablar, mi corazón se hinche de orgullo. ¿ Tú qué experimentas al oirlo ? »

« Un suave éxtasis. Me sumerjo en mi nada y la Bondad, que es El mismo, me levanta consigo. Entonces contemplo con sencilla mirada la Verdad eterna, y ella se hace carne y sangre de mi espíritu. »

« ¡Bendito el corazón tuyo! Es puro y por esto comprende de este modo al Verbo. Nosotros somos más duros, porque estamos llenos de culpas . . . »

« De buena gana daría mi corazón a todos por este motivo; porque el amor os fuese luz de inteligencia. Porque creedlo, es el Amor y yo soy la Madre y en mí es natural el amor, el cual hace fácil cualquier empresa. »

Las dos mujeres continúan hablando entre sí, la anciana con la joven Madre de mi Señor, mientras tanto que Jesús habla con el dueño acerca de las cubas donde los vendimiadores echan racimos y racimos. Los apóstoles sentados bajo el terrado de un jazmín, comen con buen apetito uvas y pan.

El día va llegando a su atardecer, el trabajo poco a poco termina. Los trabajadores se encuentran casi todos en el amplio patio, donde se percibe un fuerte olor a uvas pisadas. De otras casas cercanas vienen también trabajadores.

Jesús sube una escalera que lleva al lado de un pórtico, bajo el cual hay sacos de mercancías e instrumentos agrícolas. ¡Cómo sonríe Jesús al subir esos pocos escalones! Lo veo sonreír entre sus rubios cabellos que se mueven a la caricia de la brisa de la tarde. Querría saber por qué su sonrisa está tan iluminada. Su alegría entra en mi corazón, que hoy ha estado muy triste y lo consuela, como el vino del que hablaba el dueño de la casa.

Se vuelve, se sienta en el último escalón que se convierte en púlpito para los afortunados oyentes, o sea para los dueños de la casa, para los apóstoles y para María, que siempre humilde, ni siquiera había tratado de subir a aquel lugar de honor, si no la

[1] Cfr. pág. 58 not. 3.

hubiera llevado allí la dueña de la casa. Está sentada un escalón más abajo que Jesús, de modo que su rubia cabeza está a la altura de las rodillas del Hijo, y sentándose de lado puede mirar en la cara, con su mirada de paloma enamorada. El suave perfil de María resalta claro como el mármol contra el muro oscuro del pórtico.

Más abajo están los apóstoles y los dueños de la casa. En el patio los trabajadores, unos están de pie, otros sentados por tierra, otros subidos en los barriles, o bajo las ramas de las higueras que hay en los cuatro ángulos del patio.

Jesús habla lentamente, metiendo la mano en un saco grande de semillas, que está a espaldas de María; parece que juega con los granos y que los acaricia con placer, mientras que con la derecha con solemnidad gesticula.

« Se me dijo: " Ven, Jesús, a bendecir el trabajo del hombre " y vine. En nombre de Dios lo bendigo. Porque cualquier trabajo honrado merece la bendición del Dios eterno. Pero lo he dicho: la primera fuerza para obtener bendiciones de Dios es ser honrados en todas las cosas.

Veamos ahora juntos cuánto y cómo las acciones son honradas. Lo son cuando al realizarse se tiene presente en el corazón al eterno Dios. ¿Podría un hombre pecar si se dijera: " Dios me mira. Dios tiene puestos sus ojos en mí y no se le escapa nada de mis acciones "? ¡ No ! No puede, porque el pensamiento de Dios es un pensamiento saludable, y refrena al hombre de pecar, más que cualquier amenaza humana. Pero . . . ¿ debe solamente temerse al eterno Dios ? No. Escuchad. Se dijo: " Teme al Señor Dios tuyo " [2]. Y los Patriarcas temblaron, temblaron también los Profetas cuando se apareció a sus espíritus el rostro de Dios o un angel del Señor [3]. Y en realidad en tiempo de la ira divina, la aparición sobrenatural debió hacer temblar los corazones. ¿ Quién hay, que aunque puro como un infante, no tiemble ante el Poderoso, ante cuyo fulgor eterno están siempre en adoración los ángeles, prontos en el aleluya del Paraíso? El fulgor irresistible de un Angel Dios lo suaviza con un velo piadoso, para permitir al ojo humano de que le vea sin que se le queme la pupila

[2] Cfr. por ej. Lev. 19, 14 y 32; 25, 17 y 36; Dt. 6, 13; 10, 12 y 20.

[3] Cfr. por ej. Gén. 17, 1-4; 32, 25-31; Ex. 3, 1-6; 33, 18-23; Dt. 18, 16; Jue. 6, 11-24; 13, 8-25; 3 Re. 19, 9-18; Is. 6, 1-5; Dan. 8, 15-27; 10, 1-19. Sería, sin embargo, un error pensar que en el Antiguo Testamento prevaleció el temor o el error. Cfr. por ej. Ex. 33, 11; Núm. 12, 7-8; Dt. 34, 10.

y la mente. ¿Qué significará entonces ver a Dios?

Pero esto mientras dura la ira. Cuando viene la paz y el Dios de Israel dice: "Yo lo he jurado, y mantengo mi pacto. Ved que lo envío, y soy Yo, aun cuando Yo no soy, sino mi Palabra que se hace carne para la Redención" entonces en lugar de temor debe entrar el amor, y sólo el amor que se da al Dios eterno va acompañado de alegría porque la era de la paz entre Dios y el hombre ha venido a la tierra. Cuando los primeros vientos de primavera esparcen el polen de las flores de la viña, el agricultor todavía tiene que temer ya que puede haber peligro de parte del temporal y de los insectos. Pero cuando llega la alegre hora de la vendimia, entonces todo temor cesa y el corazón se regocija con la certeza de la cosecha.

Ha venido como estaba anunciado por la palabra de los Profetas: El Retoño de la estirpe de Yessé [4]. Ahora está entre vosotros. Opimo racimo que trae consigo el jugo de la Sabiduría eterna y que no quiere sino que se le cultive y se le exprima para ser vino de los hombres. Pero ¡ay de aquellos, que habiendo tenido al alcance este vino lo hayan rechazado, y tres veces! ¡Ay de aquellos que después de haberse alimentado con él, lo hayan arrojado o mezclado en su interior con alimentos de Mammón.

Ahora regreso a lo que al principio dije: La primera fuerza para tener la bendición de Dios, sea en obras del espíritu como en las humanas, es la bondad del propósito. Es honrado el que dice: "Sigo la Ley no porque me alaben los hombres, sino por ser fiel a Dios". Es honrado el que dice: "Sigo al Mesías no por los milagros que hace, sino por los consejos que me da de vida eterna". Es honrado el que dice: "Trabajo no por amor al lucro, sino porque también el trabajo ha sido impuesto por Dios como medio de santificación por su valor que forma, que preserva y que eleva. Trabajo para poder ayudar a mi prójimo. Trabajo para poder hacer resplandecer los prodigios de Dios, el cual de un granito hace una espiga y de una semilla de uva, una parra; de un grano una planta, y de mí, hombre que nada valgo y a quien trajo de la nada porque quiso, hace un instrumento suyo en la obra incansable de las mieses, vides, frutos, como de poblar la tierra de hombres".

Hay quienes trabajan como bestias de carga, y que no tienen

[4] Cfr. Is. 11, 1-12.

otra religión más que esta: Aumentar sus riquezas. ¿Muere a su lado el compañero más desgraciado, de agotamiento y de fatiga? ¿Mueren de hambre los hijos de este miserable? ¡Qué importa eso al ávido acumulador de riquezas!

Hay otros todavía más duros que no trabajan, peró hacen trabajar, y acumulan riquezas con el sudor de los demás. Hay otros todavía que despilfarran los bienes que maliciosamente fertilizan con la fatiga de otros. En verdad para estos el trabajo no es honrado. Y no digáis: "Y sin embargo Dios los protege". No, no los protege. Tendrán hoy una hora de triunfo, pero pronto el rigor divino los castigará y les hará recordar en el tiempo y en la eternidad el precepto. "Yo soy el Señor Dios tuyo. Amame sobre todas las cosas y ama a tu prójimo como a tí mismo!"[5]. ¡Oh! Que en ese entonces, si estas palabras suenan para siempre, serán más terribles que los rayos del Sinai[6]. Muchas, pero muchas palabras se os han dicho. Yo os digo las siguientes: "Amad a Dios, amad al prójimo".

Ellas son como el trabajo que en primavera se hace alrededor de la viña y que la hace fecunda. El amor de Dios y del prójimo es como el rastrillo que limpia el suelo de las hierbas nocivas del egoísmo y de las malas pasiones; es como el azadón que excava alrededor de la planta para que esté lejos del contacto de hierbas parásitas y se nutra de aguas frescas que lo rieguen; es como la podadera que quita lo superfluo, para que se acumule el vigor y lo encauce a donde dé fruto; es el lazo que amarra y sostiene al robusto palo, es en fin el sol que madura los frutos del buen querer y los convierte en frutos de vida eterna. Alégrense ahora porque el año fué bueno y fueron ricas las mieses y óptima la vendimia. Pero en verdad os digo que este vuestro júbilo es menor que el más pequeño grano de arena respecto al júbilo sin medida que será vuestro cuando el Padre eterno os diga: "Venid, fecundos ramos injertados en la vid verdadera. Fuisteis dóciles en todo aun en lo penoso con la condición de dar mucho fruto, y ahora venid a Mí cargados de dulce jugo de amor por Mí y por el prójimo. Floreced en mis jardines por toda la eternidad".

Tended a esa alegría eterna. Perseguid ese fin con fidelidad, bendecid con agradecimiento al Eterno que os ayuda a obtenerlo. Bendecidlo por la gracia de su Palabra, y bendecidlo por la

[5] Cfr. Dt. 6, 4-9; Lev. 19, 18.
[6] Cfr. Ex. 19, 16; 20, 21.

buena cosecha. Amad con gratitud al Señor y no temais. Dios da el ciento por uno a quien le ama. »

Jesús ha terminado, pero todos gritan: « ¡Bendícenos! ¡Venga tu bendición sobre nosotros! »

Jesús se pone de pié, abre los brazos y en voz alta dice: « El Señor os bendiga y os guarde, os muestre su rostro y tenga piedad de vosotros; el Señor vuelva su rostro sobre vosotros y os de la paz. El nombre del Señor sea en vuestros corazones, en vuestras casas y en vuestros campos[7]. »

La multitud, le pequeña multitud reunida ahí, da gritos de alegría y de aclamaciones al Mesías. Luego se calla y se abre para dar paso a una madre que trae en brazos a un niño paralítico como de unos diez años, lo pone al pie de la escalera, como si se lo ofreciese a Jesús.

« Es una sierva mía. Su hijo se cayó el año pasado de lo alto de la terraza y se le despedazaron los riñones. Por toda su vida estará recostado sobre su espalda » explica el dueño de la casa.

« Ha esperado en Tí durante estos meses... » añade la dueña.

« Dile que venga a Mí. »

Pero la mujer está tan emocionada que parece paralizada. Tiembla toda, se tropieza con su largo vestido al subir los escalones, con su hijo en los brazos.

María, compasiva, se pone en pie y va a su encuentro. « Ven, no temas. Mi Hijo te ama. Dame el tuyo. Subirás mejor. Ven, hija. Yo también soy madre » y le toma el niño, al que dulcemente sonríe y en brazos lo sube. La madre del niño le sigue detrás, llorando.

María está ante Jesús. Se arrodilla y dice: « ¡ Hijo ! ¡ Por esta madre ! » No dice más.

Jesús no pregunta lo que suele siempre preguntar, esto es: « ¿Qué quieres que te haga? ¿Crees que lo pueda hacer? » No, hoy sonríe y dice: « Mujer, ven aquí. »

La mujer se acerca a María. Jesús pone una mano en la cabeza y sólo le dice: « Alégrate » y todavía no ha terminado de decir la palabra, cuando el niño que con todo su peso estaba en los brazos de María y con sus piernas tiesas, se sienta de golpe y con un grito de regocijo, busca refugio en el seno materno llamándola: « ¡ Mamá ! »

[7] Cfr. Núm. 6, 22-27. Una fórmula de bendición que Dios inspiró a Moisés para que con ella bendijese al pueblo.

Los gritos de hosanna parece como si quisieran penetrar en el rojo crepúsculo del cielo. La mujer estrechando a su hijo contra el pecho, no sabe qué decir y al fin pregunta: « qué cosa debo hacer para decirte que soy feliz? »

Y Jesús acariciándola una vez más, responde: « Ser buena, amar a Dios, al prójimo y educar a tu hijo en ese amor. »

Pero la mujer no queda satisfecha. Quisiera... quisiera... y al fin se resuelve: « Un beso tuyo y de tu Madre para mi hijo. »

Jesús se inclina y lo besa, también María. Y mientras la mujer, feliz se va en medio de tantos amigos que aclaman, Jesús dice a la dueña de la casa: « No fué necesaria otra cosa. El niño estaba en los brazos de mi Madre. Aun cuando no hubiera dicho nada, lo hubiera curado porque ella es feliz cuando puede remediar una aflicción y *Yo quiero hacerla feliz.* »

Y entre Jesús y María se cruzan una de esas miradas que solo quien las ha visto, puede entenderlas. Son tan significativas.

76. Jesús va a casa de Doras. Muerte de Jonás

(Escrito el 15 de febrero de 1945)

Vuelvo a ver la llanura de Esdrelón, es de día pero un día seminublado de fines de otoño. Debió de haber llovido por la noche; una de las primeras melancólicas lluvias de los meses invernales, porque la tierra está húmeda aunque no lodosa. Todavía sopla el viento, un viento que arranca las amarillentas hojas y penetra en los huesos con su humedad.

Son escasas las yuntas de bueyes para hacer la fatigosa tarea de revolver la pesada tierra de esta fértil llanura, para prepararla para cuando comience la siembra. Y lo que más me duele es ver que en algunos lugares son los mismos hombres los que hacen el trabajo de los bueyes, jalando el arado con todas las fuerzas de sus brazos, y hasta con el pecho, apuntalando los pies en el suelo ya flojo y cual esclavos trabajan penosamente en lo que hasta los fuertes toros se cansan.

También Jesús ve y contempla. La tristeza se ve en su rostro bañado de lágrimas. Los discípulos: once, porque Judas está todavía ausente y los pastores ya no están, hablan entre sí y Pedro dice: « Pequeña, pobre y fatigosa también es la barca . . . ¡pero cien veces mejor que este trabajo de bestias de tiro! » y luego pregunta: « Maestro ¿ serán ya los siervos de Doras? »

Simón Zelote responde: « No creo; sus campos están mas allá de aquellos árboles frutales. Todavía no los vemos. »

Mas Pedro, siempre curioso, se separa del camino y se va por una vereda entre los dos campos. Sobre los bordes se han sentado por un momento cuatro flacos y sudados campesinos. Respiran fatigosamente. Pedro les pregunta: « ¿ Sois de Doras ? »

« No, somos de su pariente, de Yocana. Y tú, ¿ quién eres ? »

« Soy Simón de Jonás, pescador de Galilea hasta la luna de Ziv, ahora soy Pedro de Jesús de Nazaret, el Mesías de la Buena Nueva. » Pedro dice gustoso y con el orgullo de alguien que dijera: « Pertenezco al alto y divino César de Roma » y mucho más. Su honrada cara resplandece de alegría al decir que es de Jesús.

« ¡Oh! ¡El Mesías! ¿Dónde?, ¿dónde está? » preguntan los cuatro infelices.

« Es aquel. Aquel alto y rubio, vestido de rojo oscuro. El que está ahora mirando hacia aquí y que sonríe porque está esperándome. »

« ¡ Oh ! . . . Si fuésemos a El . . . ¿ nos arrojaría ? »

« ¿Arrojaros?. . . ¿Por qué? Es el amigo de los infelices, de los pobres, de los oprimidos, y me parece que vosotros . . . pertenecéis a estos . . . »

« ¡Oh! ¡que si lo somos! Pero jamás como los de Doras. Al menos tenemos pan suficiente y no se nos apalea a no ser que dejemos el trabajo, pero . . . »

« Quieres decir que si el hermoso señorito de Yocana os encontrase aquí hablando, os . . . »

« Nos apalearía, como no apalea a sus perros . . . »

Pedro da un silbido significativo. Luego dice: « Ahora es mejor hacer así . . . » y poniendo sus manos en la boca a modo de embudo, grita fuerte: « Maestro, ven aquí. Hay corazones que sufren y te quieren. »

« Pero ¿que estás diciendo? ¡El! ¡Si nosotros somos siervos sin ningún valor! » Los cuatro están aterrorizados de tanto atrevimiento.

« Las apaleadas no son algo agradables, y si se asoma ese hermoso fariseo, yo no querría participar de ellas . . . » ríe Pedro sacudiendo con una de sus manotas al más aterrorizado de los cuatro.

Jesús con su largo paso va hasta allí. Los cuatro no saben que hacer. Querrían ir a su encuentro, pero el respeto los paraliza. Pobres seres a quienes la perversidad humana ha atemorizado. Caen al suelo adorando desde ahí al Mesías que se acerca.

« La paz a todos los que me desean. Quien me desea tiene deseo del bien y Yo lo amo como a un amigo. Levantaos. ¿Quiénes sois? »

Los cuatro apenas si quieren levantar la cara del suelo y siguen de rodillas, mudos.

Pedro habla: « Son cuatro siervos del fariseo Yocana, pariente de Doras. Querrían hablarte, pero... si llega él, serán apaleados y por eso te dije: " ¡Ven! " ¡Ea, muchachos! ¡No os come! Tened confianza. Tomadlo como a un amigo vuestro. »

« Nosotros... nosotros te conocemos... lo decía Jonás... »

« Vengo por él. Sé que me ha anunciado. ¿Qué sabéis de Mí? »

« Que eres el Mesías. Que te vió cuando eras pequeñito, que los ángeles cantaron paz a los buenos cuando Tú llegaste, que fuiste perseguido... pero que te salvaste, y ahora has buscado a tus pastores... y que los amas. Estas últimas cosas las decía ahora. Y nosotros pensábamos: Si es tan bueno de amar y buscar a los pastores, ciertamente nos podrá querer también a nosotros aunque sea un poco... Tenemos mucha necesidad de que alguien nos ame... »

« Os amo. ¿ Sufrís mucho ? »

« ¡Oh!... Pero los de Doras, peor. ¡Si Yocana nos encontrase hablando!... Pero hoy está en Gerguesa. Todavía no ha regresado de los Tabernáculos. Su mayordomo nos dará esta noche de comer según el trabajo hecho. ¡ No importa ! Recuperaremos el tiempo con no descansar en la comida de la hora de la siesta. »

« Dí, muchacho. ¿No sería yo capaz de jalar ese arado? ¿Es un trabajo difícil? » pregunta Pedro.

« Difícil no, pero fatigoso. Requiere fuerza. »

« Fuerzas tengo. Déjame ver. Si logro, mientras tu hablas, yo la hago de buey. Tú Juan, Andrés y Santiago... adelante a la lección. Pasemos de los peces a los gusanos de la tierra. ¡Ea! » Pedro pone su mano en el eje que atraviesa el timón. En cada arado hay dos hombres, uno de cada lado de la larga esteva. Mira e imita todos los movimientos del campesino. Fuerte como es, y reposado, trabaja bien y el otro lo alaba.

« Soy un maestro en arar » exclama contento el buen Pedro. « ¡Ea, Juan! Ven aquí. Un toro y un becerro por arado. En el otro, Santiago y el toro mudo de mi hermano. ¡Animo! . . . ¡Eh! ¡ahora! » y el par de arados, empiezan a revolver la tierra y a hacer el surco a través del largo campo; y al llegar al límite, voltean el arado y hacen otro surco. Parece como si hubiesen trabajado siempre de campesinos.

« ¡ Qué buenos son tus amigos ! » dice el más valeroso de los siervos de Yocana. « ¿Tú los hiciste? »

« He dado una regla a su bondad. Como tú haces con las tijeras de podar. La bondad existía en ellos. Ahora florece bien, porque hay quien cuide de ella. »

« Son también humildes. Amigos tuyos y ayudar ¡así a pobres siervos! »

« Conmigo no pueden estar sino los que aman la humildad, la mansedumbre, la continencia, la honradez y el amor, sobre todo el amor. Porque quien ama a Dios y al prójimo tiene por lo tanto todas las virtudes y conquista el cielo. »

« ¿Podremos también nosotros conseguirlo, nosotros que no tenemos tiempo de orar, de ir al Templo, ni siquiera de levantar la cabeza del surco? »

« Responded. ¿existe en vosotros rebelión, y reprocháis a Dios por haberos puesto entre los últimos de la tierra? »

« ¡Oh, no, Maestro! Es nuestra suerte. Cuando cansados nos echamos en la cama, decimos: " ¡ Y bien !, el Dios de Abraham sabe que estamos tan exhaustos que no podemos decirle más que: 'Bendito seas, Señor' " y agregamos: " También hoy hemos vivido sin cometer pecado " . . . Sabes . . . podríamos robar un poquito, comer el pan con frutas, o echar aceite en las hierbas molidas. Pero el amo dijo: " A los siervos basta el pan y las hierbas cocidas, y en tiempo de la mies un poco de vinagre para templar la sed y proporcionar vigor ". y . . . así lo hacemos. En fin . . . se podría estar peor. »

« Yo en verdad os digo, que el Dios de Abraham sonríe al ver vuestros corazones, mientras su rostro es severo con quienes lo insultan en el Templo con mentirosas plegarias, porque no aman a sus semejantes. »

« ¡Oh! ¡Pero entre sí se aman! Al menos, parece ser así porque se veneran mutuamente con regalos e inclinaciones. A nosotros es a quienes no aman. Somos diferentes a ellos, y es justo. »

« No. En el reino de mi Padre no es justo. Diversa será la manera de juzgar. No los ricos y poderosos, porque lo sean, tendrán honras, sino los que habrán siempre amado a Dios sobre sí mismos y sobre cualquier otra cosa como dinero, poder, mujer y mesa; y amado a sus semejantes que son *todos* los hombres, ricos o pobres, famosos o desconocidos, doctos o sin cultura, buenos o malvados. Sí, también es necesario amar a los malvados. No porque lo sean sino por compasión de su pobre alma que han herido de muerte. Es menester amarlos con un amor que pida al Padre celestial que los cure y redima. En el reino de los cielos serán bienaventurados los que habrán honrado al Señor con verdad y justicia, y amado a sus padres y parientes con respeto; los que no habrán robado de ninguna manera cosa alguna, en otras palabras, los que habrán dado y pretendido lo justo, también en el trabajo de sus siervos. Los que no habrán destruído ni reputación ni persona y no habrán tenido deseo de matar, aun cuando los modales de los otros sean tan crueles que soliviantan el corazón al desprecio y a la rebelión; los que no habrán jurado en falso, dañando al prójimo y a la verdad; los que no habrán cometido adulterio o cualquier vicio carnal; los que mansos y resignados habrán siempre aceptado su suerte sin envidiar a los demás. De estos es el reino de los Cielos, y aun el mendigo puede ser allá arriba un rey feliz, mientras el Tetrarca con su poder será un poco menos que nada, mejor dicho más que nada: Será pasto de Mammón si hubiere obrado contra la ley eterna del Decálogo [1]. »

Los hombres tienen la boca abierta al oirlo. Cerca de Jesús están Bartolomé, Mateo, Simón, Felipe, Tomás, Santiago y Judas Alfeo. Los otros cuatro continúan su trabajo, colorados, acalorizados, pero alegres. Pedro es suficiente para tener a todos alegres.

« ¡Oh! Cuánta razón tenía Jonás en llamarte: " Santo " Todo en Tí es santo; las palabras, la mirada, la sonrisa... Jamás habíamos experimentado en el alma, así... »

« ¿ Hace mucho que no véis a Jonás ? »

« Desde que está enfermo. »

« ¿ Enfermo ? »

« Sí, Maestro. No puede más. Antes se podía arrastrar, pero después de las labores del verano y de la vendimia no puede

[1] Cfr. Ex. 20, 1-21; Dt. 5, 1-22.

estar ya en pie. Y con todo... ese lo hace trabajar... ¡Oh! Tú dices que es menester amar a todos. ¡Pero es muy difícil amar a las hienas! Y Doras es peor que una hiena. »

« Jonás lo ama... »

« Sí, Maestro. Y yo digo que es santo, como los que por su fidelidad al Señor Dios fueron martirizados. »

« Has dicho bien. ¿ Cómo te llamas ? »

« Miqueas y este Saulo, este Joel y este Isaías. »

« Recordaré al Padre vuestros nombres. ¿ Decís que Jonás está muy enfermo? »

« Sí. Apenas termina el trabajo se echa sobre su jergón de paja y no lo vemos más. Nos lo dicen los otros siervos de Doras. »

« ¿ Está en el trabajo a esta hora ? »

« Si puede estar en pie, sí. Entonces estará más allá de aquel manzanar. »

« ¿ Tuvo buena cosecha Doras ? »

« ¡ Oh ! Célebre en toda la región. Fueron apuntalados los árboles, por el tamaño tan grande, tan milagroso y Doras tuvo que construir nuevas cubas, porque en las antiguas no hubiera cabido la uva. ¡ Era tanta ! »

« Entonces Doras debió de haber premiado a su siervo. »

« ¡ Premiado ! ¡ Oh ! ¡ Señor, qué mal lo conoces ! »

« Jonás me dijo que hace años lo golpearon hasta medio matarlo porque se perdieron algunos racimos de uvas y que por deudas se convirtió en esclavo, al haberlo acusado el amo por la pequeña pérdida. Este año que tuvo una cosecha milagrosa, debía de haberle dado premio. »

« No. Lo apaleó ferozmente, acusándolo de no haber obtenido los años anteriores igual abundancia, porque no había cultivado la tierra como se debía. »

« ¡ Es hombre es una fiera ! » exclama Mateo.

« No. Es un sin alma [2] » dice Jesús. « Os dejo hijos, con una bendición. ¿ Tenéis pan y comida para hoy ? »

« Tenemos este pan » y muestran una torta oscura que sacaron de una bolsa que está en el suelo.

« Tomad mi comida. No tengo más que esto. Hoy estaré en la casa de Doras y... »

« ¿ Tú, en la casa de Doras ? »

[2] " . . . un sin alma ", esto es, con el alma espiritualmente muerta, porque no tiene amor de Dios, ni del prójimo: uno que odia; un poseído de Satanás.

« Sí, para rescatar a Jonás. ¿ No lo sabíais ? »

« Nadie sabe nada aquí. Pero ... desconfía, Maestro. Eres como una oveja en la cueva del lobo. »

« No me podrá hacer nada. Tomad mi comida. Santiago, dáles cuanto tengamos. También vuestro vino. Alegraos un poco también vosotros, pobres amigos, en el alma y en el cuerpo. Pedro, vámonos. »

« Voy, Maestro. No quedaba más que este surco. » Corre a donde está Jesús, respirando fatigado. Se seca con el manto que se había quitado, se lo pone y ríe feliz.

Los cuatro no terminan de dar las gracias.

« ¿ Pasarás por aquí, Maestro ? »

« Sí, esperadme. Saludaréis a Jonás. ¿ Lo podréis hacer ? »

« ¡Oh! ¡Sí! El campo debía de estar arado para el atardecer y ¡ya hay más de dos terceras partes! ¡Qué bien y qué pronto! ¡Tus amigos son fuertes! Dios os bendiga. Hoy para nosotros es una fiesta mayor que la de los Acimos. ¡Oh! ¡Que Dios os bendiga a todos ! ¡ A todos ! ¡ A todos ! »

Jesús se dirige derecho al manzanar. Lo atraviesan, llegan a los campos de Doras. Otros campesinos al arado o encorvados para arrancar de los surcos las hierbas. Jonás no está. Jesús es reconocido y sin dejar los hombres el trabajo, lo saludan.

« ¿ Dónde está Jonás ? »

« Después de dos horas se cayó en el surco y lo han llevado a casa. Pobre Jonás. Poco le queda por sufrir. Está ya a su término. Jamás volveremos a tener un amigo tan bueno. »

« Me tenéis en la tierra y a él en seno de Abraham. Los muertos aman a los vivos con doble amor: con el suyo y con el que reciben al estar con Dios, y por lo tanto con amor perfecto. »

« ¡Oh! Ve pronto a donde está. ¡Que te vea en su sufrimiento! »

Jesús bendice y se va.

« Y ¿ahora qué vas a hacer? ¿Qué vas a decir a Doras? » preguntan los discípulos.

« Iré como si nada supiese. Si él se ve cogido de frente, es capaz de enfurecerse contra Jonás y sus siervos. »

« Tiene razón tu amigo: es un chacal » dice Pedro a Simón.

« Lázaro nunca dice más que la verdad y nunca habla mal de nadie. ¡ Lo conocerás y lo amarás ! » responde Zelote.

Se distingue ya la casa del fariseo. Larga, baja, bien construida, en medio de árboles frutales ya sin fruta. Una casa de campaña, pero rica y cómoda. Pedro con Simón van por delante a avisar.

Sale Doras. Un viejo con el perfil duro, de viejo rapaz. Ojos irónicos, boca de sierpe que gesticula una sonrisa falsa entre la barba que es más blanca que negra. « Salud, Jesús » saluda familiarmente y con manifiesta condescendencia.

Jesús no dice: « Paz »; solo responde: « Tenla igualmente. »

« Entra. La casa te acoge. Has sido puntual como un rey. »

« Como hombre honrado » objeta Jesús.

Doras ríe con sorna.

Jesús se vuelve y dice a los discípulos, que no habían sido invitados: « ¡ Entrad ! Son mis amigos. »

« Que entren . . . pero . . . ¿ aquel no es el alcabalero hijo de Alfeo?»

« Este es Mateo, el discípulo del Mesías » dice Jesús con un tono que . . . el otro entiende y torna a reir con mayor sorna que antes.

Doras querría aplastar al " pobre " Maestro galileo bajo la opulencia de su casa que por dentro es fastuosa. Fastuosa y fría. Los siervos parecen esclavos. Caminan inclinados, dándose prisa rápidos, temerosos siempre de que se les castigue. La casa da la impresión de que en ella reina la frialdad y el odio.

Jesús no se deja aplastar con la ostentación de las riquezas, ni con recordarle la posición y el parentesco . . . y Doras, que comprende la indiferencia del Maestro, lo lleva consigo por el jardín, en donde hay también árboles; le muestra plantas raras y le ofrece frutos de ellas que los siervos traen en palanganas y en copas de oro. Jesús gusta y alaba la exquisitez de las frutas, algunas conservadas como en jalea con duraznos bellísimos. Otras al natural, como peras de tamaño raro.

« Soy el único en Palestina, que tengo estas frutas y creo que ni siquiera las haya en toda la península. Las mandé traer de Persia y de lugares más lejanos todavía. La caravana me costó casi un talento. Pero ni siquiera los Tetrarcas tienen estas frutas. Probablemente ni el mismo César. Cuento las frutas y recojo todas las semillas. Las peras sólo se comen en mi mesa, porque no quiero que se roben ni una semilla. Le envío a Annás, pero tan sólo cocidas porque así son ya estériles. »

« Sin embargo son plantas de Dios. Y los hombres todos son iguales. »

« ¿ Iguales ? ¡ Noooo ! ¿ Yo igual a... a tus galileos ? »

« El alma viene de Dios, y El las crea iguales. »

« Pero yo soy Doras, el fiel fariseo... » parece un pavorreal que se esponja al decirlo.

Jesús lo atraviesa con sus ojos de zafiro, que cada vez más se encienden, señal precursora en El de un acto de piedad o de rigor. Jesús, de vestido purpúreo es mucho más alto que Doras y domina, imponente, a este pequeño, encorvado fariseo embutido en su vestido amplísimo y con una impresionante abundancia de franjas.

Doras después de algún tiempo de auto-admiración de sí mismo, exclama. « Pero Jesús, ¿por qué enviar a la casa de Doras, el fariseo puro, a Lázaro, hermano de una prostituta? ¿Lázaro es tu amigo ? ¡ No debe serlo ! ¿ No sabes que está en el anatema, porque su hermana María es una prostituta? »

« No conozco a otro que a Lázaro y sus acciones honradas. »

« Pero el mundo recuerda el pecado de esa casa y ve que su mancha se extiende sobre los amigos... ¡ No vayas ! ¿ Por qué no eres fariseo? Si quieres... yo soy poderoso... hago que te acepten no obstante que tú seas galileo. Puedo todo en el Sanedrín. Annás está en mis manos como este pedazo de paño de mi manto. Serías más temido. »

« Yo quiero sólo ser amado. »

« Yo te amaré. Ve que te amo desde que te cedo, atendiendo a tu deseo, a Jonás. »

« Lo he pagado. »

« Es verdad, y me admiré que Tú pudieses disponer de tal cantidad. »

« No fuí yo, sino un amigo lo hizo por Mí. »

« Bien, bien. No indago. Digo: Ves que te amo y quiero contentarte. Tendrás a Jonás después de la comida. Sólo por Tí hago este sacrificio... » y ríe en medio de su cruel sonrisa.

Jesús lo mira cada vez con mayor rigor, con los brazos cruzados en el pecho. Están todavía en el jardín de los árboles, en espera de la comida.

« Me debes hacer un favor. Alegría por alegría. Te doy mi mejor siervo, me privo por lo tanto de una utilidad futura. Tu bendición este año (supe que viniste al principio de los grandes calores) me dió cosechas que han hecho célebres mis posesiones. Bendice ahora mis ganados y mis campos. Para el año próximo echaré de menos a Jonás ... y mientras encuentre otro igual a él, ven, bendice. Dame la alegría de que se hable de mí por toda la Palestina y de tener rediles y graneros que revienten de abundancia. ¡ Ven ! » Lo toma, trata de llevarlo a la fuerza, poseído de su sed de oro.

Jesús se opone: « ¿Dónde está Jonás? » enérgicamente pregunta.

« En los arados. Ha querido todavía hacer esto por su buen patrón, pero vendrá antes de que termine la comida. Entre tanto ven a bendecir los ganados y los campos, los árboles frutales, las viñas y los olivares ... Todo ... todo ... ¡Oh! ¡Qué fértiles serán el año que entra! Ven, pues. »

« ¿Dónde está Jonás? » dice Jesús en un tono mucho más fuerte.

« ¡Ya te lo dije! Al frente de los arados. Es el primer siervo y no trabaja: preside. »

« ¡ Mentiroso ! »

« ¿ Yo ? ... ¡ Lo juro por Yeové ! »

« ¡ Perjuro ! »

« ¿Yo?... ¿Yo perjuro? Yo soy el fiel más fiel. ¡Ten cuidado como hablas! »

« ¡Asesino! » Jesús ha levantado cada vez más fuerte la voz, y la última palabra parece como si fuese trueno.

Los discípulos se acercan a El, los siervos se asoman por las puertas, temerosos. El rostro de Jesús es formidable en su severidad. Parece como si sus ojos arrojasen rayos forforesentes.

A Doras por un momento el temor le sobrecoge. Se hace más pequeñito, como un montón de tela finísima junto a la alta persona de Jesús vestido con lana pesada de un rojo oscuro. Mas después la soberbia se apodera otra vez de él y grita con voz chillona, como la de las zorras: « En mi casa yo sólo doy órdenes. ¡ Sal de aquí vil galileo ! »

« ¡ Saldré después de haberte maldecido a tí, a tus campos, ganados y viñas para este año y para los que vengan! »

« ¡ No, esto no ! Sí, es verdad. Jonás está enfermo. Pero se ha curado. Se ha recuperado. Retira tu maldición. »

« ¿Dónde está Jonás? Que un siervo me conduzca a él, *al punto*. Yo lo pagué y pues que tú lo consideras como una mercancía, como una máquina, por tal lo tomo y como lo he comprado, lo quiero. »

Doras saca un silbato de oro de entre su pecho y silba tres veces. Muchos sirvos de la casa y del campo acuden de todas partes, corriendo en tal forma inclinados, que casi cubren a su temido dueño. « ¡ Llevad a este a donde está Jonás y entregádselo ! ¿ A dónde vas? »

Ni siquiera responde Jesús. Camina detrás de los siervos que se han precipitado más allá del jardín por las casuchas de los campesinos. Entran en la bamboleante casucha de Jonás.

El, realmente es un esqueleto semidesnudo que respira fatigosamente por la fiebre, sobre un lecho de cañas, sobre las que sirve de colchón un vestido remendado y de cobija un manto todavía más roto. La joven de la otra vez lo cuida como puede.

« ¡ Jonás, amigo mío ! ¡ He venido a llevarte ! »

« ¿Tú?... ¡Señor mío! Me muero... ¡pero soy feliz de tenerte aquí! »

« Fiel amigo, eres libre desde ahora, y no morirás aquí. Te llevo a mi casa. »

« ¿Libre?... ¿Por qué?... ¿A tu casa? ¡Ah sí! Habías prometido que vería a tu Madre. »

Jesús es todo amor. Se inclina sobre el miserable lecho del infeliz.

« Pedro, tú eres fuerte. Levanta a Jonás, y vosotros dadle el manto. Este lecho es muy duro para cualquiera en estas condiciones. »

Los discípulos prontamente se quitan los mantos, los doblan y vuelven a doblar y los ponen debajo, otros los ponen de almohada. Pedro coloca su carga de huesos y Jesús lo cubre con su mismo manto.

« Pedro, ¿ tienes dinero ? »

« Sí, Maestro, tengo cuarenta denarios. »

« Está bien. Vámonos. Animo, Jonás. Un poco todavía de molestia, y después habrá mucha paz en mi casa, cerca de María... »

« María... sí... ¡ Oh ! » En medio de su agotamiento llora Jonás. No sabe más que llorar.

« Adiós, mujer. El Señor te bendecirá por tu misericordia. »

« Adiós, Señor. Adiós, Jonás. Ruega, rogad por mí. » La joven llora...

Cuando están para salir, aparece Doras. Jonás por un momento se llena de terror y se tapa la cara. Jesús le pone una mano sobre la cabeza y sale a su lado, más severo que un juez. El miserable cortejo sale al patio, y toma el camino del jardín.

« ¡ Este lecho es mío ! Te vendí el siervo, no el lecho. »

Jesús le arroja a los pies la bolsa sin hablar. Doras la toma, la vacía. « Cuarenta denarios y cinco dracmas. ¡ Es poco ! »

Jesús mira al avariento y repugnante hombre en tal forma que es imposible describirla. No dice nada.

« Dime al menos que retiras el anatema. »

Jesús lo fulmina con una nueva mirada y una nueva frase: « Te pongo en manos del Dios del Sinaí [3] » y pasa derecho al lado de la rústica camilla que llevan Pedro y Andrés.

Doras, al ver que todo es inútil, que su condena es segura, grita: « ¡Nos veremos, Jesús! ¡Oh! ¡Te tendré nuevamente entre las uñas! Te haré guerra a muerte. Llévate si quieres esa piltrafa de hombre. No me sirve más. Me ahorraré el entierro. Vete, vete. ¡Satanás maldito! Todo el Sanedrín lo podré contra tí. ¡Satanás, Satanás ! »

Jesús aparenta no oir. Los discípulos están consternados. Jesús se preocupa sólo de Jonás. Busca los caminos más planos y mejores hasta que llega a un crucero cerca de los campos de Yocana. Los cuatro campesinos corren a saludar a su amigo que parte y al Salvador que bendice.

Pero desde Esdrelón hasta Nazaret el camino es largo y no se puede avanzar ligeros con la piadosa carga. Por el camino principal no se ve ningún carro o carreta. Nada. Continúan en silencio. Jonás parece que duerme, pero no abandona la mano de Jesús.

Ya al atardecer, se ve un carro militar romano que los alcanza. « En nombre de Dios, deteneos » dice Jesús, levantando el brazo.

Los dos soldados se detienen. Del capote extendido sobre el carro saca la cabeza un pomposo militar: « ¿Qué quieres? » pregunta a Jesús.

« Tengo a un amigo que se está muriendo. Os pido para él un lugar en el carro. »

« No se podría ... pero sube. Tampoco somos perros. »

Suben la camilla.

« ¿ Tu amigo ? ... ¿ Quién eres ? »

« Jesús de Nazaret. »

« ¿ Tú ? ¡ Oh ! ... » el oficial lo mira curioso. « Entonces, si tú eres ... subid cuantos podáis. Basta con que no os asoméis ... así

[3] Cfr. Ex. 19, 9-25; 20, 18-19. Expresión que se esclarece con la del cap. 77, pág. 677: " Lo he puesto en la justicia de Dios. Yo, el Amor, lo he abandonado "; cfr. también pág. 789, not. 10.

son las órdenes... pero sobre las órdenes está el ser humano, ¿ o no?... y Tú eres bueno. Lo sé. ¡Eh! nosotros los soldados lo sabemos todos. ¿Cómo lo sé?... Hasta las piedras hablan en bien y en mal. Nosotros tenemos orejas para oir y servir al César, Tu no eres un falso Mesías como los anteriores, sediciosos y rebeldes. Tú eres bueno. Roma lo sabe. Este hombre... está muy enfermo. »

« Por eso lo llevo a la casa de mi Madre. »

« ¡Umm! ¡Poco tendrá que cuidarlo! Dále un poco de vino de esa cantimplora... Tú, Aquila, arrea los caballos y... tú Quinto dame las raciones de miel y de mantequilla. Es mía pero le hará bien. Tiene mucha tos y la miel le hace bien. »

« Eres bueno. »

« No. Soy menos malo que muchos. Estoy contento de tenerte conmigo. Acuérdate de Publio Quintiliano de la Itálica. Estoy en Cesarea. Pero ahora voy a Tolemaide. Inspección de orden. »

« No me eres enemigo. »

« ¿ Yo ? Enemigo de los malos, jamás de los buenos. Querría también yo ser bueno. Dime: ¿ Qué doctrina predicas para nosotros los hombres de armas? »

« La doctrina es única para todos. Justicia, honradez, continencia, piedad. Ejercer el propio oficio sin abusos. Aun en los duros momentos de las armas, no olvidar el ser humanos. Buscar de conocer la verdad, o sea a Dios Uno y Eterno, sin cuyo conocimiento cualquier acción está privada de gracia y por lo tanto del premio eterno. »

« Y cuándo esté muerto, ¿qué me interesa el bien hecho? »

« Quien se acerca al Dios verdadero encuentra ese bien en la otra vida. »

« ¿Vuelvo a nacer ?... ¿me convierto en tribuno o aun en emperador? »

« No. Te haces igual a Dios al unirte con El en su eterna beatitud en el cielo. »

« ¿ Cómo ? ¿ En el Olimpo yo ?... ¿ Entre los dioses ? »

« No existen los dioses. Existe el Dios verdadero. El que Yo predico. El que te oye y pone señal en tu bondad y en tu deseo de conocer el bien. »

« ¡Esto me basta! No sabía que Dios se pudiese ocupar de un pobre soldado pagano. »

« El te creó, Publio. Por eso te ama y querría que estuvieses con El. »

« ¡ Eh !. . . ¿ por qué no ? Pero . . . nadie nos habla de Dios jamás . . . »

« Vendré a Cesarea y me escucharás. »

« ¡Oh! Sí, iré a oirte. Allá está Nazaret. Querría servirte algo más. Pero si me ven . . . »

« Desciendo y te bendigo por tu buen corazón. »

« Salve, Maestro. »

« El Señor se os muestre, ¡ adiós, soldados ! »

Descienden y vuelven a caminar.

« Jonás, en breve vas a descansar » dice Jesús alentándolo.

Janás sonríe. Entre más atardece, está más seguro de estar más lejos de Doras y más tranquilo se muestra.

Juan con su hermano corre adelante a avisar a María. Y cuando el pequeño cortejo llega a Nazaret que está casi desierto en la noche que cae, María está en las afueras esperando a su Hijo.

« Madre, aquí está Jonás. Bajo tu dulzura se recupera para comenzar a gustar de su Paraíso. ¡ Feliz Jonás ! »

« ¡ Feliz, feliz ! » murmura el extenuado como en un éxtasis.

Se le lleva a la habitación en donde murió José.

« Estás en el lecho de mi padre. Y aquí esta mi Mamá y Yo. ¿Ves? Nazaret se convierte en Belén, y tú ahora eres el pequeño Jesús entre dos que te aman, y ellos son los que veneran en tí al siervo fiel. No ves los ángeles, pero revolotean a tu alrededor con alas de luz y cantan las palabras del canto navideño . . . »

Jesús derrama su dulzura sobre el pobre Jonás que poco a poco va debilitándose. Parece como si para morir aquí, hubiera aguantado tanto . . . pero es feliz. Sonríe, trata de besar la mano de Jesús, la de María y de decir, decir . . . pero la falta de aliento destroza sus palabras. María cual Madre lo conforta. El repite: « Sí . . . Sí » con una sonrisa en su cara de esqueleto.

Los discípulos conmovidos miran desde la puerta del huerto.

« Dios ha escuchado tu largo deseo. La estrella de tu larga noche se convierte ahora en la estrella de tu eterno amanecer. ¿ Sabes su nombre ? » pregunta Jesús.

« Jesús, ¡el tuyo! ¡Oh! ¡Jesús! Los ángeles . . . ¿Quién está cantándome el himno angelical? Mi alma lo oye . . . pero también mis orejas lo quieren oir. ¿ Quién lo canta para hacerme feliz? . . . ¡Tengo mucho sueño! Me he cansado mucho. ¡Muchas lágrimas . . . muchos insultos . . . Doras . . . Yo . . . lo perdono . . . pero no quiero oir su voz y la oigo . . . Es como la voz de Satanás junto a mi agonía. ¿Quién me cubre esa voz con palabras venidas del paraíso? »

Es María que vuelve a cantar en voz baja y con el mismo tono la canción que compuso a Jesús Niño: « Gloria a Dios en los altos cielos y paz a los hombres de acá abajo. » Lo repite dos o tres veces porque ve que Jonás se ha tranquilizado al oirla.

« ¡No habla más Doras! » dice después de un poco de tiempo. « Solo los ángeles ... era un Niño ... en un pesebre ... entre un buey y un asno ... y era el Mesías y yo lo adoré ... y con El estaba José y María ... » La voz se apaga en un breve murmullo y sigue un silencio.

« ¡Paz en el Cielo al hombre de buena voluntad! ¡Ha muerto! Lo pondremos en nuestro pobre sepulcro. Merece que espere la resurrección de los muertos junto a mi justo padre » dice Jesús.

Y mientras María de Alfeo, a quien alguien ha avisado entra, todo termina.

77. Jesús en casa de Jacob cerca del lago Merón

(Escrito el 17 de febrero de 1945)

Puedo decir que además del lago de Galilea, y del Mar Muerto, la Palestina tiene otro pequeño lago o laguna, digamos un brazo de río, cuyo nombre ignoro.

En cuanto a medidas no valgo nada, pero a ojo de buen cubero diría que esta pequeña laguna puede tener de dos a tres kilómetros. Muy poco por lo que se ve. Pero es bonita con sus verdes alrededores, con su vista tan azul y plácida que parece una escama de esmalte celeste pintada en el centro con una pincelada más clara y un poco movida, tal vez por la corriente del río que en esta desemboca por el norte para salir luego por el sur, y que, por no ser muy grande, deberá de ser poco profunda. No pierde su dirección porque más que agua estancada es un canal que delata su vitalidad y presencia con diversos coloridos y ligero vaivén de las aguas.

No hay barca alguna en el lago, tan sólo una que otra chalupa de remos en que un solitario pescador mete o saca sus redes o lo atraviesa uno que quiere acortar el camino. Ganados y más ganados que bajan de los pastizales montañosos para el otoño que se acerca y que pacen en sus verdes y fértiles riberas.

En el extremo del lago, que es de forma oval, pasa un camino principal que va de este a oeste, mejor dicho, de noroeste a sudoeste. Es un camino muy bueno porque lo transitan muchos que se dirigen a los diversos poblados esparcidos por la región.

Por este camino van Jesús y los discípulos. El día es más bien ceniciento y Pedro hace esta observación: « Era mejor no haber ido a donde estaba esa mujer. Los días se hacen cada vez más cortos y más feos . . . y Jerusalén está todavía muy lejos. »

« Llegaremos a tiempo. Créeme, Pedro, obedece más bien a Dios haciendo el bien que con una ceremonia externa. Esa mujer bendice a Dios con todos sus hijos, alrededor del que es cabeza de familia y que se encuentra tan sano que puede ir a Jesusalén para los Tabernáculos, de otro modo debería de haber dormido en un sepulcro todo el tiempo, bajo bendas y aromas. No hay que corromper jamás la fe con la exterioridad de las acciones. Jamás se debe criticar. ¿ Cómo puedes maravillarte de los fariseos si tú mismo caes en un error de piedad y cierras el corazón al prójimo diciendo: " Sirvo a Dios y basta "? »

« Tienes razón, Maestro. Soy más ignorante que un burro. »

« Y Yo te tengo conmigo para hacerte sabio. No tengas miedo. Cusa me ofreció su carro hasta Yaboc. De allí al vado el trecho es corto. Tanto insistió, y con razones de mucho peso, que cedí aún cuando juzgo que el Rey de los pobres debe utilizar medios pobres, pero la muerte de Jonás nos ha hecho retrasar, y debo adaptar mi plan a este caso imprevisto. »

Los discípulos hablan de Jonás, cuya miserable vida compadecen, pero cuya muerte feliz envidian. Simón Zelote en voz baja dice: « No pude hacerlo feliz y darle al Maestro un verdadero discípulo que se había madurado en el largo martirio y en una fe inconmovible . . . y me duele. ¡ El mundo tiene necesidad de hombres que crean, convencidos de Jesús, para poder balancear la otra parte en que hay tantos que lo niegan y que lo negarán! »

« ¡No importa, Simón! » responde Jesús. « Es más feliz *ahora*. Es más activo. Y tú has hecho mucho más que cuanto hubiese hecho cualquier otro por él o por Mí. Por esto también te doy las gracias. Sabe ahora quien lo libertó y te bendice. »

« Entonces, ¿ ahora maldice a Doras ? » exclama Pedro.

Jesús lo mira y pregunta: « ¿Lo crees? Estás en un error. Jonás era un justo. Ahora es un santo; cuando vivió ni odió ni maldijo, ahora tampoco lo hace. Mira el paraíso desde el lugar en donde se encuentra, y como ya sabe que pronto el Limbo dejará salir a los que están esperando, se alegra. No hace otra cosa. »

« Y a Doras ... ¿ llegará tu maldición ? »

« ¿ En qué sentido, Pedro ? »

« Pues ... haciéndolo meditar y cambiar ... o también castigándolo. »

« Lo he entregado a la justicia de Dios. Yo, el Amor, lo he abandonado [1]. »

« ¡ Misericordia ! ¡ No querría encontrarme en su lugar ! »

« ¡ Ni yo ! »

« ¡ Ni yo ! »

« Nadie querría. ¿ Cómo pues, será la justicia del Perfecto ? » preguntan los discípulos.

« Será éxtasis de los buenos, relámpago para Satanás. En verdad os digo: ser esclavo, leproso, mendigo por toda la vida, es una felicidad de reyes con respecto a una hora, a una sola hora de castigo divino. »

« Ya empezó a llover, Maestro. ¿ Qué hacemos ? ¿ a dónde vamos? » En realidad sobre el agua se refleja el cielo oscuro, cubierto de nubes plomizas; caen y rebotan las primeras gotas de un temporal que parece que arreciará.

« A alguna casa. Pediremos refugio en nombre de Dios. »

« Y esperamos encontrar a uno que sea bueno como aquel romano. No creía que fueran así ... los había evitado siempre como inmundos y veo que ... si saco las cuentas son mejores que muchos de nosotros » dice Pedro.

« ¿ Te gustan los romanos ? » pregunta Jesús.

« ¡ Eh ! ... No veo que sean peores que nosotros. Se les trata sólo como samaritanos ... »

Jesús sonríe y no dice nada. Les alcanza una mujercilla que arrea ocho ovejas.

« Mujer, ¿ sabes dónde podremos encontrar un techo ? ... » pregunta Pedro.

« Yo soy sierva de un hombre pobre y solo. Pero si quereis venir ... creo que el patrón os acogerá con bondad. »

« Vamos. »

[1] Cfr. pág. 672, not. 3.

Caminan bajo el chaparrón, rápidos en medio de las ovejas que trotean con sus obesos cuerpos para huir de la lluvia. Dejan el camino principal para tomar un sendero que lleva a una casa. Reconozco la casa del campesino Jacob, el de Matías y María, los dos huérfanos de la visión de agosto, me parece.

« ¡Allí está ! Adelante mientras conduzco las ovejas al redil. Al otro lado de la valla hay un patio y de este se va a la casa. Estará en la cocina. No os preocupeis que sea de pocas palabras... tiene muchas aflicciones. » La mujer se mete por un boquete de la derecha, Jesús con los suyos da vuelta a la izquierda.

Se ve la era con el pozo, el horno en el fondo, un manzano al lado, y ahí está la puerta abierta de la cocina en donde arde fuego y un hombre arreglando un arnés roto.

« Paz a esta casa. Te pido hospedaje para esta noche para Mí y mis compañeros » dice Jesús en los umbrales de la puerta.

El hombre levanta la cabeza. « Entra » dice, « y Dios te devuelva la paz que ofreces. Pero... ¿ paz, aquí? Es enemiga de Jacob la paz, desde hace tiempo. ¡ Entra, entra ! ... Entrad todos. El fuego es la única cosa que puedo daros en abundancia... porque... ¡ Oh ! pero... Tú, ahora que te quitas el capucho (Jesús se había cubierto la cabeza con la punta del manto y lo tenía sostenido bajo la barba) y te veo bien... Tú eres, sí, eres el Rabí galileo a quien llaman Mesías y que haces milagros... ¿Eres Tú? ¡Dilo en nombre de Dios! »

« Soy Jesús de Nazaret, el Mesías. ¿ Me conoces ? »

« La luna pasada te oí hablar en casa de Judas y Anna... estaba yo entre los vendimiadores porque... soy pobre... Una cadena de infortunios, granizadas, orugas, plagas en las plantas y en las ovejas... Lo que tenía me bastaba a mí y a la sierva que tengo. He trabajado en casa de otros para no vender todas la ovejas... mis campos... parecía como si por ellos hubiese pasado la guerra, porque estaban como quemados y las viñas y olivos sin nada de fruto. Desde que murió mi mujer, y ya son seis años, parece como que Mammón está jugando conmigo. ¿Lo ves? Estoy arreglando este arado. El palo está roto. ¿ Cómo le hago ?... No soy carpintero y amarro y amarro pero no sirve. Y debo pensar en otras menudencias. Ahora venderé una oveja para ajustar los arneses. El techo comienza a gotear... pero me importa más el campo que la casa. ¡ Una calamidad ! Todas las ovejas estan preñadas... esperaba aumentar el ganado... ¡pero ... ! »

« Veo que vengo a ser molestia en donde ya hay muchas. »

« ¿ Molestia Tú? ¡No! Te oí hablar y... me ha quedado en el corazón lo que dijiste. Es verdad que he trabajado honradamente, y sin embargo... Pero pienso que no era bastante bueno. Pienso que tal vez la buena era mi mujer que tenía piedad de todos. ¡ Pobre Lía que murió tan pronto, tan pronto para su marido!... Creo que el bienestar que teníamos en esos tiempos nos lo daba el Cielo por causa de ella. Y me quiero hacer mejor, por lo que Tú dices y para imitar a mi esposa. No pido mucho... sólo de continuar viviendo en este hogar en donde murió ella, donde nací yo... y tener un pan para mí y para mi sierva que me sirve de mujer, de pastora y me ayuda como puede. No tengo más siervos. Tenía dos y me bastaban trabajando también yo en el olivar... pero el pan ahora apenas sí me basta y es muy poco... »

« No te prives de él por nosotros... »

« No, Maestro. Si no tuviese sino un bocado, te lo daría. Es honra para mí tenerte... jamás me lo hubiera esperado. Si te digo mis miserias es porque Tú eres bueno y entiendes. »

« Sí, entiendo. Dame ese martillo. No se hace así. Así partes el palo. Dame también aquel punzón, pero después de haberlo calentado. De este modo se perfora mejor el palo y pasará más fácilmente la cuña de hierro. Deja que lo haga. Yo era carpintero... »

« ¿ Tú vas a trabajar para mí ?... ¡ No ! »

« Déjame que te lo haga. Me das hospedaje. Te ayudo. Es necesario que los hombres se amen entre sí dando cada uno lo que puede. »

« Das la paz, das la sabiduría y haces milagros. Das ya mucho, ¡ mucho! »

« También doy mi trabajo. ¡ Ea !, obedece... » y Jesús que tiene solo el vestido trabaja rápidamente y con experiencia sobre el timón roto. Perfora, amarra, mete la cuña de hierro y mira si está fuerte. « Por algún tiempo servirá para el trabajo; hasta el año que viene, y entonces podrás hacerte uno nuevo. »

« Yo también lo creo. Ese arado ha estado en tus manos y me bendecirà la tierra. »

« Jacob, por esto no te la bendeciría. »

« Entonces ¿ por qué, Señor mío ? »

« Porque eres misericordioso. No te encierras en el rincón del egoísmo y de la envidia, sino que aceptas mi doctrina y la pones en práctica. Bienaventurados los misericordiosos. Tendrás misericordia. »

« ¿ En qué cosa la he usado, Señor mío ? Casi ni lugar ni alimento tengo para tus necesidades. No tengo sino mi buena voluntad, y nunca más que ahora me pesa de ser pobre porque no tengo con que honrarte a Tí y a tus amigos. »

« Me basta tu deseo. En verdad te digo que un solo vaso de agua dado en mi nombre es una cosa grande ante los ojos de Dios. Yo era un viajero cansado bajo la tempestad, tú me has dado hospedaje. Es la hora de la comida y me dices: " Te ofrezco lo que tengo ". La noche ya nos cubre y me ofreces un techo amigo. ¿ Qué cosa de más quieres hacer ? Ten confianza, Jacob. El Hijo del Hombre no mira a la pompa del recibimiento y de la comida, mira los sentimientos del corazón. El Hijo de Dios dice al Padre: " Padre, bendice a mis bienhechores y a todos los que en mi nombre son misericordiosos con sus hermanos ". Esto digo por tí. »

Mientras Jesús trabajaba en el arado, la sierva había hablado con el dueño. Regresa con pan. Leche apenas ordeñada, unas cuantas manzanas secas y un vaso de aceitunas.

« No tengo más. » dice el hombre excusándose.

« ¡Oh! ¡Yo estoy viendo entre tu comida un alimento que tú no ves! Me alimento de él porque tiene sabor celestial. »

« ¿ Te nutres tal vez, Tú, Hijo de Dios, con algún alimento que te traen los ángeles? Quizás vives de pan espiritual. »

« Sí. El espíritu tiene más valor que el cuerpo, y no tan sólo en Mí. Pero no me alimento de pan angelical, sino del amor del Padre y de los hombres. Este amor lo encuentro en tu mesa y bendigo porque me acoges con amor y con amor me das. Esta es mi comida de quien hace la voluntad de mi Padre. »

« Bendice entonces y ofrece en mi lugar a Dios, este alimento. Hoy Tú eres la cabeza de la familia y siempre serás mi Maestro y Amigo. »

Jesús toma el pan y lo ofrece en la palma de sus manos, recitando en alta voz un salmo, creo. Después se sienta, parte y distribuye . . .

Todo termina.

78. Regresan al vado del Jordán cerca de Jericó

(Escrito el 18 de febrero de 1945)

« Me sorpende que no esté aquí el Bautista » dice Juan al Maestro. Se encuentran todos en la ribera oriental del Jordán cerca del famoso vado donde un tiempo solía bautizar el Bautista.

« Y no está ni siquiera en la otra ribera » hace notar Santiago.

« Lo habrán otra vez arrestado esperando una bolsa más » comenta Pedro « Son ciertos instrumentos de cruz, los de Herodes. »

« Pasemos al otro lado y preguntemos » dice Jesús.

Así lo hacen y preguntan a un barquero: « ¿Ya no bautiza aquí más el Bautista? »

« No. Está en los confines de Samaría. ¡ A esto se ha llegado ! Un santo debe estar junto a los samaritanos para salvarse de los ciudadanos de Israel. ¿ Qué admiración os puede causar que Dios nos abandone? Yo sólo me maravillo de una cosa: que no haga de toda la Palestina una Sodoma y Gomorra [1]. »

« No lo hace por los justos que hay en ella, por los que sin ser todavía del todo justos, sienten sed de justicia y siguen las enseñanzas de los que predican la santidad » responde Jesús.

« Entonces hay dos: El Bautista y el Mesías. Conozco al primero porque también yo le he servido aquí en el Jordán al pasarle algún fiel sin pedirle nada, porque él dice que hay que contentarse con lo justo. Me parecía que estaba bien contentarme con lo que ganaba en otros servicios y que estaba mal pedir dinero por llevar un alma a la purificación. Mis amigos me han tratado de loco. Pero qué hemos de hacer... Contento con lo poco que tengo, ¿ quién puede lamentarse ? Por otra parte veo que todavía de hambre no me muero y espero que en mi muerte me sonría Abraham. »

« Estás en lo justo, hombre. ¿ Quién eres ? » pregunta Jesús.

« ¡Oh! Tengo un nombre muy rimbombante y me río de él, porque no tengo sabiduría sino para remar. Me llamo Salomón. »

« Tienes la sabiduría para juzgar que quien coopera a una purificación no debe corromperla con el dinero. Yo te lo digo, no tan sólo Abraham te sonreirá en tu muerte como a hijo fiel, sino también el Dios de Abraham. »

[1] Cfr. Gén. 19, 1-29

« ¡ Oh, Dios ! ¿ De veras lo dices ? ¿ Quién eres ? »

« Soy un justo. »

« Oye: te dije que hay dos en Israel: uno es el Bautista y el otro es el Mesías. ¿ Eres Tú el Mesías ? »

« Lo soy. »

« ¡ Oh ! Eterna misericordia. Pero ... oí un día a los fariseos que decían ... Olvidémoslo ... No quiero mancharme la boca. Tú no eres como te pintan. ¡ Lenguas venenosas más que las de serpientes! .... »

« Soy Yo y te digo: No estás muy lejos de la luz. Adiós, Salomón. La paz sea contigo. »

« ¿ A dónde vas, Señor ? » El hombre está fuera de sí por lo que ha oído y ha tomado un tono del todo distinto. Al principio era un bonachón que hablaba. Ahora es un fiel que adora.

« A Jerusalén por Jericó. Voy a los Tabernáculos. »

« ¿ A Jerusalén ? Pero ... ¿ también Tú ? »

« Soy Hijo también de la Ley. No la anulo. Os doy luz y fuerza para seguirla perfectamente. »

« ¡ Pero Jerusalén te odia ! Quiero decir: los grandes, los fariseos de Jerusalén. Te dije que oí ... »

« Déjalos. Ellos cumplen con su deber, con el deber que creen cumplir. Yo cumplo con el mío. En verdad te digo que mientras no sea la hora, nada podrán. »

« ¿Qué hora, Señor? » preguntan los discípulos y el barquero.

« La del triunfo de las tinieblas. »

« ¿ Vivirás hasta el fin del mundo ? »

« No. Habrá unas tinieblas más atroces que las de los astros apagados y de nuestro planeta, muerto con todos sus habitantes. Y será cuando los hombres sofocarán a la Luz que soy Yo. En muchos el delito ya se ha cometido. Adiós, Salomón. »

« Maestro, te sigo. »

« No. Ven entre los días del hermoso Nidrasar[2]. La paz sea contigo. »

Jesús se pone en camino con sus discípulos pensativos.

« ¿ En qué estáis pensando ? No tengáis miedo por Mí, ni por vosotros. Hemos pasado por la Decápolis y la Perea y por todas partes hemos visto sembradores en los campos. La tierra estaba todavía bajo las pajas y las hierbas, seca, dura, llena de plantas

[2] Cfr. pág. 395, not. 2.

parásitas que los vientos de verano habían arrastrado y esparcido las semillas en los lugares desérticos. Eran los campos de los perezosos y de los diligentes. Por otras partes el arado había ya abierto la tierra, y el fuego o el hombre la habían limpiado de piedras, zarzas y hierbas. Y lo que antes era un mal, esto es, plantas inútiles, ahora con la purificación del fuego y con cortarlas, se ha cambiado en bien: en abono y sales útiles para la fecundación. La tierra pudo haber llorado con el dolor de la reja que la abría y barbechaba y bajo el ardor del fuego que la martirizaba en sus heridas. Pero volverá a reir mucho más hermosa en la primavera, diciendo: " El hombre me torturó para darme esta opulenta mies que me hace bella ". Estos eran los campos de los que tienen buena voluntad. En otras partes la tierra está todavía muelle, limpia aun de las cenizas, un verdadero lecho nupcial para el matrimonio de los terrones con la semilla que en su fecundidad produce magníficas espigas. Estos eran los campos de los generosos hasta la perfección de su actividad.

Pues bien, igual cosa se puede decir de los corazones. Yo soy el arado y mi palabra el fuego, para preparar el triunfo eterno.

Hay quien, perezoso o diligente, no me quiere y se extingue en el vicio de las malas pasiones que parecen vestidos de verdor y flores y son cardos y espinas que rasgan a muerte el espíritu, lo ligan y lo hacen un manojo para el fuego del Geenna. Por ahora Decápolis y Perea son así... y no sólo ellas. No piden milagros porque no desean la cuchilla de la palabra ni el ardor del fuego. Pero llegará la hora para ellos. En otros lugares hay quien acepta esa cortadura y ese ardor y piensa: " Es doloroso, pero me purifica y me hará fértil para el bien ". Son aquellos, que si es verdad que no tienen el heroísmo de hacer, dejan que Yo actúe. El primer paso en mi camino. En fin hay también quienes ayudan con su diligencia, trabajo diario, mi trabajo, y no caminan, sino que vuelan en el camino de Dios... Son estos los discípulos fieles: vosotros y los demás esparcidos por Israel. »

« Somos pocos... contra tantos. Somos humildes... contra los poderosos. ¿ Cómo podríamos defenderte si te quisieran hacer daño? »

« Amigos, recordad el sueño de Jacob[3]. Vió una multitud incalculable de ángeles que subían y bajaban por la escala que iba

[3] Cfr. Gén. 28, 10-22.

del Cielo al patriarca. Una multitud, y con todo no era sino una parte de los ejércitos celestiales... aunque todos los ejércitos que cantan a Dios aleluya en el Cielo bajasen a mi alrededor a defenderme, cuando llegase la hora, *nada podrán*. Se debe cumplir la justicia... »

« La injusticia ¡querrás decir! Porque Tú eres Santo y si te hacen mal, si te odian son los injustos. »

« Por esto digo que en algunos el delito ya se ha realizado. Quien alimenta pensamientos de homicidio ya es homicida, quien de hurto ya es ladrón, quien de adulterio ya es adúltero, quien de traición ya es traidor. El Padre sabe y Yo lo se. Pero El me permite que vaya, y voy. Porque para esto he venido. Todavía las mieses madurarán y volverá a sembrarse una y otra vez antes que el Pan y el Vino sean dados en alimento a los hombres. »

« ¿ Entonces habrá un banquete de júbilo y de paz ? »

« ¿De paz?... ¡Sí! ¿De júbilo?... ¡También! Pero... ¡Oh, Pedro! ¡ Oh, amigos ! ¡ Cuántas lágrimas habrá primeramente entre este cáliz y el segundo! Y sólo cuando se haya bebido la última gota del tercer cáliz[4] habrá júbilo entre los justos, y la paz segura a los hombres de voluntad resta. »

« Y Tú estarás ¿ no es verdad ? »

« ¿Yo ?... ¿cuándo falta al rito el que es cabeza de la familia?... ¿ Y no soy Yo acaso la Cabeza de la gran familia del Mesías ? »

Simón Zelote que no ha hablado para nada, dice como hablando consigo mismo: « " ¿Quién es este que viene con la vestidura teñida de rojo? Es bello con su vestido y camina con ostentación de su fuerza ". " Soy Yo que hablo con justicia y protejo de modo que puedan salvarse ". " ¿Por qué pues, tus vestidos están teñidos de rojo y tus vestiduras están como las de quien pisa en el lagar? ". " Yo solo he pisado en el lagar y ha venido el año de mi libertad "[5]. »

« Simón, tú has comprendido » declara Jesús.

[4] Según el Mishna (en el tratado sobre la Pascua), texto fundamental del Talmud, especie de casuística judía codificado en los siglos II-III A.D. pero que contiene elementos que llegan hasta los doctores contemporáneos de Jesús, para la Cena pascual estaba prescrito el beber por lo menos cuatro copas rituales de vino. Según esta Obra, entre las dos primeras copas, habría habido mucha tristeza (tal vez aludiendo a la predicción de la traición de Judas: Mt. 26, 20-30; Mc. 14, 17-26); pero después de la tercera copa, esto es, después de haber bebido el vino consagrado en Sangre de Jesús, habría invadido a los presentes un gran júbilo y profunda paz (tal vez alusión a los admirables e íntimos discursos que Jesús dirigió a los apóstoles entre la ausencia de Judas y el Judas y el fin de la reunión pascual: Ju. 13, 30 - 17, 26).

[5] Cfr. Is. 63, 1-4.

« He comprendido, Señor mío. »

Los dos se miran; los otros contemplan admirados y se preguntan entre sí: « Pero habla de los vestidos rojos que tiene ahora Jesús, ¿o de la púrpura de Rey de que se vestirá cuando llegue la hora? »

Jesús se abstrae y parece como si no oyese más. Pedro lleva aparte a Simón y le dice: « Tú eres sabio y humilde, explica a mi ignorancia tus palabras. »

« Sí, hermano. Su nombre es Redentor. Los cálices del banquete de paz y júbilo entre el hombre y Dios, la tierra y el cielo, El los da si los llena con su vino, pisándose a Sí mismo en el sufrimiento por amor a nosotros. Por esto estará presente, aunque el poder de las Tinieblas haya entonces aparentemente sofocado la Luz que es El. ¡Oh! Hay que amarle mucho, a este nuestro Mesías, porque no encontrará amor. Hagamos que en la hora del abandono no se pueda decir y echarse en cara el lamento de David: " Una jauría de perros (y entre esos también nosotros) me rodea "[6]. »

« Tú lo dices . . . ¡ pero lo defenderemos nosotros a costa de nuestra vida hasta morir con El ! »

« Lo defenderemos . . . pero somos hombres, Pedro, y nuestro valor desaparecerá antes de que a El le sean destrozados los huesos[7] . . . Sí. Seremos como hielo congelado del frío que un rayo derrite en agua y luego el viento la esparce por el suelo. ¡ Así nosotros ! ¡ Así nosotros ! Nuestro actual valor de que somos sus discípulos es porque su amor y su presencia nos da entusiasmo viril pero bajo el rayo azotador de Satanás y de los satanases se derretirá . . . y ¿ qué quedará de nosotros ? Luego después de la prueba vil y necesaria, mira que la fe y el amor nos volverán a unir y seremos como un cristal que no teme que se le quiebre. Pero esto lo sabremos y podremos, si lo amamos mucho mientras lo tenemos. Entonces . . . sí, pienso que entonces no seremos, por su palabra, ni enemigos ni traidores. »

« Tú eres sabio, Simón. Yo . . . un hombre sin letras. Y hasta me avergüenzo de preguntarte tántas cosas. Me siento mal cuando oigo que son cosas de lágrimas. Mira su rostro. Parece como si lo lavara un llanto secreto. Mira sus ojos. No miran ni al Cielo, ni al suelo. Están abiertos en un mundo desconocido de noso-

[6] Cfr. Sal. 21, 17.
[7] Ib., 21, 15.

tros. ¡Cuán cansado y encorvado es su andar! Parece envejecido en su pensamiento. ¡ Oh ! No lo puedo ver así. ¡ Maestro ! ¡ Maestro ! Sonríe, no te puedo ver así triste. Te quiero como a un hijo, y te daré mi pecho por almohada, para que duermas y sueñes en otros mundos ... ¡ Oh ! ¡ Perdona si te llamé. " Hijo " ! Es que te amo, Jesús. »

« Soy el Hijo ... este es mi nombre. Pero no estoy ya más triste. ¿ Lo ves ? Sonrío, porque sois mis amigos. Ved allá en el fondo Jericó, enrojecido por el crepúsculo. Dos de vosotros iréis a buscar alojo. Yo y los otros os esperaremos al lado de la sinagoga. Id. »

Y todo tiene fin al irse Judas Tadeo y Juan a buscar una casa en donde se hospeden.

79. Jesús en casa de Lázaro. Marta habla de la Magdalena

(Escrito el 19 de febrero de 1945)

La plaza del mercado de Jericó con sus árboles y mercaderes que vocean. En una esquina el alcabalero Zaqueo ocupado con sus transaciones legales e ilegales. Probablemente también se ocupa en comprar y vender cosas preciosas porque veo que pesa e indica el valor de collares y objetos de metal finos, no sé si se los den a cambio de dinero porque no pueden pagar las contribuciones o se los venden por otras causas.

El turno es de una mujer delgada, cubierta toda con un grande manto que tira al color rojizo de moho grisáceo. También tiene la cara cubierta con un velo de algodón grueso y de color amarillo que no deja que se le vea. No se nota más que la delgadez de su cuerpo, que se descubre pese a la vestidura grisácea que la envuelve. Debe ser joven, al menos por lo poquísimo que se ve, esto es, una mano que por un momento sale del manto y extiende un brazalete de oro, y por los pies calzados con sandalias no muy sencillas, cubiertas con cuero, que llevan correas por las que aparecen los dedos, lisos y juveniles, y un poco de los tobillos delgados blanquísimos.

Extiende el brazalete sin decir palabra alguna, recibe el dinero sin objetar y se va. Ahora caigo en la cuenta que tiene a sus espaldas a Iscariote que atentamente la observa, y cuando está para irse le dice una palabra que no logro oir. Pero ella como si fuese muda no responde y se va ligera.

Judas pregunta a Zaqueo: « ¿ Quién es ? »

« No pregunto a los clientes su nombre, sobre todo cuando son buenos como esa. »

« Es joven, ¿ verdad ? »

« Así parece. »

« Es judía. »

« Y ¿ quién lo va a saber ? ¡ El oro es amarillo en todos los países ! »

« Déjame ver el brazalete. »

« ¿ Lo quieres comprar ? »

« No. »

« Entonces nada. ¿ Qué piensas ? ¿ Que se ponga uno a hablar con ella? »

« Quería ver si lograba saber quién es . . . »

« ¿Te urge tanto? ¿Eres nigromante que adivinas, o perro de caza que perciba el olor? ¡Lárgate y cálmate! Si así es, o es honrada o infeliz o leprosa . . . Lo que sea . . . no hay nada que hacer. »

« No tengo hambre de mujeres » responde Judas con desprecio.

« Así será . . . pero con esa cara que tienes, muy poco lo creo. ¡ Bien ! si no quieres algo más, quítate. Tengo a otros a quienes servir. »

Judas se va enojado y pregunta a un vendedor de pan y a uno de frutas si conocen a la mujer que les había antes comprado pan y manzanas, y si saben en dónde habita. No lo saben. Responden: « Hace tiempo que viene, cada dos o tres días. Pero dónde esté lo ignoramos. »

« Y ¿ cómo habla ? » insiste Judas.

Los dos se echan a reir y uno de ellos responde: « Con la lengua. »

Judas les dice unas frescas y se va . . . a caer justamente en medio del grupo de Jesús y de los suyos que vienen a comprar pan y alimentos para la comida de todos los días. La sorpresa es mutua y . . . no muy entusiasta. Jesús dice tan sólo: « ¿ Quién eres? » y mientras Judas masculla entre dientes alguna cosa, Pedro rompe en una clamorosa carcajada: « O soy ciego o incrédulo. No veo las viñas. Y no creo en el milagro. »

« Pero ¿qué dices ? » preguntan dos o tres de los discípulos.

« Digo la verdad. Aquí no hay viñedos. Y no puedo creer que Judas vendimie, entre este polvo, sólo porque es discípulo del Rabí. »

« Hace tiempo que la vendimia terminó » responde secamente Judas.

« Y Keriot está lejos a muchos kilómetros » concluye Pedro.

« Tú al punto me atacas. No me quieres. »

« No. Soy menos tonto de lo que tú querrías. »

« Basta » corta Jesús. Está enojado y se vuelve a Judas: « No pensaba encontrate aquí. Me imaginaba que por lo menos estarías en Jerusalén para los Tabernáculos. »

« Mañana me voy. Estaba yo esperando a un amigo de la familia que ... »

« Te ruego: es suficiente. »

« ¿ No me crees Maestro ? Te juro que yo ... »

« No te he preguntado nada y te ruego que no digas nada. Estás aquí y basta. Puedes venir con nosotros ¿ o tienes todavía otros negocios? Responde con franqueza. »

« No ... he terminado. Ese tal vez no viene y yo voy a Jerusalén a la fiesta. Y ¿ Tú a dónde vas ? »

« A Jerusalén. »

« ¿ Hoy mismo ? »

« Esta tarde estaré en Betania. »

« ¿ En la casa de Lázaro ? »

« Exacto. »

« Entonces, vengo yo también. »

« Ven también hasta Betania. Después Andrés, Santiago de Zebedeo y Tomás irán a Get Semmi a preparar y esperarnos a todos nosotros, y *tú irás con ellos.* » Jesús marca en tal forma las palabras que él otro no tiene qué decir.

« ¿ Y nosotros ? » pregunta Pedro.

« Tú con mis primos y Mateo iréis a donde os enviaré para regresar por la tarde. Juan, Bartolomé, Simón y Felipe se quedarán conmigo, o sea irán por Betania a anunciar que el Rabí ha llegado y que les hablará a las tres de la tarde. »

Aprisa van por la campiña desierta. Sopla aire anunciador de tempestad no en el cielo sereno, sino en los corazones, todos lo presienten y avanzan en silencio.

Al llegar a Betania, viniendo de Jericó, la casa de Lázaro es de las primeras. Jesús despide al grupo que debe ir a Jerusalén, después manda el otro que va hacia Belén.

« Id seguros. Encontraréis a mitad del camino a Isaac, Elías y a los demás. Decidles que estaré en Jesuralén por muchos días y que los espero para bendecirlos. »

Entro tanto, Simón ha llamado al cancel y lo han abierto. Los siervos dan aviso a Lázaro, que acude. Judas Iscariote que se había distanciando unos cuantos metros, torna atrás con la excusa de decir a Jesús: « Te he desagradado, Maestro, lo entiendo, perdóname » y entre tanto echa una ojenda por el cancel abierto que da al jardín y a la casa.

« Sí. Está bien. ¡Vete, vete! No hagas esperar a los compañeros. »

Judas debe de irse. Pedro murmura: « Esperaba que hubiese cambio de órdenes. »

« Esto, jamás. Pedro, sé lo que hago. Pero tú compadece a este hombre . . . »

« Trataré pero no prometo . . . Adiós, Maestro. Ven, Mateo y también vosotros dos. Vámonos ligeritos. »

« Mi paz sea siempre con vosotros. »

Jesús entra con los cuatro restantes y después de dar el beso a Lázaro, presenta a Juan, Felipe y Bartolomé. Después les dice que se retiren y El se queda con Lázaro.

Se dirigen a la casa. Esta vez bajo el hermoso portal hay una mujer. Es Marta. Es alta aunque no tanto como su hermana, morena mientras que la otra es rubia y de color de rosa, pero también bella con un cuerpo armónicamente grueso, bien modelado, de cabeza negra, frente morena y lisa y dos ojos dulces y suaves, grandes con pestañas oscuras. Tiene la nariz ligeramente encorvada hacia abajo y una boca pequeña muy roja que resalta más en su color moreno de las mejillas. Sonríe y muestra unos dientes fuertes y blanquísimos.

Viste de lana azul oscura con tiras de rojo y verde oscuro en el cuello y en las extremidades de las amplias mangas cortas hasta el codo, de las que salen otras mangas de blanco y finísimo lino amarradas a la muñeca con un cordoncillo que las recoge. También arriba del pecho, a la altura del cuello, se deja ver una camiseta blanca, finísima amarrada con una cinta. El cinturón de color azul, rojo y verde hecho de una tela muy fina que le llega hasta las caderas y termina en un fleco por el lado izquierdo. La ciñe un vestido rico y casto.

« Tengo una hermana, Maestro. Es esta. Se llama Marta. Es buena y piadosa. Es el consuelo y la honra de la familia y la alegría del pobre Lázaro. Antes era mi primera y única alegría, pero ahora es mi segunda, porque la primera eres Tú. »

Marta se postra hasta el suelo y besa la orla del vestido de Jesús.

« Paz a la buena hermana y a la mujer casta. ¡ Lévantate! »

Marta se levanta y entra en casa con Jesús y Lázaro, luego pide licencia de ausentarse por los quehaceres de la casa.

« Es mi paz . . . » Lázaro murmura y mira a Jesús. Es una mirada investigadora, que Jesús hace como que no la ve.

Lázaro pregunta: « ¿ Y . . . Jonás ? »

« Ha muerto. »

« ¿ Muerto ? . . . ¿ Entonces ? . . . »

« Lo tuve al fin de su vida. Murió libre y feliz en mi casa, en Nazaret, entre Yo y mi Madre. »

« ¡ Doras te lo había acabado antes de entregártelo ! »

« Sí, con cansarlo y también con golpearlo . . . »

« Es un demonio y te odia. Odia a todo el mundo esa hiena . . . ¿ No te dijo que te odiaba ? »

« Me lo dijo. »

« Desconfía de él, Jesús. Es capaz de todo, Señor . . . ¿ qué te dijo Doras ? ¿ No te dijo que me evitaras ? ¿ No te ha puesto en mal al pobre Lázaro? »

« Creo que me conoces suficientemente para comprender que Yo juzgo con justicia, y cuando amo, amo sin pensar si ese amor puede hacerme bien o mal según los entenderes del mundo. »

« Pero este hombre es cruel, y atroz en herir y dañar . . . Me molestó también hace unos días. Vino aqui y me dijo . . . ¡Oh! . . . ya tengo bastantes penas para querer también arrebatarme de Tí. »

« Soy el consuelo de los atormentados y el compañero de los abandonados. He venido a tí también por esto. »

« ¡ Ah ! Entonces . . . ¡ sabes ! . . . ¡ Oh ! ¡ Vergüenza mía ! »

« No. ¿por qué tuya? Lo sé. Y ¿qué con ello? ¿Te despreciaré porque sufres? Yo soy misericordia, paz, perdón y amor para todos, ¿ cuánto más para los inocentes ? Tú no tienes el pecado por el que sufres. ¿ Estaría bien que me ensañase contra tí, si tengo *piedad también de ella?* »

« ¿ La has visto ? »

« Sí. No llores. »

Mas Lázaro, con la cabeza reclinada en sus brazos sobre la mesa, llora dolorosamente. Se asoma Marta y mira. Jesús le hace seña de estarse quieta y se retira con lágrimas que le caen silenciosamente. Lázaro poco a poco se calla y se humilla por su debilidad. Jesús lo consuela, y como desea retirarse un momento, sale al jardín y pasea entre las pequeñas veredas donde una que otra rosa purpúrea todavía se ve.

Poco después Marta lo alcanza. « Maestro ... ¿ Lázaro te ha dicho? »

« Sí, Marta. »

« Lázaro no puede estar tranquilo desde que sabe que Tú lo sabes y de que la viste. »

« ¿ Cómo lo supo ? »

« Primero, aquel hombre que estaba contigo y que se dice ser tu discípulo; aquel joven, alto, moreno y sin barba... luego Doras. Este abofetea con su desprecio. El otro dijo solo que la habías visto en el lago ... con sus amantes ... »

« ¡Pero no lloréis por esto! ¿Creeis que ignorase vuestra herida? La sabía desde que estaba con el Padre [1].... No te aflijas, Marta. Levanta tu corazón y la frente. »

« Ruega por ella, Maestro. Ruego ... pero no se perdonar completamente y tal vez el Eterno rechaza mi oración. »

« Has dicho bien: es menester perdonar para ser perdonados y escuchados. Yo ruego por ella. Pero dame tu perdón y el de Lázaro. Tú, buena hermana, puedes hablar y obtener todavía más que Yo. Su herida está recientemente abierta y adolorida para que mi mano la toque. Tú puedes hacerlo. Dadme vuestro perdón completo, santo ... y Yo haré ... »

« ¿Perdonar? ... no podremos. Nuestra madre murió de dolor por sus malas acciones y ... eran de poca importancia en comparación de las actuales. Veo los tormentos que sufrió mi madre ... los tengo presentes. Y veo lo que sufre Lázaro. »

« Está enferma, Marta, está loca. ¡Perdónala ! »

« Está endemoniada, Maestro. »

« Y ¿qué es la posesión diabólica, sino una enfermedad del espíritu contagiado por Satanás hasta el punto de convertirse en

[1] Esto es, antes de bajar del Cielo, antes de la Encarnación, desde siempre.

un ser espiritual diabólico ?... De otro modo ¿ cómo explicarías ciertas perversiones en los humanos? Perversiones que hacen al hombre una bestia peor que cualquiera de ellas, más libidinosa que los monos en calor, y así sucesivamente, ¿y crean un ser híbrido en que se funden el hombre y el animal y el demonio? Esta es la explicación de lo que nos deja estupefactos como una monstruosidad inexplicable en tantas creaturas. No llores. Perdona. Yo veo. Porque tengo una vista más alta que la del ojo y del corazón. Tengo mirar de Dios. Veo, te digo: Perdona porque está enferma. »

« Entonces ... ¡ cúrala ! »

« La curaré. Ten fe. Te haré feliz. Perdona y dí a Lázaro que lo haga. Perdónala. Vuélvela a amar. Acércate a ella. Háblale como si fuese una como tú. Háblale de Mí ... »

« ¿ Cómo quieres que te entienda a Tí, que eres Santo ? »

« Parecerá que no comprende. Pero aun mi solo nombre es salvación. Haz que piense en Mí y me llame ... ¡Oh! Satanás huye cuando en un corazón se piensa en mi nombre. Sonríe, Marta, ante esta esperanza. Mira esta rosa. La lluvia de los días pasados la había ajado, pero el sol de hoy la ha vuelto a abrir y está más bella todavía porque la lluvia que queda entre pétalo y pétalo la enriquece de diamantes. Así sucederá con vuestra casa ... llanto y dolor, ahora, y después ... alegría y gloria. Vete. Dílo a Lázaro mientras Yo, en la paz del jardín, ruego al Padre por María y por vosotros ... »

Todo termina aquí.

80. Todavía en casa de Lázaro después de la Fiesta de los Tabernaculos. José invita a Arimatea

(Escrito el 20 de febrero de 1945)

Nuevamente Jesús está en casa de Lázaro, por lo que oigo caigo en cuenta de que los Tabernáculos ya pasaron y de que Jesús ha regresado a Betania por insistencia de su amigo, que no quiere verse separado de El. También caigo en la cuenta que Jesús está con Simón y Juan, y que los demás están esparcidos en diversos lugares. Y finalmente comprendo que Lázaro para dar a conocer a Jesús invitó a varios amigos que le son fieles.

Todo esto lo comprendo mejor porque Lázaro expone todavía mejor las características morales de cada uno. Al hablar de José de Arimatea lo define como: « un hombre justo y verdadero israelita ». Dice: « No osa decirlo porque teme al Sanedrín del que forma parte, y que ya te odia. Pero espera en Tí, el predicho por los Profetas. El mismo me ha pedido poder venir a conocerte y a juzgar por sí mismo, pues no le parece justo lo que de Tí tus enemigos decían... aunque desde la Galilea han venido fariseos a acusarte de pecado. Pero José juzgó de este modo: " Quien obra milagros tiene a Dios consigo. Quien tiene a Dios no puede estar en pecado. Antes bien no puede ser otro que uno a quien Dios ama ". Querría verte en su casa de Arimatea. Me dijo que te lo dijera. Te lo ruego, escucha mi petición y la suya. »

« He venido para los pobres y para los que sufren en el alma y en el cuerpo, más que para los poderosos que ven en Mí solo un objeto de interés. Iré a la casa de José. No tengo nada en contra de los poderosos. Un discípulo mío, el que por curiosidad y por darse importancia que él mismo se abroga, el que vino aquí sin órdenes mías... es un joven a quien hay que compadecer; es testigo de mi respeto para con las castas reinantes que se autoproclaman " las defensoras de la Ley " y... dan a entender " las sustentadoras del Altísimo ". ¡Oh! Que el Eterno por Sí solo se sustenta. Ninguno entre los doctores ha tenido jamás igual respeto por los oficiales del Templo como Yo. »

« Lo sé y esto lo saben muchos, y muchos... pero tan sólo los mejores llaman justo a este acto. Los demás lo llaman... " Hipocresía ". »

« Cada uno da lo que tiene en sí, Lázaro. »

« Es verdad, pero vas a la casa de José y querría que fuese el próximo sábado. »

« Iré. Se lo puedes comunicar. »

« También Nicodemo es bueno. Hasta... me dijo... ¿puedo decirte un juicio sobre uno de tus discípulos? »

« Dilo. Si es justo, justo dirá; si injusto, criticará una conversión, porque el Espíritu da luz al espíritu del alma si es hombre recto, y el espíritu del hombre guiado por el Espíritu de Dios tiene sabiduría sobrehumana y lee la verdad de los corazones. »

« Me dijo: " No critico la presencia de los ignorantes ni de los publicanos entre los discípulos del Mesías. Pero no creo que sea digno de El, siendo uno de los suyos, uno que no sabe si está en favor o en contra El. Parece un camaleón que toma el color del lugar en donde se encuentra ". »

« Es Iscariote. Lo sé. Pero creedme todos: juventud es vino que fermenta y luego se purifica. Cuando fermenta se esponja y hace espuma y se derrama por todas partes por la exuberancia de su fuerza. Viento de primavera que sopla por todas partes, y parece un loco arrancador de hojas. Pero es al que debemos agradecer que fecunde las flores. Judas es vino y viento. Malvado no lo es. Su modo de ser desorienta y turba, hasta molesta y hace sufrir. Pero no es del todo malvado . . . es un potro de sangre ardiente. »

« Tú lo dices. No soy competente para juzgarlo. De él me queda la amargura de haberme dicho que la habías visto . . . »

« Pero esa amargura se modera con la miel de ahora, con mi promesa . . . »

« Sí. Pero recuerdo aquel momento. El sufrimiento no se olvida aunque ya hubiera cesado. »

« ¡Lázaro!, ¡Lázaro! Tú te turbas por muchas cosas . . . ¡y tan mezquinas! Deja que pasen los días: pompas de aire que se esfuman y que no regresan con sus colores alegres o tristes. Mira al cielo. No desaparece, es para los justos. »

« Sí, Maestro y Amigo. No quiero juzgar por qué Judas está contigo, ni por qué lo tengas. Rogaré que no te haga daño. »

Jesús sonríe y todo termina.

81. Jesús encuentra a Gamaliel en el banquete de Jose de Arimatea

(Escrito el 21 de febrero de 1945)

Arimatea es un lugar algo montañoso. Yo me figuraba que era una llanura, no sé por qué, y sin embargo está sobre montes que van poco a poco bajando hacia la llanura que se nota en ciertos recodos del camino fértil, que desaparece en el horizonte en esta mañana de noviembre, en medio de una neblina baja que parece una extensión de agua sin fin.

Jesús está con Simón y Tomás. No tiene consigo a otros discípulos. Tengo la impresión de que sabiamente mide los afectos de los tipos con quienes tiene que tratar, y según las circunstancias, lleva consigo a los que pueden ser aceptados sin molestar en gran cosa al que los invita. Estos judíos deben ser algo más que... quisquillosas, damiselas románticas...

Oigo que hablan de José de Arimatea, y que Tomás que probablemente lo conoce muy bien, da a conocer las amplias y magníficas posesiones que se extienden sobre el monte, sobre todo a la parte de Jerusalén, en el camino que viene de la capital a Arimatea y junta poco después este lugar con Jope. Oigo que así dicen, y que Tomás alaba también los campos que José tiene a lo largo del camino de la llanura.

« ¡Pero al menos aquí no son tratados los hombres como bestias! ¡ Oh ! ¡ aquel Doras ! » exclama Simón.

De hecho los trabajadores de aquí están bien alimentados y bien vestidos, y muestran satisfacción de que están bien. Saludan respetuosamente porque de seguro saben quién sea aquel hombre alto y hermoso que va por la campiña de Arimatea a la casa de su patrón. Lo miran y hablan de El en voz baja.

Cuando aparece la casa de José, he aquí un siervo que profundamente se inclina y pregunta. « ¿Eres Tú, el Rabí esperado ? »

« Lo soy » responde Jesús.

El siervo hace un nuevo saludo profundo y corre a avisar a su dueño. Antes de que Jesús llegue a los límites de la casa, la cual está circundada de una alta valla de siemprevivas, que hace las veces de una cerca que separa la casa de Lázaro con el camino, pero que no es otra cosa que la continuación de un jardín lleno de árboles, que por ahora no tienen mucho follaje y que también rodean la casa.

José de Arimatea, con amplias vestiduras y cintas, sale al encuentro de Jesús y profundamente se inclina con los brazos cruzados sobre el pecho. Aunque no es el saludo humilde de quien reconoce en Jesús al Dios hecho carne y que se humilla hasta arrodillarse en el suelo y a besar sus pies o la orla del vestido. También Jesús se inclina profundamente y le da el saludo de la paz.

« Entra, Maestro. Me haces feliz al haber aceptado mi invitación. No esperaba tanta condescendencia de tu parte. »

« ¿ Por qué? Voy también a la casa de Lázaro y... »

« Lázaro es tu amigo . . . yo soy un desconocido. »

« Eres un alma que busca la verdad. Por eso la Verdad no te rechaza. »

« ¿ Eres Tú la Verdad ? »

« Soy Camino, Vida y Verdad. Quien me ama y me sigue tendrá el camino cierto, la vida bienaventurada y conocerá a Dios; porque Dios, fuera de ser Amor y Justicia es Verdad. »

« Eres un gran doctor. Cada palabra tuya respira sabiduría. » Luego se dirige a Simón: « Estoy contento que tú también regreses a mi casa, después de tan larga ausencia. »

« No lo estuve porque quise. Tú sabes la suerte que tuve y cuán grande llanto hubo en la vida del pequeño Simón a quien tu padre amaba. »

« Lo sé. Y creo que sabes que jamás tuve palabra alguna en tu contra. »

« Sé todo. Mi fiel siervo me dijo que *también a tí* debo el que mis posesiones hubiesen sido respetadas. Dios te lo premie. »

« Valía yo algo en el Sanedrín, y lo empleé en ayudar, según justicia a un amigo de mi casa. »

« Muchos eran amigos de *mi casa,* y muchos eran *algo* en el Sanedrín. Pero no todos fueron honrados como tú. »

« ¿Y este, quién es? . . . No me es desconocido . . . no sé donde . . . »

« Soy Tomás, apodado Dídimo . . . »

« ¡Ah! ¡Ahora! ¿Vive todavía tu anciano padre ? »

« Vive, continúa con sus negocios, con mis hermanos. Lo abandoné por el Maestro, pero soy feliz por ello. »

« Su padre es un verdadero israelita, y como ha llegado a creer que Jesús de Nazaret sea el Mesías, no puede menos que ser feliz, al saber que su hijo se encuentre en medio de sus predilectos. »

Están ya en el jardín cerca de la casa.

« Entretuve a Lázaro. Está en la biblioteca y lee un resumen de las últimas juntas del Sanedrín. No quería detenerse porque . . . Sé bien que Tú lo sabes . . . por esto no quería quedarse. Pero yo le dije: " No, no es justo de que te avergüences así. En mi casa nadie te ofenderá. Quédate. Quien se aísla es solo contra todo un mundo. Y como en el mundo hay más malos que buenos, el *solo* siempre es derrotado y pisoteado ". ¿Dije bien ? »

« Dijiste bien y has hecho bien » responde Jesús.

« Maestro . . . hoy estará Nicodemo y . . . Gamaliel. ¿Te molesta? »

« Cómo quieres que me moleste ? Reconozco su saber. »

« Sí. Tenía deseos de verte y... pero quiere seguir aferrado a su palabra. Sabes... ideas. Dice que él ya vió al Mesías, y que espera la señal que le prometió, cuando se manifieste. Pero también dice que Tú eres " un hombre de Dios ". No dice " el hombre de Dios ". Sutilezas rabínicas, ¿verdad? No te ofendes ¿no es así ? »

Jesús responde: « Sutilezas. Has dicho bien. No hay que preocuparse. Los mejores se podarán a sí mismos de todas las ramas inútiles que no son más que follaje y que no dan ningún fruto, y vendrán a Mí. »

« Quise repetirte sus palabras porque ciertamente te las dirá a Tí también. Es franco » explica José.

« Virtud rara y que mucho estimo » responde Jesús.

« Sí. También le dije: " Pero con el Maestro está Lázaro de Betania ". Dije así... porque sí, en resumidas cuentas, por causa de su hermana. Gamaliel respondió: " ¿Está ella presente? ¿No? ¿Y entonces? El lodo cae del vestido que no está ya en el lodo. Lázaro lo ha sacudido de sí, y no me mancha el vestido. Y además pienso que si a su casa va un hombre de Dios, puedo acercarme a él también yo, doctor de la Ley ". »

« Gamaliel juzga bien. Fariseo y doctor hasta la médula, pero honrado y aun justo. »

« Estoy contento de oírtelo decir. Maestro, mira a Lázaro. »

Lázaro se inclina a besar el vestido de Jesús. Está feliz de estar con El, pero se ve claramente su preocupación por la llegada de los convidados. Estoy segura que el pobre Lázaro, a sus conocidos sufrimientos que todos saben, pues todos los dicen, tiene que añadir este, que nadie conoce y sobre el que nadie reflexiona casi nunca, el sufrimiento moral de esta terrible espina que es el pensamiento de: « ¿ Qué dirá este de mí ? ¿qué piensa de mí ? ¿ cómo me tiene ?... ¿ me herirá con palabras o con una mirada de desprecio? » Espina que atormenta a todos los que tienen una deshonra en la familia.

Han entrado a la riquísima sala donde la mesa está ya preparada, y solo esperan a Gamaliel y a Nicodemo, porque los otros cuatro invitados ya han llegado. Oigo que los presentan con el nombre de Félix, Juan, Simón y Cornelio.

Los siervos hacen gran ruido cuando llegan Nicodemo y Gamaliel, el siempre imponente Gamaliel, el de espléndido vestido de nieve hilada que lleva con majestad real.

José se precipita a encontrarlo y el saludo que se dan es de un pomposo respeto. También ante Jesús se inclina, el cual a su vez lo hace. Nicodemo dice: « El Señor sea contigo » a lo que Jesús responde: « Y su paz siempre te acompañe. » Lázaro saluda también a los otros.

Gamaliel ocupa el centro de la mesa entre Jesús y José. Junto a Jesús está Lázaro y junto a José, Nicodemo. Empieza la comida después de las preces rituales que Gamaliel recita después de un intercambio oriental de cortesías entre los principales personajes, esto es, Jesús, Gamaliel y José.

Gamaliel es un hombre de dignidad pero no orgulloso. Prefiere escuchar que hablar. Se ve que medita cada una de las palabras de Jesús, y lo mira frecuentemente con sus negros, profundos y severos ojos. Cuando Jesús se calla porque el tema se ha agotado, Gamaliel con una pregunta oportuna enciende la conversación.

Lázaro al principio está un poco sin saber qué hablar. Después toma confianza y participa en la conversación.

Hasta cuando la comida está por terminar no se hacen alusiones directas a la personalidad de Jesús. Se prende entonces, entre Félix y Lázaro, a quien se une a apoyarlo Nicodemo, y hasta el otro huésped de nombre Juan, una discusión acerca de los milagros y lo que pueden significar en favor o en contra del individuo. Jesús guarda silencio. Se le nota una sonrisa hasta cierto punto misteriosa, pero no dice nada. También Gamaliel se calla. Tiene un codo apoyado sobre el lecho y mira intensamente a Jesús. Parece como que quisiera descifrar alguna palabra sobrenatural, escrita en la piel pálida y lisa de la faz de Jesús. Parece como que cuenta cada fibra.

Félix sostiene que la santidad de Juan es innegable, y de esta santidad de la que nadie discute ni duda saca una conclusión desfavorable a Jesús de Nazaret, autor de muchos y muy famosos milagros. Concluye: « El milagro no es prueba de santidad porque en la vida del profeta Juan no los hay. Y sin embargo nadie en Israel lleva una vida igual a la suya. Para él no hay banquetes, ni amistades, ni comodidades. Para él los sufrimientos y las prisiones por el honor de la Ley. Para él la soledad, y aunque si tiene discípulos, no convive con ellos y encuentra culpas aun en los más honrados y sobre todos truena... mientras... ¡eh! mientras el Maestro de Nazaret aquí presente, ha hecho, es verdad, milagros, pero veo que a El también le gusta lo que la vida ofrece, y no desdeña amistades, y... perdona que te lo diga uno de los ancianos del Sanedrín, es muy fácil en perdonar en nombre de Dios y en amar a los pecadores públicos y señalados con anatema. No lo deberías de hacer, Jesús. »

Jesús, sonríe pero no habla. Lázaro responde por él: « Nuestro poderoso Señor es libre de dirigir a sus siervos cómo y a dónde quiera. A Moises le concedió el milagro. A Aarón su primer pontífice, no se lo concedió [1]. Y entonces, ¿ que concluyes ? ¿ El uno más santo que el otro ? »

« Ciertamente » responde Félix.

« Entonces el más santo es Jesús que hace milagros. »

Félix perdió la brújula, pero acude a un último subterfugio: « A Aarón se le había concedido el pontificado. Era suficiente. »

« No amigo » responde Nicodemo. « El pontificado es un cargo santo, pero no es más que cargo. No siempre y no todos los pontífices de Israel han sido santos, y sin embargo fueron pontífices, aunque no fuesen santos. »

« ¡ No querráis decir que el Sumo Sacerdote sea un hombre privado de gracia!... » exclama Félix.

« Félix, no entremos en el fuego que quema. Yo, tú, Gamaliel, José, Nicodemo, todos, sabemos muchas cosas... » interviene el que se llama Juan.

« Pero ¡cómo!... pero ¡cómo...! ¡Gamaliel, interviene!... » Félix está escandalizado.

« Si es justo, dirá la verdad que no quieres oir » dicen los tres que la traen contra Félix.

José trata de poner paz. Jesús no dice nada, lo mismo que Tomás, Zelote y el otro Simón, amigo de José. Gamaliel parece que está jugando con las cintas de su vestido, pero mira de arriba a abajo a Jesús.

« ¡ Habla pues Gamaliel ! » grita Félix.

« Sí. ¡ Habla !... ¡ Habla ! » dicen los tres.

« Yo digo: las debilidades de la família se tienen ocultas » responde.

[1] Cfr. Ex. por ej. 4, 1-17 y 27-31; 7, 8 - 8, 19; 28-29; Lev. 8-9. Como aparece por los cap. 7-8 del Ex., Dios también concedió a Aarón la gracia de hacer milagros, que no deben confundirse con los de los magos de Egipto (7, 12). Lázaro, pues, en este punto no demuestra ser muy preciso en citar la Biblia.

« No es una respuesta » grita Félix. « Parece como si confesases que hay culpas en la casa del pontífice. »

« Es boca de la que sale la verdad » dicen los tres.

Gamaliel se corrige y se vuelve a Jesús: « Aquí está el Maestro que eclipsa a los más doctos. Hable, pues, El, sustanciosamente. »

« ¿ Lo quieres ? Obedezco. Yo digo: El hombre es hombre. El cargo o misión está sobre el hombre. Pero el hombre revestido de un cargo, se hace capaz de cumplirlo como superhombre cuando lleva una vida santa y tiene a Dios por amigo. El es quien dijo: " Tú eres sacerdote según el orden que *Yo te he dado* ". ¿ Qué cosa está escrita en el Racional[2] ? " Doctrina y Verdad ". Esto deberían tener los que son pontífices. A la doctrina se llega por medio de una meditación constante, dirigida a conocer al Sapientísimo. A la Verdad, con fidelidad absoluta al bien. El que juega con el mal, entra en la mentira y pierde la Verdad. »

« ¡Bien has respondido! Como un gran Rabí. Yo, Gamaliel, te lo digo. Me ganas. »

« Entonces, que este aclare por qué Aarón no hizo milagros y Moisés sí » estalla Félix.

Jesús al punto responde: « Porque Moisés debía imponerse sobre la masa oscura y pesada, y hasta contraria, de los israelitas, y debía llegar a tener sobre ellos un ascendiente, para poder doblarlo a la voluntad de Dios. El hombre es el eterno salvaje y el eterno niño. Se admira de lo que sale de las reglas. Tal cosa es el milagro. Es una luz movida ante las pupilas cerradas; es un sonido que resuena cerca de las orejas tapadas. Despierta. Llama. Hace que se diga: " Aquí está Dios ". »

« Lo dices a tu favor » rebate Félix.

« ¿A mi favor? ¿Y qué me añade haciendo milagros? ¿Puedo parecer más alto si pongo una hoja de hierba bajo mis pies? Así es el milagro con respecto a la santidad. Hubo santos que jamás hicieron milagros. Hay magos y nigromantes que con fuerzas oscuras los hacen, pero no son santos y ellos son unos demonios. Yo seré Yo, aunque no hiciere más milagros. »

« ¡Perfectamente bien! ¡Eres grande, Jesús! » aprueba Gamaliel.

« ¡Y quién es, según tú, este " grande "? » pregunta con ansias Félix a Gamaliel.

« El más grande profeta que yo conozca, tanto en obras como

[2] Cfr. Ex. 28, 15-30; 39, 8-21; Lev. 8, 8; 1 Re. 14, 36-46.

en palabras » le responde.

« Es el Mesías, te lo digo, Gamaliel. Créelo, tú que eres sabio y justo » dice José.

« ¿Cómo? ¿Aunque tú, jefe de los judíos, tú el Anciano, gloria nuestra, caes en la idolatría de un hombre? ¿Quién te prueba que es el Mesías? No lo creeré jamás aunque le vea hacer milagros. Pero, ¿por qué no hace uno delante de nosotros? Díselo tú que lo alabas, díselo tú que lo defiendes » dice Félix a Gamaliel y a José.

« No lo invité para diversión de mis amigos y te ruego que recuerdes que eres mi huésped » responde seriamente José.

Félix, enojado y grosero se va.

Después de unos momentos Jesús se dirige a Gamaliel: « ¿Y tú no pides milagros para creer? »

« No serán los milagros de un hombre de Dios que me quiten la espina dolorosa que llevo en el corazón de tres preguntas que siempre han permanecido sin respuesta. »

« ¿ Qué preguntas ? »

« ¿ Está vivo el Mesías ? ¿ Era Aquel ? . . . ¿ Es este ? »

« El es, te lo digo, Gamaliel » exclama José. « ¿No lo sientes santo? ¿Diferente?. . . ¿Potente? ¿Sí?. . . ¿Entonces qué esperas para creer? »

Gamaliel no responde a José. Se dirige a Jesús: « Una vez . . . no te desagrade, Jesús, si soy tenaz en mis ideas . . . Una vez, cuando aun vivía el grande y sabio Hilel, yo creí, y él conmigo, que el Mesías estaba ya en Israel. ¡Un gran resplandor del sol divino en aquel frío día de un persistente invierno! Era Pascua . . . el campesino temblaba por las mieses heladas . . . Yo dije, después de haber oído estas palabras. " Israel está a salvo. ¡Desde hoy abundancia en los campos y bendiciones en los corazones! El Esperado se ha manifestado con su primer fulgor ". Y no me equivoqué. Todos podéis recordar qué cosecha hubo en aquel año, de trece meses [3], cosa que en este año se repite. »

« ¿ Qué palabras oiste ? ¿ Quién las dijo ? »

« Uno . . . un poco más que un niño . . . pero Dios resplandecía en su inocente y apacible rostro . . . son diez y nueve años que pienso y que recuerdo . . . y trato de volver a oir aquella voz . . . que hablaba palabras de sabiduría. ¿En qué parte de la tierra está? Yo

[3] El año hebraico contaba 12 meses de 29 o 30 días, con un mes suplementario cada dos o tres años.

pienso... era Dios, en vestido de Niño para no aterrorizar al hombre. Y como el rayo que de un momento a otro recorre los cielos de oriente a poniente, de norte a sur, El, el Divino, recorre con su vestidura de hermosa misericordia, con voz y rostro de Niño y pensamiento divino, la tierra para decir a los hombres: "Yo soy". Así pienso... ¿Cuándo regresará a Israel?... ¿Cuándo?... Y pienso: Cuando Israel sea altar para el pie de Dios. Gime mi corazón al ver la abyección de Israel. Jamás sucederá. ¡Oh! ¡Dura respuesta! ¡Y verdadera! ¿Puede la santidad descender en su Mesías mientras exista en nosotros el abominio?»

«Lo puede y lo hace porque es Misericordia» responde Jesús.

Gamaliel lo mira pensativo y le pregunta: «¿Cual es tu verdadero nombre?»

Y Jesús imponente se levanta y dice: «Yo soy quien Soy. El pensamiento y la Palabra del Padre. Soy el Mesías del Señor.»

«¿Tú?... no lo puedo creer. Grande es tu santidad. Pero aquel Niño en quien creo dijo: "Yo daré una señal... estas piedras bramarán cuando llegue mi hora". Espero esta señal para creer. ¿Me la puedes dar Tú para persuadirme que Tú eres el Esperado?»

Los dos, de pie, altos, majestuosos. El uno con su amplio vestido de blanco lino, el otro con el suyo de lana de color rojo negruzco. Uno, de edad; el otro, joven. Ambos de ojos dominadores y profundos se miran fijamente.

Jesús baja su brazo derecho, que tenía sobre el pecho y como si jurase exclama: «¿Esta señal aguardas? ¡Y la tendrás! Repito las palabras de aquel entonces: "Las piedras del Templo del Señor bramarán a mis últimas palabras". Espera esa señal, doctor de Israel, hombre justo, y luego cree si quieres obtener perdón y salvación. ¡Serías bienaventurado si pudieses creer antes! Pero no puedes. Siglos de creencias equivocadas de una promesa justa, y nubes de orgullo como muro se te interponen para llegar a la verdad y la fe.»

«Dices bien. Esperaré esa señal. Adiós. ¡El Señor sea contigo!»

«Adiós, Gamaliel. Que el Espíritu eterno te ilumine y te guíe.»

Todos saludan a Gamaliel que se va con Nicodemo, Juan y Simón (el sinedrista). Se quedan, Jesús, Lázaro, Tomás, Simón Zelote y Cornelio.

«¡No se dobla!... Me gustaría que estuviese entre tus discípulos. Sería peso decisivo en tu favor y no lo logro » dice José.

« No te apesadumbres. Ningún peso será capaz de salvarme de la tempestad que ya se prepara. Gamaliel no se dobla en favor, pero tampoco contra el Mesías. Es uno que espera... »

Todo termina.

82. Curación del pequeño que estaba por morir. El soldado Alejandro. Desafío a Jesús

(Escrito el 22 de febrero de 1945)

Es el interior del Templo. Jesús está con los suyos, muy cerca del verdadero Templo, es decir del lugar santo a donde sólo podían entrar los sacerdotes. Es un hermosísimo patio al que se llega por un columnato y al que se llega por otro todavía más rico. Del patio se pasa a la alta plataforma sobre la que está edificado el lugar del " Santo ". ¡ Es inútil ! Si viese mil veces el Templo y lo describiese dos mil, bien por lo complejo del lugar, bien porque ignoro los nombres y porque soy incapaz de hacer un mapa, jamás lograría describir este lugar majestuoso y laberíntico...

Parece que están en oración. Hay también muchos israelitas, todos son hombres y oran ahí por su propia cuenta. La tarde de un día plomizo de noviembre a hora temprana desciende.

Un vocerío, en el que se oye la voz estentórea y preocupada de un hombre que en latín dice blasfemias, se mezcla con las altas y chillonas de los hebreos. Es como la confusión de una lucha. Se oye una voz femenina que grita: « ¡Oh, dejadlo que pase! ¡El dice que lo salvará ! »

El recogimiento del suntuoso santuario se interrumpe. Hacia el lugar de donde provienen los gritos, muchas cabezas se vuelven. Y también Judas Iscariote que está con los discípulos, la vuelve. Como es alto, ve y dice: « ¡Un soldado romano que lucha por entrar! ¡Está violando, está violando el lugar sagrado! ¡Horror! » Muchos se hacen eco.

« ¡Dejadme pasar, perros judíos! Aquí está Jesús. ¡Lo sé! ¡Lo quiero a El! No sé que hacer de vuestras estúpidas piedras. El niño está muriendo y El lo salvará. ¡ Apartaos, hipócritas ! ¡ Hienas ! »

Jesús que tan pronto como comprendió que lo buscaban, al punto se dirigió al pórtico bajo el cual se oía le confusión, llega a él y grita: « Paz y respeto al lugar y a la hora de la oferta. »

« ¡Oh, Jesús! ¡Salve! Soy Alejandro. ¡Largo de aquí, perros! »

Y Jesús con voz tranquila dice: « Haceos a un lado. Llevaré a otra parte al pagano que no sabe lo que significa para nosotros este lugar. »

El círculo se abre y Jesús llega a donde está el soldado que tiene la coraza ensangrentada. « ¿Estás herido? Ven. Aquí no se puede estar. » Y lo conduce por otro patio y más allá.

« Yo no estoy herido. Un niño ... mi caballo cerca de la Antonia, no obedeció el freno y lo revolcó. Le abrió la cabeza de una patada. Prócolo dijo: " No hay nada que hacer ". Yo ... no tengo la culpa ... pero me sucedió a mí ... y su madre está desesperada. Como te había visto pasar ... y que venías aquí ... pensé: " Prócolo no puede, pero El sí " y dije: " Vamos, mujer. Jesús lo curará ". Me detuvieron estos locos ... y tal vez el niño estará ya muerto. »

« ¿ Dónde está ? » pregunta Jesús.

« Debajo de aquel pórtico, en los brazos de su madre » responde el soldado a quien ya se ha visto en la Puerta de los Peces.

« Vamos » y Jesús va más de prisa aún. Le siguen los suyos y gente.

En las gradas que dividen el pórtico, apoyada en una columna, se ve una mujer deshecha que llora por su hijo que está boqueando. El niño tiene color ceniciento, los labios morados, semiabiertos, cosa característica en los que han recibido un golpe en el cerebro. Tiene una venda en la cabeza, sangre por la nuca y por la frente.

« La cabeza está abierta por delante y por detrás. Se ve el cerebro. A esta edad es tierno y el caballo además de fuerte, hace poco tiene herraduras » explica Alejandro.

Jesús está cerca de la mujer que ni siquiera dice una palabra, muerta de dolor ante su hijo que está muriendo. Le pone la mano sobre la cabeza. « No llores mujer » dice con toda la suavidad de que es capaz, es decir infinita. « Ten fe. Dame tu hijo. »

La mujer atontada lo mira. La multitud maldice a los romanos y compadece al niño y a la madre. Alejandro se encuentra entre la ira, por las acusaciones injustas, y la piedad y esperanza.

Jesús se sienta junto a la mujer que ve que no reacciona. Se inclina. Toma entre sus manos la cabeza herida, se inclina todavía más, se dobla sobre la carita color de cera, da aire en la boquita que se abre... un momento pasa. Después se ve una sonrisa que se percibe entre los cabellos que le han caído por delante. Se endereza. El niño abre los ojitos y hace como si quisiera sentarse. La madre teme como si fuese el último estertor y grita estrechándolo en su corazón.

« Deja que camine, mujer. Niño, ven a Mí » dice Jesús que sigue sentado al lado de la mujer, y extiende sus brazos con una sonrisa. Y el niño sin miedo alguno se arroja en aquellos brazos y llora no como si algo le doliera, sino de miedo que suele volver con el recuerdo de algo acaecido.

« No está ya el caballo, no está » asegura Jesús. « Ya pasó todo. ¿ Te duele todavía aquí ? »

« ¡ No, pero tengo miedo, tengo miedo ! »

« ¿ Lo ves, mujer ? No es más que miedo. Ya pasará. Traedme agua. La sangre y las bendas lo impresionan. Juan, dame una manzana... Toma, pequeñuelo. Come. Está sabrosa... »

Traen agua, más bien es el soldado Alejandro que la trae en el yelmo.

Jesús trata de quitar la benda y Alejandro y la mamá le dicen: « ¡ No... Vuelve a sangrar !... ¡ la cabeza está abierta !... » Sonríe Jesús y quita la benda. Una, dos, tres, ocho vueltas. Les quita los hilos ensangrentados. Desde la mitad de la frente hasta la nuca en la parte derecha, no hay más que un solo coágulo de sangre fresca en la cabellera del niño. Jesús moja una benda y lava.

« Pero debajo está la herida... si quitas el coágulo volverá a sangrar » insiste Alejandro.

La madre se tapa los ojos para no ver.

Jesús lava, y lava, y lava. El coágulo se deshace... ahora aparecen los cabellos limpios. Están húmedos, pero no hay herida. También la frente está bien. Tan solo queda una señal roja de la cicatriz.

La gente grita de admiración. La mujer se atreve a mirar, y cuando ve, no se detiene más. Se echa sobre Jesús y lo abraza junto al niño y llora. Jesús tolera esas expansiones y lágrimas.

« Te agradezco, Jesús » dice Alejandro « me pesaba haber matado a un inocente. »

« Tuviste bondad y confianza. Adiós, Alejandro. Regresa a tu puesto. »

Alejandro está para irse cuando llegan como un ciclón, oficiales del Templo y sacerdotes: « El Sumo Sacerdote te intima a Tí y al pagano profanador, por nuestro medio, de que al punto salgas del Templo. Habéis turbado la oferta del incienso. Este entró en el lugar de Israel. No es la primera vez que por tu causa hay confusión en el Templo. El Sumo Sacerdote, y con él, los ancianos de turno, te ordenan que no vuelvas más a poner los pies aquí dentro. Vete y quédate con tus paganos. »

« Nosotros no somos perros. El dice que hay un solo Dios, Creador de los judíos y de los romanos. Si esta es su casa y El me creó, puedo entrar también yo » responde Alejandro, herido del desprecio con que los sacerdotes dicen "paganos ".

« Calla, Alejandro. Yo hablo » interviene Jesús, que después de haber besado al niño y entregado a su madre se ha puesto de pie. Dice al grupo que lo arroja: « Nadie puede prohibir a un fiel, a un verdadero israelita a quien de ningún modo se le puede acusar de pecado, de orar junto al Santo. »

« Pero de explicar en el Templo la Ley, sí. Te has arrogado el derecho y ni siquiera lo has pedido. Quién eres. Quién eres. ¿ Quién te conoce ? ¿ Cómo usurpas un nombre y un puesto que no es el tuyo ? »

¡ Jesús los mira con ciertos ojos ! Luego dice: « Judas de Keriot. Ven aquí. »

Judas no parece que le guste que lo llamen. Había tratado de eclipsarse apenas llegaron los sacerdotes y oficiales del Templo (que no visten como sodados: se trata de un cargo civil). Mas debe obedecer porque Pedro y Judas de Alfeo lo empujan adelante.

« Responde, Judas. Y vosotros, miradlo. ¿Lo conocéis? . . . Es del Templo . . . ¿ Lo conocéis ? »

Tienen que responder que sí.

« Judas, ¿qué te pedí que hicieses cuando hablé aquí por vez primera? Y dí también de qué te extrañaste, y qué cosa dije al ver tu admiración. Habla y se franco. »

« Me dijo: " Llama al oficial en turno para que pueda pedirle permiso de enseñar ". Y dió su nombre y prueba de su personalidad y de su tribu . . . y me admiré de ello como de una formalidad inútil porque se dice el Mesías. Y El me dijo: " Es necesario, y cuando llegue mi hora, recuerda que no he faltado al respeto al Templo ni a sus oficiales ". Ciertamente así dijo. Debo decirlo por honor a la verdad. » Si Judas al principio hablaba un poco incierto, como cortado, después, con uno de esos gestos bruscos, proprios suyos, ha tomado confianza y se ha hecho hasta arrogante.

« Me causa admiración de que lo defiendas. Has traicionado la confianza que en tí teníamos » le reprocha un sacerdote.

« No he traicionado a nadie. ¡Cuántos de vosotros sois del Bautista ! Y . . . ¿ por eso sois traidores ? Yo soy del Mesías y eso es todo. »

« Con todo y eso, este no debe hablar aquí. Que venga como fiel. Es mucho para uno que se hace amigo de paganos, meretrices, publicanos . . . »

« Respondedme a Mí, entonces » dice enérgica pero tranquilamente Jesús. « ¿ Quiénes son los ancianos de turno ? »

« Doras y Félix, judíos, Joaquín de Cafarnaún y José Itureo. »

« Entiendo. Vámonos. Decid a los tres acusadores, porque el itureo no ha podido acusar, que el Templo no es todo Israel e Israel no es todo el mundo, y que la baba de los reptiles aunque sea mucha y venenosísima, no aplastará la voz de Dios, ni su veneno paralizará mi caminar entre los hombres hasta que no sea la hora. Y luego . . . ¡Oh! decidles, que después, los hombres se vengarán y harán justicia de los verdugos y levantarán en alto a la víctima haciendo que sea ella su único amor. Idos. Nosotros nos vamos. » Jesús se echa encima su pesado manto oscuro y sale en medio de los suyos.

En la cola está Alejandro que había asistido a la disputa. Fuera del recinto, cerca de la Torre Antonia dice : « Que te vaya bien, Maestro. Y te pido perdón de haber sido la causa de pleito contra Tí. »

« ¡ Oh, no te preocupes ! Buscaban un pretexto. Lo encontraron. Sino eras tú era otros . . . Vosotros en Roma, celebráis juegos en el Circo con fieras y serpientes, ¿ no es verdad ? . . . Pues bien, te digo que no hay fiera más cruel y engañosa que el hombre que quiere matar a otro. »

« Y yo te digo que al servicio de Cesar he recorrido todas las regiones de Roma. Pero entre los miles y miles de súbditos suyos, jamás he encontrado uno más divino que Tú. ¡Ni siquiera nuestros dioses son divinos como Tú! Vengativos, crueles, peleoneros, mentirosos . . . Tú eres bueno. Tú verdaderamente eres el Hombre. Que te conserves bien, Maestro. »

« Adiós, Alejandro. Prosigue en la luz. »
Todo termina.

83. Jesús de noche, en Getsemani habla con Nicodemo [1]

(Escrito el 24 de febrero de 1945)

Jesús está en la cocina de la casucha del olivar, cenando con sus discípulos. Hablan de lo acaecido durante el día, pero no de lo escrito anteriormente, porque oigo que hablan de otros acontecimientos, entre los que se cuenta la curación de un leproso, cerca de los sepulcros que hay en el camino de Betfagé.

« Había también un centurión romano que observaba » dice Bartolomé. Y añade. « Me preguntó desde su caballo: " ¿El hombre a quien sigues hace frecuentemente cosas similares? " y a mi respuesta afirmativa, exclamó: " Entonces es más grande que Esculapio y será más rico que Creso ". Le contesté: " Será siempre pobre, según el mundo, porque no recibe sino que da y no quiere sino almas que lleve al Dios verdadero ". El centurión me miró con tamaños ojos, espoleó su caballo y partió a galope. »

« Había también una mujer romana en la litera. No podía ser sino una mujer. Tenía las cortinas corridas, mas ojeaba por ellas. Yo la vi » dice Tomás.

« Sí, estaba cerca de la curva alta del camino. Había dado órdenes de detenerse cuando el leproso gritó: " Hijo de David, ten piedad de Mí ". Entonces recorrió una cortina y yo vi que te miró a traves de una lente preciosa, y luego irónicamente se rió. Pero cuando vio que Tú, solo con tu palabra, lo habías curado, me llamó y me preguntó: " ¿ Pero es ese del que dicen que es el verdadero Mesías ? " Respondí afirmativamente y añadió: " ¿ Estás tú con El? " y tornó a preguntar: " ¿Es verdaderamente bueno? " » dice Juan.

« ¡Entonces la viste! ¿Cómo era? » Preguntan Pedro y Judas.

« Pues... una mujer... »

« ¡Qué descubrimiento! » se ríe Pedro. E Iscariote insiste: « ¿Era bella, joven, rica? »

[1] Cfr. Ju. 3, 1-21.

« Sí, me parece que era joven y también hermosa. Pero yo estaba mirando más bien hacia Jesús que a ella. Quería cerciorarme si el Maestro nuevamente se ponía en camino... »

« ¡Estúpido! » dice entre dientes, Judas Iscariote.

« ¿Por qué? » lo defiende Santiago de Zebedeo: « Mi hermano no es un ganimede en busca de aventuras. Respondió por educación y no faltó a su primera cualidad. »

« ¿ Cual ? » pregunta Iscariote.

« La del discípulo que ama tan sólo a su Maestro. »

Judas inclina la cabeza irritado.

« Y luego... no es muy bueno que lo vean a uno hablar con los romanos » dice Felipe. « Ya nos andan acusando de que somos galileos y por eso menos " puros " que los judíos. Esto por nacimiento. Luego nos acusan de detenernos frecuentemente en Tiberíades, lugar de cita de los gentiles, romanos, fenicios, sirios... y luego... ¡ Oh ! ¡ de cuántas cosas más nos acusan ! »

« Eres bueno Felipe y pones un velo en la dureza de la verdad que dices. Pero sin velo es esta: ¡ De cuántas cosas *me* acusan ! » dice Jesús que hasta ahora ha estado callado.

« En el fondo no están del todo equivocados. Demasiado contacto con los paganos » dice Iscariote.

« ¿ Tienes tú, sólo por paganos a los que no tienen la ley mosaica? » pregunta Jesús.

« Y ¿ cuáles otros podrían ser ? »

« Judas... ¿ puedes jurar por nuestro Dios de no tener paganismo en el corazón ? ¿ Y puedes jurar que no lo tengan los israelitas más sobresalientes? »

« Maestro... de los otros no sé... de mí... puedo jurar. »

« ¿Qué cosa es para tí, según tu modo de pensar, el paganismo? » torna a preguntar Jesús.

« Seguir una religión que no es la verdadera, adorar dioses » replica vehementemente Judas.

« Y ¿ cuáles son ? »

« Los dioses de Grecia y Roma, y de los Egipcios... en una palabra los dioses de mil nombres y de seres que no existen, pero que según los paganos llenan sus Olimpos. »

« ¿ Ningún otro dios existe ? ¿ Sólo los Olímpicos ? »

« Y ¿ cuáles otros ? ¿ No son ya demasiados ? »

« Demasiados, sí, demasiados. Pero hay otros y a ellos cada hombre les quema incienso en sus altares. También los sacerdotes, escribas, rabíes, saduceos, herodianos, todos los de Israel ¿ No es verdad? No solo ellos sino hasta mis discípulos lo hacen. »

« ¡ Ah ! ¡ Eso no ! » replican todos.

« ¿ No ?... Amigos ... ¿ Quién de vosotros no tiene un culto o muchos cultos secretos? ... Uno tiene la belleza y elegancia ... Otro el orgullo de su saber ... Otro inciensa la esperanza de llegar a ser *humanamente* grande. Otro ... adora todavía a la mujer. Otro el dinero ... Otro se postra delante de su saber ... y así sucesivamente. En verdad os digo que no hay hombre que no esté manchado de idolatría. ¿ Cómo, entonces se puede desdeñar a los paganos que lo son por desgracia, mientras que estando uno con el Dios verdadero, permanece pagano por su voluntad?... »

« Pero somos humanos, Maestro » exclaman muchos.

« Es verdad. Entonces ... tened caridad para con los otros, porque Yo la he tenido para todos y a eso he venido y vosotros no valéis más que Yo. »

« Pero entre tanto nos acusan y a tu misión se le ponen trabas. »

« Es lo mismo. Seguiré adelante. »

« A propósito de mujeres » dice Pedro, tal vez porque está sentado junto a Jesús y se siente en tal forma feliz que es bueno, bueno. « Hace pocos días, mejor dicho, desde que hablaste en Betania la primera vez después de tu regreso a Judea, hay una mujer velada que siempre nos sigue. No sé cómo se las arregle para saber nuestras intenciones. Se que o te escucha en la cola de las últimas filas del pueblo cuando hablas, o que camina destrás de la gente que te sigue, o también detrás de nosotros si vamos anunciándote por las campiñas. Casi siempre está en Betania, la primera vez, me susurró detrás del velo: " ¿ Aquel hombre que dices que hablará, es verdaderamente Jesús de Nazaret? " Le respondí que sí, y por la tarde fué a escucharte detrás del tronco de un árbol. La perdí de vista por un poco de tiempo, pero ahora la he visto dos o tres veces en Jerusalén. Hoy le pregunté: " ¿Necesitas algo? ¿Estás enferma?... ¿Quieres una limosna? " ... Respondió que nó con la cabeza, porque no habla con nadie. »

« A mí me dijo un día: " ¿Dónde vive Jesús? " y le dije: " En Get-Semmi " » dice Juan.

« ¡Valiente bobo! ¡No debiste hacerlo. Debías de haberle dicho: " ¡Descúbrete! Hazte conocer y te lo diré " » dice iracundo el Iscariote.

« Pero ... ¿desde cuándo exigimos estas cosas? » exclama Juan sencilla e inocentemente.

« A los otros se les puede ver. Ella está cubierta completamente con el velo. O es una espía, o una leprosa. No debe seguirnos y enterarse. Si es espía es para hacer el mal. Tal vez el Sanedrín le paga para esto. »

« ¡Ah! ¿El Sanedrín usa estos medios? » pregunta Pedro. « ¿ Estás seguro? »

« Segurísimo. Estuve en el Templo y lo sé. »

« ¡Qué belleza! Esto viene como dedal al dedo lo que dijo hace poco el Maestro ... » comenta Pedro.

« ¿ Qué ? ... » Judas está rojo de ira.

« Que también hay sacerdotes paganos. »

« ¿ Qué tiene que ver esto con pagar a una espía ? »

« ¡ Que sí tiene ! ¿ Por qué pagan ? Para aplastar al Mesías y triunfar ellos. Se ponen pues en el altar con sus puercas almas bajo vestidos limpios » responde Pedro con su buen juicio de iliterato.

« Bien, en resumidas cuentas » dice Judas. « Esa mujer es un peligro para nosotros o para la gente. Para la gente si es leprosa, para nosotros si es espía. »

« Esto es: Para El, en caso de que así fuese » replica Pedro.

« Pero si cae El, también nosotros caemos ... »

« ¡Ah! ¡Ah! » ríe Pedro y concluye: « y si cae uno, el ídolo se rompe en pedazos y se pierde el tiempo, estima y tal vez hasta el pellejo, y entonces ... ¡Ah! ¡Ah! ... y entonces es mejor tratar de que no caiga o ... retirarnos a tiempo ... ¿verdad? ... Yo, al revés, mira, lo abrazo con todas mis fuerzas. Si cae pisoteado por los traidores de Dios, quiero caer con El » y Pedro abraza estrechamente a Jesús con sus cortos brazos.

« No pensaba que hubiese hecho muy mal, Maestro » dice Juan muy triste, que está sentado ante Jesús. « Pégame, maltrátame, pero sálvate. ¡Ay de mí si yo fuera la causa de tu muerte! ... ¡Oh! Jamás volvería a tener paz. Me imagino que las lágrimas surcarían mi cara de tanto llorar y perdería la vista. ¿Qué he hecho? Judas tiene razón. ¡ Soy un tonto ! »

« No, Juan. No lo eres e hiciste bien. Déjala que venga siempre. Respetad su velo. Puede ser que lo use como medio de lucha entre el pecado y la sed de redimirse. ¿ Tenéis idea qué causa ese llanto y ese pudor? Dijiste, Juan, querido hijo de corazón de niño bueno, que un llanto continuo surcaría tu rostro si fueses causa de un mal mío. Pero piensa que cuando una conciencia nuevamente agitada empieza a roer una carne, que fué pecado, para destruirla y triunfar con el espíritu, debe necesariamente consumir todo cuanto fué atracción de la carne; y la creatura envejece, languidece bajo la llama del fuego que la tortura. Tan sólo después de una redención completa, se rehace una segunda belleza santa y más perfecta, porque es la belleza del alma que se deja ver en la mirada, en la sonrisa, en la voz, en el orgullo honesto del rostro sobre el que ha descendido y resplandece como una diadema el perdón de Dios. »

« ¿ Entonces no hice mal ? »

« No. Ni tampoco Pedro. Dejadla. Y ahora cada uno vaya a descansar. Me quedo con Juan y Simón, a los que debo de hablar. Podéis iros. »

Los discípulos se retiran. Tal vez duermen en el olivar. No lo sé. Se van y ciertamente no entran en Jerusalén, porque desde hace algunas horas las puertas están cerradas.

« ¿ Dijiste, Simón, que Lázaro te envió hoy a Isaac con Maximino, cuando yo estaba ya cerca de la Torre de David?. . . ¿Qué quería? »

« Quería decirte que Nicodemo estaba en su casa y que deseaba hablarte en secreto. Me permití decir: " Que venga. El Maestro lo espera esta noche ". No tienes sino la noche para estar sólo. Por eso te dije: " Manda a todos menos a Juan y a mí ". Juan es para que vaya al puente de Cedrón a esperar a Nicodemo que está en una de las casas de Lázaro, fuera de los muros. Yo, para explicarte. ¿ Hice mal ? »

« Hiciste bien. Ve, Juan, a tu lugar. »

Se quedan solos Simón y Jesús, el cual está pensativo. Simón respeta su silencio. Pero de pronto lo rompe Jesús y como si terminase de hablar consigo mismo, dice: « Sí. Está bien hacer así. Isaac, Elías, los demás bastan para tener viva la idea que ya se afirma entre los buenos y entre los humildes. Para los potentes . . . hay otras levas. Está Lázaro, Cusa, José y todavía otros . . . Pero los poderosos . . . . no me quieren. Temen y tiemblan por su poder. Me iré lejos de este corazón judío, siempre más hostil al Mesías. »

« ¿ Regresamos a Galilea ? »

« No. Pero lejos de Jerusalén. Se evangeliza la Judea y también Israel. Pero aquí lo ves . . . todo sirve para acusarme. Me retiro. Y por segunda vez... »

« ¡Maestro! ¡Aquí está Nicodemo! » dice Juan que es el primero en entrar.

Se saludan y luego Simón toma a Juan y sale de la cocina, dejándolos a los dos solos.

« Maestro, perdona si quise hablarte en secreto. Desconfío de muchos por Tí y por mí. No todo es vileza mía. También prudencia y deseo de ayudarte más que si abiertamente te perteneciera. Tienes muchos enemigos. Soy uno de los pocos *que* te admiran. Pedí consejo a Lázaro. Este es poderoso de nacimiento y le temen porque goza del favor con Roma; es justo a los ojos de Dios, es sabio por madurez de ingenio y cultura. Es en verdad tu *verdadero* amigo y mio. Por esto he querido hablar con él. Y estoy contento de que él también haya pensado de la misma manera. Le platiqué de las últimas discusiones que tuvo el Sanedrín respecto de Tí. »

« Las últimas acusaciones. Dí la verdad desnuda como es. »

« Las últimas acusaciones. Sí, Maestro. Estaba a punto de decir: " Y bien. Yo también soy uno de los de El ". Tan sólo porque en aquella asamblea era necesario que hubiese alguno en tu favor. Pero José, que estaba cerca de mí, me susurró: " Cállate. Ocultemos nuestro modo de pensar. Luego te diré ". Y a la salida me dijo, ciertamente dijo: " Es mejor así. Si saben que somos discípulos, nos tienen a oscuras de cuanto piensen y decidan, y pueden dañarle y dañarnos. Como sencillos admiradores de El, no nos tendrán secretos ". Comprendí que tenía razón. Son muchos... ¡y malos! También tengo yo mis intereses y mis obligaciones... lo mismo que José... ¿ Entiendes, Maestro ? ».

« No os reprocho nada. Antes de que tú llegases decía esto a Simón. Y he determinado alejarme también de Jerusalén. »

« ¡ Nos odias porque no te amamos ! »

« No. ¡No odio ni siquiera a los enemigos ! »

« Tú lo dices. Pero es así. Tienes razón. ¡Pero para mí y para José es un gran dolor! ¿Y Lázaro? ¿Qué dirá Lázaro que exactamente hoy ha decidido que se te dijera que dejases este lugar para ir a una de sus propriedades de Sión. ¿Sabes? Lázaro es muy rico. Gran parte de la ciudad es suya, y también muchas tierras de Palestina. Su padre juntó a su herencia y a la de Euqueria de tu tribu y familia, todo lo que los romanos recompensaron a su fiel siervo, y dejó a los hijos grandes posesiones. Y lo que más vale, una oculta pero poderosa amistad con Roma. Sin esta, ¿ quién habría podido salvar de la infamia a toda su casa después de la vergonzosa conducta de María, de su divorcio, que lo obtuvo sólo porque era " ella "; de su vida licenciosa en esta ciudad que es su feudo y en Tiberíades que es el elegante lupanar donde Roma y Atenas han construido lechos de prostitutas para tantos del pueblo elegido ? En realidad si el Téofilo siro hubiese sido un prosélito más convencido, no hubiera dado a sus hijos esa educación helenizante que mata las virtudes, siembra la voluptuosidad, que bebieron pero vomitaron sin consecuencia alguna Lázaro y sobre todo Marta, pero que ha contagiado y fructificado en la desenfrenada María, y ha hecho de ella el fango de la familia y de Palestina. ¡No! Sin la poderosa sombra del favor romano, más que a los leprosos se les hubiera anatematizado. Y pues, que las cosas son así, aprovéchate de ellas. »

« No. Me retiro. Quién me quiere, vendrá a Mí. »

« ¿ Hice mal en hablar de ellos ? » Nicodemo está preocupado.

« No, espera. Persuádete » y Jesús abre una puerta y dice: « Simón, Juan ¡ Venid ! »

Los dos acuden.

« Simón. Dí a Nicodemo lo que te había dicho cuando él estaba por llegar. »

« Que para los humildes bastan los pastores. Para los poderosos, Lázaro, Nicodemo, José y Cusa y que Tú te retiras lejos de Jerusalén sin dejar con todo la Judea. Esto dijiste. ¿Por qué has hecho que lo repitiese ? ¿ Qué ha pasado ? »

« Nada. Nicodemo temía que me fuese yo por sus palabras. »

« Dije al Maestro que el Sanedrín cada vez más, es su enemigo, y que estaba bien que se pusiese bajo la protección de Lázaro. Protegió tus bienes porque tiene a Roma en su favor. Protegería también a Jesús. »

« Es verdad. Es un buen consejo. Pese a que mi casta no sea bien vista de Roma, sin embargo una palabra de Teófilo me conservó mis bienes durante la proscripción y la lepra. Y Lázaro es *muy* amigo tuyo, Maestro. »

« Lo sé, pero ya dije y lo que digo lo sostengo. »

« Entonces, ¿ te perdemos ? »

« No, Nicodemo. Van al Bautista hombres de todas las sectas. A Mí podrán venir también hombres de todas las sectas y de todos los cargos. »

« Nosotros venimos a Tí, porque sabemos que eres más que Juan. »

« Podéis venir, pues. También Yo, como Juan, seré un Rabí solitario, y hablaré a las turbas deseosas de oir la voz de Dios y capaces de creer que Yo sea esa voz. Y los otros me olvidarán. Si es que son capaces de tanto. »

« Maestro, Tú estás triste y desilusionado. Tienes razón. Todos te escuchan y creen en Tí hasta poder obtener milagros. Hasta uno de los de Herodes, uno que debería tener necesariamente podrida la bondad natural en esa corte incestuosa; hasta los soldados romanos. Sólo nosotros los de Sión somos tan duros... Pero no todos. Lo ves... Maestro, sabemos que has venido de parte de Dios, para hablarnos de El mejor que ningún otro lo haya hecho. También Gamaliel lo dice. Nadie puede hacer los milagros que haces si no tiene a Dios consigo. Hasta los doctores como Gamaliel creen en esto. ¿Por qué entonces sucede que no podamos tener fe como la tienen los pequeños de Israel? ¡Oh! Dímelo claro. No te traicionaré aunque me dijeses: " He mentido para dar valor a mis palabras sabias con un sello del que nadie puede burlarse " ¿ Eres Tú el Mesías del Señor ?... ¿ El Esperado ? ¿ La Palabra del Padre, encarnada para instruir y redimir a Israel según el Pacto?...[2] »

« Lo preguntas porque Tú quieres, u otros te dijeron que me lo preguntases? »

« Yo lo pregunto, Señor. Tengo aquí un tormento. Hay en mí una borrasca. Vientos contrarios y voces contrarias. ¿Por qué no hay en mí, hombre maduro, esa pacífica seguridad que tiene este, casi analfabeta muchacho, en cuya cara le pone esa sonrisa, en sus ojos esa luz, ese sol en su corazón ? ¿ De qué modo crees Juan, para estar así tan seguro? Enséñame hijo, tu secreto, el secreto con que supiste ver y encontrar al Mesías en Jesús Nazareno. »

Juan se pone colorado como una fresa, baja la cabeza como si pidiese permiso para decir una cosa muy grande, y responde sencillamente: « Amando. »

« ¡Amando! ... Y tú, Simón, homre probo y ya en las puertas de la vejez, tú docto y sobre quien ha habido tantas pruebas... ¿ cómo has hecho para que puedas dejarte convencer? »

« Meditando. »

[2] Cfr. Gén. 3, 14-15; Ju. 1, 1-18; además: pág. 468, not. 1; pág. 473, not. 4.

« ¡Amando! ¡Meditando! ¡Yo también amo y medito y no estoy todavía seguro! »

Jesús interviene: « Yo te diré el verdadero secreto. Estos han sabido nacer de nuevo, con un nuevo espíritu, libres de toda cadena, vírgenes de cualquier otra idea. Y por esto han comprendido a Dios. Si uno no nace de nuevo, no puede ver el reino de Dios ni creer en su Rey. »

« ¿Cómo puede un hombre volver a nacer si ya es adulto? Expulsado del seno materno, el hombre no puede jamás volver a entrar. ¿Aludes tal vez a la reencarnación como creen muchos paganos? Pero, no, no es posible en Tí esto. Y luego no sería volver a entrar en el seno, sino reencarnarse más allá del tiempo. Por esto, ahora no más. ¿Como? De qué modo? »

« No hay más que *una* existencia de la carne sobre la tierra, y *una* vida eterna del espíritu, más alla de la tierra[3]. Yo no hablo de la carne y de la sangre, sino del espíritu inmortal, que renace a la vida verdadera por dos cosas: Por el agua y por el Espíritu. Lo más grande es el Espíritu, sin el cual el agua no es más que un símbolo. Quien se ha lavado con el agua, debe purificarse luego con el Espíritu y con El encenderse y renacer, si quiere vivir en el seno de Dios que está en el Reino eterno. Porque lo que la carne engendra es carne y muere con ella después de haberle servido en sus apetitosos pecados. Pero lo que engendra el Espíritu, es espíritu y vive al regresar al Espíritu generador después de haber alimentado hasta la edad perfecta su propio espíritu. En el Reino de los Cielos no habitarán sino los que han llegado a la edad perfecta espiritual. No os maravilléis si digo: " Es necesario que nazcáis de nuevo ". Estos han sabido renacer. El joven ha matado la carne y hecho renacer el espíritu poniendo su *yo* en la hoguera del amor. Todo lo que era materia se quemó. De las cenizas, he aquí, que se levanta su nueva flor espiritual, maravilloso heliotropo que sabe dirigirse hacia el Sol eterno. El de edad, puso la guadaña de la meditación honesta a los pies de su viejo pensar, y arrancó la vieja planta dejando sólo el retoño de la buena voluntad, del que hizo nacer su nuevo pensamiento. Ahora ama a Dios con un espíritu nuevo y lo ve. Cada uno tiene su modo para llegar al puerto. Cualquier viento es bueno con

[3] " No . . . tierra " con estas expresiones se afirma una sola existencia terrenal y una sola existencia ultraterrena, para excluir la reencarnación, que exactamente admite más existencias terrenas y ultraterrenas.

tal de que se sepa usar la vela. Vosotros oís que sopla el viento y por su corriente podéis regular y dirigir la maniobra. Pero no podéis decir de dónde viene, ni llamar el viento que necesitáis. También el Espíritu llama y viene llamando y pasa. Pero solo el que está atento puede seguirlo. El Hijo conoce la voz de su padre, la voz del Espíritu conoce la voz del Espíritu y quien lo engendró. »

« ¿ Cómo puede suceder esto ? »

« Tú, ¿Maestro en Israel me lo preguntas? ¿Ignoras estas cosas? Se habla y se da testimonio de lo que sabemos y hemos visto. Por esto yo hablo y doy testimonio de lo que sé. ¿Cómo podrás aceptar las cosas que no has visto, si no aceptas el testimonio que te traigo? ¿ Cómo puedes creer en el Espíritu, si no crees en la Palabra Encarnada?... Bajé para ascender y llevar a los que están acá abajo. Uno solo ha descendido del Cielo: Yo, Hijo del Hombre. Recuerda a Moisés. Levantó una serpiente en el desierto para curar las enfermedades de Israel[4]. Cuando Yo sea levantado en alto, los que ahora están ciegos, sordos, mudos, locos, leprosos, enfermos por la fiebre de la culpa, serán curados y cualquiera que creyere en Mí tendrá la vida eterna. También los que en Mí hubiesen creido, tendrán esta vida bienaventurada. No bajes la frente, Nicodemo. He venido a salvar no a destruir. Dios no ha enviado a su Unigénito al mundo para condenar al que está en el mundo, sino para que el mundo se salve por medio de El. En el mundo he encontrado toda clase de culpas, herejías, idolatrías, ¿Puede la golondrina que vuela veloz a flor de tierra ensuciarse el plumaje?... ¡ No ! Lleva sólo por los tristes caminos de la tierra una coma de azul, un olor de cielo, lanzando un chillido para sacudir a los hombres y hacerles levantar la mirada del fango y seguir su vuelo que torna al cielo. Igualmente vengo Yo, para llevaros conmigo. ¡ Venid ... ! Quien cree en el Unigénito no será juzgado. Ya está salvo porque por él, el Hijo del Hombre ruega al Padre diciéndole: " Este me ha amado ". Pero el que no cree, es inútil que haga obras santas. Está ya juzgado porque no ha creido en el Hijo Unico de Dios. ¿Cuál es mi nombre, Nicodemo? »

« Jesús. »

« ¡ No ! ¡Salvador ! Yo soy salvación. Quien no cree en Mí, rechaza su salvación y la justicia eterna lo ha sentenciado. La sen-

[4] Cfr. Ex. 21, 4-9.

tencia es esta: " La Luz se había enviado a tí, y al mundo para salvaros, y tú y los hombres habéis preferido las tinieblas a la luz, porque preferísteis las obras malas, que por lo demás eran vuestras costumbres, a las obras buenas que El os señalaba que siguieseis para ser santos ". Habéis odiado la luz porque los malvados buscan las tinieblas para sus delitos, y habéis rehuido de la Luz para que no alumbrase vuestras llagas ocultas. No es por tí, Nicodemo. Pero esta es la verdad y el castigo estará en relación con la sentencia, bien se trate de uno solo, bien del conjunto. Respecto a los que me aman y ponen en práctica la verdad que enseño, naciendo por esto en el espíritu una segunda vez, que es la más verdadera. Yo afirmo que no tienen miedo a la Luz, antes bien que se acercan a ella porque su luz aumenta la luz con la que fueron iluminados, gloria recíproca que hace a Dios bienaventurado en sus hijos y a sus hijos en el Padre. En realidad, los hijos de la Luz no tienen miedo que se les alumbre. Antes bien con el corazón y con las obras dicen: " No Yo, El, el Padre; El el Hijo; El el Espíritu Santo han realizado en mí el bien, ¡a ellos la gloria para siempre! " Y del cielo responde el eterno canto de los Tres que se aman en su perfecta Unidad: " A Tí sea la bendición en la eternidad, hijo verdadero de nuestro querer ". Juan: Recuerda estas palabras para cuando llegue la hora de escribirlas. ¿Estás persuadido, Nicodemo? »

« Sí... Maestro. ¿ Cuándo podré hablarte otra vez? »

« Lázaro sabrá llevarte. Iré a su casa antes de separarme de aquí. »

« Me voy, Maestro. Bendice a tu siervo. »

« Mi paz sea contigo. »

Nicodemo sale con Juan.

Jesús se vuelve a Simón: « ¿Ves la obra del poder de las tinieblas?... Como una araña tiende sus acechanzas, envuelve y aprisiona a quien no sabe morir para renacer como una mariposa; que no tiene la fuerza de traspasar la tela tenebrosa y seguir adelante, llevando como recuerdo de su victoria, pedazos de tela reluciente en sus alas de oro, como estandarte y lábaros arrebatados al enemigo. Morir para daros la fuerza de morir. Vete a descansar, Simón. Y Dios sea contigo. »

Todo termina.

84. Jesús en casa de Lázaro antes de ir a " Aguas Claras "

(Escrito el 25 de febrero de 1945)

Jesús sube por el áspero sendero que lleva al altiplano sobre el que está construida Betania. Esta vez, no ha tomado el camino principal sino este que es rápido y más corto, que viene del noroeste al este, y que es menos transitado, probablemente por ser tan pendiente y áspero. Tan sólo los que tienen prisa, pasan por él; los que tienen ganados y que prefieren no llevarlos por lugares frecuentados; los que, como hoy Jesús, no quieren que otros los vean. Sube platicando amigablemente con Zelote. Detrás en grupo, vienen los primos con Juan y Andrés, después en el otro grupo Santiago de Zebedeo, Mateo, Tomás, Felipe y los últimos son Bartolomé, Pedro e Iscariote.

Cuando han llegado al altiplano, en que Betania sonríe al sol en un día sereno de noviembre, desde donde, si se mira hacia el oriente, se ve el valle del Jordán, y el camino que viene de Jericó, Jesús dice a Juan que vaya a avisar a Lázaro su llegada. Mientras Juan se va rápidamente, Jesús continúa con los suyos, despacio. Personas del lugar lo saludan.

La primera persona que viene de la casa de Lázaro es una mujer que se postra hasta el suelo diciendo: « Feliz este día para la casa de mi señora. Ven, Maestro. Ahí está Maximino, y en el cancel Lázaro. »

También Maximino acude. No sé exactamente quién sea. Tengo la impresión de que sea un pariente menos rico y que viva con los hijos de Teófilo o sea un mayordomo de sus grandes posesiones, pero que se trata como amigo por sus cualidades y por el largo tiempo que tiene de servir en la casa. Tal vez se trate del hijo del mayordomo del padre, que ha conservado el mismo puesto con los hijos de Téofilo. Es un poco mayor de edad que Lázaro, esto es, tendrá unos treinta y cinco años, más o menos.

« No esperábamos tenerte tan pronto » dice.

« Pido albergue por una noche. »

« Si fuese para siempre, nos harías felices. »

Están ya en el umbral y Lázaro besa y abraza a Jesús y saluda a los discípulos. Después llevando a Jesús del brazo, entra con El en el jardín y al separarse de los demás pregunta al punto: « ¿ A qué debo la alegría de tenerte? »

« Al odio de los sanedristas. »

« ¿ Te han hecho mal ? . . . ¿ Otra vez ? »

« No. Me lo quieren hacer. Pero todavía no es la hora. Hasta que no haya arado toda la Palestina y esparcido la semilla, no seré abatido. »

« Debes también recoger tu cosecha, buen Maestro. Es justo que así sea. »

« Mi cosecha la recogerán mis amigos. Llevarán la guadaña a donde he sembrado. Lázaro, he decidido alejarme de Jerusalén. Sé que no sirve para nada, lo sé de antemano. Pero servirá para poder evangelizar, que ya es suficiente. En Sión, aún esto se me ha negado. »

« Te había mandado decir con Nicodemo que te fueses a una de mis posesiones. Ninguno se atreve a violarlas. Podrías hacer tu ministerio sin molestia. Y . . . ¡Oh! ¡Mi Casa! ¡La más bienaventurada de todas mis casas para que sea santificada con tu enseñanza, con tu respirar en ella! Dame la alegría de serte útil, Maestro mío. »

« Lo ves que ya te la estoy dando. Pero no puedo permanecer en Jerusalén. No me molestarían, pero sí a los que viniesen a mí. Voy hacia Efrain, entre este lugar y el Jordán. Allá evangelizaré y bautizaré como el Bautista. »

« En la campiña de aquella región tengo una casita. Sirve para los arneses y utensilios de los trabajadores. Algunas veces duermen allí cuando llega el tiempo de la cosecha y de las vides. Es muy pobre. Un techo sencillo y cuatro paredes. Pero está dentro de mis tierras . . . y se sabe . . . será como un espantapájaros para esos chacales. Acepta, Señor. Mandaré siervos a que la preparen . . . »

« No es necesario. Si duermen tus campesinos, también será suficiente para nosotros. »

« No pondré riquezas, sino completaré el número de camas, pobres como Tú quieres, y haré que lleven cobijas, sillas, cántaros y copas. Debéis también comer y cubriros, sobre todo en estos meses de invierno. Déjame que lo haga. Ni siquiera yo lo haré. He aquí a Marta que viene a vernos. Ella tiene el genio práctico y exquisito para todos los quehaceres domésticos. Ha sido hecha para la casa y para ser consuelo de los cuerpos y de los corazones que en ella viven. ¡ Ven, mi dulce y buena recamarera ! ¿ Lo ves? Yo también me he venido a poner bajo su maternal cuidado, en la parte de su herencia. De este modo no lamento mucho a mi madre que ya no vive. Marta: Jesús se retira a la choza de "Aguas Claras". El suelo es fértil, la casa es un redil. Pero El quiere una casa de pobres. Hay que amueblarla lo menos posible. Da órdenes, tú, ¡que eres inigualable! » Y Lazáro besa la bellísima mano de su hermana que se alza y lo acaricia con verdadero amor de madre.

Después Marta dice: « Voy al punto. Me llevo a Maximino y a Marcela. Los hombres del carro nos ayudarán a arreglar todo. Bendíceme, Maestro, y así llevaré algo tuyo. »

« Sí, mi buena recamarea. Te llamaré como Lázaro. Te doy mi corazón para que lo lleves en el tuyo. »

« ¿ Sabías, Maestro, que hoy está por estas campiñas Isaac con Elías y los otros?... Me pidieron, me pidieron permiso de pastar abajo en la llanura para poder estar un poco juntos y les dí permiso. Hoy transmigran. Los espero para la comida. »

« Me da gusto. Les daré instrucciones... »

« Sí, para que podamos estar en contacto. Alguna vez vendrás, pero... »

« Vendré. Hablé ya con Simón. Y como no es justo que invada tu casa con los discípulos, iré a la casa de Simón... »

« No, Maestro. ¿ Por qué me quieres dar ese dolor ? »

« No preguntes, Lázaro. Sé que así está bien. »

« Pero entonces... »

« Pero entonces estaré siempre en *tus* posesiones. Lo que aún Simón ignora *Yo lo se.* El que quiso comprar, sin mostrarse y sin discutir, con la condición de estar cerca, fué Lázaro de Betania; fué el Hijo de Teófilo, el fiel amigo de Simón Zelote y el *gran* amigo de Jesús de Nazaret. El que duplicó la suma por Jonás y no la tomó de los bienes de Simón para darle alegría de que pudiese hacer más por el Maestro pobre y por los pobres del Maestro es uno que tiene por nombre Lázaro. El que discreto y atento mueve, dirige, ayuda todas las fuerzas buenas para darme auxilio, consuelo y protección, es Lázaro de Betania. Yo se. »

« ¡ Oh ! ¡ No lo digas ! ¡ Creí que así hacía bien y en secreto ! »

« Para los hombres es secreto, pero no para Mí. Leo en los corazones. Quieres que te diga ¿por qué tu natural bondad se baña de perfección sobrenatural? Es porque pides un don sobrenatural: pides la salvación de *un* alma y que seais santos tú y Marta.

Y comprendes que no basta ser buenos según el mundo, sino que es necesario ser buenos según las leyes del espíritu, para tener la gracia de Dios. No escuchaste mis palabras cuando yo dije: " Cuando hágáis el bien, hacedlo en secreto, y el Padre os dará una gran recompensa ". Lo hiciste por natural impulso de humildad y en verdad te digo que el Padre te prepara una recompensa que ni siquiera puedes imaginar. »

« ¿ La redención de María ? . . . »

« Esta *y más, y más,* todavía. »

« Qué cosa más imposible que esta, Maestro? »

Jesús lo mira y sonríe. Luego dice como en tono de salmo [1]:

« El Señor reina y con El sus santos.

Con sus rayos teje una corona y la pone sobre la cabeza de los santos.

Donde pueda para siempre brillar a los ojos de Dios y del Universo.

¿De qué metal está hecha?... ¿De qué piedras decorada?... Oro, oro purísimo ... es la diadema obtenida con doble fuego, del amor divino y del hombre, que ha sido labrada con el cincel de la voluntad que martillea, lima, corta, pule.

Perlas de gran riqueza y esmeraldas más verdes que la hierba nacida en abril, turquesas de color de cielo, ópalos de color de luna, amatistas como púdicas violetas, jaspes, zafiros, jacintos y topacios. Estos engastados por toda la vida y luego una diadema de rubíes por remate. Una gran diadema para una frente gloriosa.

Porque este hombre bienaventurado habrá tenido fe y esperanza, mansedumbre y castidad, templanza y fortaleza, justicia y prudencia, misericordia ilimitada, y en realidad, escrito con sangre mi nombre y la fe en Mí, su amor por Mí, y su nombre en el cielo.

Alegraos. ¡Oh, justos del Señor! El hombre ignora lo que Dios ve.

Escribe en los libros eternos las promesas y vuestras obras, y con ellas vuestros nombres, príncipes del siglo futuro, triunfadores eternos con el Mesías del Señor. »

Lázaro lo mira estupefacto. Luego dice en voz baja: « ¡Oh! ... yo ... no seré capaz ... »

« ¿ Lo crees ? » y Jesús toma una rama flexible de sauce que cae

[1] Cfr. Sal. 92, 1; 96, 1; 98 1.

sobre el camino y dice: « Mira, de la manera que mi mano dobla
cina. En dos de los camarotes están ahora los lechos. Parecen pe-
fácilmente esta rama, así el amor doblará tu alma y hará de ella
una corona eterna. El amor es el redentor individual. Quien ama,
inicia su redención. Lo que le falte lo pondrá el Hijo del Hombre. »

85. Jesús en " Aguas Claras ". Preliminares de la vida común con los discípulos

(Escrito el 26 de febrero de 1945)

Si se compara esta casucha baja y rústica con la de Betania, ciertamente es un redil, como dice Lázaro. Pero si se le compara con las casas de los campesinos de Doras, es una habitación muy hermosa.

Es muy baja y muy larga. Está construida sólidamente. Tiene una cocina, en otras palabras, una gran chiminea en un cuarto todo húmedo. Hay una mesa, sillas, cántaros y un rústico instrumento donde están los platos y las copas. Una puerta grande de madera tosca le proporciona luz y además entrada. Sobre la misma pared donde se abre la puerta, hay otras tres que comunican a tres largos y estrechos camarotes, cuyas paredes están blanqueadas con cal, y el suelo está solo pisoneado como el de la co-
queños dormitorios. Los muchos ganchos colgados en las paredes hablan claro de que allí se colgaban los enseres y otros instrumentos agrícolas y ahora sirven de clavijeros para colgar los mantos y las alforjas. El tercer camarote (es más bien un largo corredor que camarote, porque la longitud está en desproporción con la anchura) está vacío. Debería servir también para refugio de los animales porque tiene un pesebre y argollas clavadas en el muro, y hay hoyos en el suelo que son indicios de haber sido hechos con cascos herrados. Ahora no hay nada.

Afuera, cerca de este último camarote, hay un largo portal rústico. El techo está cubierto con madera delgada y piedras alargadas. Se apoya sobre troncos de árboles casi con la corteza. No es ni siquiera un portal, es un techo tan solo que está abierto por tres lados: dos de ellos por lo menos de diez metros de largo y el otro de cinco metros de ancho. En el verano la vid debe extender sus ramas y ramos de tronco a tronco en la parte sur. Ahora no tiene hojas y tan sólo ostenta sus ramas secas, como también lo está una higuera gigantesca que en verano da sombra al estanque que está en el centro de la era, que es abrevadero de animales. Está junto a un pozo primitivo, o sea, un hoyo al nivel del suelo. Apenas un cerco de piedras planas y blancas lo indica.

Esta es la casa en que Jesús y los suyos se hospedarán, y que se llama " Aguas Claras ". Campos, prados y viñedos la rodean, y a distancia de unos trecientos metros (no tome en serio mis medidas) se ve otra casa en medio del campo, más hermosa porque tiene una terraza en el techo, que no tiene la de Lázaro. Más allá de esta, hay bosques de olivos y de otras plantas, parte sin hojas; parte con ellas que impiden la vista.

Pedro, con su hermano y con Juan gustosos trabajan en limpiar la era y los camarotes, en arreglar los lechos y sacar agua. Aun más, Pedro pone unos palos alrededor del pozo para ajustar y reforzar las sogas y hacer más práctico y cómodo el sacar agua. Por su parte los primos de Jesús trabajan con el martillo y la lima en las cerraduras y goznes; y Santiago de Zebedeo les ayuda segando y cortando con una sierra como si fuese un hombre que trabajase en el astillero.

En la cocina está Tomás y parece ser buen cocinero. Experto en ver que el fuego y la llama sean justos, en limpiar pronto las verduras que el señorito Judas se ha dignado traer del poblado cercano. Sé que hay un poblado vecino más o menos grande, porque Judas dice que hacen el pan sólo dos veces por semana, y por lo que ese día no hay pan.

Pedro oye y dice: « Haremos tortas en el fuego. Allí hay harina. Pronto, quítate el vestido y amasa, que yo puedo cocerlas. Soy capaz. » Y no pudo menos que reir al ver que Iscariote se humilla, con los vestidos interiores, a amasar la harina. ¡ Y que si se empolva bien!

Jesús no está, como tampoco Simón, Bartolomé, Mateo ni Felipe.

« Lo peor de todo es hoy » responde Pedro a una queja de Judas de Keriot. « Pero mañana caminará mejor. Y en primavera, perfectamente. »

« ¿ En primavera ? ¿ Estaremos siempre aquí ? » pregunta asustado Judas.

« ¿ Por qué no ? Es una casa. Si llueve no nos mojamos. Hay agua de beber. No falta fuego . . . ¿Qué más quieres? Yo me encuentro a mis anchas. Y también porque no huelo el hedor de los fariseos y compañía. »

« Pedro . . . ¿ vamos a sacar las redes ? » dice Andrés. Y se lleva consigo a su hermano antes de que empiece una agria disputa entre él e Iscariote.

« ¡ Este hombre no me puede ver ! » exclama Judas.

« No. No lo puedes decir. Es así de franco con todos. Pero es bueno. Tú eres el que siempre estás descontento » responde Tomás, que siempre tiene un óptimo humor.

« Es que yo me imaginaba otra cosa . . . »

« Mi primo no te prohibe ir a *las otras cosas* » dice tranquilo Santiago de Alfeo. « Creo que todos pensábamos en *otra cosa* al seguirlo. La razón es que tenemos cerviz dura y mucha soberbia. Jamás ha ocultado el peligro y la fatiga en seguirlo. »

Judas refunfuña entre dientes. El otro Judas, Tadeo, que trabaja en una mesita de la cocina para transformarla en un pequeño armario, dice: « Estás equivocado. También te equivocas según las costumbres. Todo israelita *debe* trabajar. Y nosotros trabajamos. ¿ Te molesta tanto trabajar ? Yo no siento nada. Desde que estoy con El cualquier fatiga no me pesa. »

« Yo tampoco extraño nada. Y estoy contento de estar como si estuviese en familia » dice Santiago Zebedeo.

« ¡Aquí haremos mucho!. . . » irónico comenta Judas de Keriot.

« Pero en resumidas cuentas, ¿qué quieres? . . . ¿Qué pretendes ? . . . ¿ Una corte de sátrapa ? No te permito criticar lo que hace mi primo. ¿ Entendido ? » estalla Tadeo.

« Calla hermano. A Jesús no le gustan estas disputas. Hablemos menos y trabajemos más. Será mejor para todos. Por otra parte . . . si El no logra cambiar los corazones [1] . . . ¿ Puedes esperar hacerlo tú con tus palabras? » dice Santiago de Alfeo.

« El corazón que no cambia es el mío . . . ¿verdad? » pregunta agresivo Judas.

Santiago no le responde, antes bien se mete un clavo entre los labios y empieza a clavar con todas sus fuerzas los goznes haciendo tal ruido que no se oye el farfullar de Judas.

Pasa un poco de tiempo, luego entran juntamente Isaac con

[1] Cfr. pág. 539 not. 2 y pág. 578 not. 3.

huevos y una cesta de panes fragantes y Andrés con peces en una canasta.

« Tened » dice Isaac « lo manda el administrador y dice que si hace falta algo, le den órdenes. »

« ¿ Ves que de hambre no se muere? » dice Tomás a Iscariote. Y añade: « Dame el pescado, Andrés. ¡ Qué hermoso ! Pero ¿ como se hace para prepararlo? . . . yo no sé. »

« Yo si sé » dice Andrés. « Soy pescador » y se pone en un rincón a sacar las entrañas de los peces que todavía están coleando.

« El Maestro está por llegar. Recorrió el poblado y la campiña. Veréis que dentro de poco estará aquí. Curó ya a un enfermo de los ojos. Yo ya había recorrido esta campiña y sabían . . . »

« ¡ Eh ! ¡ Ya ! Yo, yo . . . Todos los pastores . . . nosotros dejamos una vida segura, yo al menos, una vida segura e hicimos esto y aquello, pero nada se ha logrado . . . »

Isaac estupefacto mira a Iscariote . . . pero filosóficamente no objeta nada. Los otros lo imitan, pero por dentro son una caldera.

« ¡ La paz sea con vosotros ! » En el umbral está Jesús, sonriente, amable. Parece como si el sol aumentase su esplendor con su llegada. « ¡ Qué diligentes ! ¡ Todos trabajando ! ¿ Puedo ayudarte, primo? »

« No, descansa. Ya terminé. »

« Traemos muchos alimentos. Todos han querido regalarnos. Si todos tuviesen el corazón de los humildes » dice Jesús con una poca de tristeza.

« ¡Oh, Maestro mío! ¡Que Dios te bendiga! » Es Pedro que entra con una carga de leña sobre sus espaldas, y que bajo su fardo, saluda a Jesús.

« También a tí, Pedro, te bendiga el Señor. ¡Habéis trabajado mucho! »

« Y en las horas libres trabajaremos más. Tenemos una casa en la campiña . . . y hay que hacerla un Edén. Entre tanto arreglé el pozo para ver de noche dónde está y para estar seguros de no perder los cántaros al bajarlos. Luego . . . ¿ves qué buenos son tus primos? Todas las cosas necesarias para quien debe vivir en un lugar por largo tiempo, yo pescador no lo habría sabido. Verdaderamente son capaces. También Tomás, podría hacer de cocinero en el palacio de Herodes. También Judas es bueno. Hizo unas óptimas tortas . . . »

« Para nada sirven. Hay pan » responde de malhumor Judas.

Pedro lo mira y espera que dé una buena respuesta, pero sacude la cabeza, mueve las cenizas y sobre ellas pone las tortas...

« ¡ Dentro de poco todo estará listo ! » dice riendo Tomás.

« ¿ Hablarás hoy ? » pregunta Santiago de Zebedeo.

« Sí. Entre las doce y las tres. Vuestros compañeros lo dijeron, Por eso comamos aprisa. »

Pasan algunos minutos y Juan pone el pan sobre la mesa, prepara las sillas, trae las copas y los cántaros y Tomás trae las verduras cocidas y el pescado frito.

Jesús está en el centro, ofrece y bendice, distribuye y todos comen con gusto.

Todavía están comiendo cuando en la era se asoman algunas personas. Pedro se levanta y va a la puerta: « ¿ Qué queréis ? »

« ¿ El Rabí no hablará aquí ? »

« Hablará, ahora está comiendo porque también El es hombre. Sentaos aquí fuera y esperad. »

El grupillo se va al rústico tejado.

« Se acerca el frío y llueve frecuentemente. Digo que estaria bien usar aquella ala vacía. La he limpiado muy bien. El pesebre servirá de banco... »

« No digas ironías tontas. El Rabí es rabí » dice Judas.

« ¿ Cuáles ironías ? Si nació en un establo, ¡podrá hablar sobre un pesebre! »

« Pedro tiene razón, ¡ pero os ruego que os améis! » Jesús parece hasta cansado en decir estas palabras.

Terminan de comer y Jesús sale al punto a donde está el pequeño grupo.

« Espera, Maestro » le grita por detrás Pedro. « Tu primo te ha hecho una silla porque el suelo de ahí está húmedo. »

« No es necesario. ¿Sabes?... hablo de pie. La gente quiere verme y Yo a ella. Antes bien... preparad sillas y lechos. Tal vez vendrán enfermos... y los podrán usar. »

« Siempre piensas en los demás, ¡ buen Maestro ! » dice Juan y le besa la mano.

Jesús con una sonrisa ligeramente triste va al grupo. También todos los discípulos.

Pedro que está al lado de Jesús, lo hace inclinar y le dice en voz baja: « Detrás del muro está la mujer velada. La he visto. Está desde esta mañana, vino siguiéndonos desde Betania. ¿ La arrojo o la dejo ? »

« Déjala. Lo he dicho. »

« ¿ Pero si es espía como dice Iscariote ? »

« No es. Ten confianza en lo que te digo. Déjala y no digas nada a nadie. Respeta su secreto. »

« No he dicho nada, porque pensé que estaba bien ... »

« Paz a vosotros que buscáis la Palabra » comienza diciendo Jesús. Se dirige al fondo del portal, teniendo a sus espaldas la pared de la casa. Es el tibio atardecer de un día de noviembre en que Jesús habla a unas veinte personas sentadas por tierra o apoyadas a las columnas.

« El hombre cae en un error en considerar lo que es la vida y lo que es la muerte, y en emplear estos dos términos. Llama " vida " al tiempo en que después de haber nacido, empieza a alimentarse, a respirar, a moverse, pensar, obrar; y llama " muerte " al momento en que deja de respirar, de comer, de moverse, de pensar y de obrar, y se convierte en un frío e insensible despojo, pronto para volver a entrar en el seno, que es el sepulcro. Pero no es así. Quiero hacer que entendáis lo que es la " *vida* " y señalaros las obras aptas para ella.

Vida no es existencia. Existencia no es vida. Existe también vida en la parra que se enrolla en esta columna. Pero no tiene la vida de que estoy hablando. Existe también aquella oveja que bala amarrada a aquel árbol de allá. Pero no tiene la vida de que estoy hablando. La vida a la que me refiero no empieza con la existencia y no se acaba cuando la carne tiene su fin. La vida de la que hablo no tiene principio en el seno materno. Empieza, cuando creada nace un alma del Pensamiento de Dios para habitar en una carne y tiene fin cuando el pecado la mata [2].

El hombre primeramente no es más que una semilla que crece, semilla de carne, no de grano o hueso como la del trigo o la de ese árbol. Primero no es más que un animal que se forma, un embrión de animal no diverso del que ahora hinche el seno de

[2] " . . . La vida . . . la mata ". Esta afirmación (y semejantes) se explica si se parafrasea a la luz de la doctrina que expone la escritora en otros lugares, y aquí: " La vida de la que estoy hablando (vída no carnal sino espiritual, vida no sencillamente humana sino divina) no empieza con la existencia (esto es en virtud y desde el momento de la concepción) y no se acaba cuando la carne tiene su fin (esto es, con la muerte terrenal. La vida de la que hablo no tiene principio en el seno materno (allí en efecto empieza la vida carnal y puramente terrena). Empieza (esta vida espiritual y divina) cuando creada nace un alma (la que naciendo de Dios, no puede nacer con pecado, aunque, pasado el instante fulmíneo creativo, inmediatamente *contraiga* el pecado original) del Pensamiento del Creador, de Dios, para habitar en una carne, tiene fin cuando el pecado (original contraido o actual cometido) la mata ".

aquella oveja. Pero desde el momento en que esta concepción se infunde, esta parte incorpórea que es la de mayor importancia ya que lo sublima, existiendo entonces no sólo el embrión animal como corazón que palpita, sino que " *vive* " según el Pensamiento creador y se hace hombre, creado a imagen y semejanza de Dios, se hace hijo de Dios, ciudadano futuro del Cielo. Pero esto acontece si la vida dura. El hombre puede existir teniendo imagen de hombre pero ya no es más hombre. Es un sepulcro en que se pudre la vida.

Por esto digo: " La vida no comienza con la existencia y no se acaba cuando la carne tiene fin ". La vida empieza antes del nacimiento. La vida, pues, no tiene fin porque el alma no muere, esto es, no se convierte en nada. *Muere a su destino,* que es celestial, pero sobrevive a su castigo. A este destino bienaventurado muere, cuando muere a la gracia. Esta vida, atacada de la gangrena que es la muerte de su destino, dura por los siglos para la condenación y en el tormento. Esta vida, si se conserva como tal, llega a la perfección del vivir, haciéndose eterna, perfecta, bienaventurada como su Creador.

¿ Tenemos obligaciones para con la vida ?... Sí. Es un don de Dios. Cualquier don de Dios debe ser usado y conservado con cuidado, porque es cosa santa, como es quien lo creó. ¿Destruiríais el don de un rey? ¡No! Pasa a los herederos, y de estos a los siguientes como gloria de la família. Y si es así ¿ Por qué destruir el don de Dios ? ¿ Cómo se le usa y cómo se conserva este don divino? ¿De qué modo tener viva la flor paradisíaca del alma, para guardarla para el Cielo? ¿Cómo alcanzar el "vivir " sobre la existencia y más allá?

Israel tiene leyes claras para este fin y no tiene más que observarlas. Israel tiene profetas y justos que dan ejemplo y enseñan a practicar las leyes. Israel tiene también sus santos. No puede, no debe por lo tanto equivocarse. Veo pulular manchas en los corazones y espíritus muertos en todas partes. Por lo que digo: Haced penitencia; abrid vuestro corazón a la Palabra; poned en práctica la Ley inmutable; infundid nuevamente sangre en la vida que en vosotros languidece; si ya la habéis matado, venid a la Vida verdadera: a Dios. Llorad por vuestras culpas. Gritad: ¡ Misericordia !... pero levantaos. No seais muertos vivos para que no seais mañana de los eternos condenados. No os hablaré de otra cosa, más que de la manera de obtener y conservar la vida. Otro os dijo: [3] " Haced penitencia. Limpiaos del fuego impuro de la lujuria, del fango de las culpas ". Yo os digo: Pobres amigos, estudiemos juntos la Ley. Volvamos a oir en ella la voz paternal del Dios verdadero y luego juntos oremos al Eterno con estas palabras: " Tu misericordia descienda sobre nuestros corazones ".

Ahora es el plomizo invierno, pero dentro de poco vendrá la primavera. Un espíritu muerto es más triste que un bosque congelado y sin nada, pero si penetran en vosotros la humildad, la voluntad, la paciencia y la fe, la vida tornará en vosotros como bosque primaveral, y floreceréis para Dios, produciendo para mañana, para el mañana de los siglos y de los siglos, un perenne fruto de vida verdadera.

¡Venid a la Vida! Dejad de existir solamente y empezad a " vivir ". Entonces la muerte no será " fin " sino principio. El principio de un día sin crepúsculo, de una alegría sin cansancio ni medida. La muertc será el triunfo de lo que vivió antes de la carne, y el triunfo de la carne, la cual será llamada a la resurrección eterna, para participar juntamente de esta vida que prometo, en el nombre del Dios verdadero a todos los que *hayan querido* la " *vida* " para su alma, aplastando los sentidos y las pasiones para gozar de la libertad de los hijos de Dios.

Idos. Cada día a esta hora os hablaré de la verdad eterna. El Señor sea con vosotros. »

La gente se retira haciendo muchos comentarios. Jesús vuelve a la solitaria casa y todo tiene fin.

[3] Cfr. Mt. 3, 1-12; 14, 1-12; Mc. 1, 1-8; 6, 14-29; Lc. 3, 2-20; 9, 7-9.

86. Jesús en " Aguas Claras ": « Yo soy el Señor Dios tuyo » [1]

(Escrito el 27 de febrero de 1945)

Por lo menos hay el doble de gente que ayer. Hay también personas que no parecen campesinas. Algunas han venido en burro y toman su comida bajo el cobertizo. Han amarrado allí también sus animales en espera del Maestro.

[1] Cfr. Ex. 20, 2; Dt. 5, 6.

El día es frío pero sereno. La gente charla entre sí y los más eruditos explican quién es y por qué el Maestro habla desde ese lugar. Uno pregunta: « Pero... ¿ es más que Juan ? »

« No. Es diferente. Yo era de Juan, que era el Precursor, la voz de la justicia. Este es el Mesías, y la voz de la sabiduría y misericordia. »

« ¿ Cómo lo sabes ? » preguntan varios.

« Me lo dijeron tres discípulos del Bautista que siempre han estado con él. ¡ Si supierais qué cosas ! Ellos lo vieron nacer. Pensad: nació de la luz. Era una luz tan fuerte, que ellos que eran pastores huyeron fuera del redil, entre las bestias enloquecidas de terror, y vieron que toda Belén estaba en fuego y luego que del Cielo descendieron ángeles que apagaron el fuego con sus alas, y en la tierra estaba El, el Niño nacido de la luz y todo el fuego se convirtió en una estrella... »

« ¡Pero no ! ¡ No es así ! »

« Sí, así es. Me lo dijo uno que cuidaba los establos en Belén, cuando yo era niño. Ahora que el Mesías se ha hecho adulto, se gloría. »

« No es así. La estrella vino después, vino con aquellos magos de oriente, uno de los cuales era pariente de Salomón y por lo tanto del Mesías, porque El lo es de David y David es el padre de Salomón y Salomón amó a la reina de Sabá porque era hermosa y por los dones que le había llevado y tuvo un hijo que es de Judá, aún cuando está más allá del Nilo. »

« ¡ Qué cosas cuentas ! ¿ Estas loco ?... »

« No. ¿ Quieres decir que no es verdad que le trajo, el pariente, aromas como se estila entre los reyes y de alta alcurnia? »

« Yo sé cual es la verdad » dice otro. « La sé porque Isaac es uno de los pastores y es mi amigo. Así pues: el Niño nació en un establo de la Casa de David como estaba profetizado [2] »

« Pero... ¿ no es de Nazaret? »

« Déjame hablar. Nació en Belén porque es descendiente de David, y era el tiempo del edicto. Los pastores vieron una luz bellísima como no hay otra, y el más pequeño por ser el más inocente, fué el primero en ver al ángel del Señor que dijo con música de arpa: " El Salvador ha nacido. Id a adorarlo " y luego los ángeles cantaron: " ¡ Gloria a Dios y paz a los hombres bue-

[2] Cfr. Miq. 5, 1-5.

nos! ” Los pastores fueron y vieron a un Niño en un pesebre entre un buey y un asno, y a los padres. Lo adoraron y luego lo llevaron a la casa de una buena mujer y el Niño crecía como todos, bello, dulce y amoroso. Luego llegaron los magos de más allá del Eúfrates y del Nilo, porque habían visto una estrella y en ella reconocido la estrella de Baláam[3]. El Niño ya podía caminar. Y Herodes ordenó su exterminio por envidia del reino. Pero el ángel del Señor había advertido del peligro, y los niños de Belén murieron, pero El, no, porque habían huido más allá de Matarea. Luego regresó a Nazaret a trabajar como carpintero, y llegado su tiempo, después que el Bautista, su primo, lo hubo anunciado, empezó su misión y primero buscó a sus pastores. Curó a Isaac de parálisis, después de treinta años de enfermedad. E Isaac es incansable en predicarlo. Esto es la verdad. »

« Pero los tres discípulos del Bautista me dijeron exactamente esas palabras » dice el que había hablado primero y que está mortificado.

« Es verdad. Lo que no es verdad es la descripción del que cuidaba los establos. ¿Se gloría? ... Haría bien en decir a los betlemitas que fuesen buenos. Ni en Belén ni en Jerusalén pudo predicar. »

« ¡Sí! ¡Imagínate si los escribas y fariseos van a querer sus palabras! Son unas víboras y hienas, como los llama el Bautista[4] »

« Yo querría que me curase. ¿Ves? Tengo una pierna con gangrena. He sufrido lo indecible en venir en burro hasta aquí. Lo busqué en Sión, pero ya no estaba ... » dice uno.

« Lo amenazaron de muerte ... » responde otro.

« ¡ Perros ! »

« Sí. ¿ De dónde vienes ? »

« De Lidda. »

« ¡ Mucho camino ! »

« Yo ... yo quisiera decirle un error mío ... se lo dije al Bautista ... me escapé ... con tantos reproches que me dijo. Pienso que no puedo ser perdonado ... » dice todavía otro.

« ¿ Qué has hecho ? »

« Mucho mal. Se lo diré a El. ¿ Qué pensáis ? ¿ Me maldecirá ? »

« No. Lo oí hablar en Betsaida. Estaba yo por casualidad

[3] Cfr. Núm. 24, 15-19.
[4] Cfr. Mt. 3, 1-2; 14, 1-12; Mc. 1, 1-8; 6, 14-29; Lc. 3, 2-20; 9, 7-9.

allí. ¡ Qué palabras ! Hablaba de una pecadora. ¡ Ah ! habría yo querido ser ella para merecer su perdón ... » dice un viejo imponente.

« Mírenlo que ahí viene » gritan varios.

« ¡Misericordia! ¡Me avergüenzo! » dice el culpable y hace intento como de huir.

« A dónde huyes, hijo mío? ¿Tienes tanta lobreguez en el corazón como para odiar la Luz y huir de ella ? ¿ Has pecado tanto como para tener miedo de mi perdón ?[5] Pero ¿ qué pecado pudiste haber cometido? ¡Ni siquiera que hubieses matado a Dios, deberías de tener miedo, si hubiese en tí *verdadero* arrepentimiento. ¡No llores ! Más bien: Ven que lloraremos juntos. »

Jesús que había levantado su mano y detenido al que iba a huir, lo tiene ahora estrechado contra Sí, y luego se dirige a los que le estaban esperando y dice: « Un momento, para aliviar este corazón, y luego regreso. »

Y se va más allá de la casa, rozando, al dar vuelta en el ángulo a la mujer velada, que está en su lugar acostumbrado. Jesús la mira fijamente por un momento, da unos diez pasos y se detiene: « ¿ Qué hiciste, hijo ? »

El hombre cae de rodillas. Es un hombre como de cincuenta años. Una cara quemada por muchas pasiones y consumida por un tormento secreto. Extiende sus brazos y grita: « Para gozar de toda la herencia paterna, maté a mi madre y a mi hermano, para gastarla en mujeres ... No he tenido jamás paz ... Mi comida: ¡sangre! ... Si sueño: Pesadillas ... Mi placer ... ¡Ah! en el pecho de las mujeres, en sus gritos de lujuria, sentía el frío de mi madre muerta y la asfixia de mi hermano envenenado. Malditas mujeres del placer que sois áspides, medusas, murenas insaciables, ruina, ruina ... ¡ ruina mía ! »

« ¡ No maldigas ! ¡ Yo no te maldigo ! »

« ¿ No me maldices ? »

« ¡No! ¡Lloro y tomo sobre Mí tu pecado! ... ¡Qué pesado es! Me quiebra. Pero lo abrazo fuerte para destruirlo por tí ... y a tí te doy el perdón. ¡ Sí, te perdono tu gran pecado. » Extiende sus manos sobre la cabeza del hombre que solloza y dice estas palabras de oración: « Padre, también por él mi sangre será derramada. Pero ahora mira al llanto y la plegaria. Padre, per-

[5] Esto es: de Mí que soy el Perdón, el que perdona al que se arrepiente.

dona porque él se ha arrepentido. Tu Hijo, en cuyas manos se ha confiado todo juicio, ¡así lo quiere! ... » Por algunos minutos sigue en esta actitud, luego se inclina, levanta al hombre y le dice: « La culpa se te ha perdonado. Te toca ahora expiar con una vida de penitencia lo que queda por tu delito. »

« ¿Me ha Dios perdonado? ... ¿Y mi madre? ... ¿Y mi hermano? »

« Lo que Dios perdona, lo perdonan todos. Vete y no peques más. »

El hombre llora más fuerte y le besa la mano. Jesús lo deja que siga llorando. Regresa a la casa. La mujer velada hace un movimiento como de salirle al encuentro, pero luego baja la cabeza y no se mueve. Jesús pasa delante de ella sin mirarla.

Nuevamente en su lugar habla: « Un alma ha regresado al Señor. Sea bendita su omnipotencia que arranca de las garras del demonio las almas que son criaturas suyas y las lleva otra vez camino del Cielo. ¿Por qué el alma se había perdido? Porque había perdido de vista la Ley.

Está escrito en el Libro[6] que el Señor se manifestó en el Sinaí con su terrible poder para decir con él: "Yo soy Dios. Esto es mi voluntad. Y estos son los rayos que tengo preparados para los que fueren rebeldes al querer de Dios ". Y antes de hablar, ordenó que ninguno del pueblo subiera a contemplarle a El " que Es ", y que también los sacerdotes se purificasen antes de llegar al límite de Dios, para no ser heridos. La razón de esto es porque era tiempo de justicia y de prueba. Los Cielos estaban cerrados como con un peñasco sobre el misterio del Cielo y sobre la ira de Dios, y sólo las espadas de la justicia flechaban el cielo sobre los hijos culpables. Pero ahora ya no. Ahora el Justo ha venido a cumplir toda justicia y ha venido el tiempo en que sin fulgores y sin límites, la Palabra divina habla al hombre para darle gracia y vida.

La primera palabra del Padre y Señor es esta: " Yo soy el Señor Dios Tuyo ". No hay un solo instante del día en que no se oiga esta palabra y no la escriba la voz y el dedo de Dios. ¿Dónde? ... Por todas partes ... Todo lo está continuamente diciendo. Desde la hierba a la estrella, desde el agua al fuego, desde la lana a la comida, desde la luz a las tinieblas, desde la salud a la enfermedad, desde la riqueza a la pobreza. Todo dice: " Yo soy el Se-

[6] Cfr. Ex. 19 y 20.

ñor. Por Mí tienes esto. ¡Un pensamiento mío te lo da y otro te lo quita, no hay fuerzas de ejércitos, ni defensas que te puedan preservar de *mi* voluntad! ". Se oye gritar en la voz del viento, cantar en el parlotear del agua, perfumar en la fragancia de la flor, se clava en los lomos de las montañas. y susurra, charla, llama, grita en las conciencias: " Yo soy el Señor Dios Tuyo ".

No lo olvidéis jamás. No cerréis los ojos, las orejas; no estranguléis la conciencia para no oir esta palabra. El dedo del fuego de Dios la escribe ya en la pared del banquete, ya sobre las olas del mar tempestuoso; bien en el labio sonriente del niño, bien en la palidez del anciano que muere, ahora en la rosa fragante, ahora en el fétido sepulcro. Llega siempre el momento que en medio de la ebriedad del vino y del placer, entre el ajetreo de los negocios, en el reposo de la noche, en un paseo solitario, se levanta esa voz y dice: " Yo soy el Señor Dios tuyo " y no esta carne que ávido besas, y no esta comida que obeso engulles, y no este oro que avaro acumulas, y no este lecho en el que eres un ocioso; y no sirve el silencio, no estar solos, o durmiendo, para hacerla callar.

" Yo soy el Señor Dios tuyo ", el Compañero que no te abandona, el Huésped que no puedas arrojar. ¿ Eres bueno ? He aquí que el huésped y compañero es el Amigo bueno. ¿Eres perverso y culpable? He aquí que el huésped y compañero es el Rey airado y no da paz. Y no deja, no deja, no deja... Sólo los condenados pueden estar separados de Dios. Pero la separación es el tormento insaciable y eterno. " Yo soy el Señor Dios tuyo " y añade: " que te sacó de la tierra de Egipto, de la casa de la esclavitud ". ¡Oh! *Ahora* se cumple exactamente. ¿De qué Egipto te saca a la tierra prometida, que no es este lugar, sino el Cielo! Es el Reino eterno del Señor en donde no habrá hambre ni sed, ni frío ni muerte, sino todo destilará alegría y placer, y todos los espíritus estarán llenos de paz y gozo.

Os saca ahora de la verdadera esclavitud. He aquí al libertador. Yo soy. Vengo a despedazar vuestras cadenas. Cualquier dominador humano puede gustar la muerte, y con su muerte verse libres los pueblos de la esclavitud. Pero Satanás no muere. Es eterno[7]. Y él es el dominador que os ha puesto grillos para arrastraros a donde él quiere. El pecado está en vosotros y es la cadena con que os tiene Satanás. Yo vengo a despedazar esa ca-

[7] Dios, de hecho, no lo destruirá y el no se convertirá. Por lo que, aun cuando tuvo principio, no tendrá fin.

dena. En nombre del Padre, vengo y por deseo mío. Esta es la razón por la que se cumple la *no comprendida* promesa: "Te saqué de Egipto y de la esclavitud".

Ahora esto se está cumpliendo espiritualmente. El Señor Dios vuestro os saca de la tierra del ídolo que sedujo a los primeros padres, os arrebata de la esclavitud de la culpa, os reviste con la gracia, os admite a su reino. En verdad os digo que quienes vinieren a mí podrán oir al Altísimo decir en su corazón con dulzura de voz paternal: "Yo soy el Señor Dios tuyo, quien te trae libre y feliz a Mí".

Venid. Volved al Señor el corazón y la cara, la plegaria y la voluntad. Ha llegado la hora de la Gracia.»

Ya terminó Jesús. Pasa benediciendo y acariciando a una anciano y a una niña morena que es toda una sonrisa.

« Cúrame, Maestro. ¡Sufro tanto! » dice el enfermo de gangrena.

« Primero el alma, primero el alma. Haz penitencia... »

« Dame el bautismo como Juan. No puedo ir a él, estoy enfermo. »

« Ven. » Jesús baja al río que está más allá de dos grandes campos y del bosque que lo esconde. Se quita las sandalias y también el hombre que se ha arrastrado con sus muletas. Bajan al río y Jesús, haciendo copa con sus dos manos juntas, echa el agua sobre la cabeza del hombre que está metido hasta las rodillas.

« ¡Quítate las bendas! » ordena Jesús mientras torna a subir por el sendero.

El hombre obedece. La pierna está curada. La multitud da un grito de estupor.

« ¡También yo! »

« ¡También yo! »

« ¡Yo también quiero el bautismo de Tí! » gritan muchos.

Jesús que está ya a medio camino, se vuelve: « Mañana. Idos y sed buenos. La paz sea con vosotros. »

Todo tiene fin y Jesús regresa a casa, a la oscura cocina no obstante sean todavía las primeras horas del atardecer.

Los discípulos se aglomeran a su alrededor. Pedro pregunta: « ¿Qué tenía el hombre que llevaste detrás de la casa? »

« Necesidad de purificación. »

« No ha regresado y ni siquiera fué a pedir el bautismo. »

« Se fue a donde se le envió. »

« ¿A dónde? »

« A expiar, Pedro. »

« ¿ En la cárcel ? »

« No. Con la penitencia por todo el resto de su vida. »

« ¿ Entonces no se purifica con el agua ? »

« También el llanto es agua. »

« Esto es verdad. Ahora que has hecho milagros, ¡ quién sabe cuántos vendrán! . . . Hoy eran ya más del doble . . . »

« Así es. Si debiese hacer todo Yo, no podría. Vosotros bautizaréis. Primero uno por turno, después seréis dos, tres, muchos. Yo predicaré y curaré a los enfermos y culpables. »

« ¿Nosotros a bautizar? ¡Oh! ¡Yo no soy digno! ¡Quítame esa misión Señor! ¡Tengo necesidad de ser bautizado! » Pedro se ha arrodillado y suplica.

Jesús se inclina y le dice: « Tú vas a ser el primero en bautizar. Desde mañana. »

« ¡No, Señor! ¿Cómo voy a hacerlo si estoy más negro que una chimenea . . . »

Jesús sonríe de la sinceridad humilde del apóstol arrodillado junto a sus rodillas, sobre las que tiene puestas sus gruesa manos de pescador. Lo besa en la frente, en el borde de los cabellos grisáseos y despeinados que se arremolinan.

« Mira, te bautizo con un beso[8]. ¿ Estás contento ? »

« ¡ Cometería al punto otro pecado para tener otro! »

« Eso no. No hay que burlarse de Dios abusando de sus dones. »

« Y ¿a mí no me das un beso? También yo tengo alguno que otro pecado » dice Iscariote.

Jesús lo mira atentamente. Su mirar tan cambiable pasa de la luz de la alegría que lo hacía claro mientras hablaba con Pedro, al de una opaca severidad, que diría yo cansado y dice: « Sí . . . también a tí. Ven. No soy injusto con nadie. Se bueno, Judas. ¡Si quisieses . . . ! Eres joven. Todo una vida para ascender siempre, hasta la perfección de la santidad . . . » y lo besa.

« Ahora tú, Simón, amigo mío. Y tú, Mateo, mi victoria. Y tú sabio Bartolomé, y tú, Felipe fiel. Y tú, Tomás el de la pronta voluntad. Ven, Andrés, el del silencio activo. Y tú Santiago el del primer encuentro. Y ahora tú, alegría de tu Maestro, y tú, Judas, compañero de infancia y juventud. Y tú, Santiago que me re-

[8] Un beso de Jesús es comunicación del divino Amor, por lo tanto del Espíritu Santo. En virtud de este mismo Amor o Espíritu, el bautismo cancela el pecado y regenera.

cuerdas al Justo[9] en sus facciones y en su corazón. ¡Ea! todos, todos. Recordad que si mi amor es grande, es necesaria también vuestra buena voluntad. Daréis un paso adelante en la vida de discípulos míos desde mañana. Y pensad que cada paso adelante es una honra y una obligación. »

« Maestro ... un día me dijiste a mí, a Juan, a Santiago y a Andrés que nos enseñarías a orar. Creo que si orásemos como Tú oras, seremos capaces de ser dignos del trabajo que requieres de nosotros » dice Pedro.

« También entonces te respondí: " Cuando esteis suficientemente formados, os enseñaré la plegaria sublime[10] para dejaros *mi* plegaria. Pero también ella no tendrá ningún valor si se le dice solo con la boca. Por ahora levantad el alma y la voluntad hacia Dios. La plegaria es un don que Dios concede al hombre y que el hombre da a Dios ". »

« Y ¿cómo? ... ¿No somos todavía dignos de orar? Todo Israel ora ... » dice Iscariote.

« Sí, Judas. Pero puedes ver por sus obras cómo ora Israel. No quiero hacer de vosotros traidores. Quien ora externamente y por dentro está contra el bien, es un traidor. »

« ¿ Y los milagros ? ¿ Cuándo nos capacitas para que los hagamos? » pregunta siempre Judas.

« ¿Nosotros? ... ¿Milagros? ... ¡Misericordia eterna! ¡Aunque se beba agua pura! ¡Nosotros! ... ¿milagros? ... Pero muchacho ¿estás loco? » Pedro está escandalizado, espantado, fuera de sí.

« Nos lo dijo a nosotros en Judea. ¿ No es verdad ? »

« Sí, es verdad. Lo dije. Y los haréis. Pero entre tanto que en vosotros haya mucha carne, no tendréis milagros. »

« Ayunaremos » dice Iscariote.

« De nada sirve. Por carne entiendo las pasiones corrompidas, la triple concupicencia, y detrás de esta pérfida trinidad la secuela de sus vicios ... iguales a los hijos de una unión lujuriosa bígama, la soberbia de la inteligencia engendra, con la avidez de la carne y el poder, todo el mal que hay en el hombre y en el mundo. »

« Nosotros hemos dejado todo por Tí » objeta Judas.

« Pero no a vosotros mismos. »

[9] Entiéndase: san José, cuyo sobrino es Santiago.
[10] Padre Nuestro. Cfr. Mt. 6, 9-13; Lc. 11, 2-4.

« ¿ Debemos entonces morír? Con tal de estar contigo lo haremos. Yo al menos ... »

« No. No pido vuestra muerte material. Pido que muera en vosotros lo animal y satánico, y esto no muere mientras la carne esté satisfecha y haya en vosotros mentira, orgullo, ira, soberbia, gula, avaricia, pereza. »

« ¡Somos tan frágiles cerca de Tí que eres tan Santo! » dice entre dientes Bartolomeo.

« Y siempre fué Santo. ¡Lo podemos afirmar! » dice el primo Santiago.

« El sabe cómo somos ... No debemos por eso perder los ánimos. Hay que decirle solamente: Danos diariamente la fuerza de servirte. Si dijésemos: " Estamos sin pecado " nos engañaríamos y seríamos mentirosos. Y ¿ a quién engañaríamos ? ... ¡ A nosotros que sabemos lo que somos, aunque no lo queramos confesar! ... ¿ Engañaríamos a Dios a quién no se puede ? ... Pero si decimos: " Somos débiles y pecadores. Ayúdanos con tu fuerza y perdón " Dios entonces no nos desilusionará, y en su bondad y justicia nos perdonará y purificará de la iniquidad de nuestros pobres corazones. »

« Eres bienaventurado, Juan, porque la Verdad habla en tus labios que tienen perfume de inocencia y no besan sino al Amor adorable » dice Jesús, poniéndose de pié y atrayendo hacia su corazón al predilecto que había hablado desde su oscuro rincón.

87. Jesús en " Aguas Claras ": « No te harás dioses en mi presencia » [1]

(Escrito el 28 de febrero de 1945)

« Se dijo: " No te harás dioses en mi presencia. No te harás ninguna escultura ni representación de lo que está arriba en el cielo o abajo en la tierra o en las aguas o bajo la tierra. No adorarás tales cosas, ni les darás culto. Yo soy el Señor Dios tuyo, fuerte y celoso, que castigo la iniquidad de los padres en los hijos hasta la tercera y cuarta generación de los que me odian, y

[1] Cfr. Ex. 20, 3-6.

hago misericordia hasta la milésima generación con los que me aman y observan mis mandamientos ". »

La voz de Jesús retumba en el salón lleno de gente, porque llueve y todos han ido allí a refugiarse.

En primera línea están cuatro enfermos, esto es, un ciego a quien ha conducido una mujer, un niño todo lleno de granos, una mujer amarillenta de ictericia o de malaria y uno a quien han llevado en camilla.

Jesús habla, apoyado en el pesebre vacío. Juan y los dos primos, junto con Mateo y Felipe están cerca de El, mientras Judas con Pedro, Bartolomé y Andrés están a la salida y regulan la entrada de los que todavía están llegando; por su parte Tomás y Simón andan entre la gente haciendo callar a los niños, recogiendo los óbolos, escuchando las peticiones.

« " No te harás dioses en mi presencia ".

Habéis oido cómo Dios sea Omnipresente en su mirar y en su hablar. En verdad siempre estamos ante su presencia. Encerrados en lo interior de una habitación o en público en el Templo, siempre estamos ante su presencia. Bienhechores ocultos, que aun al que ayudamos ocultamos nuestra cara, y asesinos que asaltamos al viajero en un paso solitario y lo matamos, siempre estamos en su presencia. En su presencia está el Rey en medio de su corte, el soldado en el campo de batalla, el levita en el interior del Templo, el sabio inclinado sobre sus libros, el campesino en el surco, el mercader en su banco, la madre inclinada en la cuna, la recién casada en su habitación nupcial, la virgen en el secreto de la casa paterna, el niño que estudia en la escuela, el anciano que se extiende para morir. Todos están ante su presencia y todas las acciones del hombre igualmente.

¡ Todas las acciones del hombre ! ¡ Palabra terrible y palabra consoladora ! Terrible si las acciones son pecaminosas, consoladora si santas. Saber que Dios ve. Freno para hacer el mal. Ayuda para hacer el bien. Dios ve que obro bien. Yo *sé* que El no olvida lo que ve. Yo *creo* que El premia las buenas acciones. Por lo cual estoy convencido que por estas recibiré un premio y en esta certeza, reposo. Esta me dará una vida serena y muerte plácida, porque en vida y muerte mi alma será consolada con el rayo de la luz de la amistad de Dios. De este modo reflexiona el que obra bien. El que obra mal, ¿ por qué no piensa que entre las acciones prohibidas están los cultos idolátricos?... ¿Por qué él no dice:

" Dios ve que mientras finjo un culto santo, adoro un dios o dioses falsos a los que he eregido un altar secreto que no conocen los hombres, pero El si lo sabe " ?

Diréis: " ¿ Cuáles dioses, si ni siquiera en el Templo hay una figura de Dios? ¿Qué cara tienen esos dioses, si al verdadero Dios nos es imposible darle un rostro? " ¡Así lo es! Es imposible darle un rostro, porque el Perfecto y el Purísimo no puede ser dignamente trazado por el hombre. Sólo el espíritu entreve su belleza incorpórea y sublime y oye su voz, gusta de sus caricias cuando El se derrama sobre un santo suyo merecedor de estos contactos divinos. Mas el ojo, el oído, la mano del hombre no lo pueden ver, oir... y por lo tanto repetir en la cítara del sonido, ni con martillo, ni cincel en el mármol, lo que es el Señor.

¡Oh! ¡Felicidad eterna cuando, vosotros, espíritus de los justos, veréis a Dios! La primera mirada será la aurora de la beatitud que por los siglos de los siglos os acompañará. Y sin embargo lo que no podemos hacer por un Dios verdadero el hombre sí lo hace por sus dioses falsos. Alguien erige un altar a una mujer; otro al oro; él de acá al poder; el de más allá a la ciencia; este a los triunfos militares; aquel adora al hombre que está en el poder, semejante suyo por naturaleza, tan sólo superior por la fuerza o por la suerte; hay quien se adora a sí mismo y dice: " No hay otro igual a mí ". He aquí los dioses que tiene el pueblo de Dios.

No os espantéis de los paganos que adoran animales, reptiles, astros. ¡Cuántos reptiles! ¡Cuántos animales! ¡Cuántos astros apagados adorais en vuestros corazones! Los labios pronuncian palabras mentirosas para adular, conseguir, corromper. Y ¿no son estas las plegarias de los idólatras secretos? Los corazones fomentan pensamientos de venganza, de contrabando, de prostitución. Y ¿no son estos los cultos que se dan a los dioses inmundos del placer, de la avaricia y del mal?

Se dijo: " No adorarás nada de lo que no sea tu Dios verdadero, Unico, Eterno ". Y se dijo: " ¡Yo soy el Dios fuerte y celoso! ".

Fuerte: Ninguna fuerza supera a la suya. El hombre es libre de obrar, Satanás de tentar. Pero cuando Dios dice: " Basta " el hombre no puede continuar haciendo mal, ni Satanás tentando. Arrojado este a su infierno, inutilizado en su abuso de hacer mal. Porque hay límite en esto, más allá del cual Dios no permite se vaya.

Celoso: ¿De qué cosa? ¿Qué cela?... ¿Los mezquinos celos de los hombrecillos? ¡No! Dios cela a sus hijos. Un justo celo. Un amoroso celo. Os creó. Os ama, os quiere. Sabe lo que os daña. Conoce lo que puede separaros de El. Es celoso de lo que se interpone entre el Padre y los hijos, y los desvía solo por amor que es salud y paz: Dios. Comprended este sublime celo que no es sucio, que no es cruel, que no es carcelero. Sino que es amor infinito, bondad infinita; que es libertad sin confines que se da a las creaturas limitadas para absorberlas en la eternidad para Sí y en Sí, y hacerlas partícipes de su infinitud. Un buen padre no quiere gozar solo de sus riquezas, sino que quiere que gocen de ellas también sus hijos. En realidad más que para sí, para los hijos fueron acumuladas. Igualmente Dios, que trae en este amor y deseo la perfección que hay en cada acción suya.

No desilusionéis al Señor. Amenaza con castigar a los culpables y a los hijos de los culpables. Y no miente en lo que dice. Pero no perdáis valor, ¡oh, hijos del hombre y de Dios! Oid la otra promesa y alegraos: "Hago misericordia hasta la milésima generación a quienes me aman y observan mis mandamientos".

Hasta la milésima generación de los buenos y hasta la milésima debilidad de los pobres hijos del hombre, los cuales caen no por malicia sino por veleidad y por trampa de Satanás. Aun más. Yo os digo que El abre sus brazos, si con corazón contrito y la cara lavada en llanto decís: "¡Padre! he pecado. Lo sé. Me humillo por esto y te confieso mi pecado. Perdóname. Tú serás mi fuerza para volver a 'vivir' la verdadera vida".

No temáis. Antes de que hubiéseis pecado por debilidad, El sabía que lo haríais. Pero tan sólo su corazón se cierra cuando persistís en el pecado, porque queréis pecar, haciendo de un cierto pecado o de muchos pecados vuestros dioses horrorosos. Destruid todo ídolo, poned al Dios verdadero. El bajará con su gloria a consagrar vuestro corazón, cuando vea que es El solo entre vosotros.

Devolved a Dios su morada, que no está en los templos de piedra, sino en el corazón de los hombres. Lavad el dintel, escombrad el interior de toda cosa inútil o de aparato culpable. Dios solo. Sólo El. ¡El es todo! De ningún modo es inferior el corazón de un hombre en que Dios habita al Paraíso, el corazón de un hombre que canta su amor al Húesped divino.

Haced de cada corazón un Cielo. Empezad a vivir con el Excelso que en vuestro eterno mañana, se perfecionará en poder y alegría, y que será tan grande de poder sobrepujar el terrible estupor de Abrahan, Jacob y Moisés. Porque no será más el encuentro resplandeciente y aterrorizador que desciende con el Poderoso[2] sino el estar con el Padre y Amigo que desciende para deciros: " Mi alegría es estar entre los hijos de los hombres. Tú me haces feliz. Gracias ". »

El grupo que es de más de cien personas, después de algún tiempo sale de su encantamiento. Alguien llora, alguien sonríe por la esperanza misma de alegría. La gente parece despertar. Se oye como un sordo ruido, un fuerte suspirar, y al final un grito como de libertad: « ¡ Bendito Tú ! ¡ Tú nos abres los caminos de la paz ! »

Jesús sonríe y responde: « La paz estará en vosotros, si desde hoy seguís el bien. »

Luego se dirige a los enfermos y pasa la mano sobre el niño enfermo, sobre el ciego y sobre la mujer amarillenta; se inclina sobre el paralítico y dice: « ¡ Quiero ! »

El hombre lo mira y luego grita: « ¡ Hay calor en mi cuerpo muerto! » se pone de pie así como estaba, hasta que le echan la cobija encima. La madre levanta a su hijo sin grano alguno, y el ciego abre sus ojos y parpedea al primer contacto con la luz, y unas mujeres gritan: « Dina ya no está amarilla como la retama de la montaña. »

El ruido llega a su colmo. Quién grita, quién bendice, quién empuja para ver, quién trata de salir para ir a publicarlo por el poblado. De todas partes Jesús es oprimido. Pedro ve que casi lo estrujan y grita: « ¡Muchachos! ¡Sofocáis al Maestro! Abríos paso » y con una buena dosis de codazos y hasta de puntapiés en las espinillas, los doce logran abrirse paso, librar a Jesús y llevarlo fuera.

« Mañana yo tendré cuidado » dice Pedro. « Tú en la puerta y los demás en el fondo. ¿Te hicieron mal ? »

« No. »

« Parecían locos. ¡ Qué modales ! »

« Déjalos. Estaban felices... y Yo con ellos. Id con el que pide bautismo. Entro en casa. Tú, Judas junto con Simón da el óbolo a los pobres. Todo. Tenemos mucho, y no es justo que lo ten-

[2] Cfr. pág. 657, not. 3.

gan los apóstoles del Señor. Vete, Pedro, vete. No tengas miedo de extralimitarte. Te justifico ante el Padre porque Yo soy quien te lo mando. Adiós, amigos. »

Jesús cansado y sudado, se encierra en la casa, mientras cada uno de los discípulos cumple su deber con los peregrinos.

88. Jesús en " Aguas Claras ": « No invocar en vano mi Nombre » [1]

(Escrito el 1o. de marzo de 1945)

Los discípulos están todos revueltos. Parece un enjambre provocado. Están muy agitados. Hablan, entrecierran sus ojos para ver afuera, los vuelven a todas partes . . . Jesús no está. En fin deciden qué hacer y Pedro ordena a Juan: « Vete a buscar al Maestro. Está en el bosque junto al río. Dile que venga pronto y que diga lo que se debe de hacer. »

Juan se va a carrera abierta. Iscariote dice: « No entiendo por qué tanta confusión y tanta descortesía. Yo habría ido y lo habría recibido con todos los honores . . . Es un honor suyo y también para nosotros. Así, pues . . . »

« Yo no sé nada. El será diferente a su pariente de leche . . . pero . . . pero quien está con hienas se le pega el olor y el instinto. Por lo demás, tu querrías que se fuese aquella mujer . . . ¡pero ten cuidado! El Maestro no quiere, y yo la tengo bajo mi protección. Si la tocas . . . Yo no soy el Maestro . . . te lo digo para tu futura conducta. »

« ¡ Mmm ! ¿ Quién es pues ? ¿ Tal vez la bella Herodías ? »

« ¡ No te hagas el chistoso ! »

« Tú eres el que me lo hace ser. Le has hecho alrededor la guardia real como a una reina . . . »

« El Maestro me dijo: " Procura que no se le perturbe y respétala ", y eso es lo que hago. »

« Pero, ¿ quién es ? . . . ¿ Lo sabes ? » pregunta Tomás.

« Yo no. »

« ¡ Ea ! Dílo. Tú lo sabes . . . » insisten varios.

[1] Cfr. Ex. 20, 7.

« Os juro que no sé nada. El Maestro lo sabe, pero yo no. »

« Hay que preguntárselo a Juan. A él le dice todo. »

« ¿Por qué? ¿Qué cosa de especial tiene Juan? ¿Es un dios tu hermano? »

« No, Judas. Es el más bueno de nosotros. »

« Por mí ni me preocupo » dice Santiago de Alfeo. « Ayer mi hermano la vió cuando salía del río con el pescado que le había dado Andrés y se lo preguntó a Jesús. El respondió: " No tiene cara, es un espíritu que busca a Dios. Por mí no se trata de otra cosa, y *así quiero que sea para todos* ", y dijo en tal forma " quiero " que os aconsejo de no insistir. »

« Yo voy a donde está ella » dice Judas de Keriot.

« Prueba si eres capaz » dice Pedro encendido como un gallo.

« ¿ La harás de espía para acusarme con Jesús ? »

« Dejo ese cargo a los del Templo. Nosotros los del lago, ganamos el pan con el trabajo y no con la delación. No tengas miedo de que Simón de Jonás la haga de espía. Pero no me provoques y no te permitas desobedecer al Maestro, porque soy yo . . . »

« Y ¿ quién eres tú ? . . . Un pobre como yo. »

« Sí, señor, al revés, más pobre, más ignorante, más vulgar que tú. Lo sé y no me avergüenzo. Me avergonzaría si fuese igual a tí en el corazón. El Maestro me confió este encargo y yo lo hago. »

« ¿Igual a mí en el corazón? Y ¿qué cosa hay en mi corazón que te causa asco? . . . habla, acusa, ofende . . . »

« ¡ Pero en resumidas cuentas! » interviene Zelote y con él Bartolomeo. « En resumidas cuentas, Judas, cállate. Respeta los cabellos de Pedro. »

« Respeto a todos, pero quiero saber qué cosa hay en mi . . . »

« Al punto eres servido . . . Déjame hablar . . . hay soberbia, tanta que se puede llenar esta cocina, hay falsedad y hay lujuria. »

« ¿ Yo falso ? »

Todos se interponen y Judas debe callar.

Simón con calma dice a Pedro: « Perdona amigo si te digo una cosa. El tiene defectos, pero tú también tienes, y uno de ellos es el no compadecer a los jóvenes. ¿Por qué no tienes en cuenta la edad, el nacimiento . . . y tántas cosas? Mira: Tú obras por amor a Jesús. ¿Pero no caes en la cuenta que estas disputas le causan hastío? A él no le digo nada (y señala a Judas) pero a tí sí, que eres hombre maduro y muy sincero, te hago esta súplica. ¡El tiene tántas penas por sus enemigos, y darle también nosótros!

Hay tanta guerra a su alrededor, ¿por qué provocar otra en su nido? »

« Es verdad. Jesús está triste y ha adelgazado » dice Judas de Tadeo. « En las noches oigo que da vueltas sobre su cama y suspira. Hace algunos días me levanté y ví que lloraba orando. Le pregunté: " ¿Qué te pasa? " Me abrazó y me dijo: " Quiéreme mucho. ¡ Qué fatigoso es ser 'Redentor'! ". »

« También yo lo encontré con señales de haber llorado en el bosque del río » dice Felipe. « Y a mi mirada interrogativa respondió: " Sabes qué diferencia hay entre el cielo y la tierra, además de la de no ver a Dios? Es la falta de amor entre los hombres. Me estrangula como una soga. He venido a echar granos a los pajaritos para que me amen los seres que se aman ". »

Judas Iscariote (debe ser un poco desequilibrado) se arroja en tierra y llora como un muchacho. En este momento entra Jesús con Juan: « Pero ¿ qué sucede ? ¿ Por qué ese llanto ? »

« Por mi culpa, Maestro. Cometí un error. Regañé a Judas muy duramente » responde franco Pedro.

« No... yo... yo... el culpable soy yo. Yo soy... el que te causo dolor... no soy bueno... perturbo. ¡Pero ayúdame a ser bueno! Porque aquí tengo una cosa, aquí en el corazón, que me obliga a hacer cosas que no querría hacer. Es más fuerte que yo... y te causo dolor, a Tí, Maestro, al que debería de dar gozo... Créelo. No es falsedad... »

« Pero sí, Judas, no lo dudo. Viniste a Mí con sinceridad de corazón, con verdadero entusiasmo. Pero eres joven... Nadie, ni siquiera tu mismo, te conoces, como Yo te conozco. ¡Ea! levántate y ven aquí. Luego hablaremos los dos solos. Entre tanto hablemos de aquello por lo que me mandásteis llamar. ¿Qué mal hay si aún Mannaén viene? ¿ No puede un hermano de leche de Herodes, tener sed del Dios verdadero? ¿Tenéis miedo por Mí? ¡Pero no! Tened fe en mi palabra. Este hombre no ha venido sino por fines honestos. »

« Entonces ¿ por qué no se dió a conocer ? » preguntan varios.

« Precisamente porque viene como un " alma ", no como hermano de leche de Herodes. Se ha envuelto en el silencio porque piensa que ante la Palabra de Dios no existe parentesco con un rey... Respetaremos su silencio. »

« Pero si por el contrario, él lo enviase ? »

« ¿ Quién ?... ¿ Herodes ?... No. No tengáis miedo. »

« ¿Quién lo manda entonces? ¿Cómo se ha informado de Tí? »

« Por Juan, mi primo. ¿ Créeis que no me haya predicado en la cárcel? Por Cusa . . . por las voces de la multitud . . . por el mismo odio de los fariseos. Ya la fronda y el aire hablan de Mí. Se ha echado la piedra en el agua inmóvil y el palo ha golpeado el bronce. Las ondas cada vez se van ensanchando, llevando al agua lejana la revelación, y el sonido lo confía a los espacios . . . La tierra ha aprendido a decir: " Jesús " y jamás se callará. Id, sed con él corteses como con los demás. Id. Yo me quedo con Judas. »

Los discípulos se van.

Jesús mira a Judas todavía lloroso y le pregunta: « ¿Y pues? . . . ¿No tienes nada que decirme? Yo sé todo lo tuyo. *Pero quiero saberlo de tí.* ¿Por qué este llanto? Y sobre todo, ¿por qué este desequilibrio que te tiene siempre descontento? »

« ¡Oh! Sí, Maestro. Lo dijiste. Soy celoso por naturaleza. Tú sabes que así es . . . y sufro al ver que . . . al ver tantas cosas. Esto me saca de quicio por ser injusto. Y me hago malo, aun cuando no quisiera, no . . . »

« ¡Pero no llores de nuevo! ¿De qué estás celoso? Acostúmbrate a hablar con tu *verdadera* alma. Hablas mucho, hasta demasiado. Pero ¿con qué? Con el instinto y con tu mente. Tomas un fatigoso y continuo trabajo para decir lo que quieres decir: hablo por tí, de tu *yo*, porque cuando tienes que hablar de otros y a otros, no te pones cortapisas ni límites. Igualmente no pones cortapisas a tu carne. Ella es un caballo bronco. Pareces un jinete a quien el jefe de las carreras le hubiese dado dos caballos locos. El uno es el sentido, el otro . . . ¿quieres saber quién es el otro? ¿Sí? . . . Es el error que no quieres domar. Tú, jinete capaz, pero imprudente, te fías de tu capacidad y crees que basta. Quieres llegar primero . . . no pierdes tiempo ni siquiera para cambiar *de caballo.* Antes bien los espoleas y pinchas. Quieres ser " el vencedor ". Quieres aplauso . . . ¿ No sabes que la victoria es segura cuando se conquista con constante, paciente y prudente trabajo? . . . Habla con tu alma. De ahí quiero que salga tu confesión. ¿O debo decirte lo que hay adentro ? »

« Veo que también Tú no eres justo y no eres firme, y esto me hace sufrir. »

« ¿Por qué me acusas ? ¿ En qué he faltado a tus ojos ? »

« Cuando quise llevarte con mis amigos, no te gustó y dijiste: " Prefiero estar entre los humildes ". Luego Simón y Lázaro te dijeron que era bueno te pusieses bajo la protección de un poderoso y aceptaste. Tú das preferencia a Pedro, a Simón, a Juan Tú ... »

« ¿ Qué otra cosa ? »

« Nada más, Jesús. »

« Nubecillas ... pompas de espuma de agua. Me das compasión, porque eres un desgraciado que te torturas, pudiendo alegrarte. ¿Puedes decir que este lugar es de lujo? ¿Puedes decir que no hubo una razón *poderosa* que me obligó a aceptarlo? ¿Si Sión hubiera sido menos madrastra para sus profetas, estaría aquí, escondido como uno que teme a la justicia humana, y se refugia en un lugar de asilo? »

« No. »

« Y ¿ entonces puedes decir que no te he dado encargos como a los demás? ¿Puedes decir que he sido duro contigo cuando has faltado? Tú no fuiste sincero... Las vides... ¡Oh! ¡Las vides! ¿Qué nombre tenían esas vides? No fuiste complaciente con quién sufría y se redimía. Ni siquiera fuiste respetuoso para conmigo. Y los otros lo vieron ... y con todo una voz sóla e incansable se levanta en tu defensa. La mía. Los otros tendrían el derecho de ser celosos, porque si ha habido uno que haya sido protegido eres tú. »

Judas avergonzado, conmovido llora.

« Me voy. Es la hora en que soy de *todos*. Tú quédate y reflexiona. »

« Perdóname, Maestro. No podré tener paz si no tengo tu perdón. No estés triste por mi causa. Soy un muchacho malvado ... Amo y atormento ... Así sucedía con mi madre ... así contigo ... así sucederá con mi esposa si algún día me casase ... ¡sería mejor que me muriese! ... »

« Sería mejor que te enmendases. Estás perdonado. ¡ Hasta luego ! »

Jesús sale. Afuera está Pedro: « Ven, Maestro. Ya es tarde. Hay mucha gente. Dentro de poco se pondrá el sol. Y no has ni comido ... ese muchacho es causa de todo. »

« Ese " muchacho " tiene necesidad de todos vosotros para no ser causante de estas cosas. Procura recordártelo, Pedro. Si fuese tu hijo ¿ lo compadecerías ? ... »

« Uhmmm! Sí y no. Lo compadecería ... pero ... le enseñaría también algunas cosas. Aunque fuese adulto le enseñaría como a un jovencillo mal educado. Bueno, si fuese mi hijo, no sería así.... »

« Basta. »

« Sí, basta, Señor mío. Mira allí a Mannaén. Es el que tiene el manto casi negro, es rojo muy oscuro. Me dió esto para los pobres y me dijo que si podía quedarse a dormir. »

« ¿ Qué respondiste ? »

« La verdad: " No hay más que para nosotros ". »

Jesús no dice nada. Deja a Pedro y va a donde está Juan; a quién dice algo. Luego llega a su puesto y comienza a hablar.

« La paz sea con todos vosotros y con la paz os venga luz y santidad. Se dijo: " No proferirás en vano mi nombre ".

¿Cuándo se le nombra en vano? ¿Sólo cuando se blasfema? ¡No! También cuando se le nombra sin ser dignos de Dios. ¿Puede un hijo decir: " Amo a mi padre y lo honro " si luego hace todo lo contrario de lo que el padre desea de él? No es diciendo: " Padre, Padre " como se ama al progenitor. No es diciendo: " Dios, Dios " como se ama al Señor.

En Israel, como ayer expliqué, hay tantos ídolos en el secreto de los corazones y existe también la alabanza hipócrita a Dios, alabanza a la que no corresponden los que lo alaban. También hay en Israel una tendencia: la de encontrar pecados en las cosas exteriores, y al *no quererlos* encontrar, donde existen realmente, en las cosas interiores. En Israel hay también una soberbia necia, una costumbre inhumana y no espiritual: la de tomar por blasfemia, que los labios de paganos pronuncien el nombre de nuestro Dios, y se ha llegado hasta prohibir a los gentiles que se acerquen al Dios verdadero porque se le tiene como sacrilegio.

Esto se ha hecho hasta el presente. De hoy en adelante no se hará así. El Dios de Israel es el mismo que creo a todos los hombres. ¿Por qué impedir que se sienta la atracción de su Creador? ¿ Creeis que los paganos no sientan algo en el fondo del corazón, alguna insatisfacción que grita, que se mueve, que busca?... A quién?... ¿ Qué cosa ?... Al Dios desconocido. Y ¿ creeis que si un pagano busca por sí mismo el altar del Dios Desconocido, el altar incorpóreo que es el alma en donde siempre hay un recuerdo de su Creador, no sea el alma la que trata de ser poseída por la gloria de Dios, así como aconteció con el Tabernáculo que Moisés erigió según las órdenes recibidas[2], y que llora hasta que no se

[2] Cfr. Ex. 25-27; 33, 7-11; 35, 8 - 38, 31; 39, 33 - 40, 38; Núm. 9, 15-23.

realiza el ser poseída? ¿Creéis que Dios rechazará su búsqueda como si rechazase una profanación ?... ¿ Y creeis que sea pecado este acto, que ha cobrado vida en un sincero deseo del alma que despertada con llamamientos celestiales, dice a Dios: " Voy ", el cual le contesta: " Ven ", mientras sea santidad el culto corrompido de un Israel que ofrece al Templo lo que le sobra de sus goces, y entra a la presencia de Dios e invoca al Purísimo con un alma y cuerpo que es un gusanero de culpas?

¡ No ! En verdad os digo que el sacrilegio perfecto lo hace el israelita que con alma impura pronuncia en vano el nombre de Dios. Es en vano pronunciarlo cuando, y no seais necios, cuando sabéis, por el estado de vuestra alma que lo pronunciais inútilmente. ¡Oh! Yo veo que el rostro indignado de Dios se vuelve a otra parte con desagrado cuando un hipócrita lo invoca, cuando lo nombra un impenitente. Me da miedo, aún a Mí que no merezco ese airarse divino.

En más de uno de los corazones leo este pensamiento: " ¡Entonces fuera de los niños, nadie podrá llamar a Dios, porque en el hombre no hay más que impureza y pecado "! No. No digáis así. Son los pecadores que invocan este nombre. Son ellos los que se sienten estrangulados por Satanás y *quieren librarse del pecado* y del seductor. *Quieren*. He aquí lo que hace que el sacrilegio se cambie en rito. Querer curarse, llamar al Todopoderoso para ser perdonados y para ser curados. Invocarlo para poner en fuga al Seductor.

Se dice en el Génesis [3] que la Serpiente tentó a Eva en la hora en que el Señor no paseaba por el Edén. Si Dios hubiese estado en el Edén [4] Satanás no hubiése estado allí. Si Eva hubiése invocado a Dios, Satanás hubiése huído. Tened en el corazón siempre este pensamiento. Y con sinceridad llamad al Señor. Su nombre es salvación. Muchos de vosotros queréis bajar a purificaros. Pero purificaos el corazón sin cesar, escribiendo amorosamente sobre vosotros la palabra " Dios ". No más mentirosas plegarias rutinarias. Con el corazón, pensamiento, acciones, con todo vuestro ser decid este nombre: " Dios ". Decidlo para no estar solos. Decidlo para que os sostenga. Decidlo para que se os perdone.

" En vano " significa, según la palabra del Dios del Sinaí, si-

[3] Cfr. Gén. 3, 1-8.

[4] Expresión que debe interpretarse a la luz del contexto: Dios se hace sentir y su ayuda, en un lugar cuando se le invoca, cuando se le llama con la plegaria.

gnifica no cambiarlo por ningún bien, que entonces sería pecado: " En vano " no se dice cuando a manera de pulsación de la sangre en el corazón, cada minuto del día y a cada acción honrada, a cada necesidad, a cada tentación o dolor os llega a los labios como palabra filial de amor: " Ven Dios mío ". Entonces, en verdad no pecáis al pronunciar el Nombre Santo de Dios.

Idos, la paz sea con vosotros. »

No hay ningún enfermo. Jesús se queda con los brazos cruzados y apoyados sobre la pared debajo del cobertizo sobre el que, las sombras ya van cayendo; Jesús mira a los que se van yendo en borriquillos y a los que se dirigen al río a purificarse, y a los que atravesando los campos se dirigen al poblado.

El hombre vestido de rojo oscuro parece que no sabe qué hacer. Jesús no lo pierde de vista. Después de algún tiempo el hombre se mueve y se dirige a su caballo, un caballo hermosísimo blanco con gualdrapas de color rojo que penden de la silla adornadas con plata.

« Oye, espérame » dice Jesús y lo alcanza. « Ya va a anochecer. ¿ Tienes dónde dormir ? ¿ Vienes de lejos ? Estás solo ? »

El hombre responde: « De muy lejos . . . y me iré . . . no sé . . . si en el poblado encontraré . . . o hasta Jericó . . . Dejé allí la escolta de la que no confiaba. »

« No, te ofrezco mi cama. Está ya pronta. ¿Tienes qué comer? »

« No tengo nada. Creía que este lugar sería más hospitalario. »

« Nada falta. »

« Nada. Ni siquiera el odio contra Herodes. ¿Sabes quién soy? »

« Los que me buscan tienen un solo nombre: Hermanos en el nombre de Dios. Ven, juntos dividiremos el pan. Puedes llevar el caballo a aquel galerón. Yo dormiré allí, y te lo guardaré. »

« No, esto jamás. Yo dormiré ahí. Acepto el pan, pero no más. No pondré mi sucio cuerpo, donde descansa el tuyo que es santo. »

« ¿ Me crees santo ? »

« Sé que eres santo. Juan, Cusa . . . tus obras . . . tus palabras. El palacio real es como una concha que conserva el rumor del mar. Iba yo a donde estaba Juan . . . y luego lo perdí. El me dijo: " Uno que es más que yo te recogerá y te elevará ". No podría ser otro sino Tú. Vine cuando supe en dónde estabas. »

Han quedado solos bajo el cobertizo. Los discípulos charlan cerca de la cocina y se esfuerzan por mirar.

Zelote, que era a quien tocaba hoy bautizar, regresa del río con los últimos bautizados. Jesús los bendice y luego dice a Simón: « Esta persona es el peregrino que busca refugio en nombre de Dios. Y en el nombre de Dios lo saludamos como amigo. »

Simón se inclina y el hombre también. Entran en el galerón y Mannaén amarra el caballo en el pesebre. Acude Juan, a quien Jesús había hecho señal, con hierba y un cubo de agua. Acude también Pedro con una lámpara de aceite porque está ya oscuro.

« Aquí estaré muy bien. Dios os lo pague » dice el caballero, y luego entra con Jesús y con Simón a la cocina en donde arde una tea.

Todo termina.

89. Jesús en " Aguas Claras ": « Honra a tu padre y a tu madre » [1]

(Escrito el 3 de marzo de 1945)

Lentamente pasea Jesús a lo largo del río. Hace poco debe haber amanecido porque la neblina de un triste día invernal, envuelve todavía las varas. Por ninguna parte se ve a otra persona a lo largo del Jordán. Tan sólo hay neblina a ras de tierra y chocar del agua entre las varas, quejas de ella porque en días anteriores ha llovido y está inquieta. Una que otra llamada de pájaros, corta, triste, como lo es cuando pasó la estación de sus amores y están ahora en la que difícilmente hay comida.

Jesús los escucha y parece atraerle mucho la llamada de un pajarito, que con regularidad matemática voltea su cabecita hacia el norte y lanza un lamentoso " chiruit ", luego la dobla hacia el sur y repite su interrogativo " chiruit " sin obtener respuesta. Finalmente el pajarito parece haber obtenido respuesta con el " chip " que llega de la otra ribera y con un grito de alegría se lanza a través del río. Jesús hace un gesto como diciendo: « ¡Menos mal! » y continúa paseando.

« ¿Te disturbo, Maestro? » pregunta Juan que llega del lado de los prados.

[1] Cfr. Ex. 20, 12.

« No. ¿ Qué quieres ? »

« Quería decirte ... me parece que sea una noticia que te pueda dar consuelo y vine al punto a decírtela, además te quisiera pedir consejo. Estaba barriendo los salones y vino Judas de Keriot y me dijo: " Te ayudo ". Me quedé sorprendido porque casi siempre hace de mala gana estos quehaceres humildes... pero no tuve más que decirle:: " ¡Oh, gracias! ¡Lo haré más pronto y mejor! " Se puso a barrer y pronto estuvo terminado. Me dijo: " Vayamos al bosque. Los viejos son siempre los que acarrean leña. No está bien. Vamos nosotros. Yo no sé cómo se hace, pero si me enseñas ... " y nos fuimos, y mientras estaba yo con él atando la leña, me dijo: " Juan, te quiero decir una cosa ". " Habla " le dije. Pensaba que sería una crítica. Por el contrario dijo: " Tú y yo somos los más jóvenes. Sería necesario que estuviésemos unidos. Tú tienes casi miedo de mí y tienes razón porque no soy bueno. Pero créeme ... no lo hago a propósito. Hay veces que siento ganas de ser malo. Tal vez, como yo era el único, no me educaron bien. Querría hacerme bueno. Sé que los viejos no me miran con buenos ojos. Los primos de Jesús están sentidos porque ... en realidad, así es, he faltado mucho contra ellos y también contra su primo. Pero tú eres bueno y tienes paciencia. Quiéreme mucho. Haz de cuenta que sea hermano tuyo, malo sí, pero a quien hay que amar aunque sea así. El Maestro también dice que hay que obrar así. Cuando veas que no obro bien, dímelo. Y luego no me dejes siempre solo. Cuando voy al poblado, ven también tú. Me ayudarás a no hacer el mal. Ayer sufrí mucho. Jesús me habló y yo lo ví. Dentro de mi necio rencor no me miraba ni a mí mismo, ni a los otros. Ayer lo comprobé ... Tienen razón de decir que Jesús sufre ... y pienso que tengo algo de culpa en ello ... No quiero más tenerla. Ven conmigo. ¿ Vendrás ? ... ¿ Me ayudarás a ser menos malo ? ". Así habló. Te lo confieso que el corazón me latía, como le late a un pajarito cuando se le coge. Me latía de gozo porque me gusta que sea bueno por Tí; y me latía un poco de miedo porque ... no querría hacerme como Judas. Pero después me acordé de lo que dijiste cuando aceptaste a Judas, y respondí: " Sí te ayudaré. Pero debo obedecer, si tengo otras órdenes ... " Pensaba: ahora se lo diré al Maestro y si El quiere lo hago, y si no quiere, haré que se me den órdenes de no alejarme de la casa. »

« Oye Juan. Puedes ir. Pero debes prometerme que si sientes

que alguna cosa te turba, me lo dirás. Me has alegrado con esto, mucho, Juan. Mira a Pedro con su pescado. Puedes irte, Juan. »

Jesús se dirige a Pedro: « ¿ Buena pesca ? »

« Uhmmm! no muy buena. Pescaditos... pero todo sirve. Está Santiago que reniega porque algún animal rompió el lazo y se perdió una red y le dije: " ¿Y él no debe comer? ten compasión del pobre animalito ". Pero Santiago no lo toma así... » Pedro se echa una carcajada.

« Es lo que yo digo de uno que es hermano y eso no lo sabéis hacer. »

« ¿ Te refieres a Judas ? »

« Me refiero a él. Sufre. Tiene buenos deseos e inclinación perversa. Pero dime un poco tú, experto pescador. ¿Cuando quisiese ir en barca por el Jordán y llegar al lago de Nazaret, cómo deberé hacer? ¿Lo lograría?... »

« ¡Eh! ¡Sería un trabajo enorme! Lo lograrías con lanchas planas... Cuesta trabajo, ¿sabes? ¡Es lejos! Sería necesario medir siempre el fondo, tener ojo en la ribera, en los remolinos, en los bosquecillos flotantes, en la corriente. La vela en estos casos no sirve, antes estorba... ¿pero quieres regresar al lago siguiendo el río? Ten en cuenta que no le va a uno bien contra la corriente. Es menester dividirse en muchas cosas, si no... »

« Tú lo has dicho. Cuando alguien es vicioso, para ir al bien, debe ir contra la corriente, y no puede por sí sólo lograrlo. Judas es uno de estos. Y vosotros no lo ayudáis. El pobre rema hacia arriba, solo y se pega contra el fondo, da con remolinos, se mete en bosquecillos flotantes y cae en una vorágine. Si quiere medir el fondo, no puede tener al mismo tiempo el timón y el remo. ¿Por qué se le echa en cara si no avanza? Tenéis piedad de los extraños, y de él, vuestro compañero ¡no!... ¡No es justo! ¿Ves allá a Juan y a él que van al poblado a traer pan y verduras? El ha pedido que por favor no se le deje ir solo. Se lo pidió a Juan, porque no es tonto, y sabe cómo pensais los viejos de él. »

« ¿Y Tú los has mandado? ¿Y si Juan también se echa a perder? »

« ¿Quién? ¿Mi hermano? ¿Por qué se echa a perder? » pregunta Santiago que llega con la red que sacó de las varas.

« Por qué Judas va con él. »

« ¿ Desde cuándo ? »

« Desde hoy. Yo le dí permiso. »

« Si Tú lo permites, entonces... »

« Aun más bien lo aconsejo a todos. Lo dejáis muy solo. No seais jueces sólo de él. No es peor que otros. Está muy mal educado desde su infancia. »

« Así será. Si hubiese tenido por padre y madre a Zebedeo y a Salomé, las cosas no serían así. Mis padres son buenos, pero se acuerdan de tener un derecho y una obligación sobre sus hijos. »

« Dijiste bien. Hoy hablaré exactamente sobre esto. Vámonos. Veo que empieza a aparecer gente por los prados. »

« No sé como vamos a hacer para vivir. No hay ya más tiempo de comer, de orar, de descansar... y la gente aumenta » dice Pedro entre animado y fastidiado.

« ¿Te desagrada? Señal es que hay quien todavía busca a Dios. »

« Sí, Maestro. Pero Tú sufres. Ayer te quedaste sin comer, y esta noche sin otras cobijas que tu manto. ¡Si lo supiese tu Madre! »

« ¡ Bendecirá a Dios que me trae tantos fieles ! »

« Y me regañaría a mí, a quien te recomendó » objeta Pedro.

Vienen en dirección de ellos Felipe y Bartolomé gesticulando. Ven a Jesús y apresuran el paso diciendo: « ¡Oh! ¡Maestro! ¿Qué hacemos? Es una verdadera peregrinación de enfermos, quejosos y pobres que vienen de lejos sin medios. »

« Compraremos pan. Los ricos dan limosnas. Las emplearemos en ellos. »

« Los días son breves. El cobertizo está lleno de gente como si fuera a pernoctar. Las noches son húmedas y frías. »

« Tienes razón, Felipe. Nos estrecharemos en un solo galerón. Podemos hacerlo y arreglaremos los otros para quienes no puedan regresar a su casa en la misma tarde. »

« ¡Entendido! Dentro de poco tendremos que pedir a los huéspedes permiso de cambiarnos de ropa. Nos invadirán en tal forma que nos echarán fuera » refunfuña Pedro.

« Otras fugas verás, Pedro mío. ¿Qué tiene esa mujer? » Han llegado a la era y Jesús ve que llora.

« Ayer también estuvo, y ayer también lloraba. Cuando hablabas con Mannaén hizo intento de salirte al encuentro, pero después se fué. Debe estar en el poblado, por acá cerca, porque ha regresado. No parece enferma. »

« La paz sea contigo, ¡mujer! » dice Jesús al pasar cerca de ella.

Y en voz baja, responde: « Y contigo. » No más.

Habrá por lo menos trecientas personas. Bajo el cobertizo hay cojos, ciegos, mudos, uno que no hace más que temblar; un jovencillo claramente hidrocéfalo a quien por la mano tiene un hombre. No hace más que bufar, babear, sacudir su cabezota con expresión de estúpido.

« ¿ Será el hijo de la mujer ? » pregunta Jesús.

« No sé. Simón se ocupa de los peregrinos, y sabe. »

Llaman a Zelote y le preguntan. Pero el hombre no está con la mujer. Ella es sola y no hace más que llorar y rezar. « Me preguntó hace poco: " ¿Cura también el Maestro los corazones ? " » da como explicación el Zelote.

« Será alguna mujer traicionada » comenta Pedro.

Mientras Jesús va a donde están los enfermos, Bartolomé y Mateo van a la purificación con muchos peregrinos.

La mujer llora en su rincón sin moverse.

Jesús no niega a nadie el milagro. Maravilloso lo del jovencillo, al que infunde inteligencia con su aliento, teniendo entre sus manos la cabezota. Todos se agolpan. También la mujer velada, tal vez porque hay mucha gente, atreve a acercarse un poco, y se pone cerca de la mujer que llora. Jesús dice al tonto: « Quiero en tí la luz de la inteligencia para abrir paso a la luz de Dios. Oye. Dí conmigo: " Jesús ". Dílo. Lo quiero. »

El tonto que antes mugía como una bestia, masculla fatigosamente: « Jesús » mejor dicho: « Jesiú. »

« Otra vez » dice Jesús que continúa teniendo entre sus manos la cabeza deforme y mirándolo fijamente.

« Jess-sús. »

« ¡ Otra vez ! »

« ¡ Jesús ! » dice finalmente el tonto. En sus ojos hay expresión y en su boca se dibuja una sonrisa diferente.

« Hombre » dice Jesús a su padre, « tuviste fe. Tu hijo está curado. Pregúntaselo. El nombre de Jesús es milagro contra enfermedades y pasiones. »

El hombre dice a su hijo: « ¿ Quién soy yo ? »

El muchacho contesta: « Mi padre. »

El hombre estrecha a su hijo contra el pecho, y da la siguiente explicación: « Así nació. Mi mujer murió en el parto y él tenía impedida la mente y el habla. Ahora ved. Tuve fe, sí, vengo desde Joppe. ¿ Qué debo hacer por Tí, Maestro ? »

« Ser bueno. También tu hijo. No más. »

« Y amarte. ¡Oh ! Vamos pronto a decírselo a tu abuela. Fué ella la que me persuadió a venir. Que sea bendita. »

Los dos se van felices. Del infortunio pasado no queda rastro sino la cabezota del muchacho. La expresión del rostro y el habla son normales.

« ¿ Pero se curó por voluntad tuya o por poder de tu nombre ? » preguntan muchos.

« Por voluntad del Padre, siempre benigno con su Hijo. También mi nombre es salvación. Vosotros sabéis que Jesús quiere decir Salvador. La salvación es de las almas y de los cuerpos. Quien dice el nombre de Jesús con verdadera devoción y fe, se levanta de las enfermedades y del pecado, porque en cada enfermedad espiritual o física está la uña de Satanás, el cual produce las enfermedades físicas para llevar a la rebelión y desesperación al sentir los dolores de la carne y las morales o espirituales para conducir a la condenación. »

« Entonces, según Tú, ¿ en todas las cosas que afligen al hombre no es un extraño Belzebú? »

« No es un extraño. La enfermedad y la muerte entraron por él. E igualmente el delito y la corrupción. Cuando veais a alguien atormentado de una desgracia, recordad que también él sufre por causa de Satanás. Cuando veais que alguien es causa de infortunio, pensad que él es instrumento de Satanás. »

« Pero las enfermedades vienen de Dios. »

« Las enfermedades son un desorden del orden, porque Dios creó al hombre sano y perfecto. El desorden introducido por Satanás en el orden puesto por Dios, ha traido consigo la enfermedad en el cuerpo y las consecuencias de la misma, o sea la muerte, o también herencias funestas [2]. El hombre heredó de Adán y Eva la mancha del origen. Pero no sólo esa. La mancha se extiende cada vez más comprendiendo las tres ramas del hombre: la carne siempre más viciosa y por lo tanto débil y enferma, la parte moral siempre más soberbia y por lo tanto corrompida, el espíritu siempre más incrédulo, o sea, cada vez más idólatra. Por esto es necesario como hice con el jovencillo, enseñar el nombre que ahuyenta a Satanás, grabarlo en la mente y en el corazón. Ponerlo sobre el " yo " como un sello de propiedad. »

« Pero ¿nos posees Tú? ¿Quién eres que te crees tan gran cosa? »

« ¡Si fuera así! pero no lo es. Si os poseyese estaríais ya salva-

[2] Cfr. Gén. 3; Sab. 2, 21-24; Rom. 5, 12-21; 6, 20-23.

dos. Sería mi derecho, porque soy el Salvador y deberé tener a quien salve. A los que tengan fe en Mí salvaré. »

« Juan . . . yo vengo de parte de Juan. Me dijo: " Ve al que habla y bautiza cerca de Efrain y Jericó. El tiene el poder de atar y desatar, mientras yo no puedo sino decirte: haz penitencia para hacer tu alma ágil en conseguir la salvación " » dice uno de los curados, que antes usaba muletas y ahora se mueve ágilmente.

« ¿ No siente el Bautista que pierde gente ? » pregunta uno.

Y el que había hablado antes responde: « ¿Sentirlo? . . . A todos dice: " Id . . . Id . . . Soy yo el astro que se oculta. El es el astro que sube y se queda fijo en su eterno esplendor. Para no permanecer en las tinieblas id a El, antes que se apague mi lamparilla ". »

« ¡Los fariseos no dicen así! Están rabiosos porque atraes las multitudes. ¿ Lo sabías ? »

« Lo sabía » responde cortamente Jesús.

Se desata una disputa sobre la razón y modo de proceder de los fariseos. Jesús la trunca con un: « No critiquéis » que no admite réplica.

Regresan Bartolomé y Mateo con los bautizados.

Jesús empieza a hablar.

« La paz sea con todos vosotros.

He pensado, pues que habéis venido a hora muy temprana, y así es más fácil que podáis regresar para medio día, que hablaremos esta mañana de Dios. He pensado también alojar a los peregrinos que no puedan regresar a sus casas dentro de la misma tarde. Soy tambien Yo peregrino y no poseo sino lo mínimamente indispensable que me dió la piedad de un amigo. Juan todavía tiene menos que Yo. Pero a Juan van personas sanas o muy poco enfermas, contrahechos, ciegos, mudos; pero no agonizantes o apasionados como vienen a mí. Van a El para el bautismo de penitencia; vienen a Mí aun para que los cure en sus cuerpos. La ley dice: " Ama a tu prójimo como a tí mismo "[3]. Pienso y digo: ¿ Cómo enseñaría a mis hermanos que los amo, si cerrase mi corazón a sus necesidades aun físicas ? Y concluyo, daré a ellos lo que me dieron. Extendiendo la mano a los ricos pediré pan para los pobres, quitándome de la cama, acogeré al cansado y al que sufre.

[3] Lev. 19, 18.

Todos somos hermanos. El amor no se prueba con palabras sino con hechos. El que cierra su corazón a sus semejantes, tiene corazón de Caín. El que no tiene amor es un rebelde al mandamiento de Dios. Todos somos hermanos. Y sin embargo Yo sé y vosotros sabeis, que aun en el seno de las familias — allí donde igual sangre corre, y con la sangre y carne, la fraternidad que nos viene de Adán — hay odios y rencores. Los hermanos están contra los hermanos, los hijos contra los padres, los esposos como si fuesen enemigos.

Para no ser siempre hermanos malvados, y esposos adúlteros algún día, es menester aprender desde la tierna edad, el respeto hacia la familia, organismo que es el más pequeño y el mayor en el mundo. El más pequeño en comparación de una ciudad, una región, una nación, un continente. El mayor por ser el más antiguo; porque lo puso Dios, cuando el concepto de patria y país no existía, pero ya estaba vivo y activo en el núcleo de familia, fuente de la raza y de las razas, reino pequeño en donde el hombre es rey, la mujer reina y los hijos súbditos. ¿Puede alguna vez perdurar un reino que se divida dentro de sí y en que sus habitantes sean mutuamente enemigos? No lo puede, y en verdad una familia no dura si no hay obediencia, respeto, economía, buena voluntad, diligencia y amor.

" Honra a tu padre y madre " dice el Decálogo. ¿Cómo se les honra? ¿Por qué se les debe honrar?

Se les honra con verdadera obediencia, con verdadero amor, con respeto, con temor reverencial que no excluye la confianza, pero al mismo tiempo no deja tratar a los mayores como si fuésemos siervos e inferiores. Se les debe honrar porque, después de Dios, son los que han dado la vida y cuidado en todas las necesidades materiales de la misma; los primeros maestros, los primeros amigos del recién nacido. Se dice: " Dios te bendiga " y " Gracias " a quien nos recoge un objeto caido o nos da un pedazo de pan. ¿Y a estos que se matan en el trabajo por quitarnos el hambre, para tejernos vestidos y tenerlos limpios, para estos que se levantan a ver cómo dormimos y que no descansan hasta vernos sanos, que hacen lecho de su seno cuando estamos dolorosamente cansados no les diremos *con amor*: " Dios te bendiga " y " Gracias "?

Son nuestros maestros. Al maestro se le teme y se le respeta. Esto se comprende cuando podemos ya estar derechos, alimentarnos y decir lo más esencial, y se nos deja cuando se nos debe enseñar la dura enseñanza de la vida, " *el vivir* ". Son el padre y la madre que nos preparan para la primera escuela, y después para la vida.

Son nuestros amigos. Pero ¿qué amigo puede ser más amigo que el padre? Y ¿qué amiga más amiga que la madre? ¿Podéis temer de ellos? ¿Podéis decir: " Me traicionó él o ella? " y sin embargo, ved que el joven necio y la aún más necia joven se hacen amigos de los extraños, cierran su corazón a su padre y madre, desperdician su inteligencia y corazón con contactos que son imprudentes, si no hasta culpables y que son causa de lágrimas que vierten el padre y la madre, que las riega como gotas de plomo fundido su corazón de progenitores. Pero Yo os digo que estas lágrimas no caen en polvo y en el olvido. Dios las recoge y las cuenta. El martirio de un padre despreciado recibirá premio del Señor, y la acción de verdugo de su hijo, tampoco se olvidará, aún cuando el padre y la madre supliquen, llevados de su amor que sufre, piedad de Dios por el hijo culpable.

" Honra a tu padre y madre si quieres vivir largo tiempo sobre la tierra " se dijo, y Yo añado: " Y eternamente en el cielo ". ¡Muy poco sería el castigo de vivir aquí por haber faltado a los padres! En el más allá no se juega con chanzas, y en el más allá habrá premio o castigo conforme vivamos. Quien falta a su padre, falta a Dios, porque Dios ha ordenado que se ame al padre, y quien no lo ama, peca. Y con esto pierde, más que la vida material, la verdadera vida de que os he hablado, y va al encuentro de la muerte, mejor dicho, tiene ya en sí la muerte pues que tiene el alma en desgracia de su Señor. Tiene en sí un crimen, porque hiere el amor más santo después del de Dios; tiene en sí los gérmenes de los futuros adúlteros, porque siendo hijo malo, llegará a ser pérfido esposo; tiene en sí los estímulos de la perversión social, porque siendo un hijo malo se convierte en un futuro ladrón, en el cruel y violento asesino, en el duro usurero, en el libertino seductor, en el desvergonzado cínico, en el repugnante traidor de su patria, amigos, hijos, esposa, de todos. ¿Y podéis tener estima y confianza del que ha sabido traicionar el amor de una madre y burlarse de los plateados cabellos de un padre?

Oid algo más. Al deber de los hijos corresponde el de los padres. Maldición al hijo culpable. Maldición también al padre culpable. Haced de modo que los hijos no os puedan criticar ni imitaros en el mal. Haceos amar con un amor que proporciona la justicia y misericordia. Dios es misericordioso. Los padres, que después de Dios ocupan el segundo lugar, sean misericordiosos. Sed ejemplo y consuelo de los hijos. Sed paz y guía. Sed el primer amor de vuestros hijos. Una madre es siempre la primera imagen de la esposa que querríamos. Un padre, para las hijas jóvenes tiene la cara del que sueñan por esposo. Haced que sobre todo, los hijos y las hijas elijan con mano inteligente sus respectivos consortes pensando en la madre y el padre y deseando en el consorte lo que hay en el padre y en la madre: una virtud sincera.

Si tuviese que hablar hasta agotar el tema, no sería suficiente ni el día, ni la noche. Por amor de vosotros voy a terminar. Lo demás que os lo diga el Espíritu eterno. Yo arrojo la semilla y luego paso. La semilla en los buenos echará raíces y dará espigas. Idos. La paz sea con vosotros.»

Quien debe partir se va pronto. Quien se queda, entra en el tercer galerón y come su pan o lo que los discípulos les ofrecen en nombre de Dios. Sobre rústicos trípodes se han puesto tablas y paja y allí podrán dormir los peregrinos.

La mujer velada se va de prisa, la otra que lloraba desde el principio y que ha seguido llorando mientras Jesús hablaba, da vueltas incierta, y luego decide por irse.

Jesús entra en la cocina para tomar alimentos, pero apenas ha comenzado cuando se oye que llaman a la puerta.

Se levanta Andrés, el más cercano a ella, y sale al patio. Habla y luego torna a entrar: «Maestro, una mujer, la que lloraba, te quiere ver. Dice que se va a ir, pero que *debe* hablarte.»

«Pero de este modo ¿cómo y cuándo come el Maestro?» grita Pedro.

«Debías de haberle dicho que viniese después» dice Felipe.

«Silencio. Después comeré. Seguid vosotros.»

Jesús sale. La mujer está allí fuera.

«Maestro... una palabra... Tú dijiste... ¡Oh! ¡ven detrás de la casa! Tengo pena en decir mi dolor.»

Jesús consiente en hablar. Cuando están detrás de la casa, le pregunta: «¿Qué quieres de Mí?»

«Maestro... te oí primero, cuando hablabas entre nosotros... y luego te oí cuando predicabas. Parece como si te hubieses dirigido a mí. Dijiste que en cada enfermedad física o moral está

Satanás... tengo un hijo enfermo del corazón. ¡Ojalá te hubiese podido oir cuando hablabas de los padres! Es mi tormento. Se ha desviado con malos compañeros y es exactamente como Tú dices... ladrón... por ahora en casa, pero... pero es difícil, altanero... como es joven, se arruina con la lujuria y la embriaguez. Mi marido lo quiere expulsar. Yo... yo soy la madre... y sufro lo increíble. ¿Ves cómo palpita mi pecho? Es el corazón que se me despedaza de tanto dolor. Desde ayer quería hablarte porque espero en Tí, Dios mío. Pero no me atrevía a decir nada. Es muy doloroso para una madre decir: " ¡Tengo un hijo que parece una fiera! " » La mujer llora, se inclina llena de dolor ante Jesús.

« No llores más. Curará de su mal. »

« Si te pudiese oir. Pero *no quiere.* ¡Oh! nunca se curará. »

« ¿ Tienes tú fe por él ? ¿ Tienes tú voluntad por él ? »

« ¿ Y me lo preguntas ? Vine de la alta Perea para suplicarte por él... »

« Entonces vete. Cuando llegues a tu casa, tu hijo te saldrá al encuentro arrepentido. »

« ¿ Cómo ? »

« ¿ Cómo ? ¿ Crees que Dios no pueda hacer lo que Yo le pido ? Tú hijo está allá, Yo estoy aquí, pero Dios está en donde quiera. Digo a Dios: " Padre, ten piedad de esta madre ", y Dios hará oir su fuerte llamada en el corazón de tu hijo. Vete, mujer. Un día pasaré por las vecindades de tu pueblo y tú, orgullosa de tu hijo, me saldrás al encuentro con él. Y cuando él de rodillas llorando te pida tu perdón y te cuente su misteriosa lucha de la que ha salido con un alma nueva, y te pregunte cómo sucedió, díle: " Jesús ha sido la causa de que tú renacieses al bien ". Háblale de Mí. Si has venido, señal es de que lo sabes hacer. Haz que él sepa, que piense en Mí para tener consigo la fuerza que salva. Adiós. La paz sea con la madre que tuvo fe, con el hijo que retorna, con el padre que está ya tranquilo, con la familia que ha vuelto a unirse. Vete. »

La mujer se va en dirección del poblado y todo tiene fin.

90. Jesús en " Aguas Claras ": « No fornicarás »[1]

(Escrito el 4 de marzo de 1945)

Jesús, está de pie, sobre un montón de mesas que se han colocado como tribuna en el último galerón y habla con voz potente, cerca de la puerta para que le oigan los que están adentro, como los que están debajo del cobertizo, y hasta los que están en la era sobre los que la lluvia está cayendo. Parecen frailes bajo sus mantos oscuros y hechos de lana, en la que el agua no penetra. En el galerón están los más débiles, bajo el cobertizo las mujeres, en el patio, bajo el agua, los fuertes, en su mayoría los hombres.

Pedro va y viene descalzo y con el vestido corto con un pedazo de tela que se ha echado sobre la cabeza y no pierde el buen humor, aunque tenga que chapotear el agua y darse una bañada que no buscaba. Le ayudan Juan, Andrés y Santiago. Llevan con mucho cuidado al otro galerón a los enfermos y guían a los enfermos y a los ciegos o levantan a los tullidos.

Jesús espera con paciencia que todos se acomoden, y solo siente que los cuatro discípulos estén bañados como sopas.

« ¡ Nada, nada ! Somos leña dura. No te preocupes. Recibimos otro bautismo y el que nos bautiza es Dios mismo » responde Pedro a las observaciones de Jesús.

Finalmente todos están en su lugar y Pedro cree que es tiempo de ponerse sus vestidos secos y también los otros tres. Pero cuando ha vuelto a empezar el Maestro, ve que se asoma en el rincón del cobertizo el gris manto de la velada, y sin preocuparse que tenga que atravesar de lado a lado le era, bajo el martilleo de la lluvia que es más tupida y que al meterse en los hoyos el agua le de hasta las rodillas, va a donde está. La toma del brazo sin quitarle el manto y la jala con fuerza, hasta la pared del galerón, donde no llueve. Y luego se queda cerca de ella, como un centinela, sin moverse y sin pestañear.

Jesús ha visto. Para ocultar la sonrisa que ha brillado en su rostro baja la cabeza. Continúa luego, hablando.

« No digáis, quienes habéis sido constantes en venir a Mí, que no hablo con orden, y que paso por alto alguno de los Diez Man-

[1] Cfr. Ex. 5, 18; 20, 14.

damientos. Oís. Yo veo. Escucháis, yo aplico a los dolores y a las llagas lo que veo en vosotros. Soy el médico. Un médico va primero a los más enfermos, a los que están más próximos a morir. Luego va a los menos graves. También Yo. Hoy os digo: "No cometais impurezas".

No volvais la mirada tratando de descubrir en el rostro de alguien la palabra "lujuria". Teneos mutua caridad. ¿Os gustaría que otro la leyese en vuestra cara? ¡No! Entonces no trateis de leerla en los ojos conturbados del vecino, en su frente que se pone colorada y que se inclina al suelo. Y luego... ¡Oh! decid, vosotros hombres en particular. ¿Quién de vosotros no ha hincado el diente en ese pan de ceniza y de estiércol que es la satisfacción sexual?... ¿Es tan sólo lujuria la que os arrastra por una hora en los brazos de una prostituta? ¿No acaso es también lujuria el acto sexual manchado con la esposa, manchado porque es vicio legalizado, en donde se busca la recíproca satisfacción del sentido, y se evade a las consecuencias del mismo? Matrimonio quiere decir procreación, y el acto sexual significa y debe ser fecundación.

Sin esto es inmoralidad[2]. Del tálamo no se debe hacer un lupanar. Y se convierte en esto si se le ensucia y no se consagra con el de la maternidad. La tierra no rechaza la semilla. La recoge y la hace planta. La semilla no huye del lugar porque se le sembró, sino que al punto echa raíces y se esfuerza por crecer y echar espigas, esto es, la creatura vegetal que nació entre el connubio de la tierra y de la semilla. El hombre es la semilla, la mujer es la tierra, la espiga es el hijo. Rehusar a echar espigas y desperdiciar la fuerza en vicio, es culpa. Es un acto de prostitución cometido en el lecho nupcial, que no se diferencia en nada del otro, antes bien es más grave porque desobedece al mandamiento que dice: "Sed una sola carne y multiplicaos en los hijos".[3].

Por esto ved, oh mujeres que voluntariamente sois estériles, esposas según la Ley y honestas no ante los ojos de Dios, sino en el mundo, que no obstante esto, podéis ser como compradas y co-

[2] "Matrimonio, ... inmoralidad ..." estas frases entendidas como se debe, esto es, en su contexto, son exactas. Se afirma únicamente que el matrimonio pecaminoso es el infecundo por mala voluntad, esto es, por malicia. Por esto, en el contexto aparecen palabras como las siguientes: "lupanar, libídine, rechaza, huye, rehusa, desperdiciar, acto de prostitución, voluntariamente estériles, ser compradas, envilecidos hasta el nivel de las bestias, uniones inconcebibles" Y con toda exactitud se llega a la conclusión" el matrimonio ... deja de ser santo cuando por malicia se hace infecundo ...".

[3] Cfr. Gén. 1, 26-28; 2, 18-24; 9, 1.

meter actos impuros aun estando solo con el marido, porque no es la maternidad, sino el placer, el que frecuentemente buscáis. ¿ Y no reflexionáis en que el placer es un veneno que contagia a quien lo aspira, arde con un fuego, que creyendo haberse saciado, sale fuera del hogar y devora, cada vez más insaciable y deja un sabor acre de ceniza bajo la lengua, y asco, y náusea... y desprecio de sí mismo y del compañero de placer, porque cuando la conciencia se levanta otra vez, pues entre una y otra fiebre surge, no puede menos que nacer este desprecio de sí mismo, porque se ha envilecido hasta el nivel de las bestias?

" No cometáis actos impuros " se dijo. Muchas de las acciones carnales del hombre son fornicación. No hablo ni siquiera de las uniones inconcebibles cual pesadilla que el Levítico condena con estas palabras: " Hombre: no te acostarás con otro hombre como si fuese mujer " y " No te juntarás con ninguna bestia para mancharte con ella. Igualmente la mujer no lo hará, porque es una infamia "[4].

Después de haber hablado brevemente del deber de los esposos en el matrimonio, que deja de ser santo cuando, *por malicia,* se hace infecundo, quiero hablaros de los verdaderos y propios actos inmorales entre hombre y mujer por vicio recíproco y por compensación con dinero o regalos.

El cuerpo humano es un magnífico templo que contiene un altar. Sobre el altar debe de estar Dios. Pero Dios no está en donde hay corrupción. Por esto el cuerpo del impuro, tiene el altar consagrado pero sin Dios.

Igual a quien ebrio se revuelca en el fango en su mismo vómito, el hombre se envilece a sí mismo en la bestialidad de los actos impuros y se hace peor que el gusano y que la bestia más inmunda. Y decidme, si entre vosotros hay alguien que se ha envilecido hasta comerciar con su cuerpo como se comercia con el trigo o animales, ¿ qué bien recibió ?... Tomad en la mano vuestro propio corazón, observadlo, interrogadlo, escuchadlo, ved sus heridas, sus gemidos de dolor, y luego decidme y respondedme: ¿ era tan dulce ese fruto que mereciese este dolor de un corazón que nació puro, y al que habéis obligado a vivir en un cuerpo impuro, a palpitar para dar vida y calor a la lujuria, a sumergirse en el vicio?

[4] Cfr. Lev. 18, 22-23.

Decidme: ¿ Sois tan depravados que no lloréis en secreto, al oir una voz de niño que grita " mamá " y al pensar en vuestra madre, ¡ oh mujeres de placer !, que habéis huído de casa, o que se os arrojó de ella porque el fruto prohibido no destruyese con su vaho a los otros hermanos? ¿Al pensar en vuestra madre que tal vez murió de dolor porque se dijo: " Dí a luz un oprobio "?

¿No sentís que se os cae la cara de vergüenza, al encontraros un anciano respetable en sus canas y al pensar que sobre las de vuestro padre habéis arrojado a manos llenas deshonra como fango, y con ella la irrisión del país natal?

¿ No sentís que las entrañas se revuelven de dolor al ver la felicidad de una esposa o la inocencia de una virgen, y que debáis decir: "Yo a todo esto he renunciado y jamás lo podré tener"?

¿ No sentís cómo os arde la cara de vergüenza, al encontraros la mirada ávida o desdeñosa de los hombres?

¿ No sentís vuestra miseria cuando tenéis sed de que os bese un niño y no podéis decir: " Dámelo " porque matasteis en su raíz la vida; os sacudisteis de ella como de un peso molesto y un estorbo inútil, que la separasteis del árbol que la había concebido, y la arrojásteis para que fuese estiércol, y ahora esa pequeña vida os grita: " ¡ Asesinas ! " ?

¿ No tenéis miedo, sobre todo del Juez que os crió y os espera para preguntaros: " Qué hiciste de tí misma? ¿Para esto, acaso, te dí la vida? ¿Nido que hierve con gusanos y putrefacción? ¿Cómo te atreves a estar en mi presencia? Tuviste todo de lo que para tí fué Dios: *el placer*. Vete a la maldición que no tiene fin ".

¿Quién llora? ¿Nadie? ¿Vosotros decís, nadie? Y sin embargo mi alma sale al encuentro de otra alma que llora. ¿ Por qué sale al encuentro? ¿Para lanzarle el anatema por ser prostituta? ¡No! Porque me da compasión su alma. Su cuerpo sucio, sudando en lujuriosa fatiga me repugna, ¡ pero su alma !

¡Oh! ¡Padre! ¡Padre! ¡También por esta alma tomé carne y dejé el Cielo [5] para ser su Redentor y de tantas almas hermanas suyas! ¿Por qué no debo de recoger esa oveja extraviada, y traerla al redil, limpiarla, juntarla con las demás, darle de comer, y amarla con un amor sin igual, diferente de los que hasta aquí para ella habían tenido el nombre de amor y que no eran sino odio, porque

[5] " . . . dejé el Cielo . . . " Expresión popular pero exacta, semejante a la que hay en el Credo: " descendió del Cielo ".

el mío está lleno de compasión, es completo, cariñoso, para que diga: "Muchos días he perdido lejos de Tí, Belleza eterna, que me devuelve el tiempo que pasó? ¿Cómo puedo gustar con el poco tiempo que me queda, lo que debería de haber tenido, si hubiese sido siempre pura?"

Y con todo, no llores alma a quien toda la libídine del mundo pisoteó. Escucha: eres un trapo sucio, pero puedes tornar a ser una flor. Eres una paja suelta por el suelo, pero puedes convertirte en un jardincito. Eres animal inmundo pero puedes hacerte ángel. Un día lo fuiste. Danzabas en los prados floridos, rosa entre las rosas, fresca cual ellas, respirando virginidad. Cantabas serena tus canciones de niña, y luego corrías hacia donde estaba tu madre, tu padre y les decías: "Sois mis amores"; y el custodio invisible que cada hombre tiene a su lado, sonreía con tu alma blanca.

Y luego, ¿por qué?... ¿Por qué te has arrancado tus alas de pequeña inocente? ¿Por qué has pisoteado un corazón de padre y un corazón de madre para ir tras de corazones inciertos? ¿Por qué has doblado tu voz pura a mentirosas frases de pasión? ¿Por qué has quebrantado el tallo de la rosa y te violaste a tí misma? Arrepiéntete, hija de Dios. El arrepentimiento renueva. El arrepentimiento purifica. El arrepentimiento sublima. No te puede perdonar el hombre. Ni siquiera tu padre. Pero Dios puede. Porque la bondad de Dios no tiene parangón con la bondad humana y su misericordia es infinitamente más grande que la miseria humana. Hónrate a tí misma haciendo que tu alma, con una vida honesta, se haga digna de honra. Justifícate ante Dios no volviendo a pecar más contra tu alma. Toma un nombre nuevo ante Dios. Es el que vale. Eres el vicio. Conviértete en honestidad, en sacrificio, en mártir por tu arrepentimiento. Supiste bien martirizar tu corazón para que la carne gozara. Aprende ahora a martirizar la carne para dar a tu corazón, paz eterna.

Puedes irte, podéis iros todos. Cada uno con su peso y su pensamiento y meditad. Dios espera a todos y no rechaza a nadie de los que se arrepienten. Os de el Señor su luz para conocer vuestra alma. Idos.»

Muchos se dirigen hacia el poblado. Otros entran en el galerón. Jesús se dirige a los enfermos y los cura.

Un grupo de hombres discuten en un rincón. Gesticulan, se acaloran. Algunos acusan a Jesús y otros lo defienden; otros exhortan a unos y a otros a un juicio más maduro. En fin los más encarnizados, tal vez pocos, respecto de los otros dos grupos, toman un camino medio. Van a Pedro que junto con Simón transporta las andas que ya no se necesitan para los tres curados, y los asaltan orgullosos dentro del galerón adaptado para que en él pudiesen pernoctar los peregrinos y dicen: « Hombres de Galilea, escuchad. »

Pedro se regresa y los mira como a bestias raras. No habla, pero su cara es una sátira. Simón echa solo una mirada a los cinco energúmenos, y luego sale, dejándolos a todos.

Uno de los cinco continúa: « Yo soy Samuel, el escriba; este es Sadoc, otro escriba; este es el judío Eléazar, muy célebre y muy poderoso; este es el ilustre anciano Calascebona, y este, en fin, Nahum. ¿Entiendes? . . . ¡Nahum! » y recalca la voz para decir este nombre.

Pedro ha hecho una inclinación al oir cada nombre, pero al oir el último la hace a medias y dice, con la máxima indiferencia: « No sé, jamás lo había oido. Y . . . no entiendo nada. »

« ¡Vulgar pescador! ¡Ten en cuenta que es el hombre de confianza de Annás! »

« No conozco a Annás. Conozco a muchas mujeres de nombre Anna. Hay un montón de ellas también en Cafarnaum. No sé de qué Annás pueda ser este el hombre de confianza. »

« ¿ Este ? . . . A mí me llama: " ¿ este "? »

« ¿Cómo quieres que te llame? ¿Burro o pájaro? Cuando iba a la escuela el maestro me enseñó a decir " este " refiriéndose a un hombre, y si los ojos no me engañan, tú eres un hombre. »

El hombre se retuerce como si estas palabras lo hubieran torturado. El que primero había hablado explica: « Pero Annás es el suegro de Caifás . . . »

« ¡ Aaaa ! . . . ¡ Entendido ! . . . ¿ Y bien ? . . . »

« ¡ Y bien, ten entendido que estamos disgustados ! »

« ¿ De qué cosa? ¿Del tiempo? También yo. Es la tercera vez que me cambio vestidos y no tengo ningún otro seco. »

« No te hagas el estúpido. »

« ¿ Estúpido ? Es verdad. Si no estais descontentos del tiempo, ¿ de quién entonces ? ¿ de los romanos ? »

« ¡ De tu Maestro ! ¡ Del falso Profeta ! »

« ¡ Eje ! ¡ caro Samuel ! Mira que me despierto y soy como el lago. De la bonanza a la tempestad no necesito sino un instante.

Ten cuidado como hablas . . . »

Han entrado tambien los hijos de Zebedeo y Alfeo, y con ellos Iscariote y Simón, y se aprietan junto a Pedro que cada vez más levanta la voz.

« ¡ No vas a tocar con tus manos plebeyas a los grandes de Sión! »

« ¡Oh! ¡Qué hermosos señoritos! Y vosotros no toquéis al Maestro porque de otro modo iréis al punto a parar en el pozo, a purificaros de verdad, por dentro y por fuera. »

« Me permito hacer observar a los doctos del Templo que la casa es dominio privado » dice con calma Simón. E Iscariote refuerza con : « Y que el Maestro de lo que yo soy testigo, ha tenido siempre el máximo respeto para las casas de los demás, ante todo para la Casa del Señor. Igual respeto se tenga para la suya. »

« Tú, cállate, gusano mentiroso. »

« ¡ Mentiroso en parte ! Me habéis provocado asco y he venido a donde no lo hay. Ha sido voluntad de Dios que a pesar de que estuve con vosotros no me corrompí hasta los tuétanos ! »

« En una palabra : ¿qué queréis? » pregunta secamente Santiago de Alfeo.

« Y tú, ¿ quién eres ? »

« Soy Santiago de Alfeo, y Alfeo de Jacob, y Jacob de Matán y Matán de Eléazar, y si quieres te digo toda la ascendencia hasta el Rey David que es de donde vengo. Y también soy primo del Mesías. Por lo que te ruego que hables conmigo de estirpe real y de sangre judía; si a tu altanería provoca asco el hablar con un honrado israelita que conoce mejor a Dios que Gamaliel y que Caifás. ¡Ea! Habla. »

« Tu Maestro y pariente se hace seguir de las prostitutas. La velada es una de ellas. La ví cuando vendía oro. Y la reconocí. Es la amante escapada de Sciammai. Es deshonra para él. »

« ¿Para quién? ¿Para Sciammai el rabbino? Entonces debe ser una vieja roña. Ningún peligro hay de esta parte . . . » se burla Iscariote.

« ¡Cállate loco! Para Sciammai de Elqui, el predilecto de Herodes. »

« ¡Bah! ¡Bah! Señal de que para ella no es ya más el predilecto. Es ella la que debe ir al lecho con él y no tú. Y entonces . . . ¿qué te importa? » Judas ha desencadenado su ironía.

« Hombre, ¿no piensas que te deshonras haciendo de espía? »

pregunta Judas de Alfeo. « ¿Y no piensas que se deshonra quien se rebaja a pecar, no el que trata de levantar al pecador? ¿Qué deshonra le viene a mi Maestro y hermano si El, con su palabra hace que llegue su voz hasta las orejas profanadas con la baba de los lujuriosos de Sión? »

« ¿La voz? ¡Ah! ¡Ah! ¡Tiene treinta años tu Maestro y primo, y no es más hipócrita que los otros! Y tú y vosotros dormís juntos la noche ... »

« ¡ Desvergonzado reptil ! ¡ Lárgate de aquí o te destrozo ! » grita Pedro, a quien se unen Santiago y Juan, mientras Simón se limita a decir: « ¡Vergüenza! Tu hipocresía es tanta que se revuelve dentro de tí y sale, y babea como un caracol sobre la flor limpia. Sal y hazte hombre, porque ahora *no eres más que una baba.* Te reconozco, Samuel. Eres siempre el mismo corazón. Dios te perdone, pero vete de mi presencia. »

Mientras Iscariote con Santiago de Alfeo contienen al enfurecido Pedro, Judas Tadeo, que en el gesticular se asemeja más que nunca a su Primo de quien tiene ahora la mirada con el mismo brillante color azul y la majestad en la expresión, en voz alta dice: « Se deshonra a sí mismo quien deshonra al inocente. Los ojos y la lengua los hizo Dios para hacer cosas santas. El maledicente los profana y envilece, al hacer con ellos cosas malas. No ensuciaré mis manos villanamente con tus canas. Pero te recuerdo que los malvados odian al hombre íntegro y que el necio desahoga su malhumor sin siquiera reflexionar que se traiciona. Quien vive en las tinieblas, toma por reptil lo que es una rama en flor. Pero quien vive en la luz, ve las cosas como son, y las defiende por amor a la justicia, aunque estén denigradas. Vivimos nosotros en la luz, y nuestro Jefe es el Santo, que no conoce mujer ni pecado. Lo seguimos y lo defenderemos de sus enemigos, para los que no tenemos odio sino plegaria, como El nos ha enseñado. Aprende, ¡ oh viejo !, de un joven, que se hace maduro, porque la Sabiduría le es maestra, a no ser ligero en el hablar y bueno para nada en el hacer el bien. Vete, y dí a quien te envió que no en la casa profanada que está en el Monte Moria, sino en esta humilde mansión reposa Dios en su gloria. Adiós. »

Los cinco no se atreven a objetar y se van.

Los discípulos se consultan. ¿Decirlo o no decirlo a Jesús, que está todavía con los curados? ... ¡ Decirlo ! Es mejor así.

Se acercan, lo llaman y se lo dicen. Jesús oye con toda calma y responde: « Os agradezco la defensa... ¿pero qué queréis hacer? Cada uno da lo que tiene. »

« Mas tienen una poca de razón. Los ojos están en la cabeza para ver y muchos ven. Ella siempre está allí afuera, como un perro. Te hace daño » dicen varios.

« Déjenla. Ella no será la piedra que me pegue en la cabeza. Y si ella se salva... ¡ oh ! que me critiquen por esta alegría, ¡ qué importa! »

Con esta dulce respuesta todo termina.

91. La " Velada " en " Aguas Claras "

(Escrito el 5 de marzo de 1945)

El día es tan tempestuoso que no hay ningún peregrino. Llueve a cántaros y la era se ha convertido en una pequeña laguna por la que flotan hojas secas, que quien sabe de donde sean, pero que el viento las trajo, el viento que silba y sacude puertas y ventanas. En la cocina más que nunca oscura, porque para impedir que entre la lluvia se debe tener apenas un poco entre abierta la puerta, se llena de humo, se salen las lágrimas y se tose porque el viento empuja más adentro el humo.

« Tenía razón Salomón [1] » como un sabio dice Pedro. « Tres cosas echan afuera al hombre: la mujer pendenciera... y a esa la dejé en Cafarnaum para que se peleé con los otros yernos; la chimenea que echa humo y el techo que gotea. Y estas dos cosas las tenemos... pero mañana me las arreglaré con esta chimenea. Voy al techo y tú, y tú y tú (Santiago, Juan y Andrés) venís conmigo. Y con piedras planas haremos un techo a la chimenea. »

« Y ¿dónde te encuentras las piedras planas ? » pregunta Tomás.

« En el cobertizo. Si gotea allá no se acaba el mundo. Pero aquí... ¿te molesta que tus platillos no se decoren con más lágrimas de hollín? »

« ¡Bonito estaría! ¡Ojalá se pudiese hacer! ¡Mira cómo estoy teñido! Me cae en la cabeza cuando estoy cerca del fuego. »

« Pareces un monstruo egipcio » dice riéndose Juan.

[1] Cosa similar se lee en Prv. 25, 24.

De hecho Tomás tiene pintada la cara con diversas y extrañas figuras. El primero que se ríe de ello es él, siempre alegre, y se ríe también Jesús porque cuando estaba hablando, una nueva gota llena de hollín le cayó en la nariz y le puso la punta negra.

« Tú que eres experto en el tiempo, ¿qué piensas? ¿durará mucho así? » pregunta Iscariote a Pedro, que hace tiempo está cambiado.

« Ahora te lo voy a decir. Voy a hacerla de astrólogo » dice Pedro y se va a la puerta, la entrecierra sacando un poco el cuerpo y una mano. Después sentencia: « Viento bajo y del sur. Caliente y neblina ... ¡ Uhmm ! Poco hay que ... » Pedro calla, despacio vuelve a entrar, deja la puerta un tantico entreabierta y espía.

« ¿ Qué cosa hay ? » preguntan tres o cuatro.

Pedro hace señal con la mano de que guarden silencio. Mira. Luego dice en voz baja: « Es aquella mujer. Ha bebido agua del pozo y tomado un poco de leña del patio. Está toda mojada. No encenderá ... se va ... voy a seguirla. Quiero ver ... » y cauteloso sale.

« Pero ¿dónde puede quedarse para estar siempre cerca? » pregunta Tomás.

« Y ¡ para estar aquí con este tiempo ! » dice Mateo.

« Ciertamente va al poblado porque antier estaba allí comprando pan » dice Bartolomé.

« ¡ Tiene una constancia inaudita en estar así velada! » observa Santiago de Alfeo.

« O un gran motivo » concluye Tomás.

« ¿ Pero será propiamente esa de la que hablaba ayer aquel judío? » pregunta Juan. « Son siempre tan falsos. »

Y Jesús continúa callado como si estuviese sordo. Todos lo miran, seguros de que El lo sabe. Sigue trabajando con un cuchillo en un pedazo de palo suave, que poco a poco va tomando la forma de un trinche para sacar las verduras del agua cuando esté hirviendo. Cuando ha terminado, se lo ofrece a Tomás que está dedicado con todas sus fuerzas a la cocina.

« Eres muy bueno, Maestro ... pero ... nos dices ¿ quién es? »

« Un alma. Para Mí todos vosotros sois " almas ". Ninguna otra cosa. Hombres, mujeres, ancianos, niños, almas, almas, almas. Almas blancas los niños, almas azules los muchachos, almas color de rosa los jóvenes, almas de oro los justos, almas negrísimas los pecadores. Pero sólo almas; sólo almas. Y sonrío a las almas blancas porque me parece sonreir a los ángeles; y descanso entre las flores color de rosa y azules de los adolescentes buenos; y me alegro con las almas preciosas de los justos; y me canso, sufriendo, para hacer preciosas y brillantes las almas de los pecadores. ¿ Las caras ?... ¿ Los cuerpos ?... ¡ Nada ! Yo os *conozco y reconozco* por vuestras almas. »

« Y ¿ qué alma tiene ella ? » pregunta Tomás.

« Un alma menos curiosa que la de mis amigos, porque no indaga, no pregunta, va y viene sin decir palabra, sin echar una mirada. »

« Yo creía que era una mujer mala o leprosa. Pero he cambiado de parecer porque ... Maestro, si te digo una cosa ¿no me regañas? » pregunta Iscariote y se va a poner cerca de Jesús apoyándose sobre sus rodillas, todo cambiado, humilde, bueno, mucho más bello en esa actitud que no lo es cuando anda pomposo y soberbio.

« No te regañaré. Habla. »

« Se dónde vive. La seguí una tarde... fingiendo que iba a sacar agua, por que he caído en la cuenta que viene siempre al pozo cuando ya está oscuro ... una mañana encontré por tierra una orquilla de plata... exactamente en el brocal del pozo... y comprendí que ella la había perdido. Y bien: ella está en una chocita de leña que hay en el bosque. Tal vez sirve para los campesinos. Está casi en ruinas. Le ha puesto encima ramas que sirven de techo. Tal vez el montón de leña lo quería para eso. Es una cueva. No comprendo cómo puede estar así. Apenas si cabría en ella un perro grande o un asno pequeño. La luna brillaba y pude ver bien. Está medio sepultada en las zarzas, pero adentro ... está vacía y no hay puerta. Por esta razón cambié de parecer y caí en la cuenta que no es una mujer de mala vida. »

« ¿ No lo deberías de haber hecho. Pero sé sincero: ¿No has hecho algo más? »

« No, Maestro. Habría querido verla, porque desde Jericó la ví y me parece conocer su paso suave con el que va veloz a donde quiere. También su persona debe de ser flexible y ... bella. Sí. Se entrevé, no obstante todos esos vestidos... Pero no me atreví a espiarla cuando estaba acostada por tierra. Tal vez no tenía el velo puesto, pero la respeté ... »

Jesús lo mira fijamente y luego dice: « Y has sufrido. Pero

dijiste la verdad. Yo te digo que estoy contento de tí. Otra vez te costará menos ser bueno. Todo consiste en dar el primer paso. ¡ Muy bien, Judas ! » y lo acaricia.

Regresa Pedro: « ¡Pero Maestro! ¡Esa mujer está loca! ¿Sabes en donde está? Cerca de la ribera del río, en una casita de madera bajo un matorral. Tal vez en un tiempo sirvió a algún pescador o guardabosques... ¡ Quién sabe ! Jamás me hubiera imaginado que en aquel lugar húmedo, metido en un foso, bajo una enramada de zarzas se encontrase aquella pobre mujer. Le dije: " Habla y sé sincera. ¿Eres leprosa? ". Me respondió con voz apagada: " ¡ No ! ". " Júralo " le dije. Y ella: " ¡Lo juro! ". " Mira que si lo eres y no dices y vienes cerca de la casa y llego a saber que eres inmunda, te hago lapidar. Pero si eres perseguida, ladrona o asesina y estas aquí por temor a nosotros, no tengas miedo de nada. Sal de allí. ¿No ves que estás en el agua? ¿Tienes hambre? ¿Estás temblando? Soy viejo, ¿lo ves? No te hago la corte. Viejo y honesto. Por esto ¡escúchame! ". Así dije. Pero no ha querido venir. La encontraremos muerta porque está en el agua. »

Jesús piensa. Mira las dos caras que lo contemplan. Luego pregunta: « ¿ Qué pensáis que se pueda hacer ? »

« Maestro, Tú decide. »

« No. Quiero que vosotros juzgueis. Se trata de algo en que vuestra honra también se halla mezclada. Y no debo violentar vuestro derecho de conservarla. »

« En nombre de la misericordia digo que no se la puede dejar allí » dice Simón.

Y Bartolomé: « Diría que hoy se le lleve al galerón. Van también allí los peregrinos y también ella puede ir. »

« Es una creatura como todas las demás, ¡en resumidas cuentas! » comenta Andrés.

« Y luego hoy no viene nadie, y por lo tanto .... » hace observar Mateo.

« Propondría darle hospedaje por hoy, y mañana decirlo al panadero. Es un buen hombre » dice Judas Tadeo.

« Tienes razón. ¡ Bravo ! Y tiene tantas cuadras vacías. Una cuadra será un palacio respecto a ese barquichuelo ¡que está haciendo agua ! » exclama Pedro.

« Ve a decírselo entonces » dice Tomás con ansia.

« Los jóvenes todavía no han hablado » observa Jesús.

« Para mí está bien lo que tú hagas » dice Santiago y el otro

Santiago con su hermano a una voz: « Para nosotros también. »

« Pienso solo en que por desgracia fuese a venir un fariseo » dice Felipe.

« ¡Oh! aunque caminásemos por las nubes, ¿crees que no nos acusarían ? No acusan a Dios porque está lejos. Pero si pudiesen tenerlo cerca, como lo tuvieron Abraham, Jacob y Moisés, le harían reproches ... ¿Quién para ellos no tiene culpa ? » dice Judas de Keriot.

« Si es así, id a decirle que venga a cobijarse bajo el galerón. Ve Pedro con Simón y Bartolomé. Sois viejos y haréis menos fuerza a la mujer. Y decidle que le daremos comida caliente y un vestido seco. El que dejó Isaac. ¿Veis que todo sirve? También un vestido que una mujer dió a un hombre ... »

Los jóvenes se ríen, porque el vestido del que se hablaba debió de haber tenido una historia bufa.

Los tres de edad se van ... poco después regresan.

« Que si se ha necesitado ... pero terminó por venir. Le hemos jurado que no la perturbaremos de ningún modo. Ahora le llevo paja y el vestido. Dame las verduras y un pan. No tiene ni siquiera para comer hoy. Por otra parte ... ¿ quién puede salir con este diluvio? » El buen Pedro sale con sus tesoros.

« Y ahora a todos una orden: por ningún motivo se va al galerón. Mañana proveeremos. Acostumbraos a hacer el bien por el bien, sin curiosidad y deseo de tener con ello una distracción u otra cosa. ¿ Veis ? Os lamentabais que hoy no hubiese habido algo útil. Hemos amado al prójimo. Y qué cosa más grande podíamos hacer. Si ella, como es verdad, es una infeliz, ¿no puede nuestro auxilio darle alivio, calor, protección más sentida que los pocos alimentos, el pobre vestido y el techo que le hemos dado? Si es una culpable, una pecadora, una creatura que busca a Dios, ¿nuestro amor no será la más bella lección, la palabra más poderosa, la señal más clara para ponerla en el camino de Dios? »

Pedro entra despacito y escucha a su Maestro.

« Ved amigos. Muchos maestros tiene Israel, y hablan, hablan ... pero las almas se quedan como son. ¿Por qué? Porque las almas oyen las palabras de los maestros pero tambien ven sus acciones. Y estas destruyen a aquellas. Y las almas se quedan donde estaban, si no es que retroceden. Pero cuando un maestro hace lo que dice y obra santamente en sus acciones; aun cuando sólo haga cosas materiales como la de dar un pan, un vestido, alojo al prójimo que sufre, consigue que las almas avancen y lleguen a Dios, porque las acciones son las que dicen a los hermanos: " ¡Dios es! ¡Dios está aquí! ". ¡Oh! ¡el amor! En verdad os digo que quien ama, se salvará a sí mismo y a los demás. »

« Dices bien, Maestro. La mujer me dijo: " Sea bendito el Salvador y quien lo ha enviado, y todos vosotros que estáis con El " y me quería besar los pies a mí, hombre miserable, y lloraba por debajo de su denso velo... pero... ahora esperemos que no llegue ninguna de esas celebridades de Jerusalén... ¡Si no! ¿Quién nos salva? »

« Nuestra conciencia nos libra del juicio de nuestro Padre. Eso es suficiente » dice Jesús, y se sienta a comer después de haber bendecido y ofrecido el alimento.

Todo tiene fin.

92. Jesús en " Aguas Claras ": « Santifica las fiestas » [1]

(Escrito el 6 de marzo de 1945)

El día no es tan malo como ayer. Sigue lloviendo pero poco y la gente viene al Maestro.

Jesús escucha a dos o tres personas que tienen cosas importantes que decirle y luego tranquilas se van a sus puestos. Bendice a un niño que tiene las piernitas quebradas y que ningún médico puede curar, pues dicen: « Es inútil. Están rotas en la parte de arriba, cerca de la espina. » Lo dice la madre llena de lágrimas y explica: « Andaba corriendo con su hermanita en el camino del poblado. Venía por él, a galope en su carro un herodiano y lo revolcó bajo de él. Creí que había muerto pero es peor. Lo ves. Lo tengo sobre estas muletillas porque... no se puede hacer otra cosa. Sufre, sufre porque el hueso le sale. Y luego cuando el hueso ya no salga, sufrirá mucho más porque no podrá estar acostado sino sobre su espalda. »

« ¿ Te duele mucho ? » pregunta compasivo Jesús al niñito que llora.

« Sí. »

[1] Cfr. Ex. 20, 8-11; Dt. 5, 12-15.

« ¿ En dónde ? »

« Aquí y... aquí » y se toca con la manita no muy segura los dos huesos ilíacos. « Y también aquí, aquí » y se toca los riñones y la espalda. « Es dura la muleta y quisiera moverme... » y llora desesperado.

« ¿Quieres venir a mis brazos? ¿Vienes? Te subo arriba y verás a todos mientras hablo. »

« Sííí » (es un sí lleno de deseo). El pobrecito extiende sus bracitos suplicantes.

« Ven entonces. »

« Pero no puede, Maestro, ¡es imposible! Le duele mucho. No puedo ni siquiera moverlo para lavarlo. »

« No le haré mal. »

« El médico... »

« El médico es el médico. Yo soy Yo. ¿ Por qué viniste ? »

« Porque eres el Mesías » responde la mujer, que cambia de colores en medio de una esperanza y en medio de una desilusión.

« Y ¿entonces?... Ven pequeñín. » Jesús pasa un brazo bajo sus inertes piernas, otro bajo su espaldita, toma al niño y le pregunta: « ¿Te duele? ¿No?... entonces dí adiós a tu mamá y vamos. »

Y se va con su carga, entre la multitud que se separa. Se va hasta el fondo, sube a una especie de tribuna que le hicieron para que todos lo puedan ver, también los que están en el patio, pide un banquito y se sienta, se acomoda al niño en las rodillas y le pregunta: « ¿Te gusta? Pórtate bien y pon tú también atención » y empieza a hablar, moviendo una sola mano, la derecha, porque con la izquierda tiene al niño que mira a la gente contento de ver algo y sonríe al ver a su mamá que allá en el fondo nutre una esperanza, juguetea con el cordón del vestido de Jesús y hasta con la suave y rubia barba del Maestro y con un mechón de sus largos cabellos.

« Se dijo: "Ocúpate en un trabajo honesto y el séptimo día dedícalo al Señor y a tu espíritu". Esto se dijo junto con la orden del descanso en día de sábado.

El hombre no es más que Dios. Y sin embargo Dios llevó a cabo en seis días su Creación y descansó el séptimo[2]. ¿ Cómo puede suceder que el hombre se permita no imitar al Padre y no obedecer sus órdenes? ¿Es una orden necia? No. En realidad es una

[2] Cfr. Gén. 2, 2-3; Ex. 31, 12-17.

orden útil tanto para bien del cuerpo como para lo moral y espiritual.

El cuerpo fatigado tiene necesidad de descanso como lo tiene cualquier ser creado. El buey trabaja en el campo y descansa. Lo dejamos descansar para no perderlo; el borriquillo que nos carga, la oveja que nos da corderitos y leche, también descansan. Igualmente el campo laborable descansa y lo dejamos descansar, para que en los meses que no se le siembra, se nutra y alimente de las sales que o le llueven del cielo o que brotan del suelo. Descansan, bien, aun sin pedir nuestro parecer, los animales y plantas que obedecen a leyes eternas de una sapiente reproducción. ¿Por qué el hombre no quiere imitar ni a su Creador que descansó el séptimo día, ni a uno inferior que, vegetal o animal cualquiera que sea, sin tener otra orden que el instinto, según él, se regula y la obedece?

Existe un orden moral fuera del físico. Durante seis días el hombre fué de todo y de todos. A la manera del hilandero que en su telar tiene hilo que sube y baja todos los días, pero el séptimo se dice: " Ahora me ocupo de mí mismo, de mis seres más queridos. Soy padre, y hoy pertenezco a los hijos, soy esposo y hoy me dedico a mi esposa, soy el hermano y me alegro con ellos, soy el hijo y cuido de la senectud de mis padres ".

Existe un orden espiritual. El trabajo es santo. Más santo es el amor. Dios es Santísimo. Entonces hay que acordarse por lo menos de dar un día de los siete a nuestro bueno y santo Padre, que nos ha dado la vida y nos la conserva. ¿Por qué tratarlo menos que a nuestros padres, que a nuestros hijos, hermanos, esposa, menos que a nuestro propio cuerpo?... El día de la venganza pertenezca a El. ¡Oh! ¡Qué dulce es, después de un día de trabajo, descansar por la noche, en una casa en donde hay sólo cariño! ¡ Qué dulce volverla a ver después de un largo viaje! Y ¿ por qué no recuperarse después de seis días de trabajo en casa del Padre? ¿ Por qué no ser como el hijo que regresa de un viaje de seis días y decir: " He venido a pasar contigo mi día de descanso " ?

Escuchad, os dije: " Ocúpate de un trabajo *honesto* ".

Sabéis que nuestra Ley ordena el amor del prójimo. La honradez del trabajo entra en el amor al prójimo. El honrado en el trabajo no roba en el comercio, no defrauda al obrero de su salario, no se aprovecha de él culpablemente, tiene ante la mente que el siervo y el trabajador son un ser que tiene carne y alma como él, y no los trata como a pedazos de piedra sin vida a los que se puede hacer pedazos y golpear con los pies y con el hierro. Quien no obra de este modo no ama a su prójimo y peca a los ojos de Dios. Maldita es su ganancia, aun cuando de ella tome un óbolo para el Templo.

¡Oh! ¡Qué oferta mentirosa! Cómo puede atreverse a ponerla a los pies del altar cuando brotan lágrimas y sangre del súbdito de quien se aprovecha y tiene el nombre de "robo", esto es, de traición hacia su prójimo, porque el ladrón no es otra cosa más que el traidor de su prójimo. Creedme, la fiesta no es santificada si no se le emplea para examinarse a sí mismo y no se dedica a mejorarse uno mismo, a reparar los pecados cometidos durante los seis días.

¡He aquí lo que significa la fiesta! En esto consiste y no en algo exterior que no cambia en lo mínimo vuestro modo de pensar. *Dios quiere obras vivas y no máscaras de ellas.*

Es una máscara de ella el obedecer mentirosamente a su Ley. Es una máscara la santificación mentirosa del sábado, esto es, el descanso que se hace solo por mostrar a los ojos de los hombres que se obedece a la Ley, pero que se emplean luego aquellas horas de descanso en el vicio de la lujuria, embriaguez, en pensar calmadamente cómo aprovecharse del prójimo y cómo dañarlo en la semana que está por entrar. Es máscara la santificación del sábado, o sea, el reposo material que no se adapta al trabajo íntimo, espiritual, santificador de un examen concienzudo de si mismo, de un humilde reconocimiento de la propia miseria, de un serio propósito de portarse mejor en la semana siguiente.

Diréis: "¿Y si luego vuelve uno a caer en pecado?" ¿Qué diríais entonces de un niño, que porque cayó una vez, no quisiese más dar paso para no volver a caer? Que es un necio. Que no se debe avergonzar de no poder guardar equilibrio en el caminar, porque todos así fuimos de pequeñuelos, y que nuestro padre no por eso dejó de amarnos. ¿Quién no recuerda cómo nuestras caídas hicieron llover sobre nosotros una lluvia de besos de parte de nuestra mamá y de caricias del papá?

Lo mismo hace el dulcísimo Padre que está en los Cielos. Se inclina sobre su pequeñuelo que llora en el suelo y le dice: "No llores. Te voy a levantar . Procurarás estar más atento otra vez. Ven ahora a mis brazos, en los que todo tu mal pasará y de los que saldrás robusto, curado y feliz". Esto dice nuestro Padre que está en los Cielos. Esto os digo Yo. Si llegáis a tener fe en el Padre que está en los Cielos, todo lo podréis. Una fe, estad atentos, como la de un niño. El niño cree que todo es posible. No pregunta si puede ocurrir o cómo puede ocurrir. No mide su profundidad. Cree en quien le inspira confianza, y hace lo que él le dice. Ante el Altísimo sed como pequeñuelos. ¡ Cómo ama El a estos pequeños angelitos que son la hermosura de la tierra! De igual modo ama a las almas que se hacen sencillas, buenas, puras como es el niño.

¿ Queréis ver la fe de un niño para aprender a tenerla ? Todos habéis compadecido al pequeñuelo que tengo conmigo, y que contrario a todo lo que los médicos y su madre decían, no ha llorado, aun cuando está sentado en mis rodillas. ¿Veis? Hace mucho que no hacía otra cosa que llorar de día y de noche sin encontrar alivio. No ha llorado y plácidamente se ha dormido contra mi pecho. Le pregunté: " ¡Quieres venir a mis brazos? " y respondió: " Sí " sin reflexionar en su miserable estado, en el probable dolor que habría podido experimentar, en las consecuencias de moverse. En mi rostro descubrió amor y dijo: " Sí " y vino. Y no ha sufrido nada. Ha estado contento de estar aquí en alto, conmigo para ver. El que estuvo enclavado en esa tabla se ha sentido contento de estar sobre mi blanda carne. Se ha reído, ha jugueteado y se ha dormido con un mechón de mis cabellos entre sus manitas. Ahora lo despertaré con un beso... » y Jesús besa los castaños cabellitos. El niño se despierta con una sonrisa.

« ¿ Como te llamas ? »

« Juan. »

« Escucha, Juan. ¿Quieres caminar? ¿Ir a tu mamá y decirle: " El Mesías te bendice por tu fe " ? »

« Sí, sí » y el pequeño bate sus manitas, luego pregunta: « ¿ Me haces caminar? ¿Por los campos? ¿O tendré otra vez la fea dura tabla? ¿ Otra vez tendré los médicos que me hacen sufrir ? »

« No más. »

« ¡Ah! ¡Cómo te amo! » y echa sus bracitos en torno del cuello de Jesús y lo besa, y para besarlo mejor *brinca* de rodillas sobre las piernas de Jesús, y una lluvia de besos inocentes cae sobre su frente, ojos y mejillas.

El niño en medio de su alegría ni siquiera se acuerda de haberse movido, él que hasta ahora no podía. El grito de su madre y de la multitud lo espanta y lo deja boquiabierto. Sus ojitos inocentes en medio de su carita enflaquecida miran interrogativamente. Continuando de rodillas, con su bracito derecho alrededor del cuello de Jesús le pregunta con confianza — señalando a la gente que se mueve, a su madre que al fondo lo llama por su nombre y que también dice el nombre de Jesús: " ¡Juan! ¡Jesús! ¡Juan! ¡Jesús! " —: « ¿Por qué grita la gente y mi mamá también? ¿ Qué les pasa ? ¿ Eres Tú, Jesús ? »

« Yo soy. La gente grita porque está contenta que puedas caminar. Adiós, Juanito (Jesús lo besa y bendice). Vete con tu mamá y que seas bueno. »

El niño baja sin temor de las rodillas de Jesús, de estas a la tierra y corre a su mamá, le brinca al cuello y le dice: « Jesús te bendice. ¿Por qué lloras ahora ? »

Cuando la gente está un poco calmada, Jesús en voz alta dice: « Haced como Juanito, vosotros caeis en pecado y os herís. Tened fe en el amor de Dios. La paz sea con vosotros. »

Y mientras el griterío de la multitud que aplaude, se mezcla con el feliz llanto de la madre, Jesús protegido por los suyos, sale del galerón, y todo termina.

93. Jesús en " Aguas Claras ": « No matarás » [1]. Muerte de Doras

(Escrito el 10 de marzo de 1945)

« " No matarás " se dijo.

¿ A cuál de las dos parte de los Mandamientos pertenece ? " Al segundo " decís vosotros. ¿ Seguros ?

Os pregunto nuevamente: ¿este pecado ofende a Dios o al herido? Decís vosotros: " Al herido ". ¿ Estáis seguros de ello ?

Y otra vez pregunto: ¿ no es más que un pecado de homicidio ? Al matar ¿ no cometéis más que *este* único pecado ? Decís: " Este solo " ¿ Nadie tiene duda alguna ? Responded en alta voz. Que hable uno por todos. Espero. »

Y Jesús se inclina a acariciar a una niña que se ha acercado a El y lo mira extática que hasta olvida de seguir comiendo la man-

[1] Cfr. Ex. 20, 13; Dt. 5, 17.

zana que la mamá le había dado para tenerla tranquila.

Se levanta un viejo imponente y dice: « Escucha, Maestro. Soy un viejo sinagogo y me dijeron que hablase por todos. Hablo. Me parece, y nos parece, haber respondido según justicia y según nos han enseñado. Baso mi decir en el capítulo de la Ley sobre el homicidio y personas heridas[2]. Pero Tú sabes para qué hemos venido: para que se nos enseñe, pues reconocemos en Tí sabiduría y verdad. Si pues me equivocase, ilumina mis tinieblas, para que el viejo siervo vaya a su Rey vestido de luz. Y así como lo haces conmigo, hazlo con estos que son mi grey que han venido con su pastor a beber en la fuente de la Vida » y se inclina, antes de sentarse, con el más profundo respeto.

« ¿ Quién eres, padre ? »

« Cleofás de Emmaús, tu siervo. »

« No mío: del que me ha enviado, porque al Padre se debe cualquier precedencia y todo amor en el Cielo, en la tierra y en los corazones. Y el primero que le tributa este honor es el Verbo que toma y ofrece, sobre la mesa sin defecto, los corazones de los buenos como hace el sacerdote con los panes de la proposición. Pero escucha, Cleofás, para que vayas iluminado como es tu santo deseo a Dios.

Al medir una culpa conviene pensar en las circunstancias que le preceden, preparan, justifican y explican la misma. " ¿ A quién he herido? ¿Qué cosa he dañado? ¿Dónde he herido? ¿Con qué medios lo he hecho? ¿Por qué lo hice? ¿Cómo lo hice? ¿Cuándo herí? ": esto debe preguntarse el que mató antes de presentarse a Dios para pedirle perdón.

" A quién he herido ? "

A un hombre. Digo: *un hombre.* No pienso ni me pongo a pensar si es rico o pobre, libre o esclavo. Para mí no existen esclavos o poderosos. Existen sólo los hombres a quienes creó el Unico, y por lo tanto son iguales. De hecho ante la majestad de Dios es polvo también el más poderoso monarca de la tierra. Y a sus ojos y a los míos no existe sino una esclavitud: la del pecado y por consiguiente estar bajo Satanás. La Ley antigua[3] distingue los libres de los esclavos y sutiliza entre el matar de un golpe y el matar, dejando que sobreviva uno o dos días, e igualmente si

[2] Cfr. Ex. 21, 12-32; Lev. 24, 17-22; Núm. 35, 9-34.
[3] Cfr. Ex. 21, 20-25.

la mujer en cinta se le lleva a ser muerta o si tan solo su fruto es muerto. Esto se dijo cuando la luz de la perfección estaba todavía lejana. Ahora está entre vosotros y os dice: "Cualquiera que hiere a muerte a un semejante suyo, peca" y no sólo contra el hombre sino contra Dios.

¿Qué cosa es el hombre? Es la creatura soberana que Dios creó a su imagen y semejanza para que fuese rey de lo creado, al que le dió la semejanza según el espíritu y la imagen, al tomar esta perfecta imagen de su pensamiento perfecto. Contemplad el aire, contemplad la tierra, las aguas. ¿Encontraréis algún animal o planta, que por bellas que sean, igualen al hombre? El animal corre, come, bebe, duerme, engendra, trabaja, canta, vuela, trepa. Pero no habla. El hombre también corre, brinca y en el brinco es tan ágil que emula al pájaro; nada y en el hacerlo es tan veloz como el pez; sabe arrastrarse y parece reptil; puede trepar y parece un mono; canta y parece un pájaro. Engendra y se reproduce. Pero además de esto puede hablar.

No digáis: "Cada animal tiene su lenguaje". Si, el uno muge, el otro bala; este rebuzna, aquel trina, el de más allá gorjea, pero desde el primer buey hasta el último, no habrá más que una sola clase de mugido y así la oveja balará hasta el fin del mundo y el borriquillo rebuznará, como rebuznó el primero; el pájaro siempre repetirá su corto trinar, mientras que la alondra, el ruiseñor, dedicarán su mismo himno, algunos en el día y otros en la noche estrellada y así lo harán hasta el último día de la tierra, así saludarán al sol como si fuese la primera vez que iluminase, y como si fuese la primera noche. El hombre al contrario como no tiene una sola palabra y una sola lengua, sino un conjunto de nervios que se reunen en el cerebro, sede de la inteligencia, puede captar las sensaciones nuevas y pensar sobre ellas y darles nombre.

Adán llamó[4] perro, al amigo suyo y león, al que le pareció más semejante por su hirsuta melena que le cae sobre la cara que apenas tiene barba. Llamó oveja al animal que mansamente lo saludaba, y llamó pájaro al manojo de plumas que volaban como mariposa, pero que emitía un canto que no emite la mariposa. Y luego, en los siglos, los hijos de Adán crearon siempre nuevos nombres, según iban "conociendo" las obras de Dios en las crea-

[4] Cfr. Gén. 2, 19-20, donde se refiere, cómo Adán puso nombre a los animales.

turas o que, por la chispa divina que existe en el hombre, no sólo engendraron hijos, sino crearon también cosas útiles o nocivas a sus mismos hijos. Según que estuviesen *con* Dios *o contra* Dios. Están *con* Dios los que crean y obran cosas buenas. Están contra Dios los que crean cosas malvadas para dañar al prójimo. Dios venga a sus hijos que son torturados por el perverso ingenio humano.

La razón es que el hombre es la creatura predilecta de Dios. Aunque si ahora es culpable, siempre es para El, lo más querido. Testigo de ello es que envió a su mismo Verbo, no a un ángel, ni arcángel, querubín o serafín, sino a su Verbo, revistiéndolo de carne humana, para que salvase al hombre. No juzgó indigno este vestido para que pudiese sufrir y expiar, el que por ser como El, Purísimo Espíritu, no habría podido sufrir y expiar la culpa del hombre.

El Padre me dijo: " Serás hombre: El Hombre. Yo había hecho uno, perfecto como todo lo que hago. Le había destinado a un dulce vivir con un dulcísimo despedirse de este mundo [5] y un feliz despertar con una felicísima y eterna permanencia en mi Paraíso celestial. Pero, Tú sabes, en este Paraíso no puede entrar nada que esté manchado, porque en él Yo-Nosotros, Uno y Dios Trino tenemos el trono. Y delante de él no puede haber sino santidad. Yo soy el que soy. Tan sólo los que no tienen mancha pueden conocer mi naturaleza divina, nuestra misteriosa esencia. Ahora el hombre, en Adán y por Adán está manchado. Ve. Límpialo. Lo quiero. De hoy en adelante serás: El Hombre. El Primogénito. Porque serás el primero en entrar aquí con carne mortal que no tiene pecado, con alma sin culpa original. Quienes te precedieron sobre la tierra y quienes te seguirán, tendrán vida, por tu muerte redentora ". No podría morir si no hubiera nacido. Nací y moriré [6].

El hombre es la creatura predilecta de Dios. Decidme ahora: si un padre tiene muchos hijos, pero uno es su predilecto, la pupila de su ojo, y a este le matan, ¿qué padre hay que no sufra más, que si hubiese sido matado otro?... No debería acontecer porque el padre debería ser justo con todos sus hijos. Pero sucede

[5] Dios reservó de nuevo, según esta Obra, a María Santísima, la super Eva, que superó en mucho la perfección de los Progenitores " un dulcísimo despedirse de este mundo " que no fue verdadera y propia muerte, como se verá en su lugar.
[6] En estas palabras se descubre ya la futura teología de san Pablo.

porque el padre es imperfecto. Dios lo puede hacer con justicia porque el hombre es la única creatura, entre lo creado, que tenga en común con el Padre Creador el alma espiritual[7], signo innegable de la paternidad divina.

Si se mata un hijo a un padre, ¿se hace injuria solamente al hijo? No. También al padre. En la carne al hijo, en el corazón al padre. A ambos pues se ha herido. ¿Al matar a un hombre, se hace injuria solo a él? No. También a Dios. En la carne al hombre, en su derecho a Dios. Porque de la vida y la muerte es el único dador. Matar es hacer violencia a Dios y al hombre. Matar es penetrar en el dominio de Dios. Matar es faltar al precepto del amor. No ama a Dios quien mata, porque destruye un trabajo suyo: a *un* hombre. No ama al prójimo quien mata, porque quita al prójimo lo que el asesino exactamente quiere: la vida.

He respondido, pues, a las dos primeras preguntas.

"Dónde he herido?"

Se puede herir en el camino, en la casa de quien se ataca, o bien atrayendo a la víctima a la propia. Se puede herir uno u otro órgano produciendo un sufrimiento mucho más duro, y cometiendo dos homicidios en uno, si se hiere a la mujer que tiene en el vientre su fruto.

Se puede herir en el camino sin tener intención. Un animal que acaricia nuestra mano, puede matar al que pasa. En este caso en nosotros no hay premeditación, mientras si uno se va, armado con puñal oculto bajo hipócritas vestidos de lino, a la casa de un enemigo — y sucede con frecuencia que sea el enemigo quien tenga la razón — o bien se invita a la víctima a su casa con señales de honra y luego se le degüella y se le arroja a la cisterna, entonces hay premeditación, y la culpa está empapada de malicia, crueldad y violencia.

Si mato al fruto con su madre, entonces tendré que dar cuenta a Dios de dos seres. Porque el vientre que engendra a un nuevo ser, según el mandamiento de Dios, es sagrado[8], y sagrada es

[7] También el ángel es espíritu, pero aquí no se le considera, porque la expresión . . . " . . . el hombre es la única creatura . . . que tenga en común con el Padre Creador el alma espiritual " . . . probablemente tiene que entenderse bajo la luz de la doctrina del Cuerpo Místico, según la cual los hombres están incorporados o destinados a serlo con Cristo, el Primogéntio (como se dice líneas más arriba), que es una sola cosa con el Padre Creador.

[8] Cfr. Gén. 1, 28; 9, 1; 17, 6; 49, 25; Ex. 23, 20-26; Dt. 7, 7-16; 28, 1-19.

la pequeña vida que en él va madurando, a la que Dios ha dado un alma.

" ¿ Con qué medios he herido ? "

En vano dice uno: " No quería herir " cuando ha ido armado hasta los dientes. En la ira también las manos se convierten en armas, y arma es la piedra que se recoge por el suelo, o la rama que se desgaja del árbol. Quien friamente mira al puñal o la hoz, y si le parecen que no están muy filosos y los hace, y luego se los ciñe al cuerpo de modo que no sean vistos, pero que fácilmente puedan blandirse, y así preparado va a ver a su rival, ciertamente no puede decir: " No tenía voluntad de herir ". Quien prepara un veneno recogiendo hierbas y frutos tóxicos para hacer polvos o pócima, y luego lo ofrece a la víctima como si no fuesen dañosos o como una bebida buena, no puede decir: " No quería yo matarlo ".

Y ahora escuchad vosotras, mujeres, que calladas y sin castigo alguno asesináis tántas vidas. Matar, es también sacar el fruto que crece en el seno porque es de semen culpable o porque es un germen que no se quiso: fardo a vuestras espaldas y a vuestra riqueza. Hay un solo modo para *no* tener ese peso: permanecer castas. No unáis el homicidio a la lujuria, violencia a la desobediencia, y no creais que Dios no vea, porque el hombre no lo ve. Dios todo lo ve, *todo* lo recuerda. Recordadlo también vosotras.

" ¿ Por qué he herido ? "

¡ Oh, cuántos porqués hay! Desde el imprevisto desequilibrio que crea en vosotros una emoción violenta, como es la de encontrar el tálamo profanado, o al ladrón en casa, o un intento criminal de hacer violencia a la propia hija, al frío y meditado cálculo de librarse de un testigo peligroso, de uno que se atraviesa por el camino, de uno cuyo puesto o bolsa se quiere: estos son tantos porqués y hay más. Y si Dios todavía puede perdonar a quien en la fiebre del dolor se convierte en asesino, no perdona[9] a quien lo hace por avidez de poder o de estima entre los hombres.

Obrad siempre bien y no tendréis miedo de que alguien os mire u os hable. Contentaos con lo vuestro y no aspiréis a algo que para obtenerlo asesinéis al prójimo.

[9] Sobreentiéndase: si permanece impenitente. De hecho se lee en el siguiente cap. con respecto al cruel Doras " . . .habría bastado el arrepentimiento sincero . . . pero él era impenitente . . . " Así pues, Dios perdona a cualquier pecador, con la condición de que se arrepienta.

“ ¿ Cómo herí ? ”

¿Infiriendo otros golpes después del primero que fué impulsivo ? Algunas veces el hombre no se puede frenar. Porque Satanás lo arroja en el mal como el hondero arroja la piedra. Pero ¿qué diríais de una piedra que después de haber dado en el blanco, regresase por sí misma a la honda para que de nuevo se le lanzase y diese en el blanco? Diríais: “ Esta poseída de una fuerza mágica e infernal ”. Así es el hombre que después del primer golpe, diese el segundo, el tercero, el décimo sin que su ferocidad amainara. Porque la ira se apaga y se cae en la cuenta inmediatamente después del primer ímpetu, si es un ímpetu que procede de un motivo justificado. Mientras la ferocidad aumenta, cuanto más la víctima es herida, *en el verdadero asesino,* esto es, en Satanás que no tiene, no puede tener piedad del hermano porque, siendo satanás, *es odio.*

“ ¿ Cuándo herí ? ”

¿En el primer ímpetu? ¿Después que desapareció? ¿Fingiendo perdón, mientras el rencor era siempre alentado? ¿He esperado tal vez años para herir y así causar doble dolor, al matar al padre a través de los hijos?

Veis que matando se ofende al primero y al segundo grupo de los mandamientos. ¿Por qué os arrogáis el derecho de Dios, y por qué pisoteáis al prójimo? Por lo tanto es un pecado contra Dios y contra el prójimo. Cometéis no sólo un pecado de homicidio, sino de ira, de violencia, soberbia, desobediencia, sacrilegio y tal vez, si matais para robar un puesto o dinero, de avaricia. Hoy apenas os lo insinúo, algún día lo explicaré mejor, se comete pecado de homicidio no sólo con las armas y el veneno, sino con la calumnia también. Meditad en ello.

Y todavía añado: el patrón que hiriendo a un siervo, lo hace con astucia de modo que muera entre sus manos, es doblemente culpable. El siervo no es dinero del patrón es un alma de su Dios. Sea para siempre maldito ese patrón que trata a su siervo peor que al buey. »

Jesús parece como si lanzara rayos y truenos. Todos lo miran espantados, porque antes hablaba con calma.

« ¡Maldito sea! La Nueva Ley no conoce esta dureza, que era todavía justicia cuando en el pueblo de Israel no había hipócritas que se fingen santos y afilan su ingenio para sólo disfrutar y eludir la Ley de Dios. Pero ahora que Israel escapa de estos seres viperinos, que hacen de su capricho cosa lícita sólo porque son *ellos*, los miserables poderosos a quien Dios mira con odio y náusea, Yo digo: Esto no existe más.

Caen en sus surcos y en sus muelas de molino los esclavos. Caen con los huesos quebrados y los nervios desnudos por los azotes. Los acusan de delitos que no existieron para poder golpearlos, para justificar su propio sadismo satánico. Hasta se echa mano del milagro de Dios como acusación para tener el derecho de golpearlos. Ni el poder de Dios, ni la santidad del esclavo convierten su torva alma. No se le puede convertir. *El bien no cabe donde está todo lleno de mal*. Dios ve y dice: " ¡ Basta ! ".

Son muchos los Caínes que matan a los Abeles. Y ¿qué pensais, inmundos sepulcros blanqueados al exterior con palabras de la Ley, y en cuyo interior se pasea Satanás y pulula el satanismo más astuto? ¿Qué creeis? ¿Que Abel sólo haya sido el hijo de Adán y que Dios mire benigno solo a los que no son esclavos de los hombres, mientras rechace de Sí la única oferta que puede hacer éste en su honradez envuelta en llanto? ¡ No ! En verdad os digo que cada justo es un Abel, aun cuando esté cargado de cadenas, aun cuando muera entre los terrones del campo, o sangrando por los azotes; y que son Caínes todos los injustos que dan a Dios por orgullo, no por verdadero culto, que dan lo que está manchado por su pecado y manchado con sangre.

¡ Vosotros que profanáis el milagro, que profanáis el hombre, asesinos, sacrílegos! ¡Fuera! ¡Idos de mi presencia! ¡Basta! Yo os digo: Basta. Y lo puedo decir porque soy la Palabra divina que traduce el Pensamiento divino. ¡ Idos ! »

Jesús de pie en la pobre tribuna causa miedo, impone temor. Parece lanzar rayos contra los pecadores presentes al señalar la salida de la puerta con su brazo derecho extendido, con sus ojos que parecen dos hogueras de azul. La niñita que estaba a sus pies se pone a llorar y corre a su madre. Los discípulos se miran espantados y tratan de descubrir contra quién es la invectiva. La gente también se vuelve con los ojos interrogativos.

Finalmente el secreto se descubre. En el fondo, fuera de la puerta, semiescondido detrás de un grupo de campesinos altos, se muestra Doras. Está ahora más flaco, amarillo, arrugado, no parece más que narices y mentón. Trae consigo a un siervo que lo ayuda a moverse porque parece que haya sufrido un accidente. Y ¿quién lo había visto allí en medio del patio?... Se atreve a hablar en su ronca voz: « ¿Te refieres a mí? ¿Por mí lo dices? »

« Por tí. Sal de mi casa. »

« Me voy. Pero dentro de poco haremos cuentas, no lo dudes. »

« ¿Pronto? *Al punto.* El Dios del Sinaí, te lo dije, te está esperando. »

« También tú, hombre malo, que has hecho venir sobre mí la ruina y los animales que dañan los campos. Nos volveremos a ver. Y será mi alegría. »

« Sí. Y no querrás volverme a ver. Porque Yo te juzgaré. »

« ¡Ah! ¡Ah! maldi... » Gesticula, trata de gritar y cae.

« Ha muerto! » grita el siervo. « ¡Ha muerto el patrón! ¡Qué seas bendito, Tú, Mesías nuestro vengador! »

« No Yo, Dios, el Señor Eterno. Ninguno se contamine. Tan solo el siervo piense en su patrón. Trata bien su cuerpo. Todos vosotros sus siervos sed buenos. No os regocijéis con odio por el que ha muerto, para que no merezcáis condenación. Dios y el justo Jonás sean siempre vuestros amigos. Y Yo con ellos. ¡Adiós! »

« Pero... ¿ ha muerto por tu querer ? » pregunta Pedro.

« No. Sino que el Padre entró en Mí... es un misterio que no puedes entender [10]. Acuérdate que no es lícito herir a Dios. El por Sí mismo se venga. »

« ¿No podrías entonces decir a tu Padre que haga morir a todos los que te odian? »

« ¡Cállate! Tu no sabes de qué espíritu eres [11]. Yo soy Misericordia y no venganza. »

El viejo sinagogo se acerca: « Maestro, has resuelto todas mis preguntas y hay luz en mí. Que seas bendito. Ven a mi sinagoga. No rehuses a un pobre viejo tu palabra. »

« Iré. Vete en paz. Que el Señor sea contigo. »

Mientras la multitud se va poco a poco, todo termina.

[10] " El Padre entró en Mí... " expresión que debe interpretarse a la luz de: Mt. 21, 12-17; Mc. 11, 15-19; Lc. 19, 45-46; Ju. 2, 13-22, en donde se habla del celo por la casa de su Padre y de cómo Jesús arrojó a los profanadores con golpes. La dicha expresión equivaladría a la siguiente: Fuí invadido del celo de la divina justivia ultrajada desvergonzadamente por el cruel que no quiso arrepentirse; celo que prevaleció sobre la Misericordia, la cual no puede tener lugar en quien sólo hay odio. Cfr. también Mt. 23 13-39; 25, 41-46; pág. 672, not. 3.

[11] Cfr. Lc. 9, 51-56.

94. Jesús en "Aguas Claras". Los tres discípulos del Bautista [1]

(Escrito el 11 de marzo de 1945)

Es un serenísimo día de invierno. Sol, viento y cielo azul, sin ni siquiera la menor mancha de nubes. Son las primeras horas del día. Todavía un ligero velo de rocío, mejor dicho de escarcha, cubre cual polvo el suelo y las hierbas.

Vienen en dirección a la casa tres hombres que caminan seguros como quien sabe a dónde va. Ven a Juan que atraviesa el patio cargado de cubos de agua sacados del pozo. Lo llaman.

Juan se voltea, los deja y les dice: « ¿Vosotros aquí? ¡ Bienvenidos ! El Maestro os verá con alegría. Venid, venid, antes de que haya gente. ¡ Ahora viene mucha ! ... »

Son los tres pastores, discípulos de Juan el Bautista. Simeón, Juan y Matías siguen contentos al apóstol.

« Maestro, hay tres amigos. Mira » dice Juan entrando en la cocina donde arde alegre un buen fuego de raíces, y que echa un olor grato de bosque y de laurel quemado.

« ¡Oh! La paz sea con vosotros, amigos míos. Qué milagro que habéis venido. ¿ Alguna desgracia sobre el Bautista ? »

« No, Maestro. Vinimos con su licencia. Te saluda y dice que encomiendes a Dios al león perseguido de los arqueros. No se hace ilusiones sobre su suerte. Pero ahora es libre, y es feliz porque sabe que tienes muchos fieles, aun los que antes eran suyos. Maestro ... también nosotros tenemos el anhelo de serlo, pero ... no queremos abandonarlo ahora que lo persiguen. Compréndenos ... » dice Simeón.

« Antes bien os bendigo porque lo hacéis. El Bautista es digno de todo respeto y amor. »

« Dices bien. El Bautista es grande y siempre crece más. Parece al ágave que cuando está cercano a morir forma el más grande candelabro de la flor de siete hojas que blanquea y que perfuma. Así él dice siempre: " Sólo querría verlo una vez más ... ". Verte. Hemos recogido ese grito de su alma y sin decírselo, te lo traemos. El es " el Penitente ", " el Abstinente ". Se macera aún con el deseo santo de verte y de oirte. Yo soy Tobías o Matías y

[1] Cfr. Ju. 3, 22-36.

pienso que él no sería diferente del ángel que se dió a Tobías [2]. Todo en él es sabiduría. »

« No se ha dicho que Yo no le vea . . . Pero ¿ sólo por eso habéis venido? Es muy duro caminar en esta estación. Hoy es un día sereno, pero hace tres días . . . ¡ Cómo llovía por todas partes ! »

« No solo por esto. Hace algunos días llegó Doras el fariseo, a purificarse. El Bautista le negó el rito con estas palabras: " No entra el agua en donde hay una costra tan grande de pecado. Sólo uno te puede perdonar: el Mesías ". Y él dijo: " Iré a dónde está El. Quiero curarme y pienso que este mal es un maleficio suyo ". Entonces el Bautista lo arrojó como si hubiera arrojado a Satanás. Y cuando se estaba yendo encontró a Juan a quien conoció desde que iba a ver a Jonás de quién era lejano pariente y le dijo: " Yo voy. Todos van. Hasta Mannaén y hasta . . . las . . . (yo digo prostitutas pero el dijo otra palabra peor) van. Aguas Claras está lleno de ilusos. Ahora si me cura y retira su anatema contra mis tierras que están siendo excavadas como con máquinas de guerra por ejércitos de topos y de gusanos de todas clases y animales que acaban con las semillas y roen las raíces de los árboles frutales y de las viñas y no hay cosa con que se les pueda derrotar, seré su amigo. De otro modo . . . ¡ ay de El ! " Le respondimos: " ¿Y con ese corazón vas allá? " Y él contestó: " ¿Y qué se cree el pedazo de Satanás? Por otra parte así como convive con prostitutas, puede hacer alianza también conmigo ". Quisimos venir a decírtelo para que tomases providencias. »

« Ya todo está hecho. »

« ¿Ya hecho? ¡Es verdad! El tiene carros y caballos, nosotros tan sólo las piernas. ¿ Cuándo fué ? »

« Ayer. »

« Y ¿ qué pasó ? »

« Lo siguiente: que si preferís ocuparos de Doras, podéis ir a su casa de Jerusalén y hacer duelo por él. Están preparándolo para el sepulcro. »

« ¿ Muerto ? . . . »

« Muerto. Aquí. Pero ya no hablemos de él. »

« Sí, Maestro . . . Sólo dinos una cosa. ¿ Es verdad cuánto ha dicho de Mannaén ? »

« Sí. ¿ Os desagrada ? »

[2] Cfr. Tob. 5, 1 - 12, 21.

« ¡Oh! ¡Es nuestra alegría! ¡Le hablamos a él tanto de Tí en Maqueronte! Y ¿qué quiere el discípulo sino que el Maestro sea amado? Esto quiere Juan y también nosotros. »

« Hablas bien Matías. La sabiduría está contigo. »

« Y... no lo creo. Pero ahora la encontramos... Antes de los Tabernáculos fué a buscarte a donde estábamos. Le dijimos: " A quien buscas no está aquí, pero pronto estará en Jerusalén para los Tabernáculos ". Así dijimos porque el Bautista dijo: " Ved aquella pecadora, es una costra de inmundicia, pero dentro hay una llama que va creciendo. Se hará tan fuerte que saldrá de la costra y arderá toda. Cederá la inmundicia y quedará solamente la llama ". Asi dijo. Pero... ¿ es verdad que aquí duerme, como nos vinieron a decir dos escribas famosos? »

« No. Está en una de las caballerizas del panadero, más o menos a un kilómetro de aquí. »

« ¡ Lenguas infernales ! ¿ Oiste ?... ¡ Y ellos... ! »

« Dejadlos que digan. Los buenos no creen a sus palabras, sino a mis obras. »

« También lo dice Juan. Hace días algunos discípulos suyos le dijeron en nuestra presencia: " Rabí, El que estaba contigo al otro lado del Jordán y de quien diste testimonio, ahora bautiza. Todos van a El. Te quedarás sin fieles ". Y Juan respondió: " ¡Bienaventurada mi oreja que oye esta nueva! No sabéis que alegría me proporcionáis. Tened en cuenta que el hombre no puede tomar cosa alguna sino se le da del Cielo. Podeis testificar que dije: 'Yo no soy el Mesías, sino quien ha sido mandado delante de El para prepararle el camino'. El hombre justo no se apropia un nombre que no es suyo y aunque el hombre quiera alabarlo con decirle: 'Eres esto' es decir. 'Eres el Santo', él dice: '¡No! En verdad, ¡no! Yo soy su siervo' e igualmente tiene gran alegría porque: 'Ved, me le parezco un poco, si el hombre puede tomarme por El'. Y ¿qué cosa quiere quien ama que el asemejarse a su amado? Sólo la esposa se alegra con el esposo. El paraninfo no se podría alegrar con ella, porque sería inmoralidad y hurto. El amigo del esposo, que le está cerca y escucha sus palabras llenas de júbilo nupcial, experimenta una alegría tan grande de ser casi semejante a la que hace feliz a la doncella casada, que le anticipa con ella la miel de las palabras nupciales. Esta es *mi* alegría y es absoluta. ¿ Qué otra cosa hace el amigo del esposo, después de que por meses le sirvió y escoltó a la esposa hasta el hogar? Se retira y desaparece. ¡Así yo! ¡Así yo! Una sola cosa me falta: el esposo con la esposa: el hombre con la humanidad. ¡Oh! ¡Profunda palabra! Es necesario que él aumente y que yo disminuya. Quien viene del Cielo está sobre todos. Patriarcas y Profetas desaparecen a su llegada, porque El, igual al Sol que todo ilumina y con luz tan fuerte, que los astros y planetas, que no tienen luz, se revisten de ella, y los que no están apagados desaparecen ante su supremo resplandor. Así sucede porque El viene del Cielo, mientras los Patriarcas y Profetas irán al Cielo, pero del Cielo no vienen. Quien viene del Cielo está sobre todos, y anuncia lo que vió y oyó. Pero nadie de los que no tienden al Cielo y por lo tanto reniegan de Dios puede aceptar su testimonio. Quien acepta el testimonio del que ha bajado del Cielo, demuestra, con ese creer suyo su fe de que Dios es verdadero y no una patraña y siente la Verdad *porque tiene el ánimo generoso de El.* Porque aquel a quien Dios ha enviado, profiere palabras de Dios, porque Dios le da el Espíritu con plenitud, y el Espíritu dice: 'Héme aquí. Tómame, que quiero estar contigo, Tú, delicia de nuestro amor', pues el Padre ama al Hijo sin medida y todas las cosas las ha puesto en su mano. Por lo cual quien cree en el Hijo tiene la vida eterna. Pero quien rehusa creer en el Hijo, no verá la vida y la cólera de Dios permanecerá en él y sobre él ". Así ha hablado. Me grabé estas palabras en la memoria para repetírtelas » dice Matías.

« Te alabo y te doy las gracias. El último Profeta de Israel no es el que desciende del Cielo, sino por haber sido adornado de dones desde el vientre de su madre — vosotros no lo sabéis, pero Yo os lo digo — es el que más se acerca al Cielo. »

« ¿Qué cosa? ¿Qué cosa? ¡Cuenta! ... El dice de sí mismo: " Yo soy el pecador ". » Los tres pastores y también los discípulos tienen deseos de saber.

« Cuando mi Madre me llevaba en su vientre, fué a servir, porque es la humilde y amorosa, a la madre de Juan, prima de ella por parte de su madre y que había concebido en su vejez. El Bautista tenía ya su alma porque era el séptimo mes de su formación y el germen del hombre encerrado en el seno materno dió muestras de alegría al oir la voz de la Esposa de Dios. Precursor también en esto, se adelantó a los redimidos, porque de seno a seno se derramó la Gracia, y penetró y cayó la culpa de origen del alma del niño. Por lo cual Yo os digo que sobre la tierra hay tres que poseen la Sabiduría, así como en el Cielo son tres los que son

Sabiduría: El Verbo, la Madre y el Precursor sobre la tierra; el Padre, el Hijo y el Espíritu Santo en el Cielo.»

«Nuestro corazón está lleno de estupor... como cuando se nos dijo: "Ha nacido el Mesías...". Porque eres Tú el abismo de la Misericordia y este Juan nuestro es el abismo de la humildad.»

«Y mi Madre es el abismo de la Pureza, de la Gracia, de la Caridad, de la Obediencia, de la Humildad, de todas las virtudes que son de Dios y que Dios infunde en sus santos.»

«Maestro» dice Santiago de Zebedeo «hay mucha gente.»

«Vamos. Venid también vosotros.»

La gente es muchísima.

«La paz sea con vosotros» dice Jesús. Está risueño como pocas veces. La gente murmura entre sí y lo señala. Hay mucha curiosidad.

«"No tentarás al Señor Dios tuyo"[3] se dijo.

Se olvida frecuentemente este precepto. Se tienta a Dios cuando se le quiere imponer nuestra voluntad. Se tienta a Dios cuando se obra imprudentemente contra las reglas de la Ley, que es santa y perfecta y en su parte espiritual, la principal, se ocupa y preocupa también del cuerpo que Dios creó[4]. Se tienta a Dios cuando, perdonados por El, se vuelve a pecar. Se tienta a Dios, cuando, habiendo recibido un beneficio de El, se convierte en daño el bien recibido que no recordaría a Dios. De Dios nadie puede burlarse. Muchas veces sucede esto.

Ayer visteis qué castigo espera a los que se burlan de Dios[5]. El Eterno Dios, que es todo piedad con quien se arrepiente, es por el contrario todo severidad con el impenitente que por ningún motivo se cambia a sí mismo. Vosotros venís a Mí para oir la palabra de Dios. Venís para recibir algún milagro. Venís para ser perdonados. Y el Padre os da la palabra, milagro y perdón. Y Yo no extraño el Cielo, porque os puedo proporcionar milagros y perdón y puedo haceros conocer a Dios.

El hombre ayer cayó fulminado, como Nabad y Abiú[6] en el fuego de la divina ira. Absteneos de juzgarlo. Sólo cuanto sucedió,

[3] Cfr. Dt. 6, 14-25.

[4] En muchos lugares bíblicos aparece el cuidado que tiene Dios del cuerpo humano y el destino al que está destinado. Cfr por ej.: Rom. 6, 12-14; 8, 1-13 y 23; 1 Cor. 3, 16-17; 6, 12-20; 10, 31; 12, 12-26; 15; 1 Tes. 4, 3-8; Flp. 1, 20; 3, 20-21. Cfr. también pág. 450 not. 1.

[5] Cfr. caps. 76 (pág. 661), 77 (pág. 675), 93 (pág. 781).

[6] Cfr. Ex. 6, 23; 24, 1 y 9; 28, 1; Lev. 10, 1-7; Núm. 3, 1-4; 26, 60-61; 1 Par. 24, 1-2.

milagro nuevo, os haga meditar de cómo se debe obrar para tener a Dios por amigo. El quería el agua de la penitencia pero sin espíritu sobrenatural. La quería por espíritu humano. Como una práctica mágica que lo sanase de la enfermedad y lo librase de la ruina. El cuerpo y las cosechas. Esto era su objeto. No la pobre alma. Para él no tenía ella valor. Lo que valía para él era la vida y el dinero.

Yo digo: donde está tu tesoro allí está tu corazón y donde está el corazón estará el tesoro. Tenía en el corazón la sed de vivir y de tener mucho dinero. ¿Cómo tenerlo? De cualquier modo. Aun con el crimen. Y ¿ entonces pedir el bautismo no era burlarse y tentar a Dios? Hubiera bastado el arrepentimiento sincero por su larga vida de pecado para darle una santa muerte y también cuanto era justo tener sobre la tierra. Pero era impenitente. No habiendo amado a ningún otro fuera de sí mismo, llegó a no amarse ni a sí mismo. Porque el odio mata también el amor animal y egoísta del hombre. El llanto del arrepentimiento sincero debía ser su agua lustral. Y también así sea para todos vosotros que me escuchais. Porque no hay nadie sin pecado. Y por eso todos tenéis necesidad de esta agua. Ella baja, exprimida del corazón y lava, purifica lo que está profanado, vuelve a levantar lo que está caido, da fuerzas a quien estaba sin ellas por la culpa.

Este hombre se preocupaba solo de la miseria de la tierra. Pero una miseria única debe poner pensativo al hombre. Y es la eterna miseria de perder a Dios. Aquel hombre no faltaba de hacer las ofertas rituales. Pero no sabía ofrecer a Dios un sacrificio espiritual, o sea, alejarse del pecado, hacer penitencia, pedir *con sus acciones* el perdón. Las ofertas hipócritas hechas con riquezas de algo mal adquirido son como si fuesen invitaciones a Dios para que se haga cómplice suyo. Pero ¿puede suceder esto? ¿No es burlarse de Dios el atreverse a esto? Dios arroja de Sí al que dice: "He aquí mi sacrificio" pero arde en deseos de continuar pecando. ¿ Sirve de algo el ayuno corporal cuando el alma no se abstiene de pecar?

La muerte del hombre sucedida así os haga meditar sobre las condiciones necesarias para que Dios os ame. Ahora en su rico palacio sus familiares y las plañideras hacen duelo sobre el cadáver que dentro de poco será llevado al sepulcro.

¡Oh! ¡Verdadero duelo y verdadero cadáver! No es más que *un cadáver.* No es otra cosa que un duelo sin esperanzas. Porque *ya muerta* el alma estará separada para *siempre* de quienes amó por parentesco y afinidad de ideas. Aun cuando un mismo lugar los una para la eternidad, el odio que allí reina los dividirá. Y entonces sí que la muerte es " verdadera " separación. Sería mejor que el hombre, en lugar de plañir por otro, plañiese por su alma, si la tiene muerta. Y con ese llanto de contrición y de corazón humilde devolver al alma la vida con el perdón de Dios.

Idos. Sin odios y sin comentarios. Sin otra cosa que humildad. Como Yo que he hablado por justicia, pero sin odio. La vida y la muerte son maestras para vivir bien y morir bien y para conquistar la vida que no tiene muerte. La paz sea siempre con vosotros. »

No hay enfermos ni milagros. Pedro dice a los tres discípulos del Bautista: « Lo siento por vosotros. »

« ¡Oh! No es necesario. Creemos sin ver. Tuvimos el milagro de *su* nacimiento que nos hizo creer. Y ahora tenemos *su* palabra que confirma nuestra fe. No pedimos otra cosa más que servirle hasta el cielo como Jonás, nuestro hermano. »

Todo termina.

95. Jesús en " Aguas Claras ": « No desearás la mujer de los demás » [1]

(Escrito el 12 de marzo de 1945)

Jesús está atravesando por en medio de tanta gente como si fuese un poblado pequeño que lo llama por todas partes. Quién muestra sus heridas, quién le enumera sus desgracias, quién se limita a decir: « Ten piedad de mí » y quién le presenta su pequeñuelo para que lo bendiga. El día sereno y sin viento ha atraído mucha, mucha gente.

Cuando Jesús ya casi está en su lugar, del caminillo que conduce al río llega un lamento: « Hijo de David piedad para este infeliz. »

Jesús voltea hacia aquella dirección y la gente y los discípulos

[1] Cfr. Ex. 20, 17; Dt. 5, 18.

también. Pero un montón de bojes esconde al que ha hecho la súplica.

« ¿ Quién eres ? Sal fuera. »

« No puedo. Estoy infectado. Debo ir al sacerdote para que sea yo borrado del mundo. He pecado y la lepra me ha salido al cuerpo. ¡ Espero en Tí ! »

« ¡Un leproso! ¡Un leproso! ¡Anatema! ¡Lapidémoslo! » La multitud se amotina.

Jesus hace un gesto e impone silencio y hace que nadie se mueva. « Es uno que no está más infectado que el que ha pecado. A los ojos de Dios es mucho más inmundo el pecador impenitente que el leproso arrepentido. Quien es capaz de creer venga conmigo. »

Además de los discípulos, algunos curiosos siguen a Jesús. Los otros alargan sus cuellos, pero se quedan donde están.

Jesús se adentra más allá de la casa y del caminillo en dirección del montón de bojes. Luego se detiene y ordena: « ¡ Muéstrate ! »

Sale fuera un hombre que todavía es joven, de cara hermosa en la que despunta el bigote y barba rala, una mirada aún llena de vida, de ojos enrojecidos por el llanto.

Le sale al encuentro un fuerte grito: « Hijo mío » de en medio del grupo de mujeres todas cubiertas que lloraban ya en el patio de la casa, cuando Jesús pasó y que se habían puesto a llorar mucho más fuerte, cuando la multitud la había amenazado. « Hijo mío » y la mujer cae en los brazos de otra, que no sé si será pariente o amiga.

Jesús solo avanza a donde está el infeliz: « Eres muy joven. ¿ Cómo es que estás leproso ? »

El joven baja los ojos, enrojece, balbucea, pero no más. Jesús repite la pregunta. El joven dice algo más claro, pero no logro captar sus palabras: « ... mi padre ... fuí ... y pecamos ... no solo yo ... »

« Allí está tu madre que está esperando con lágrimas. En el Cielo está Dios, el cual sabe. Aquí estoy Yo que también sé. Pero para tener compasión, tengo necesidad de que te humilles. Habla. »

« Habla, hijo. Ten piedad de las entrañas que te llevaron » gime la madre que se ha arrastrado hasta Jesús, y de rodillas, inconcientemente ha cogido la orla del vestido de Jesús con una mano y extiende la otra hacia su hijo y al hacerlo enseña una pobre cara bañada en lágrimas.

Jesús le pone la mano sobre la cabeza. « Habla » torna a decir.

« Soy el primogénito y ayudo a mi padre en los negocios. Me mandó a Jericó muchas veces para hablar con sus clientes y... la de uno... la esposa de uno era bella y joven... me... gustó. Fuí más veces que las necesarias... Le agradé... nos deseamos y... pecamos en ausencia del marido... no sé como sucedería, porque ella estaba sana. Sí. No solo yo era sano y la amé... pero también ella era sana y me amó. No sé si... si junto conmigo amaba a otros y se contagió... sé que muy pronto ella se marchitó y ahora está en los sepulcros para morir viva... Y... yo... y... yo... ¡Mamá! Tu lo has visto. Es poca cosa, pero dicen que es lepra... y que moriré con ella. ¿Cuando? ¡No más vida, no más casa... no más mamá! ... ¡Oh, mamá! ¡Te veo y no te puedo besar! Hoy vienen a descoserme los vestidos y a arrojarme de mi casa... del poblado... soy peor que un muerto. Y no tendré el consuelo de que mi madre llore sobre mi cadáver... »

El joven llora. La madre parece una planta arrancada por el vendabal, así tanto la sacuden los sollozos. La gente hace comentarios diversos.

Jesús está triste. Habla: « ¿Y cuando pecabas no pensabas en tu madre? ¿Eras tan necio que no te acordabas que tenías una madre en la tierra y un Dios en el Cielo? ¿Y si no hubiese aparecido la lepra, habríais caído en la cuenta de que ofendíais a Dios y al prójimo? ¿Qué hiciste de tu alma? ¿Qué de tu juventud? »

« Fuí tentado... »

« ¿Eras un niño para no saber que aquel fruto era maldito? ¡Merecerías morir sin piedad! »

« ¡ Oh ! Piedad. Tú solo puedes... »

« No Yo, Dios[2]. Si juras aquí de no pecar más. »

« Lo juro. Lo juro. Sálvame, Señor. Me quedan pocas horas para oir la sentencia. ¡Mamá... mamá... Ayúdame con tus lágrimas ! ... ¡ Oh, madre mía ! »

La mujer no tiene ya ni voz. Se abraza fuertemente a las piernas de Jesús, levanta su cara con los ojos agrandados por el dolor, una cara en que está pintada la tragedia de alguien que se ahoga y que sabe que es el último sostén que lo mantiene y puede salvarlo.

[2] " No Yo, Dios " expresión que debe entenderse a la luz de Mt. 19, 16-17; Mc. 10, 17-18; Lc. 18, 18-19.

Jesús mira. Piadoso le sonríe: « Levántate, madre. Tu hijo está curado. Pero *por tí.* No por él. »

La mujer todavía no cree. Le parece que estando separado, él no puede haber sido curado, y hace señales entre sus continuos sollozos de que no.

« Hombre. Quítate la túnica del pecho. Ahí tenías la mancha. Para que tu madre se consuele. »

El joven se quita el vestido, y queda desnudo a los ojos de todos. No tiene más que una piel perfecta y lisa de un joven robusto.

« Mira, madre » dice Jesús y se inclina a levantarla del suelo, lo que sirve para retenerla, porque su amor maternal y la vista del milagro la hubiesen lanzado hacia el hijo sin esperar a que estuviese purificado. Sintiéndose imposibilitada de ir a donde su amor la arrojaría, se reclina sobre el pecho de Jesús y lo besa en un verdadero delirio de alegría. Llora, ríe, besa, bendice... y Jesús compasivo la acaricia. Luego dice al joven: « Ve al sacerdote, y acuérdate que Dios te ha sanado por causa de tu madre y para que seas justo en el porvenir. Vete. »

El joven se va después de haber alabado al Señor. De lejos lo siguen su madre y las mujeres que la habían acompañado. La multitud prorrumpe en gritos de hosanna.

Jesús regresa a su lugar.

« También él había olvidado que existe Dios que quiere honestidad en las costumbres. Había olvidado que está prohibido hacerse dioses que no son Dios. Había olvidado santificar el sábado como he enseñado. Había olvidado el respeto amoroso hacia su madre. Había olvidado que no se deben cometer actos impuros, que no se debe robar, ser falsos, no desear la esposa de los demás, no matarse a sí mismo y a la propia alma, no cometer adulterio. Todo había olvidado. Ved cómo fué castigado.

" No desearás la esposa de los demás " se une con " No cometerás adulterio ". Porque el deseo precede siempre a la acción. El hombre es muy débil para poder desear sin que no llegue a consumar su deseo. Y lo que es del todo triste, el hombre no sabe hacer lo mismo con los deseos justos. Se desea el mal y se realiza. Se desea el bien y hasta ahí se queda, sino es que hasta se retroceda.

Como dije a él, lo digo a todos vosotros, porque el pecado de deseo se extiende como se propaga la grama: ¿sois niños para no saber que *aquella* tentación es mala y que se le debe huir? " Fuí tentado" La vieja excusa[3]. Pero así como también es un viejo ejemplo, debería el hombre acordarse de las consecuencias y saber decir: "No". Nuestra historia no carece de ejemplos de castos que permanecieron tales, no obstante las seducciones del sexo opuesto y las amenazas de hombres crueles.

¿Es la tentación un mal? No lo es. Es la obra del maligno. Y se cambia en gloria para quien la vence.

El marido que va a otros amores es un asesino de su mujer, de sus hijos, de sí mismo. El que entra a la casa de otro para cometer adulterio es un ladrón y de los más viles. Se parece al cuco, se aprovecha del nido de los demás sin gastos de su parte. El que traiciona la buena fe del amigo es un falsario, porque muestra una amistad que realmente no tiene. El que obra así, se deshonra a sí mismo y a sus padres. ¿Podrá tener de este modo a Dios consigo?

Hice un milagro por su pobre madre. Pero me provoca tanto asco la lujuria que volví la cara. Vosotros gritasteis de miedo y asco de la lepra; Yo, con mi alma, he gritado por asco a la lujuria[4]. Todas las miserias me rodean y para todas soy el Salvador. Pero prefiero tocar un muerto que ya está corrompido en su carne, y que ya su espíritu goza de paz, que acercarme al que huele a lujuria. Soy el Salvador, pero soy inocente. Que lo recuerden todos los que vienen a mí, y que ponen a mi personalidad lo que en ellos fermenta.

Comprendo que querríais otra cosa distinta de Mí. Pero no puedo. La ruina de una juventud apenas formada y destruida por la libídine, me ha conturbado más que si hubiese tocado la muerte. Vayamos a los enfermos, ya que no puedo por el asco que me ahoga, ser la Palabra, seré la salud de quien en Mí espera.

La paz sea con vosotros. »

De hecho, Jesús está muy pálido, como que sufre. No vuelve a sonreir sino hasta cuando se inclina sobre los niños enfermos y sobre los enfermos en andas. Entonces torna a ser el mismo. Sobre todo cuando, al introducir su dedo en la boca de un mudo de unos diez años de edad, le hace decir: « Jesús » y luego: « Mamá. »

La gente regresa poco a poco. Jesús se queda a pasear por el

[3] Cfr. Gén. 3, 9-13.

[4] De esto se deduce que la infinita pureza del Verbo, sólo por misericordia y redención se acercaba a los pecadores lujuriosos.

sol que inunda la era hasta que se le acerca Iscariote: « Maestro, no estoy tranquilo ... »

« ¿ Por qué, Judas ? »

« Por aquellos de Jerusalén ... los conozco. Déjame ir allá por algunos días. No te digo que me mandes solo. Antes bien te ruego que no sea así. Mándame junto con Simón y Juan. Quienes fueron tan buenos conmigo en el primer viaje a la Judea. El uno me frena, el otro me purifica aún el pensamiento. ¡No puedes creer qué cosa sea para mi Juan! Es un rocío que calma mis ardores y es aceite en mis aguas agitadas ... Créelo. »

« Lo se. No te debes por lo tanto admirar si tanto lo amo. Es mi paz, pero también serás mi consuelo si siempre eres bueno; si empleas los muchos dones de Dios, para el bien, como hace días que lo estás haciendo, llegarás a ser un verdadero apóstol. »

« ¿ Y me amarás como amas a Juan ? »

« Te amo lo mismo, Judas. Pero solo te amaré sin preocupación y dolor. »

« ¡ Oh, Maestro mío ! ¡ Qué bueno eres ! »

« Ve a Jerusalén. No servirá para nada. Pero no quiero quitarte tu deseo de ayudarme. Lo diré ahorita a Simón y a Juan. Vamos. ¿Ves como sufre tu Jesús por muchas culpas? Me siento como uno que haya levantado una carga demasiado pesada. No me des jamás este dolor. No más ... »

« No, Maestro. No. Te amo. Lo sabes ... pero soy débil ... »

« El amor fortifica. »

Entran en la casa y todo termina.

96. Jesús en " Aguas Claras " cura a un romano enfermo de locura. Habla a los Romanos

(Escrito el 13 de marzo de 1945)

Jesús está hoy con los nueve restantes porque los otros tres partieron a Jerusalén. Tomás siempre alegre, se divide entre sus verduras y sus otras ocupaciones más espirituales, mientras Pedro, Felipe, Bartolomé y Mateo se ocupan de los peregrinos, y los demás van al río para administrar el bautismo como signo de penitencia, ¡ con el viento frio que sopla !

Todavía está Jesús en un rincón de la cocina, y Tomás va y viene en silencio para no molestar al Maestro, cuando entra Andrés que dice: « Maestro hay un enfermo que quisiera yo que lo curaras al punto porque... dicen que está loco, nosotros diríamos que está poseido... pero no es israelita. Grita... se desgañita con alaridos, se retuerce... Ven Tú a ver. »

« Al punto. ¿ En dónde está ? »

« Todavía en el campo. ¿Oyes eso como rugido? Es él. Parece una bestia, pero es él. Debe ser un rico porque su acompañante está bien vestido, y lo traen en un carro, de mucho lujo y muchos siervos. Debe ser pagano porque blasfema de los dioses del Olimpo. »

« Vamos. »

« Y también yo voy a ver » dice Tomás, más curioso de saber qué va a suceder que de sus verduras.

Salen y en lugar de irse hacia el río, dan vuelta por los campos que separan esta granja (así la llamaríamos) de la casa del administrador.

En medio del prado donde poco antes pasteaban unas ovejas que han huido despavoridas por todas partes, y las que los pastores y el perro tratan de reunir — dicho sea de paso, este es el segundo perro que veo desde que contemplo estas escenas — hay un hombre que está amarrado fuertemente y que no obstante da unos saltos de loco, con tamaños rugidos que aumentan a medida que Jesús se va acercando.

Pedro, Felipe, Mateo y Natanael están ahí cerca sin saber qué decir. También hay gente: hombres, porque las mujeres tienen miedo.

« ¿ Has venido Maestro ? ¡ Mira qué furia ! » dice Pedro.

« Ahora se le pasará. »

« Pero... es pagano. ¿ Sabes ? »

« ¡ Y que importa eso ! »

« ¡ Eh !... ¡ por razón de su alma !... »

Por el rostro de Jesús se dibuja una sonrisa y continúa. Llega al grupo del enfermo, que se agita cada vez más.

Se separa del grupo uno que tiene el vestido sin franjas y el rostro sin barba, lo que demuestra que es romano. Saluda: « Salve, Maestro. Llegó hasta mí tu fama. Eres más grande que Hipócrates para curar, y que la estatua de Esculapio para curar milagrosamente enfermedades, por eso he venido. Este es mi hermano. ¿Lo ves? Está loco por un mal misterioso. Ningún médico lo comprende. Lo llevé al templo de Esculapio, pero salió de allí mucho más loco. Tengo un familiar en Tolemaide, me mandó un mensajero con una galera. Decía que aquí hay Uno que cura a todos... y vine. ¡ Qué viaje tan duro ! »

« Merece su premio. »

« Pero ten en cuenta que no somos ni siquiera prosélitos. Somos romanos fieles a los dioses. Vosotros nos llamáis paganos. Somos de Síbari pero ahora estamos en Chipre. »

« Es verdad. Sois paganos. »

« Entonces... ¿nada para nosotros? ¿Tu Olimpo arroja el nuestro, o el nuestro el tuyo ? »

« Mi Dios, Unico, Trino reina Unico y Solo. »

« ¿ En vano vine ? » pregunta el romano desilusionado.

« ¿ Por qué ? »

« Porque yo pertenezco a otro dios. »

« Uno solo crea el alma. »

« ¿ El alma ?... »

« El alma. Esa cosa divina que Dios crea para *cada hom*bre. Compañera en la existencia, sobreviviente más allá de la vida. »

« ¿ Y dónde está ? »

« En lo profundo del *yo*. Pese a que está como cosa divina en lo más sagrado del interior de un templo, se puede hablar de ella no como de cosa sino como de ser verdadero y digno de respeto, que no es contenida sino que contiene. »

« ¡ Por Júpiter ! Pero... ¿ eres filósofo ? »

« Soy la Razón unida a Dios. »

« Creo que lo eres por lo que estabas diciendo... »

« Y ¿qué es filosofía, cuando es verdadera y honesta, sino la elevación de la razón humana hacia la Sabiduría y Potencia infinita, o sea, hacia Dios ? »

« ¡Dios! ¡Dios! ... Tengo aquel desgraciado que me molesta. Pero como que me olvido de su estado por escucharte a Tí, que eres divino. »

« No soy como tú dices. Tú llamas divino a lo que es superior a lo humano. Yo digo que esta palabra se emplea solo con quien viene de Dios. »

« Está escrito: " ¡Salve, Tú que nos formaste! Cuando describo la perfección humana, la armonía de nuestro cuerpo, celebro tu gloria ". Se dijo: " Tú bondad resplandece por haber distribuido tus dones a todos los que viven, para que cada hombre tuviese lo que necesita. Y tu sabiduría, se deja ver en tus dones, con tu potencia en cumplirse tu querer". ¿ Reconoces estas palabras ? »

« Si Minerva me ayuda... son de Galeno[1]. ¿Pero como las sabes ? Me extraña.. »

Jesús sonriente responde: « Ven al Dios verdadero y su divino espíritu te hará docto de la " verdadera sabiduría y piedad que consiste en conocerte a tí mismo y adorar la Verdad". »

« Pero ¡esto es siempre Galeno! Ahora estoy seguro. Además de médico y mago... y filósofo... ¿Por qué no vienes a Roma ? »

« No soy médico, ni mago ni filósofo como dices, sino que soy el testimonio de Dios sobre la tierra. Traedme aquí al enfermo. »

Entre bramidos y saltos lo arrastran hasta allí.

« ¿Ves? Tú lo crees loco. Dices que ningún médico puede curarlo. Es verdad. Ningún médico, porque no está loco, sino que uno de los inferiores, hablo así porque eres pagano, ha entrado en él. »

« Pero no tiene el espíritu de pitón[2]. Al contrario sólo dice errores. »

« Nosotros lo llamamos " demonio ", no pitón. Hay el que habla y el que es mudo[3]. El que engaña con razones aparentes de verdad, y el que es solo un desorden mental. El primero de los dos es el más completo y peligroso. Tu hermano tiene el segundo. Pero ahora saldrá de él. »

« ¿ Como ? »

« El mismo te lo dirá. » Jesús ordena: « ¡Deja a este hombre! Regresa a tu abismo. »

« Me voy. Contra Tí mi poder es demasiado débil. Me arrojas

[1] Nota: Si lo que se ha citado aparece realmente en las obras del médico Galeno, como lo saben los historiadores, el cual vivió en el siglo segundo después de Cristo, nos topamos con un anacronismo. Se puede suponer que el nombre fue escrito equivocadamente, esto es, por error involuntario. Parece que tiene fundamento por la forma imprecisa con que está escrito el nombre de Galeno, sin embargo pierde fuerza, al ver que el nombre de Galeno líneas abajo viene nuevamente mencionado. Mientras por nuestra parte continuamos nuestras investigaciones en el campo médico y filosófico, invitamos a los historiadores de ambas facultades a que nos proporcionen alguna indicación o sugerencia.

[2] Cfr. Lev. 19, 26 y 31; 20, 6 y 27; Dt. 18, 9-22; 1 Re. 28, 3-25; 4 Re. 21, 1-18; 23, 24-25; 1 Paralip. 10, 13-14; Is. 8, 16-20; 19, 3; Hech. 16, 16-24.

[3] Como en esta obra se hace mención frecuente de demonios y endemoniados, cfr. Gen. 3, 1-15; 1 Paralip. 21,1-2; Job. 1, 6-12; Ps. 108; Zac. 3, 1-2; Mt. 4, 1-11 y 24; 6, 13; 8, 16 y 28-34; 9, 32-34; 10, 1 y 8; 12, 22-32 y 43-45; 15, 21-28; 17, 14-21; Mc 1, 12-13 y 21-28; 3, 11 y 22-30; 5, 1, 20; 9, 14-29; Lc 3, 1-37; 4, 1-13 y 40-41; 8, 1-3 y 26-39; 9, 37-43; 10, 17-20; 11, 14-26; 12, 10; 13, 10-17 y 32; 22, 1-6; Ju 6, 67-71; 8, 44; 13, 2-5; 13, 21-30; Hech. 16, 16-18; 19, 11-20; 2 Cor. 4, 3-4; 2 Thes. 2, 1-12; 1 Ju. 2, 18-29; 4, 1-6; 2 Ju., 7-11; Apoc. 12-13.

y me amordazas. ¿Por qué siempre nos vences? » El espíritu habló por boca del hombre, que luego aparece como si esuviera del todo agotado.

« Está curado. ¡Soltadlo sin miedo! »

« ¿Curado?... ¿Estás seguro?... Pero... ¡yo te adoro! » El romano trata de postrarse, mas Jesús no se lo permite.

« Levanta tu alma. En el Cielo está Dios. A El adórale, y dirige tus pasos hacia El. Adiós. »

« No, así no. Al menos acepta esta, permíteme que te trate como a los sacerdotes de Esculapio. Permíteme que te oiga hablar... Permíteme que hable de Tí, en mi patria... »

« Hazlo y ven con tu hermano. »

Este mira sorprendido a su rededor y pregunta: « Pero, ¿dónde estoy? Aquí no es Cintium. ¿Dónde está el mar? »

« ¡Estabas...! » Jesús hace una señal con la que impone silencio y agrega: « Tenías una fiebre muy alta y te han traido a otro clima. Ahora estás mejor. Ven. »

Todos van, pero no todos están igualmente conmovidos, porque hay quienes admiran y quienes critican el que haya sido curado el pagano. Jesús se dirige a su lugar. Ante sus ojos, los romanos están en primera fila.

« No os desagrade si cito un trozo de los Reyes [4]. Refiérese allí que cuando el rey de Siria estaba listo para hacer la guerra a Israel, había en su corte un hombre valioso y respetado de nombre Naamán, el cual era leproso. También se refiere que una jovencilla israelita, que habían robado los sirios y era esclava, les dijo: " Si llevasen a mi señor al Profeta que hay en Samaría, ciertamente lo limpiaría de la lepra ". Naamán, pedido el permiso del rey, siguió el consejo de la joven. El rey de Israel perdió sus cabales y dijo: " ¿Soy acaso yo Dios para que el rey de Siria me mande sus enfermos? Esto es una trampa para que haya guerra ". Mas el profeta Eliseo cuando lo supo, dijo: " Que venga a casa el leproso, y lo curaré y sabrá él que en Israel hay un Profeta ". Naamán fue a ver a Eliseo, pero este no lo recibió, tan sólo le mandó decir: " Lávate siete veces en el Jordán y quedarás limpio ". Naamán se enojó, pareciéndole que para nada había caminado tanto y trató de regresarse. Sus siervos le dijeron: " No te pidió sino que te lavases siete veces, y aunque te hubiese mandado muchas más, deberías hacerlo

[4] Cfr. 4 Re. 5, 1-20.

porque él es el Profeta ". Entonces Naamán se levantó, fue y se lavó y quedó curado. Lleno de gozo fué a casa del siervo de Dios y le dijo: " Ahora sé la verdad: No hay otro Dios sobre la tierra, sino sólo el de Israel ". Y como Eliseo no aceptara dones, le pidió que le permitiese cuando menos llevar tanta tierra que pudiera sacrificar al Dios verdadero sobre tierra de Israel.

Sé que entre vosotros hay quien no aprueba lo que he hecho. Sé que no estoy obligado a justificarme ante vosotros, pero como os amo con todo el corazón, quiero que comprendáis mi acción y por ella aprendáis, y que de vuestra alma desaparezca cualquier idea de crítica y de escándalo.

Tenemos aquí dos súbditos de una nación pagana, uno de los cuales estaba enfermo. Por boca de algún familiar, pero ciertamente por boca de Israel se les dijo: " Si fueseis al Mesías de Israel, El sanará al enfermo ". De muy lejos vinieron en mi busca. La confianza de ellos fué mayor que la de Naamán, porque no sabían nada de Israel ni del Mesías, entre tanto que el sirio, porque su nación era vecina a la de Israel, y porque tenía continuo contacto con esclavos de Israel, sabía que acá había Dios. ¡El Dios verdadero! ¿No estaba bien que un pagano regresase a su casa diciendo: " Verdaderamente en Israel hay un hombre de Dios, y que en Israel se adora al Dios verdadero " ?

Yo no dije: " Lávate siete veces ". Sino que hablé de Dios y del alma, dos cosas que ignoran y que como dos vertedores de una fuente que no se agota, traen consigo siete dones. Donde hay concepto de Dios y del espíritu, deseo de llegar a ellos ... nacen las plantas de la fe, esperanza y caridad; justicia, templanza, fortaleza, prudencia. Virtudes que ignoran porque de sus dioses no pueden copiar sino las pasiones humanas comunes, aumentadas licenciosamente porque las cometen supuestos seres celestiales. Ellos regresan a su patria. Y más que la alegría de haber sido escuchada su súplica, tendrán la de decir: " Sabemos que no somos animales irracionales, que más allá de esta vida hay una futura. Sabemos que el Dios verdadero es bondad y que por esto nos ama también a nosotros, y nos hace beneficios para empujarnos a que vayamos a El ".

¿ Y qué pensais que tan sólo ellos ignoran la verdad? Hace poco un discípulo mio creía que no podría curar al enfermo porque tenía un alma pagana. ¿ Qué cosa es el alma ? ¿ De quién viene ?

El alma es la esencia espiritual del hombre. La que creada desde un principio perfecta, enviste, acompaña y durante todo el tiempo da vida al cuerpo y continúa viviendo después de que no existe más él y es inmortal como Dios que la creó [5]. Puesto que no hay más que un solo Dios no puede haber almas de paganos o almas de no paganos que otros dioses hubieran creado. Hay una sola fuerza que crea las almas: la del Creador, la de nuestro Dios, Unico, Poderoso, Santo, Bueno, sin otra pasión que no sea el amor, la caridad perfecta, toda espiritual, y para que entendiesen estos romanos digo caridad, pero también digo: *caridad toda moral.* Porque estos pequeñuelos no comprenden el concepto de espíritu, pues no saben nada de las palabras santas.

¿Y creeis que sólo para Israel haya venido? Soy quien reuniré las razas en un solo cayado: El Cielo. En verdad os digo que pronto llegará el tiempo cuando muchos paganos dirán: "Permitidnos que tengamos el poder suficiente de poder sacrificar en nuestras tierras paganas al Dios verdadero, al Dios Uno y Trino" de quien yo soy la Palabra. Ellos regresan, y convencidos, mejor que si los hubiese despachado con desprecio. Sienten a Dios en el milagro y en mis palabras, y a donde regresan lo dirán.

Todavía añado: ¿No era justo premiar tanta fé? Desorientados con las respuestas de los médicos, desilusionados con los inútiles viajes a los templos, supieron tener todavía fe para venir al desconocido, al Gran Desconocido del mundo, al Escarnecido, al Gran Escarnecido y Calumniado de Israel, y decirle: "Creo que Tú si puedes". La primera confirmación de su nueva mentalidad, les vino porque supieron creer. Los he curado no tanto de la enfermedad, cuanto de una fe equivocada, porque puse sus labios en una copa en la que la sed aumenta cuanto más se bebe de ella: la sed de conocer al Dios verdadero.

He terminado. A vosotros de Israel os digo: Aprended a tener fe como estos. »

El romano se acerca con el curado: « Pero . . . no me atrevo a decir más: ¡Por Júpiter! Digo, ¡bajo mi palabra de honor de ciudadano romano que te juro que tendré esta sed! Ahora debo partir. ¿Quién me dará de beber? »

« Tu espíritu, el alma que ahora sabes que tienes, hasta el día

[5] El alma es llamada inmortal como su Creador en el sentido de que siendo espiritual y no teniendo en si misma un principio de corrupción, una vez que Dios la creó, no dejará de existir.

en que un enviado mío llegará a tu casa. »

« ¿ Y Tú, no ? »

« Yo ... Yo no. Pero no estaré ausente aun cuando presente no esté. No pasarán muchos años más, que no te dé un don mayor que el de la curación de este a quien amas. A vosotros dos, adiós. Tratad de perseverar en este sentimiento de fe. »

« Salve, Maestro. Que el Dios verdadero te guarde. » Los dos romanos se van y se oye que llaman a los siervos que traigan el carro.

« ¡ Y no sabían ni siquiera que tenían alma ! » murmura un anciano.

« Sí, padre, pero han sabido aceptar mi palabra mejor que muchos en Israel. Ahora que han dado una limosna tan grande, daremos doble y triple a los pobres de Dios. Y que los pobres rueguen por estos benefactores, más pobres que ellos mismos, para que lleguen a la verdadera y única riqueza que existe: conocer a Dios. »

La mujer velada llora bajo su velo que impide ver sus lágrimas, pero que no impide que se oigan sus sollozos.

« Esa mujer llora » dice Pedro. « Tal vez no tiene más dinero. ¿ Se lo damos ? »

« No llora por eso. Pero ve a decirle estas palabras: " Las patrias pasan, pero queda el Cielo y es de quien sabe tener fé, Dios es bondad y por esto ama también a los pecadores, y te hace beneficios para persuadirte a que vayas a El ". Ve. Así dile y déjala que llore. Es veneno que sale. »

Pedro va a donde está la mujer que ya se dirigía al campo. La llama y ella regresa. « Se puso a llorar mucho más » dice. « Creía que la iba a consolar ... » y mira a Jesús.

« Sí, se ha consolado. También se llora de alegría. »

« ¡Uhm! ... Pero ... ¡Eh! Estaré contento cuando le vea la cara. ¿ Se la veré ? »

« En el día del Juicio. »

« ¡ Válgame Dios! ¡Para entonces ya habré muerto! ¿Y qué sacaré con verla ? Entonces miraré solo al Eterno. »

« Hazlo desde ahora. Es la única cosa útil. »

« Sí ... pero ... Maestro, ¿ quién es ? »

Todos se echan a reir.

« Si me lo preguntas otra vez nos vamos al punto; así la olvidarás. »

« No, Maestro. Pero ... basta con que Tú te quedes ... »

Jesús sonríe. « Esa mujer » dice « es un beneficio y una primicia. »

« ¿ Qué quieres decir ? No te entiendo. »

Jesús lo deja plantado y se va en dirección del poblado.

« Ve a la casa de Zacarías. Tiene su mujer agonizante » explica Andrés. « Me mandó a que te lo dijera. »

« ¡Me causas enojo! Sabes todo, haces todo y no me dices nada. Eres peor que un pescado » Pedro se desahoga contra su hermano, porque Jesús no le dijo nada.

« Hermano, no te enojes. Tú hablas también por mí. Vamos a sacar las redes del agua. Ven. »

Unos se van por la derecha, otros por la izquierda. Todo termina.

97. Jesús en " Aguas Claras ": « No decir falso testimonio » [1]

(Escrito el 14 de marzo de 1945)

« ¡ Cuánta gente ! » exclama Mateo, y Pedro añade: « ¡ Eh, mira ! Hay también galileos . . . ¡Ay! ¡Ay! Digámoslo al Maestro. ¡Son tres honorables desvergonzados! »

« Tal vez vienen por causa mía. Hasta aquí nos persiguen . . . »

« No, Mateo. El tiburón no come pescaditos, quiere el hombre, una buena presa. Tan solo si no lo encuentra, se atraganta un pez grande. Yo, tú, los demás somos pecesitos . . . una insignificancia. »

« ¿ Lo dices por el Maestro ? » interroga Mateo.

« ¿Y entonces por quién? ¿No ves cómo miran por todas partes? Parecen fieras que husmean los rastros de la gacela. »

« Voy a decírselo . . . »

« ¡ Espera ! Lo decimos a los hijos de Alfeo. El es muy bueno, una bondad inerme cuando cae en esas bocas. »

« Tienes razón. »

Van al río a llamar a Santiago y a Judas. « Venid, hay unos tipejos . . . Buenos para el suplicio. Ciertamente han venido a molestar al Maestro. »

[1] Cfr. Ex. 20, 16; Dt. 5, 17.

« Vamos. ¿ Dónde está El ? »

« Ahorita, en la cocina. Vamos pronto, porque si cae en la cuenta, no va a querer. »

« Sí, y hace mal. »

« También yo lo digo. »

Regresan a la era. El grupo señalado como " galileo " habla calmadamente con otras personas. Judas de Alfeo se acerca como por casualidad, y oye: « . . . las palabras deben apoyarse en hechos. »

« ¡Y El así hace! ¡Ayer curó a un romano endemoniado! » le objeta un robusto campesino de aquellos lugares.

« ¡ Horror ! ¡Curar a un pagano ! ¡ Escándalo ! ¿ Lo oyes Elí ? »

« Hay toda clase de culpas en El : amistad con publicanos y prostitutas, trato con paganos y . . . »

« Y paciencia con los que maldicen. También esto es una culpa. A mis ojos la más grave. Pero ya que El no sabe y no quiere defenderse a Sí mismo, hablad conmigo. Soy hermano y mayor que El, y este otro es también su hermano y mucho mayor, hablad. »

« ¿Pero por qué te sulfuras? ¿Crees que entre nosotros se hable mal del Maestro? ¡Oh! ¡No! Vinimos desde lejos atraídos por su fama. A estos lo estábamos diciendo . . . »

« ¡Mentiroso! Me causas tanto asco que te vuelvo las espaldas. » Y Judas de Alfeo, tal vez creyendo que pueda faltar a la caridad para con el enemigo se va.

« ¿ No es acaso verdad ? Decidlo vosotros . . . »

Pero " todos " esto es, los otros con quienes hablaban los galileos, se quedan callados. No quieren mentir y no se atreven a desmentir. Prefieren guardar silencio.

« Ni siquiera sabemos cómo es El . . . » dice el galileo Elí.

« ¿ No lo insultaste en mi casa ? » pregunta irónicamente Mateo « ¿O una enfermedad te ha hecho perder la memoria ? »

El " galileo " se cubre con el manto y se va con los otros sin responder.

« ¡ Bellaco ! » le grita por detrás Pedro.

« Querían decir pestes de El . . . » explica un hombre. « Pero nosotros hemos visto los hechos. Y al revés, sabemos cómo son ellos: los fariseos. ¿A quién se va a creer? ¿Al Bueno, que verdaderamente es bueno, o a los perversos que se llaman a sí mismos buenos, pero que en resumidas cuentas, no son más que un castigo? Por mi parte sé decir que desde que vengo no me conozco. Era yo un violento, duro con mi mujer y mis hijos, no respetaba al vecino y ahora . . . Todos dicen en el pueblo: " Azarías no es más el mismo ". ¿ Y entonces ? ¿ Se ha oído alguna vez que un demonio haga gente buena? ¿Por quién trabaja entonces? ¿Por nuestra santificación? ¡Oh! ¡Sería estrambótico demonio si trabajase por el Señor! »

« Exacto, hombre. Que Dios te proteja porque sabes comprender bien, ver bien y obrar bien. Continúa y llegarás a ser un verdadero discípulo del Mesías bendito. Se alegra al saberlo porque quiere vuestro bien y soporta todo para llevaros a El. No os escandalicéis sino del *verdadero* mal. Cuando veais que en nombre de Dios El hace cosas, no os escandalicéis, y no querais creer a esos que quisieran persuadiros de escándalo, aún cuando veais que hace cosas nuevas. Este es el tiempo nuevo. Ha venido como la flor nueva que brota después de siglos durante los que la raíz ha trabajado. Si no lo hubiesen procedido no podríamos comprender su palabra. Pero los siglos de obediencia a la Ley del Sinaí nos han dado ese mínimo de preparación para poder aspirar — a partir de nuevos tiempos — de la flor divina que la Bondad ha concedido que veamos, aspiremos todo su aroma y toda su savia para que nos purifiquemos, fortifiquemos y nos hagamos olorosos en santidad como un altar. Siendo el tiempo nuevo, tiene nuevos sistemas, no contrarios a la Ley, sino todos empapados de misericordia y de caridad. Porque El es la Misericordia y el Amor que ha bajado del Cielo. » Santiago de Alfeo saluda y se dirige a la casa.

« ¡ Qué bien hablas tú ! » dice admirado Pedro. « Yo no sé qué decir. Tan solo digo: " Sed buenos. ¡Amadlo, escuchadlo, creedle! " ¡ No puedo comprender cómo es que esté contento de mí ! »

« Y sin embargo lo está y ¡mucho! » responde Santiago de Alfeo.

« ¿De veras lo dices, o es tu buen corazón que te impele a decirlo? »

« En verdad así es. Ayer también lo decía. »

« ¿Sí? Entonces hoy estoy más contento que el día en que me presentaron a mi esposa. Pero . . . ¿dónde has aprendido a hablar así tan bien? »

« Sobre las rodillas de su Madre y a su lado. ¡ Qué palabras ! El es el único que puede hablar mejor que Ella. Pero lo que falta a Ella en poder te lo añade en dulzura . . . y penetran sus lecciones. ¿Has visto cuando acercas un pedazo de tela a un aceite perfumado? Poco a poco se empapa no del aceite sino del perfume, y así el aceite ya no está pero el perfume queda como testigo para decir: " Yo estuve ". Así puedo decir de Ella. También nosotros, telas toscas que nos hicimos suaves cuando Ella penetró con su sabiduría y gracia y su perfume ha quedado en nosotros. »

« ¿Por qué no haces que venga? ¡Decía que le gustaría! Sería uno mejor... menos calabazas... por lo menos yo. Y también esta gente... ante Ella serían mejores hasta esas víboras que vienen de cuando en cuando... »

« ¿Crees? Yo no. Seríamos mejores, y también los pobres lo serían. ¡Pero los poderosos y los malvados!... ¡Oh, Simón de Jonás! ¡Nunca supongas en los demás tus sentimientos honestos! ¡Te desengañarías! Pero... ¡Míralo! No le diremos nada... »

Jesús sale de la cocina llevando de la mano a un niñito, que a su lado con pasos menuditos trotea mordisqueando un pedazo de pan con aceite. Jesús acomoda su paso largo a las piernitas de su amiguito. « Una conquista » alegre dice. « Me ha dicho este hombre de cuatro años, que se llama Asrael, que quiere ser un discípulo y que quiere aprender todo: a predicar, a curar a los niños enfermos, a que haya uvas en los sarmientos aun en diciembre, y que luego quiere ir a un monte a gritar a todo el mundo: " Venid, está el Mesías! ". ¿ No es así Asrael ? »

El niño dice que sí, que sí y sigue comiendo pan.

« Apenas si sabes cómo comer » lo provoca Tomás.

« No sabes ni siquiera decir quién es el Mesías. »

« Es Jesús de Nazaret. »

« ¿ Y qué quiere decir " Mesías " ? »

« Quiere decir... quiere decir: El hombre que ha sido enviado para que sea bueno y para que haga a todos buenos. »

« ¿ Y cómo hará para hacernos buenos ? Tú que eres un pilluelo, ¿ cómo harás ? »

« Lo amaré. Y haré todo lo que pueda y El hará lo que falte porque yo lo querré mucho. Haz también igual y serás bueno. »

« La lección se ha dado, Tomás. Tienes la orden. " Amame y podrás todo porque Yo te amaré si me amases y el amor hará todo en tí ". El Espíritu Santo ha hablado. Ven, Asrael. Vamos a predicar » Jesús se pone tan contento cuando tiene consigo un niño, que yo le llevaría todos los niños y haría que *todos* los niños lo conociesen. ¡Hay tantos que no lo conocen ni siquiera de nombre!

Está casi llegando a donde está la mujer velada y dice al niño: « Dí a aquella mujer: " La paz sea contigo ". »

« ¿ Por qué ? »

« Porque se parece a tí, cuando te duele algo y lloras. Pero si tú le dices lo que te dije se le pasará. »

« La paz sea contigo, mujer. No llores. Me lo dijo el Mesías. Si lo quieres, El te quiere y te cura » grita el niño mientras Jesús lo arrastra consigo sin detenerse. Hay en Asrael madera de misionero, aunque si por ahora es un poco ... inoportuno en sus predicaciones y dice más de lo que se le ha dicho que anunciara.

« La paz sea con todos vosotros. " No dirás falso testimonio " se dijo.

¿ Qué cosa hay más asquerosa que uno que dice mentiras? ¿No se podría decir que él reune crueldad con impureza? Sí. Se puede decir. El mentiroso, me refiero al que lo es en cosas graves, es un cruel. Mata la fama con su lengua. Así pues, no defiere del asesino. Aún más, digo: es más que un asesino. Este mata tan solo el cuerpo, el mentiroso también la buena fama, el recuerdo de alguien. Por lo cual es dos veces asesino. Es el asesino impune, porque no derrama sangre, pero hiere el honor de la persona a quien calumnia y de toda su familia. Ni siquiera traigo a colación el caso de alguien que jurando en falso, hace que otro vaya a la muerte. Sobre este, los carbones del infierno están ya acumulados. Me refiero al que con palabras mentirosas insinúa y persuade a que otros se pongan en contra de un inocente. ¿Por qué lo hace? ¿O por odio sin motivo alguno, o por avidez de tener lo que el otro tiene, o por miedo?

Odio: Tiene solamente odio quien es amigo de Satanás. El bueno no odia. ¡Jamás! ¡Por ningún motivo! Aun cuando sea vilipendiado y se le haga daño, perdona. Jamás odia. El odio es el testimonio que dá de sí misma un alma perdida, y el testimonio más hermoso que se dá de un inocente. Porque el odio es la rebelión del mal contra el bien. No se perdona a quien es bueno.

Avidez: " Ese tiene lo que yo no tengo. Deseo lo que él tiene. Pero sólo si siembro la desestima de él podré llegar a tener su puesto. Y lo haré. ¿Mentiré? ... ¡Qué importa ! ¿Defraudo? ... ¡Qué importa! ¿Puedo lograr que una familia completa venga a la ruina? ... ¡ Qué importa ! " Entre tantas preguntas que el astuto mentiroso se hace, olvida, *quiere* olvidar *una* pregunta, y es esta: " ¿Y si me desenmascarasen? " No se la hace, porque llevado de orgullo y de la avidez, es como si tuviese los ojos tapados. No ve el peligro. Es como si esuviese ebrio. Está ebrio del vino satánico, y no piensa que Dios es más fuerte que Satanás y que toma a su cargo vengar al calumniado. El mentiroso se ha entregado a la Mentira [2]

[2] Personificación del Demonio (N.T.).

y confía neciamente en su protección.

Miedo: Muchas veces alguien calumnia por excusarse a sí mismo. Es la forma más corriente de mentira. Se ha hecho mal. Se teme que nuestra acción sea descubierta y conocida. Entonces, usando y aprovechándose de la estima que se le tiene todavía, he aquí que los papeles se cambian, pues lo que hicimos se la imputa a otro cuyo honor tenemos. Algunas veces se hace, porque sin querer, el otro fué testigo de nuestra mala acción y con esto se quiere poner a buen recaudo su testimonio. Se le acusa para hacerlo sospechoso, y para que si hablase, nadie lo crea.

Pero obrad bien. Obrad bien, y no tendréis jamás necesidad de mentir. ¿No reflexionáis, cuando mentís, qué yugo tan pesado os ponéis? Está hecho de sumisión al demonio, del temor perpetuo de un mentís, y de la necesidad de recordar la mentira que se dijo y santo y seña de cómo se dijo, aun después de años, para no caer en contradicción. Un cansancio de galeote. Y ¡ojalá fuese para el Cielo! ¡Pero tan sólo sirve para prepararse un lugar en el infierno!

Sed francos. ¡Qué digna de estima es la boca del hombre que no conoce la mentira! ¿Se trata de uno que es pobre, tosco, desconocido? ¿De veras?... Aún cuando así sea, es siempre *un rey*, porque es sincero, y la sinceridad es más regia que el oro y la diadema. Eleva sobre las multitudes más que un trono y proporciona una corte de buenos, más de los que puede tener un monarca. La cercanía del hombre sincero da seguridad y alivio. Por el contrario la amistad del insincero da intranquilidad y aun con tenerlo cerca uno se siente mal. ¿No piensa el que miente que cuando se descubre su mentira, después, por cualquier razón siempre se sospechará de él? ¿Cómo se puede aceptar cuanto él dice? Aun cuando diga la verdad y quien le oye quiera creerle, con todo en el fondo hay siempre una duda: "¿También ahorita estará diciendo mentiras?". Objetaréis: "¿Pero en dónde está el falso testimonio?" Cualquier mentira es un testimonio falso. No tan solo el legal.

Sed sencillos como Dios lo es y lo son los niños. Sed veraces en todos los momentos de vuestra vida. ¿Queréis que se os tenga por buenos? Sedlo en verdad. Si un calumniador quiere hablar mal de vosotros, cien buenos dirán: "No, no es verdad. El es bueno. Sus obras hablan por él". En un Libro sapiencial se ha dicho[3]: "El hombre apóstata avanza con la perversidad en sus labios... en su

[3] Cfr. Prov. 6, 12-19; 12, 13 y 17 y 19 etc.

perverso corazón prepara el mal y a cada momento siembra discordias... Seis cosas odia el Señor y la séptima le causa vómito: los ojos soberbios, la lengua mentirosa, las manos que derraman sangre inocente, el corazón que medita planes inicuos, los pies que corren presurosos al mal, el falso testigo que profiere mentiras, y el que siembra discordias entre sus hermanos... por los pecados de la lengua el malvado se acerca a la ruina... Quien miente da un testimonio falso. El labio veraz permanece para siempre, pero la lengua mentirosa por un instante. Las palabras del murmurador parecen sencillas, pero penetran en las entrañas. Al enemigo se le echa de ver cuando está preparando una traición en su modo de hablar. Cuando hable en voz baja no te fies de él, porque trae en su corazón siete malicias. Fingidamente esconde su odio, pero su malicia se manifestará... Quien excava el hoyo, en él caerá, y la piedra cae sobre la espalda de quien la arroja sobre sí ".

Viejo como el mundo es el pecado de mentira, pero el pensamiento del sabio no cambia en su propósito, como no cambia el juicio de Dios respecto del mentiroso. Yo os digo: Usad un solo lenguaje. Que el " sí " siempre sea " sí " y que el " no " sea siempre "no " aun cuando estéis frente de poderosos y dictadores; y vuestro mérito será grande en el Cielo. Os digo, sed espontáneos como el niño que instintivamente va con quien siente que es bueno, y que no busca otra cosa que la bondad. Lo que su misma bondad le hace pensar y además no calcula si dice mucho o si puede recibir un regaño.

Id en paz. Que la verdad sea amiga vuestra. »

El pequeño Asrael, que ha estado sentado todo el tiempo a los pies de Jesús con la cabecita levantada como pajarito que escucha el canto de su padre, tiene un gesto muy cariñoso. Restriega su carita sobre las rodillas de Jesús y dice: « Yo y Tú somos amigos porque Tú eres bueno y yo te quiero mucho. Ahora también yo digo » y esforzando su vocecita para que en el galerón todos lo oigan, dice gesticulando como vió hacer a Jesús: « Escuchad todos. Yo sé a donde van quienes no dicen mentiras y aman a Jesús de Nazaret... Van camino arriba en la escala de Jacob [4]. Arriba, arriba, arriba... junto a los ángeles, y luego se detienen cuando encuentran a Dios » y feliz ríe mostrando sus dientecitos.

Jesús lo acaricia. Baja entre la gente. Entrega el niño a su ma-

[4] Cfr. Gén. 28, 1-22.

dre: « Gracias mujer por haberme prestado tu niño. »

« ¿ Te dió molestia . . . ? »

« No. Me dió amor. Es un pequeño del Señor y que el Señor esté siempre con él y contigo. Adiós. »

Todo termina.

98. Jesús en " Aguas Claras ": « No desearás lo que es de otros » [1]

(Escrito el 15 de marzo de 1945)

« Dios da a cada uno lo necesario. Esto es innegable. Qué cosa es necesaria al hombre? ¿El fausto? ¿Un gran número de siervos? ¿Tierras que apenas se pueden contar? ¿Banquetes que empiezan en el crepúsculo y terminan con el levantarse de la aurora? No. Al hombre basta un techo, un pan, un vestido. Lo indispensable para vivir.

Mirad a vuestro alrededor. ¿Quiénes son los más alegres y los más santos? ¿Quienes gozan de una sana y serena vejez? ¿Los que gozan? No. Quienes honradamente viven, trabajan y desean. No tienen ellos el veneno de la lujuria y permanecen robustos. No tienen el de la crápula y permanecen ágiles. Ni el de la envidia y permanecen alegres. Mientras que quien desea siempre tener más, siempre tener más, siempre más, mata su paz y no goza y envejece precozmente, al arder en medio de su rencor y del abuso.

Puedo unir el mandamiento de no robar con el de no desear lo que es de otros. De hecho el deseo excesivo, empuja al robo. No hay más que un paso corto entre ambos. ¿Es ilícito cualquier deseo? No quiero decir esto. El padre de familia que trabaja en el campo o en la oficina y desea obtener lo que asegure el pan de los suyos, en verdad no peca. Al contrario obedece a su deber de padre. Pero el que por su parte no desea sino gozar más, y se apropia de lo que es que otros para llegar a gozar más este sí peca.

¡La envidia! Y ¿qué otra cosa es el deseo de las cosas de los demás sino avaricia y envidia? La envidia separa de Dios, hijos míos y os junta con Satanás. ¿No pensáis que el primero que deseó las cosas de otro fué Lucifer? Era el más bello de los arcángeles y go-

[1] Cfr. Ex. 20, 17; Dt. 5, 18.

zaba de Dios. Debía de haberse contentado con ello. Tuvo envidia de Dios y quiso ser Dios y se convirtió en demonio[2]. El primer demonio. Segundo ejemplo: Adán y Eva tenían todo, gozaban con lo que había en el Paraíso terrenal y de la amistad de Dios; eran bienaventurados con los dones de la gracia que Dios les había dado. Debían de haberse contentado con ello. Envidiaron en Dios el conocimiento del bien y del mal y fueron arrojados del Edén convirtiéndose en proscritos odiosos a Dios[3]. Los primeros pecadores. Tercer ejemplo: Caín tuvo envidia de Abel por su amistad con el Señor, y se convirtió en el primer asesino[4]; María hermana de Aarón y Mosisés, tuvo envidia de su hermano y se convirtió en la primera leprosa de la historia de Israel[5]. Podría Yo paso a paso llevaros por toda la vida del Pueblo de Dios y veríais que el deseo desmedido hizo de quien lo tuvo, un pecador, y de la nación un castigo. Porque los pecados de cada uno se van acumulando y provocan los castigos de las naciones, así como los granos y granos de arena, acumulados por siglos y siglos, provocan un desmoronamiento que sepulta pueblos y a quienes están dentro de ellos.

Frecuentemente os he presentado a los niños como ejemplo, porque son sencillos y no desconfían. Hoy os digo: imitad a los pajaritos en su libertad de desear. Mirad. Ahora es invierno y hay poco alimento en los huertos. ¿Se preocupan acaso en verano de guardarlo? ¡ No ! Se confían al Señor. Saben que podrán encontrar un gusanito, un grano, una migaja, una arañita, una mosquita sobre el agua para su buche. Saben que un alero, un copo de lana los tendrán siempre para guarecerse del invierno, como saben que cuando llegue el tiempo en que tengan necesidad de paja para sus nidos y de más alimento para sus polluelos, habrá siempre heno oloroso en los prados, y alimento jugoso en los huertos y en los surcos; y que el aire y la tierra estarán llenos de insectos. Despacio cantan: " Gracias, Creador, por lo que nos das y darás ", y están listos a cantar con sus piquitos, cuando llegue la época de sus amores y se vean multiplicados en su prole.

¿ Hay creatura más alegre que el pajarito? ¿Y qué es su inteligencia[6] con respecto a la humana? Una astilla de sílice comparada con

[2] Cfr. Is. 14, 3-21; en el tirano, descrito detalladamente en los versículos 12-15, los Santos Padres vieron representado y simbolizado al príncipe de los demonios.

[3] Cfr. Gén. 1, 26 - 3, 24.

[4] Cfr. Gén. 4, 1-16.

[5] Cfr. Núm. 12, 1-15.

[6] Como aparece por los ejemplos anteriores, no se trata de atribuir a los pájaros una

un monte. Pero os enseña. En verdad os digo que posee la alegría del pajarito, quien vive sin deseo impuro. Pone su confianza en Dios y lo siente como a Padre. Sonríe cuando nace el día y cuando cae la noche; porque sabe que el sol es su amigo y la noche su protectora. Sin rencor mira a los hombres y no teme sus venganzas porque no le hace mal de ningún modo. No tiene miedo de su salud ni siquiera en el sueño, porque sabe que una vida honrada tiene alejadas las enfermedades y que proporciona un dulce descanso. En fin, no teme a la muerte porque sabe que, al haber obrado bien, no puede tener otra cosa que la sonrisa de Dios. También el rey muere. Lo mismo el rico que el pobre. Ni el cetro aleja la muerte, ni el dinero compra la inmortalidad. Delante del Rey de reyes y Señor de señores son cosas irrisorias las coronas y el dinero. Lo que solamente tiene valor es la vida que se vivió según la Ley.

¿Qué cosas estais diciendo vosotros allá al fondo? No tengáis miedo de hablar. »

« Decíamos: ¿Antipas[7] de qué pecado es culpable? ¿De hurto o de adulterio? »

« Yo quisiera que no miraseis a los demás, sino a vuestros corazones. Pero os respondo que es culpable de idolatría porque adora a la carne más que a Dios, de adulterio, de hurto, de deseo ilícito y pronto lo será de homicidio. »

« ¿ Lo salvarás Tú que eres Salvador ? »

« Salvaré a los que se arrepientan y regresen a Dios. Los impenitentes no tendrán redención. »

« Dijiste que es ladrón . . . pero . . . ¿qué cosa ha robado ? »

« La mujer a su hermano. El robo no sólo es de dinero. Lo es también quitar la honra a un hombre, la virginidad a una doncella, al marido su mujer, como igualmente es quitar un buey al vecino o tomarle sus plantas. El hurto, empeorado con la libídine o falso testimonio, se agrava con adulterio, fornicación o mentira. »

« ¿ Y qué pecado comete una mujer que se prostituye ? »

« Si es esposa, de adulterio y de robo para su marido. Si no lo es, de impureza y de robo para consigo misma. »

« ¿ Para consigo misma ? ¡ Si ella da de lo suyo ! »

inteligencia espiritual, racional como la de los hombres, sino una inteligencia en el sentido etimológico de la palabra o metafórico: una inteligencia práctica, que vulgarmente se llama instinto.

[7] Cfr. Mt. 14, 3-12; Mc. 6, 14-29; Lc. 3, 19-20; 9, 7-9.

« No. Nuestro cuerpo lo creó Dios para que sea templo del alma que es el templo de Dios. Por esto se le debe conservar honesto, pues de otro modo al alma se le quita la amistad con Dios y la vida eterna. »

« ¿ Entonces una prostituta no puede ser sino algo de Satanás ? »

« Cualquier pecado es prostitución con Satanás. El pecador, como una mujer a quien se le paga, se entrega a Satanás por amores ilícitos, con la esperanza de ganancias sucias. El pecado de prostitución es grande, grandísimo, pues hace que los hombres se asemejen a los animales inmundos. ¿Pero creeis que otro pecado mortal no los haga menos? ¿Qué decir de la idolatría? ¿Qué del homicidio? Y con todo perdonó Dios a los israelitas después que hicieron el becerro de oro[8]. Perdonó a David su pecado y que era doble[9]. Dios perdona a quien se arrepiente. Que el arrepentimiento esté en proporción del número y grandeza de las culpas; y Yo os digo que será perdonado más, quien más se arrepienta. Porque el arrepentimiento es una forma de amor. *De un amor activo.* Quien lo hace dice a Dios con su arrepentimiento: " No puedo soportar tu enojo, porque te amo y quiero que me ames ". Y Dios ama a quien lo ama. Por lo cual os digo: Cuánto uno más ama, más es amado. A quien ama con todo su corazón, *todo* se le perdona.

Esta es la verdad. Idos, pero antes sabed que a las puertas del poblado hay una viuda, que tiene muchos hijos, y que se encuentra en el hambre más completa. La arrojaron de donde vivía porque tiene deudas. Y puede todavía decir: " gracias " al patrón que no hizo más que echarla fuera. He empleado vuestro óbolo para su pan. Pero tiene necesidad de un abrigo. La misericordia es el sacrificio más agradable ante el Señor. Sed buenos y en su nombre os aseguro el premio. »

La multitud cuchichea, se consulta mutuamente y disputa.

Entre tanto Jesús cura a uno que casi estaba ciego y escucha a una viejecita llegada desde Doco que le ruega que vaya a su casa a curar a su nuera enferma. Una larga historia de lágrimas que no transcribo, porque hoy estoy casi muerta.

[8] Cfr. Ex. 32-34.
[9] Cfr. 2 Re. 11, 1 - 12, 23.

99. Jesús en " Aguas Claras ". Clausura. Comentario al " De profundis " y al " Miserere " [1]

(Escrito el 17 de marzo de 1945)

« Hijos míos en el Señor, la fiesta de la Purificación está cerca, y os mando Yo, Luz del Mundo que os preparéis con lo indispensable para que la celebréis bien. La primera luz de la fiesta es la que sacaréis para todos los demás. Pues sería muy necio quien pretendiese prender muchas luces, si la suya no está encendida; y mucho más necio sería quien pretendiese iniciar su santificación con las cosas más difíciles, olvidando lo que es la base del edificio inmutable de la perfección: El Decálogo.

Se lee en los Macabeos [2] que Judas con los suyos, después que capturó con la ayuda del Señor el Templo y la Ciudad, destruyó los altares y los templillos dedicados a los dioses extranjeros, y purificó el Templo. Después levantó otro altar, y con un pedernal prendió fuego, ofreció sacrificios, encendió el incienso, puso las candelas y panes de la proposición y luego, postrados todos por tierra, suplicaron al Señor que no les permitiese pecar más, o si, por debilidad, volviesen a hacerlo, que fuesen tratados con divina misericordia. Sucedía esto el 25 del mes de Casleu.

Reflexionemos y apliquémonos a nosotros mismos lo referido, porque cada palabra de la historia de Israel, pues que es el Pueblo elegido, tiene un significado espiritual. La vida es siempre una enseñanza. La vida de Israel es enseñanza no sólo para los días en que se vive sobre la tierra, sino para la conquista de los días eternos.

" Destruyeron los altares y los templillos ". He aquí la primera operación. Es la que os indiqué al nombraros los dioses individuales que sustituyen al Dios verdadero: las idolatrías de los sentidos, del oro, orgullo, vicios capitales que llevan la profanación y muerte del alma y del cuerpo y al castigo de Dios. No os he oprimido con inumerables fórmulas que oprimen hoy por hoy a los fieles, y sirven de obstáculo a la verdadera Ley, que está oprimida, escondida con montones y montones de prohibiciones que son todas exter-

[1] Cfr. Salmos 129 y 50.
[2] Cfr. 1 Mac. 4, 36-52.

nas, que con su peso conducen al fiel a que pierda de vista la voz recta, clara y santa del Señor que dice: " No blasfemarás. No cometerás idolatría. No profanarás las fiestas. No faltarás al respeto a los padres. No matarás. No cometerás acciones impuras. No hurtarás. No mentirás. No envidiarás las cosas de los demás. No desearás la mujer ajena ". Diez " no " ni uno más. Son las diez columnas del templo del alma. Arriba entre los santos brilla el oro del santo precepto: " Ama a tu Dios. Ama a tu prójimo ". Es el remate de la cúpula del templo. Es la protección de los fundamentos. Es la gloria del constructor.

Sin amor no podrá obedecerse a las diez reglas y las columnas caerían: Todas o algunas y el templo caería en ruinas totales o parciales. Pero siempre sufriría ruinas y no sería apto para recoger al Santísimo. Haced lo que os digo: Aplastad las tres concupiscencias. Dad un nombre claro a vuestro vicio, como claro es Dios en deciros: " No hagas esto, no hagas aquello ". Es inútil ser sutiles en las formas .Quien ama con más fuerzas de las que ama a Dios, cualquiera que sea este amor, es un idólatra. Quien invoca a Dios llamándose su siervo y luego lo desobedece, es un rebelde. Quien por avidez trabaja en sábado es un profanador, uno que no tiene confianza, un presuntuoso. Quien se niega a ayudar a sus padres bajo pretextos aun cuando diga que lo que hace lo hace por Dios, lo odía a El pues tiene al padre y a la madre como retratos suyos sobre la tierra. Quien mata es siempre un asesino. Quien comete actos impuros es un lujurioso. Quien roba es siempre un ladrón. Quien miente siempre es un abyecto. Quien desea lo que no es suyo es un codicioso del hambre más execrable. Quien profana un tálamo es siempre inmundo.

Así es. Recuerdo que despues que se erigió el becerro de oro, vino la ira del Señor [3]; después de la idolatria de Salomón, el cisma que dividió y debilitó a Israel [4]; después del helenismo aceptado, y más bien que esto, introducido por los judios indignos bajo Antíoco Epífanes, vinieron nuestras actuales desventuras de espíritu, fortuna y nacionalidad [5]. Os recuerdo que Nadab y Abiú, siervos falsos de Dios [6], fueron heridos por Yeové. Os recuerdo que no era

[3] Cfr. Ex. 32.
[4] Cfr. 3 Re. 11-13; 2 Paralip. 10, 1 - 11, 4.
[5] Cfr. 1 Mac. 1; 2 Mac. 4-7.
[6] Cfr. Ex. 6, 23; 24, 1 y 9; 28, 1; Lev. 10, 1-7; Num. 3, 1-4; 26, 60-61; 1 Paralip. 24, 1-2.

santo el manná del sábado[7]. Os recuerdo a Cam y a Absalón[8]. Os recuerdo el pecado de David contra Urías[9] y el de Absalón contra Amnón. Os recuerdo el fin de Absalón y de Amnón[10]. Os recuerdo la suerte de Heliodoro que era un ladrón[11], de Simón y de Menelao[12]. Os recuerdo el fin vergonzoso de los dos falsos líderes que habían testificado mentirosamente en contra de Susanna[13]. Y podría continuar sin encontrar fin a los ejemplos. Pero volvamos a los Macabeos.

" Y purificaron el Templo ". No basta decir: " Destruyo ". Es necesario decir: " Purifico ". Os he dicho cómo se purifica el hombre: Con arrepentimiento humilde y sincero. No hay pecado que Dios no pueda perdonar, si el pecador está realmente arrepentido. Tened fe en su bondad divina. Si lograseis entender lo que significa esta Bondad, aun cuando hubieseis cometido todos los pecados del mundo, no huiríais de Dios, antes bien correríais a sus pies porque solo el Bueno por excelencia puede perdonar lo que el hombre no lo puede.

" Y erigieron otro altar ". ¡Oh! No tratéis de engañar al Señor. No seais falsos en vuestra conducta. No mezcléis a Dios con Mammón. Tendréis un altar vacío: el de Dios. Porque es inútil levantar un altar nuevo si quedan los restos del otro. O Dios o el ídolo. Escoged.

" Y prendieron fuego con piedra y yesca ". Piedra significa la firme voluntad de ser de Dios. La yesca es el deseo de anular, en lo que resta de vida, aun el recuerdo del pasado en el pecado de haberos separado del Corazón de Dios. Sólo entonces se prende el fuego: que es amor. Porque el hijo que trata de consolar a su padre ofendido, con una vida honrada ¿ qué otra cosa hace sino amar a su padre, para que éste, contento lo ame a él que en otro tiempo fué la causa de sus lágrimas y ahora de su alegría ?

Cuando hayais llegado a este punto, podréis ofrecer sacrificios, prender el incienso, encender las luces y poner los panes. Los sacrificios serán agradables a Dios, así como las plegarias. El altar en realidad estará iluminado y enriquecido con el alimento de vuestra

[7] Cfr. Ex. 16; Num. 11, 7-9.
[8] No sabemos a qué se refiera precisamente. Tal vez " Cam " es un error involuntario de la escritora, en lugar de " Noe " ó de " Ammón ".
[9] Cfr. 2 Re. 11, 1 - 12, 23.
[10] Cfr. 2 Re. 13, 1-38; 18, 1-18.
[11] Cfr. 2 Mac. 3, 1-34.
[12] Cfr. 2 Mac. 4-5; 13, 1-8.
[13] Cfr. Dan. 13.

oferta diaria. Podréis orar de este modo: " Sé nuestro protector " porque El será vuestro amigo. Sin embargo su misericordia no ha esperado a que le pidieseis piedad. Se ha adelantado a vuestro deseo. Os ha mandado la Misericordia para deciros: " Esperad. Os digo: Dios perdona. Venid al Señor ".

Hay un altar ya entre vosotros: el nuevo. De él fluyen ríos de luz y de perdón, que como aceite se extienden, curan y dan fuerzas. Creed en la palabra que procede de El. Llorad conmigo vuestros pecados. A la manera como el levita dirige el coro, así también Yo dirijo vuestras voces hasta Dios, y no será rechazado vuestro gemido si va unido a mi voz. Me aniquilo con vosotros, hermano de los hombres según la carne, Hijo del Padre en el espíritu, y digo por vosotros, con vosotros: " Desde este profundo abismo, donde Yo-humanidad he caído, clamo a Tí Señor. Escucha la voz de quien se mira y suspira, y no cierres tu oído a mis palabras. Horror es el verme, ¡Oh Señor! Soy un horror aun a mis propios ojos... ¿Qué seré a los Tuyos? No mires mis culpas ¡oh Señor! porque de otro modo no podré resistir ante Tí sino más bien ten misericordia de mí. Tú lo dijiste: 'Yo soy misericordia'. Y yo creo en tu palabra. Mi alma herida y abatida, confía en Tí, en tu promesa, y desde el amanecer hasta la noche, desde la juventud hasta la vejez esperaré en Tí " [14].

David, culpable de homicidio y de adulterio, desechado de Dios, obtiene el perdón, después de que clamó al Señor: " Ten piedad de mí, no por consideración mía, sino por honor a tu misericordia, que es infinita. Y por ella borra mi pecado. No hay agua que pueda lavar mi corazón si no se le toma de las aguas profundas de tu santa bondad. Lávame con ella de mi iniquidad y purifícame de mi inmundicia. No niego haber pecado. Aun más, confieso mi delito. Y como un testigo que me echa en cara mi culpa, siempre está ante mí. Ofendí al hombre en el prójimo y en mí mismo, pero sobre todo me duele haber pecado contra Tí. Y esto sea para decirte que reconozco que eres justo en tus palabras y que temo tu juicio que triunfa sobre cualquier pecado humano. Pero considera, ¡oh Eterno! que nací en culpa, y que pecadora fué quien me concibió, y que Tú tanto me has amado que has llegado a revelarme tu sabiduría, a dármela por maestra para comprender los misterios de tus sublimes verdades. Y si has hecho tanto ¿ debo de temerte ?

[14] Paráfrasis del salmo 50.

¡ No ! No tengo miedo. Rocíame con la amargura del dolor y seré purificado. Lávame con el llanto y seré como la nieve de las montañas. Haz que oiga tu voz y tu humillado siervo se regocijará, porque tu voz es su gozo y alegría, aun cuando reprenda. Torna tu rostro a mis pecados. Tu mirada borrará mis iniquidades. El corazón que me diste lo profanó Satanás y mi flaqueza humana. Fórmame un nuevo corazón que sea puro, y destruye lo que hay de corrupción en las entrañas de tu siervo para que reine sólo en él un espíritu recto. Pero no me arrojes de tu presencia, ni me quites tu amistad, porque solo la salud que procede de Tí es gozo de mi alma, y tu espíritu soberano es consuelo para el que se humilla. Haz que me convierta en uno de los que vayan diciendo entre los hombres: 'Ved qué bueno es el Señor. Caminad por sus senderos y seréis benditos como yo lo soy, yo aborto del hombre, pero que ahora torno a ser hijo de Dios, por la gracia que en mí vuelve a nacer'. Y los impíos se convertirán a Tí. La sangre y la carne se rebelan y rugen dentro de mí. Líbrame de ellas, ¡oh Señor! salvación del alma mía, y cantaré tus alabanzas. No lo sabía, mas ahora lo he comprendido; no es el sacrificio de carneros lo que Tú quieres, sino el holocausto de un corazón contrito. Un corazón contrito y humillado, te es más agradable que los carneros y los machos cabríos, porque nos creaste para Tí, y quieres que nos acordemos de ello y te devolvamos lo que es tuyo. Sé benigno para conmigo por tu gran bondad y reedifica mi Jerusalén y tu Jerusalén que no es otra cosa que un espíritu purificado y perdonado, sobre el que puede ofrecerse el sacrificio, la oblación y el holocausto por el pecado, por acción de gracias y por alabanza. Y que cada nuevo día sea una hostia santa consumada sobre tu altar para que ascienda con el olor de mi amor hasta donde Tú estás ".

¡ Venid! Vayamos al Señor, Yo adelante y vosotros detrás. Vayamos a las aguas salutíferas, a los pastizales buenos, vayamos a las tierras de Dios. Olvidad el pasado. Sonreid al porvenír. No penséis en el fango, sino levantad vuestra mirada a las estrellas. No digáis: " Son tinieblas ". Decid: " Dios es luz ". He venido a anunciaros la paz, a anunciar a los mansos la Buena Nueva [15] a curar a quienes tienen el corazón quebrantado por *muchas* cosas, a pregonar la libertad a todos los esclavos, entre los que primero se cuentan están los de Mamón, la libertad a los prisioneros de la concupiscencia.

[15] Cfr. Is. 61, 1-3.

Os digo: Ha llegado el año de la gracia. Vosotros que os sentís tristes no lloréis con la tristeza de quien se siente pecador; no derraméis lágrimas, vosotros desterrados del reino de Dios. Yo sustituyo la ceniza por el oro, el aceite por las lágrimas. Os visto de fiesta para presentaros ante el Señor y decir: " He aquí las ovejas que me enviaste a buscar [16]. Las he ido a ver y las he juntado, las conté, busqué a las dispersas y te las he traido sacándolas de las nubes y de las tinieblas. Las he tomado de entre todos los pueblos, las he recogido de todas las regiones para conducirlas a la Tierra, no más tierra [17] que les has preparado, ¡oh Padre santo! para llevarlas a las cimas paradisíacas de tus hermosos montes donde todo es luz y belleza, junto a los ríos de las beatitudes celestiales donde se sacian de Tí los espíritus de quienes amas. He ido también en busca de las heridas, curé a las fracturadas, y dí fuerzas a las débiles, no dejé ni a una sola sin ver; la que estaba más desgarrada de los voraces lobos de los sentidos me la puse sobre los hombros como un yugo de amor y la deposito a los pies, Padre benigno y santo, porque ella no puede caminar más, no conoce tus palabras, es una pobre alma perseguida por los remordimientos y por los hombres, es un espíritu que deplora y tiembla, es como una ola empujada y vuelta a ser empujada por el oleaje de la playa. Viene con el deseo, la rechaza el conocimiento que tiene de sí... Abrele tu seno, Padre que eres todo amor, para que en él encuentre paz esta creatura extraviada. Dile: 'Ven'. Dile: 'Eres mía'. Fué posesión de todo el mundo, pero ahora tiene náuseas y miedo. Dice: 'Cada patrón es un asqueroso esbirro'. Haz que pueda decir: 'Este Rey mío me ha dado *el gozo de ser una presa*'. No sabe qué cosa sea el amor. Pero si Tú la acoges comprenderá qué cosa es este amor celestial que es el amor de nupcias entre Dios y el espíritu humano y como un pajarito libertado de la jaula de los crueles, subirá, subirá, siempre más arriba hasta Tí, hasta el cielo, hasta el gozo, la gloria, cantando: 'He encontrado a quien buscaba. Mi corazón no tiene otro deseo. ¡En Tí reposo y me alegro, Señor eterno, por los siglos de los siglos bienaventurada!' ".

Idos. Con nuevo espíritu celebrad la fiesta de la Purificación. Y la Luz de Dios se encienda en vosotros. »

Jesús al final de su discurso ha estado arrebatador. Su rostro era

[16] Cfr. Ez. 34, 11-16.
[17] Esto es, el Cielo, la Jerusalén celestial; cfr. Is. 65, 17; 66, 22; Apoc. 21.

luminoso con ojos que resplandecían. Una sonrisa y una melodía de dulzura inimaginables.

La gente como extática no se mueve, y solo lo hace cuando repite: « Idos, la paz sea con vosotros. » Los peregrinos se retiran hablando entre sí.

La mujer velada se va rápida como siempre, con su paso veloz y ligeramente ondulante. El manto a sus espaldas parece como si fueran alas que el viento hincha.

« Ahora comprenderé si es de Israel » dice Pedro.

« ¿ Por qué ? »

« Porque si se está aquí es señal de que . . . »

« . . . es una pobre mujer sin casa propia. No otra cosa. Recuérdalo bien Pedro. » Jesús se dirige hacia el poblado.

« Sí, Maestro, lo recordaré . . . ¿ Y qué haremos ahora en que todos regresan a su casa para la fiesta? »

« Nuestras mujeres prenden por nosotros las lámparas. »

« Me desagrada . . . es el primer año que no las veré prender en la mía, o que no las prendo . . . »

« ¡ Eres un viejo niño ! Prenderemos también las lámparas, así no tendrás esa cara de enfado. Y tú las prenderás. »

« ¿Yo? Yo no, Señor. Tú eres la cabeza de nuestra familia. Te toca a Tí. »

« Yo soy siempre una lámpara encendida . . . y querría que todos también así fueseis. Soy la Encenia perpetua, Pedro. ¿Sabes que nací exactamente el veinticinco de Casleu? »

« Quién sabe cuántas luces, ¿eh ? » Pedro admirado pregunta.

« No se podían contar . . . eran todas las estrellas del Cielo . . . »

« ¿ No te hicieron fiesta en Nazaret ? »

« No nací en Nazaret, sino en medio de unos escombros en Belén. Veo que Juan ha sabido quedarse callado. Es *muy* obediente. »

« Y no es curioso . . . Pero . . . ¡yo no me aguanto! Cuéntaselo a tu pobre Simón. Sino, ¿cómo le hago para hablar de Tí? Algunas personas preguntan y no sé qué decir . . . Los otros saben hacerlo, me refiero a tus hermanos y a Simón, Bartolomeo y Judas de Simón. También Tomás sabe hablar . . . parece un pregonero de mercado . . . que está vendiendo sus mercancías. Pero para hablar . . . Mateo . . . ¡eh! ¡Lo hace bien! Usa su antigua sabiduría de cuando desplumaba sentado en su banco de alcabalero, para obligar a los otros a que le digan: " Tienes razón ". ¡Pero yo!... ¡Pobre Simón de Jonás! ¿Qué cosa te han enseñado los peces? Y ¿qué cosa el lago? Dos cosas... pero no sirven: los pescados a callar y a tener constancia. Ellos constantes en huir de la red y yo constante en meterlos. Y el lego a tener valor y ojo en todas partes. ¿Qué cosa me enseñó la barca? A fatigarse sin dejar descansar ni un solo músculo y a estar derecho aun cuando las olas estén agitadas y pueda uno caerse. Ojo a la estrella polar, mano firme en el timón, fuerza, valor, constancia, atención. Esto es lo que me ha enseñado mi pobre vida... »

Jesús le pone una mano sobre la espalda, lo sacude y lo mira con afección y admiración verdadera de tanta sencillez, y dice: « ¿Y te parece poco Simón Pedro? Tienes todo cuanto es necesario para que seas mi " piedra ". Nada te falta, nada te sobra. Serás el navegante eterno, Simón. Y a quién venga después de Tí le dirás: " Ojo a la estrella polar que es Jesús. Mano firme en el timón, fuerza, valor, constancia, atención, tener el ojo en todo y fatigarse sin descansar y saber estar derechos aun en medio de las ondas agitadas... ". En cuanto al silencio... eso si no... los peces no te lo enseñaron. »

« Pero soy más mudo que los peces en lo que debo de decir. Las otras palabras... También las gallinas saben cacarear como lo hago yo... Pero díme, Maestro mío. ¿Me das a mí también un hijo? Somos viejos... Tú me dijiste que el Bautista nació de una mujer ya entrada en años... Ahorita me dijiste: " Y a quien venga después de tí, dirás... ". ¿ Quién viene después si no es el hijo? » Pedro pone una cara de súplica y de esperanza.

« No, Pedro. Y no te duela. Te pareces exactamente a tu lago cuando una nube oculta el sol. De risueño se hace oscuro. No, Pedro mío. No tendrás *uno,* sino miles y decenas de millares de hijos, y en cada nación... ¿No te acuerdas cuando te dije: " Serás pescador de hombres " ? »

« ¡Oh! Si... pero... Sería tan dulce que un niño me llamase " padre ". »

« Tendrás tantos que no los podrás contar, y a quienes darás la vida eterna. Los volverás a encontrar en el cielo y me los llevarás diciendo: " Son los hijos de tu Pedro y *quiero* que donde yo estoy, estén ellos " y te diré: " Si, Pedro. Como tú quieras, así será. Porque tú hiciste todo por Mí y Yo hago todo por tí ". » Jesús muestra una dulzura extraordinaria en estas promesas.

Pedro traga saliva, llorando la esperanza de una paternidad terrena, pero también llora de éxtasis, por lo que le anuncia. « ¡Oh,

Señor! » dice. « Para dar la vida eterna es menester persuadir a las almas para el bien ... y estamos siempre en lo mismo: yo no sé hablar. »

« Sabrás hablar, cuando llegue la hora y mejor que Gamaliel. »

« Quisiera creerlo ... Haz Tú el milagro, porque si yo debo hacerlo por mis propias fuerzas ... »

Jesús ríe de la tranquila risa de Pedro y dice: « Yo estaré siempre contigo. Vamos al poblado. A la casa de aquella viuda. Tengo una limosna secreta. Un anillo que quiero vender. ¿Sabes cómo lo obtuve? Me llegó una piedra a los pies, mientras oraba junto a ese peñasco. En la piedra venía un pequeñísimo envoltorio con un pedazo de pergamino. Dentro del envoltorito estaba el anillo. En el pergamino la palabra " caridad ". »

« ¿Me lo dejas ver? ¡Oh! ¡Hermoso! De mujer. ¡Qué dedo tan pequeño! ¡ Cuánto oro! ... »

« Ahora tú lo vendes, yo no sé cómo hacer eso. El fondista compra oro. Lo sé. Te espero cerca del horno. Ve, Pedro. »

« Pero ... ¿ si no lo hago bien ? Yo y el oro ... Yo no entiendo de oro. »

« Piensa que es pan para el que sufre el hambre, y haz lo mejor que puedas. Hasta pronto. »

Pedro va hacia la derecha mientras Jesús, muy despacio toma la izquierda, y continúa yendo hacia el poblado que se ve un poco lejos; detrás del bosquecillo que está más allá de la casa del administrador.

100. Jesús abandona " Aguas Claras " y va a Betania

(Escrito el 18 de marzo de 1945)

" Aguas Claras " está sin peregrinos. Y parece extraño verla sin vestigios de los que se quedan por la noche o que al menos toman sus alimentos en la era o debajo del cobertizo. Hoy no se ve más que orden y limpieza. No hay huella alguna de las que suele dejar tras de sí la multitud.

Los discípulos ocupan su tiempo en trabajos manuales. Unos

trabajan en preparar los anzuelos, otros en quitar tierra y en hacer caños para que el agua que cae del techo no se acumule en la era. Jesús está de pié en medio de un prado y echa migajas a los pajaritos. Se puede decir que a pesar de que el día es despejado, no se descubre ningún ser viviente.

Regresa Andrés de algún encargo y se dirige a Jesús: « La paz sea contigo, Maestro. »

« Y contigo, Andrés. Ven un poco aquí. Puedes estar cerca de los pajaritos. Eres como ellos. ¿Ves? Cuando saben que quien se les acerca los quiere, no tienen miedo... Mira qué confianzudos, seguros, contentos están. Antes estaban casi junto a mis pies. Ahora estás tú y están alertas. Pero mira... mira aquel pájaro que se acerca más audaz. Sabe que no hay ningún peligro. Detrás de él vienen los demás. ¿Ves cómo brincan? ¿No somos iguales nosotros, hijos del Padre? El nos llena con su amor. Y cuando estamos seguros de que nos ama y de que nos invita con su amistad.. ¿por qué temer de El y no de nosotros? Su amistad nos debe hacer audaces hasta con los hombres. Créeme: solo el malviviente puede tener miedo de sus semejantes. No el justo como tú. »

Andrés está colorado pero no habla. Jesús lo atrae a Sí, sonriendo: « Sería necesario poneros a tí y a Simón en un solo filtro, destilaros y luego volver a haceros. Seríais perfectos. Y sin embargo, ¿lo creeras si te digo que, aunque diversos en el principio, serás perfectamente igual a Pedro al final de tu misión? »

« Tú lo dices y cierto será. No me pregunto ni siquiera cómo puede suceder. Porque lo que dices es verdad. Me gustaría ser como Simón, mi hermano, porque es justo y te hace feliz. ¡Simón vale! Estoy muy contento de que valga. Valeroso, fuerte. Pero también los demás... »

« Y, tú, ¿no? »

« ¡Oh!... ¡Yo!... Solo tú puedes estar contento de mí... »

« Y de que soy el único que caigo en la cuenta de que trabajas sin hacer ruido y más profundamente que los demás. Porque entre los doce hay quien hace tanto ruido, cuando trabaja. Hay quien hace más ruido que trabajo... y hay quien no hace otra cosa que trabajar. Un trabajo humilde, activo, ignorado... los otros pueden creer que él no haga nada. Pero El que ve, sabe. Estas diferencias se deben, porque todavía no sois perfectos. Y siempre las habrá entre los futuros discípulos, entre los que vendrán después de vosotros, hasta el momento en que el ángel grite: " Ya no hay más tiempo ". Siempre habrá servidores de Mesías que tratarán tanto de trabajar, como de atraer sobre sí la mirada del mundo. Serán los *Maestros*. Habrá por desgracia, quienes harán solo ruido y cosas exteriores, solo exteriores: los falsos pastores con actitud de bufones... ¿Sacerdotes?... No, *pantomimas*. No otra cosa. No es el ademán el que hace al sacerdote, ni tampoco su vestido. No es su mundana cultura ni las relaciones sociales y poderosas lo que hacen al sacerdote. Es su alma. Un alma que es tan grande que anula su carne. Todo espíritu, el sacerdote mío... Así lo sueño. Así serán mis *santos* sacerdotes. El espíritu no tiene voz ni posturas de payaso. No lo soporta porque es espiritual y porque no puede ponerse máscaras. Es lo que es: espíritu, llama, luz, amor. Habla a los espíritus; habla con la castidad de las miradas, de los actos, de las palabras y de las obras.

El hombre mira y ve a un semejante suyo. Pero más allá y sobre la carne ¿ qué ve ? Una cosa que lo detiene en su caminar presuroso, lo hace meditar y concluir: " Este hombre semejante a mí, tiene solo el aspecto de hombre. El alma es de ángel " y si no es un creyente termina con: " Por él creo que existe un Dios y un cielo ". Y si es un lujurioso: " Este semejante a mí, tiene ojos del cielo; refreno mis sentidos para no profanarlos ". Y si es avaro: " Por el ejemplo de este no me apego a las riquezas. Dejo de ser avaro ". Y si es iracundo, un feroz ante el manso se cambia en el ser más plácido. Tanto puede hacer un sacerdote santo. Y créeme, siempre habrá sacerdotes santos que sabrán morir por amor de Dios y del prójimo, y lo harán con sencillez después de haber ejercitado la perfección durante toda su vida, de una manera igualmente sencilla, de modo de que el mundo ni siquiera se habrá percatado de ellos. Si el mundo no se convierte en un lupanar e idolatría, se deberá a estos: *Los héroes del silencio y de la fiel actividad.* Tendrán tu sonrisa: pura y tímida. Porque habrá siempre " Andreses " por gracia de Dios y fortuna del mundo. »

« No creía que iba a merecer esas palabras... no hice nada para provocarlas... »

« Me has ayudado a llevar un corazón a Dios. Y es el segundo que llevas a la Luz. »

« ¡ Oh ! ¿ Por qué habló ?... Me había prometido... »

« Nadie habló. Lo sé. Cuando los compañeros cansados descansan, hay tres que en " Aguas Claras " no duermen. El apóstol del silencio y del amor activo por los hermanos pecadores. La creatura a la que el alma empuja hacia la salvación; y el Salvador que ruega y vigila, que está alerta y espera... Mi esperanza: que un alma encuentre su salvación... Gracias, Andrés. Continúa y que seas bendito. »

« ¡Oh, Maestro! ... Pero no digas nada a los demás... He hablado a solas con una leprosa en una playa desierta, y he hablado con otra cuya cara no he visto. Pero es muy poco lo que hago. Si los otros lo saben. y sobre todo Simón, que querrá venir... no sé hacer otra cosa más... Ni siquiera Tú vengas... porque me avergüenzo de hablar ante Tí. »

« No iré. Jesús no irá. El Espíritu de Dios ha ido siempre contigo. Vamos a casa, nos llaman para la comida. »

Y así termina el diálogo entre Jesús y el discípulo suave.

Todavía están comiendo y ya han prendido las lámparas, porque la tarde baja rapidísima y el cierzo aconseja tener la puerta cerrada, cuando fuera alguien llama y se oye la alegre voz de Juan.

« ¡ Bienvenidos ! »

« ¡ Qué pronto ! »

« ¿ Qué os trae ? »

« ¡ Traéis tanto ! »

Todos hablan al mismo tiempo y ayudan a los tres a quitarse de las espaldas las pesadas alforjas.

« ¡ Despacio ! »

« Dejad que saludemos al Maestro. »

« ¡ Un momento ! »

Hay una confusión alegre, familiar, por el gozo de estar juntos.

« Os saludo amigos. Días serenos tuvisteis, gracias a Dios. »

« Sí, Maestro pero no noticias serenas. Lo preveía » dice Iscariote.

« ¿ Qué hay ? ¿ Qué hay ... ? » La curiosidad se ha despertado.

« Primero dejad que se hayan repuesto » dice Jesús.

« No, Maestro. Primero te damos lo que tenemos para Tí y para los demás. Y en primer lugar, Juan ... entrega una carta. »

« La tiene Simón. Tenía miedo de estropearla. »

Zelote, que ha estado luchando hasta ahora con Tomás que le quería servir agua para sus pies cansados, acude diciendo: « La tengo aquí en la bolsa de la cintura » y saca del bolso de su grueso cinturón de cuero rojo un pergamino que está todo aplanado.

« Es de tu Madre. Cuando nos encontramos cerca de Betania, encontramos a Jonatás que iba a la casa de Lázaro con la carta y otras muchas cosas. Jonatás iba a Jerusalén porque Cusa pone en orden su palacio... Tal vez Herodes se va a Tiberíades... y Cusa no quiere que su mujer esté cerca de Herodías » explica Iscariote, mientras Jesús desata los nudos del pergamino y lo desenrolla.

Los apóstoles cuchichean mientras Jesús con una sonrisa de felicidad lee las palabras de su Mamá.

« Escuchad » dice luego. « Hay también para los galileos algo. Mi Madre escribe:

" A Jesús mi dulce Hijo y Señor, paz y bendición. Jonatás, siervo de su Señor me ha traído obsequiosos presentes de parte de Juana, que pide que su Salvador la bendiga. También María de Alfeo y Salomé mandan a sus hijos besos y bendiciones. Y como Jonatás fué buenísimo sin medida, hay también saludos de la mujer de Pedro a su marido lejano, y también los familiares de Felipe y Natanael les envían saludos. Todas vuestras mujeres, ¡oh queridos varones lejanos! con la aguja y en el telar, con el trabajo en el huerto os envían vestidos para estos meses de invierno, y dulce miel, recordándonos que la toméis con agua muy caliente en las tardes húmedas. Cuidaos. Eso me dijeron las mamás y las esposas que os comunicase, lo que hago. También a mi Hijo. No nos hemos sacrificado en nada. Creedlo. Que os gusten los sencillos regalos que nosotras, discípulas de los discípulos del Mesías, damos a los siervos del Señor, y dadnos tan solo la alegría de saber que estáis sanos.

Ahora, amado Hijo mío, me acuerdo que ya va casi para un año que no estás conmigo. Y me parece que vuelven aquellos tiempos en que sabía que Tú ya estabas, porque sentía tu corazoncito palpitar en mi seno, pero también podía decir que todavía no estabas, porque me estabas esperando con una barrera que me impedía acariciar tu delicado cuerpo, y solo podía mi corazón adorarte, ¡oh querido Hijo mío y adorable Dios! También sé ahora que eres mío y que tu corazón palpita con el mío, que jamás se han separado, pero no te puedo acariciar, escuchar, servir, venerar, Mesías del Señor y de su pobre sierva.

Juana quería que fuese a su casa para que no estuviese yo sola en la fiesta de las Luces. Quise con todo quedarme aquí con María para prender las candelas. Por mí y por Tí. Aunque fuese la reina más grande de la tierra y pudiese prender miles y decenas de millares de candelas, estaría a oscuras porque no estás Tú aquí. Mientras que estaba en medio de una claridad perfecta en aquella oscura cueva, cuando te tuve en mi corazón, Luz mía y Luz del mundo. Será la primera vez que me diga: 'Mi niño cumple un año más' y no tengo a mi Niño. Y será más triste que tu primer cumpleaños en Matarea. Pero Tú cumples con tu misión y yo con la mía, y ambos hacemos la voluntad del Padre y trabajamos por la gloria de Dios. Esto enjuga mis lágrimas.

Querido Hijo, caigo en la cuenta de lo que haces, por lo que se me cuenta. Como las ondas de un mar abierto llevan las voces del inmenso oceáno a una solitaria y encerrada bahía, de igual modo el eco de tu santo trabajo por la gloria del Señor llega hasta nuestra quieta casita, a tu Mamá que se regocija y tiembla, porque si todos hablan de Tí, no todos lo hacen con igual corazón. Vienen amigos que han recibido algún beneficio de Tí para decirme: 'Sea bendito el Hijo de tu seno' y vienen tus enemigos a herir mi corazón diciéndome: '¡Que Dios lo maldiga!' Yo ruego por estos porque son más infelices que los paganos, que vienen a preguntarme: '¿En dónde está el mago... el adivino?'. Y no saben que dicen una verdad grande, en medio de su error, porque verdaderamente Tú eres *Sacerdote y grande,* como se colige de lo que antiguamente fué dicho, y eres divino, ¡oh Jesús mío! Yo te los mando diciendo: 'Está en Betania'. Porque sé que así debo de decir mientras Tú no ordenes de otro modo. Ruego por los que vienen a buscar salud, para lo que muere, a fin de que encuentren salud para el eterno espíritu.

Te ruego que no te aflijas por mi dolor. Se compensa con la alegría que le dan las palabras de los curados de alma y cuerpo. María tuvo y tiene un dolor todavía más fuerte que el mío; no solamente el mío cuenta. José de Alfeo quiere que sepas que, en un viaje reciente que hizo a Jerusalén por razón de negocios, fué detenido y amenazado por causa tuya. Eran unos hombres del Gran Consejo. Pieso que alguno de los grandes de aquí lo señaló. Porque ¿de otro modo quién habría podido reconocer a José como cabeza de familia y hermano tuyo? Te digo esto por obedecer a María. Por mí te digo que querría estar cerca de Tí, para darte consuelo. Pero obra Tú mejor, Sabiduría del Padre, sin tener en cuenta mi llanto. Simón, tu hermano, estaba a punto de ir contigo por esto. Pero la estación lo ha detenido y más el miedo de no encontrarte, porque se nos dijo, y como una amenaza, que Tú ya no puedes permanecer en donde estás.

¡Hijo! ¡Hijo mío! ¡Adorado y Santo Hijo mío! Estoy con los brazos levantados como Moisés los tuvo en el Monte[1] para rogar por Tí en la batalla contra los enemigos de Dios y tuyos, Jesús mío a quien el mundo no ama.

Aquí murió Lía de Isaac. He sufrido porque siempre fué buena amiga conmigo. Pero la pena mayor eres Tú, lejano y no amado. Te bendigo, Hijo mío, y así como te ofrezco paz y bendición, así te ruego que la des a tu Mamá ". »

« ¡ Hasta esa casa llegan esos desvergonzados ! » ruge Pedro.

Judas Tadeo exclama: « José ... podía haberse guardado la noticia en su pecho y ¡ gozó en darla ! »

« Gritos de hiena no infunden temor a los vivos » enjuicia Felipe.

« Lo malo es que no son hienas, sino tigres. Buscan una presa viva » dice Iscariote. Y volviéndose a Zelote: « Dí todo lo que hemos sabido. »

« Sí, Maestro. Judas tenía razón de temer. Fuimos a casa de José de Arimatea y de Lázaro que son abiertos amigos tuyos. Luego Judas y yo, como si hubiese sido un amigo de infancia, fuimos a casa de algunos amigos suyos de Sión ... y ... José y Lázaro te dicen que te vayas pronto durante estas fiestas. No insistas, Maestro. Es por tu bien. Luego los amigos de Judas dijeron: " Mira que ya está dicidido de ir a sorprenderlo para acusarlo, exactamente en estos días de fiesta en que no hay gente. Que se retire por algún tiempo. Para engañar a estas víboras. La muerte de Doras ha llenado de cólera su veneno y su miedo. Porque tienen miedo además de odio. Y el miedo les hace ver lo que no hay y el odio les hace decir hasta mentiras ". »

« ¡Todo, todo lo nuestro lo saben! ¡Es una cosa odiosa! ¡Y todo alteran! Todo exageran. Y cuando creen que no haya bastante razón para maldecir, inventan. Tengo náuseas y me siento desquebrajado. Me llegan ganas de desterrarme, de irme ... no sé ... lejos. Lejos de este Israel que es todo un pecado ... » Iscariote está deprimido.

« Judas, Judas ... una mujer para dar al mundo un hombre, trabaja por nueve lunas. Tú, para dar al mundo el conocimiento de Dios, ¿querrías hacerlo más pronto? No nueve lunas, sino millares de lunas serán necesarias. Así como la luna nace y muere cada mes, se nos muestra apenas, luego llena y finalmente como un adoquín, así sucederá siempre en el mundo, entre tanto que haya fases,

[1] Cfr. Ex. 17, 8-16.

crecientes, llenas y decrecientes de religión. Cuando pareciere muerta, otra vez estará viva, así como la luna que existe aun cuando parece que se haya extinguido. Quien hubiere trabajado en esta religión, tendrá mérito completo, aun cuando si tan solo una escasa minoría de almas fieles haya quedado sobre la tierra. ¡Ea! ¡Ea! No fáciles entusiasmos en los triunfos y no fáciles abatimientos en las derrotas. »

« Bueno ... pero vete de aquí. *Nosotros* no somos todavía fuertes. Pensamos que ante el Sanedrín tendríamos miedo. Yo a lo menos ... De los otros no sé ... creo que es una imprudencia el probarlo. No tenemos el corazón de los tres jóvenes de la corte de Nabucodonosor[2]. »

« Sí, Maestro. Es mejor. »

« Es prudente. »

« Judas tiene razón. »

« Ves que también tu madre y familiares ... »

« Y Lázaro y José ... »

« Hagámoslos venir en balde ... »

Jesús abre los brazos y dice: « Sea como queréis. Pero luego regresaremos aquí. Veis cuántos vienen. No fuerzo y no tiento vuestra alma. Sé que todavía no está preparada ... Pero veamos las labores de las mujeres. »

Mientras todos, con ojos alegres y voces de alegría extraen de las alforjas los paquetes con los vestidos, sandalias, y los alimentos que enviaron las mamás y las esposas, y tratan de interesar a Jesús a que admire tanto favor de Dios, El sigue triste y distraido. Lee y vuelve a leer la carta de su Madre. Se ha arrinconado con una lamparita en la esquina más retirada de la mesa, sobre la que hay vestidos y miel, vasitos de metal, quesos ... con una mano hace sombra a sus ojos y parece que medita, pero sufre.

« Mira, Maestro, que mi esposa, la pobrecita, qué hermoso vestido con capucho me hizo. Quién sabe cuánto habrá trabajado, porque no es experta como tu Mamá » dice Pedro contentísimo, cargando en los brazos sus tesoros.

« Hermosos, en realidad, hermosos. Es una mujer muy buena » dice cortés Jesús. Pero con los ojos lejanos de las cosas que le presentan.

« La mamá nos hizo vestidos con doble forro. ¡ Pobre mamá ! ¿ Te

[2] Cfr. Dan. 3, 1-97.

gustan, Jesús ? Es un hermoso color. ¿ No es así ? » dice Santiago de Zebedeo.

« Muy hermoso, Santiago. Te quedará bien. »

« Mira. Apuesto a que estas fajas las hizo tu Mamá. Es la que borda de este modo, y yo digo que María ha hecho este velo que es doble para proteger del sol. Es igual al tuyo. El vestido no. Ciertamente nuestra mamá lo tejió. ¡ Pobre mamá ! Después de que lloró tanto en el verano, ve menos y frecuentemente se le rompe el hilo. ¡ Querida mamá ! » Judas de Alfeo besa el pesado vestido de color café.

« ¿ No estás alegre, Maestro ? » por fin dice Bartolomé. « No miras siquiera las cosas que te enviaron. »

« No puede estarlo » objeta Simón Zelote.

« Pienso ... Pero ... rehaced los bultos. Poned todo en su lugar. No es la hora de que seamos capturados y no lo seremos. A media noche, al claror de la luna iremos a Doco, luego a Betania. »

« ¿ Por qué a Doco ? »

« Porque hay una mujer que está muriendo y me espera para que la cure. »

« ¿ No pasamos por la casa del administrador ? »

« No, Andrés, no iremos a la casa de nadie. De este modo nadie tiene por qué mentir diciendo que no sabe en dónde estamos. Si a vosotros os interesa no ser perseguidos, a Mí, el no dar molestias a Lázaro. »

« Pero Lázaro te está esperando. »

« Y vamos donde El. Mejor dicho ... Simón, ¿ me puedes hospedar en la casa de tu viejo siervo ? »

« Con gusto, Maestro. Ya sabes todo. Por lo tanto puedo decirte en nombre de Lázaro y mío y de quien está en la casa: Es tuya. »

« Vámonos pronto para estar en Betania antes del sábado. »

Y entre tanto que todos se desparraman con lámparas para hacer lo que es menester para la partida imprevista, Jesús queda solo.

Vuelve a entrar Andrés, se acerca a Jesús y le dice: « ¿ Y aquella mujer ? Me desagrada abandonar la hora que parecía que estaba próxima a venir ... es prudente ... ¿ la has visto ? ... »

« Ve a decirle que regresaremos dentro de algunos días y que entre tanto se acuerde de tus palabras ... »

« De las tuyas, Señor. Yo sólo dije las tuyas. »

« Ve. Hazlo pronto, y ten cuidado de que nadie te vea. En realidad, en este mundo de malos, deben tomar la apariencia de pérfidos quienes son inocentes... »

Y todo se me acaba aquí con esta gran verdad.

101. Curación de Yerusa, la cancerosa en Doco

(Escrito el 19 de marzo de 1945)

Veo a Jesús en los primeros albores de un triste amanecer invernal que entra en la pequeña ciudad de Doco y pregunta a un viajero: « ¿ Dónde vive Mariana, la anciana suegra de la mujer que está muriendo? »

« ¿ Mariana ? ¿ La viuda de Leví ? ¿ La suegra de Yerusa, mujer de Josías ? »

« Ella. »

« Mira, hombre. Al fin de esta calle hay una plaza y en la esquina una fuente, de allí parten tres calles. Toma la que tiene en el centro una palma y camina unos cien pasos. Encontrarás un foso. Síguelo hasta el puente de tablas. Lo pasas y verás una callecita cerrada. Cuando termine la calle, saliendo encontrarás un poco y ya has llegado. La casa de Mariana es de color amarillento porque ya es vieja. Y con los gastos que hacen, no pueden limpiarla. No te equivoques. Adiós. ¿ Vienes de lejos ? »

« No mucho. »

« ¿ Eres galileo ? »

« Sí. »

« ¿ Y estos ? ¿ Vienes a la Fiesta ? »

« Son amigos mios. Adiós, hombre. La paz sea contigo. » Jesús deja con la palabra en la boca a este hombre que no tiene prisa, y continúa su camino. Los apóstoles le siguen.

Llegan a la... placita: un montón de tierra lodosa en cuyo centro hay una encina que ha crecido como dueña y que tal vez en verano será de utilidad. Por ahora solo causa melancolía, tan tupida y cenicienta sobre las casas a las que arrebata luz y sol.

La casa de Mariana es la más miserable. Larga y baja, y... ¡ tan descuidada! El portón está lleno de remiendos hechos en donde la viejísima madera se ha roto. La ventana no tiene bastidor y presenta un agujero negro como la órbita de un ojo.

Jesús llama al portón. Sale una niña como de diez años, pálida, despeinada, con los ojos rojos. « ¿ Eres la nieta de Mariana ? Dile a la anciana que Jesús está aquí. »

La niña da un grito y huye llamando en alta voz. Acude la anciana, seguida de seis niños, además de la primera. El mayor parece ser gemelo de ella; los últimos, dos pequeñuelos descalzos y demacrados, se aferran al vestido de la anciana, pues apenas si pueden caminar suficientemente bien.

« ¡ Oh ! ¡ Has venido ! ¡ Hijos, venerad al Mesías ! Llegas oportunamente a mi pobre casa. La hija se me está muriendo . . . no lloréis, niños, que no oiga. ¡ Pobres creaturas ! Las niñas están agotadas con los desvelos, porque yo hago todo, pero no puedo velar más, me caigo de sueño por tierra. Ya hace meses que no sé lo que es cama. Ahora duermo sobre una silla, para estar cerca de ella y de las niñas. Son tan pequeñas y sufren. Los niños: estos, van a traer leña para tener fuego, y la venden también para comprar pan. ¡Pobrecitos míos que están tan extenuados! Pero lo que nos mata, no es la fatiga, es el verla morír . . . No lloréis. Tenemos a Jesús. »

« Sí. No lloréis. La mamá se curará, el papá regresará, no tendréis muchos gastos y no tendréis hambre. ¿Son éstos los dos últimos? »

« La pobre creatura por tres veces ha dado a luz gemelos . . . y está enferma del pecho. »

« ¡A unos mucho, y a otros nada! » rezonga Pedro entre dientes. Toma a un pequeñín y le da una manzana para hacerlo callar. Y mientras el otro le pide una y Pedro se la da, Jesús va con la anciana más allá del patio y sube por la escalera para entrar en una habitación en donde llora una mujer joven, que es un esqueleto.

« El Mesías, Yerusa. Ahora ya no sufrirás. ¿Ves que ha venido? Isaac jamás miente. Lo dijo. Creo pues, que así como vino, te puede sanar. »

« Sí, buena madre. Sí, Señor mío. Pero si no me puedes curar, haz al menos que me muera. Tengo esos que todo el día están sobre los pechos. Las bocas de mis hijos a los que amamanté con dulce leche, han hecho de mí, fuego y amargura. Sufro mucho. ¡ Señor! ¡Cuesto mucho! Mi marido está lejos en busca de pan. Mi madre se va acabando. Yo que me muero . . . ¿A quién quedarán los hijos cuando haya muerto de la enfermedad, y ella de cansancio y ellos tan flacos? »

« Dios cuida de los pájaros y también de los niños. No morirás.

¿Te duele aquí mucho? » Jesús hace como si fuera a poner su mano sobre el seno cubierto de bendas.

« ¡No me toques! ¡No me aumentes el dolor! » grita la enferma.

Jesús pone delicadamente su larga mano sobre los pechos enfermos. « Realmente tienes dentro el fuego, pobre Yerusa. El amor maternal se te convirtió en fuego. Pero no detestas a tu esposo ni a tus hijos ¿verdad?... »

« ¡Oh! ¿Por qué debería de hacerlo? El es bueno y siempre me ha amado. Nos amamos con un amor bueno... y el amor floreció en niños... ¡Ellos!... Me angustia el dejarlos, pero... ¡Señor! ¡El fuego cesa! ¡Madre! ¡Madre! Es como si un ángel soplase aire del cielo sobre mi tormento. ¡Oh! ¡Qué consuelo! No quites... no quites tu mano, Señor mío. Antes bien, oprime. ¡Oh! ¡Qué fuerza! ¡Qué alegría! ¡Mis hijos! ¡Aquí, mis hijos! Los quiero. Dino... Osías, Anna, Seba, Melquías, David, Judá. ¡Aquí! ¡aquí! No muere más la mamá. ¡Oh...! » La joven madre se revuelve sobre las almohadas llorando de alegría mientras acuden sus hijos y la anciana de rodillas, no encontrando otra cosa, en su gozo, entona el cántico de Azarías en el horno ardiente [1] lo recita todo con su voz temblorosa de anciana y de emoción.

« ¡Ah! ¡Señor! ¡Qué puedo hacer! ¡No tengo nada para honrarte! » dice al terminar.

Jesús la levanta y le dice: « Déjame sólo descansar, porque estoy fatigado. *Y no digas nada.* El mundo no me ama. Debo irme por un poco de tiempo. Te pido fidelidad a Dios y silencio. A tí, a ella y a los niños. »

« ¡Oh! ¡No temas! Nadie viene a la casa del pobre. Puedes estar aquí sin temor de ser visto. Los fariseos... ¿eh?... Pero... ¿y para comer? No tengo más que un poco de pan... »

Jesús llama a Iscariote: « Toma dinero y ve a comprar lo que sea necesario. Comeremos y descansaremos hasta la tarde en casa de estas buenas personas. Ve y guarda silencio. » Luego se dirige a la curada: « Quítate las bendas, lévantate y ayuda a tu madre y alégrate. Dios te ha concedido este favor por tus virtudes de esposa. Juntos partiremos el pan, porque hoy el Señor Altísimo está en tu casa y conviene celebrarlo con una buena fiesta. » Jesús sale y alcanza a Judas que está por salir. « No te midas en comprar, *compra mucho* para que tengan por varios días. Nada nos faltará

[1] Cfr. Dan. 3, 51-90.

en la casa de Lázaro. »

« Sí. Maestro y si me permites ... tengo dinero mío ... he hecho voto de ofrecerlo porque te veas salvo de tus enemigos. Lo cambio en pan. Es mejor emplearlo con estos hermanos en Dios que en las gargantas del Templo. ¿ Me permites ? El oro ha sido siempre mi serpiente. No quiero que me siga fascinando más, pues me encuentro muy bien, ahora que soy bueno. Me siento libre y soy feliz. »

« Haz como quieras, Judas, y el Señor te dé la paz. »

Jesús se reúne con los discípulos mientras Judas sale y todo termina.

102. En Betania en casa de Simón Zelote

(Escrito el 21 de marzo de 1945)

Cuando Jesús, superada la última cuesta, llega a la llanura, ve a Betania bañada en un sol de diciembre, que hace que despojada la campiña se vea menos triste y menos negras las manchas verdosas de los cipreses y encinos. Los algarrobos que aparecen acá y allá, semejan cortesanos prontos a inclinarse ante una altísima palma, verdaderamente real y que solitaria se yergue en los más hermosos jardines.

En Betania no solo existe la bella casa de Lázaro, sino también las de otros ricos, tal vez ciudadanos de Jerusalén que prefieren venir acá, cerca de sus propiedades; y cuyas hermosas quintas anchas y fuertes, con jardines bien cultivados sobresalen entre las humildes casitas de los aldeanos. Causa extrañeza encontrar en una colina palmas de delgado tronco y de hojas secas y ruidosas detrás de cuyo verde jade se espera encontrar instintivamente el amarillo confín del desierto. Acá por el contrario hay fondo de verdes, plateados olivos, campos arados, donde no se encuentra señal alguna de semilla y huertos que muestran tan sólo negros troncos de ramas entrelazadas como si fuesen almas condenadas del infierno que se retuercen dentro del tormento.

Un siervo de Lázaro que está de centinela, descubre a los que van llegando. Saluda profundamente y pide permiso de llevar la noticia de su llegada a su amo, y obtenida, rápido se va.

Entre tanto campesinos y burgueses acuden a saludar al Rabbì, y de un cercado de laureles, que rodean con su gallardo color verde una bonita casa en la que se deja ver una joven que a las claras no es israelita. Su vestido consiste, si bien recuerdo los nombres, de una estola larga ancha, que arrastra hasta el suelo y está hecha de lana blanquisima adornada con recamadas grecas de vivos colores en que brillan hilos de oro. Una cinta liga la estola al cinturón de igual color que los adorna. Su peinado una redecilla de oro que sostiene un complicadísimo peinado con rizos por delante y lisa, que termina en un grueso nudo sobre la nuca. Estome hace pensar que sea griega o romana. Curiosamente mira, porque a ello la incitan los gritos vibrantes de mujeres y hosanas de los hombres. Una sonrisa de desprecio aparece en su cara al ver que van dirigidos a un pobre hombre que no tiene ni siquiera un borriquillo en que cabalgue, y que camina entre un grupo de gente que es todavía menos atractiva que él. Levanta los hombros con gesto de hastío y se aleja, a la manera de los perros, seguida de un grupo de aves multicolores, entre las que hay blanquísimos ibis y gansos, además de dos grullas que llevan una coronita que se va moviendo sobre su cabeza que parece de oro, lo único blanco que se encuentra en su espléndido plumaje de rojo dorado.

Por un instante la mira Jesús, luego torna a escuchar a un ancianillo que... no quiere sufrir la debilidad de sus piernas. Jesús lo acaricia y lo exhorta a tener paciencia, porque dentro de poco llegará la primavera y con el bello sol de abril se sentirá más fuerte.

Maximino llega, que por pocos metros se ha adelantado a Lázaro. « Maestro... me dijo Simón... que vas a su casa... es un dolor para Lázaro... pero se comprende... »

« Luego hablaremos de ello. ¡Oh! ¡Amigo mío! » Jesús ligero va a Lázaro que parece estar embarazado. Lo besa en las mejillas. Han llegado entre tanto a un caminito que lleva a una casita situada entre huertos que no son de Lázaro.

« De veras quieres ir a la casa de Simón ? »

« Sí, amigo mío. Traigo conmigo a todos mis discípulos y prefiero que sea así... »

A Lázaro le desagrada su determinación pero no objeta. Se dirige a la pequeña multitud que le sigue y dice: « Idos, el Maestro tiene necesidad de descanso. »

Aquí me convenzo de la autoridad que tiene Lázaro. Todos se

inclinan al oir sus palabras, se retiran, mientras Jesús les manda un dulce saludo: « La paz sea con vosotros. Os avisaré cuando predique. »

« Maestro » dice Lázaro a Jesús que se ha adelantado un poco a los discípulos que vienen hablando con Maximino: « Maestro,. Marta está hecha un mar de lágrimas. Por esto no vino, pero luego vendrá. Yo no lloro sino en mi corazón. Pero digamos: es justo. Si hubiésemos pensado que ella vendría... pero jamás viene a las fiestas... Sí... jamás viene... Me imagino que el demonio la ha traído exactamente aquí. »

« ¿El demonio? ¿Por qué no pudo ser su ángel por órdenes de Dios? Pero créeme, que aunque ella no hubiese estado aquí de todas maneras hubiera ido a la casa de Simón. »

« ¿Por qué, Señor mío? ¿No te ha brindado tranquilidad mi casa? »

« Tánta, que después de Nazaret es mi lugar preferido. Pero respóndeme: ¿por qué me dijiste: " Sal de Aguas Claras "? Por las asechanzas que se acercan. ¿No es así? Por eso entro a tierras de Lázaro pero no quiero que Lázaro sea insultado en su casa. ¿Crees que te respetarían? Con tal de pisotearme pasarían sobre el Arca Santa... déjame por lo menos ahora. Luego vendré. Por otra parte nadie me prohibe que venga a comer a tu casa y que tú vengas a donde Yo estoy. Procura que se diga: " Está en casa de un discípulo suyo ". »

« ¿ Y no lo soy yo ? »

« Tú eres el amigo más querido para el corazón que un discípulo. La malicia no entiende eso. Déjame que haga lo que Yo quiero. Lázaro, esta casa es tuya... pero no lo es sino como la hermosa y rica casa del hijo de Teófilo. Y para los pedantes eso significa mucho. »

« Tú hablas así... pero ¿por qué?... es a causa de ella ¿no es así? Estaba tratando de persuadirme de que la perdonaría... pero si te aleja ¡vive Dios! ¡Que la odiaré!... »

« Y me perderás para siempre. Pronto desecha ese pensamiento, y al punto, o al punto me perderás. Mira que llega Marta. La paz sea contigo, mi buena hospitalaria. »

« ¡Oh, Señor! » Marta arrodillada llora. Se ha bajado el velo que cubre el peinado en forma de corona para que los demás no vean su llanto. Pero a Jesús no piensa ocultarlo.

« ¿Por qué ese llanto? En realidad que malgastas esas lágrimas.

Hay tántas razones para llorar y hacer de las lágrimas un objeto precioso. ¡Pero llorar por este motivo! ¡Oh, Marta! Parece que te olvidas quién soy Yo. De hombre no tengo más que el vestido [1]. Mi corazón es divino, y por tal palpita. ¡Ea! Levántate y ven a casa... en cuanto a ella, dejadla en paz. Aunque viniera a burlarse de Mí, dejadla en paz, os lo digo. No es ella sino el que la tiene y que la hace instrumento de turbación. Pero aquí hay Uno que es más fuerte que su amo. Ahora la lucha pasa de él a Mí directamente. Rogad, perdonad, tened paciencia y creed. Ninguna otra cosa.»

Entran en la casita, que es un cuadrado pequeño rodeado de un pórtico que le sirve de prolongación. Dentro hay cuatro habitaciones que divididas por un corredor forman una cruz. La escalera, que como de costumbre es externa conduce a la parte alta del portalillo y se convierte en una terraza que lleva a una amplia habitación tan larga como lo es la casa. Esta habitación probablemente se le empleó para provisiones, ahora está escombrada, barrida y del todo vacía.

Simón que está al lado del viejo siervo que oigo se llama José, al ofrecer su casa dice: «Aquí se podría hablar a la gente, o también comer... como Tú quieras.»

«Vamos a pensarlo. Y ahora ve a decir a los demás que después de la comida, también puede venir gente. No haré que se desilusionen los buenos de este lugar.»

«¿A dónde digo que vayan?»

«Que vengan aquí. El día es tibio. El lugar está protegido de los vientos. Al huerto, que como no tiene fruta, la gente no le puede hacer ningún daño. Hablaré aquí desde la terraza. Ve a decirlo.»

Se quedan solos Lázaro y Jesús. Marta, la "buena hospitalaria" como tiene que cuidar de tanta gente regresó a trabajar con los siervos y los mismo apóstoles abajo, para preparar las mesas y lugar en donde descansen.

Jesús pone su brazos sobre la espalda de Lázaro, sale con él de la espaciosa habitación y lo lleva a pasear a la terraza que circunda la casa, bajo el bello sol que entibia el día; y desde arriba mira a los siervos que trabajan y a los discípulos, y envía una sonrisa a

[1] Cfr. Filip. 2, 7. "...De hombre... no tengo sino el vestido" significa, pues: Del hombre puro y simple no tengo sino la apariencia externa, de hecho como a continuación se indica, Jesús tenía un corazón (porque era verdadero hombre) corazón divino y no solamente humano, porque era el corazón del Hombre-Dios.

Marta que va y viene pero sin la cara de congoja que antes tenía. Mira también el hermoso panorama que rodea el lugar. Cita a Lázaro diversos lugares y diversas personas y luego ex-abrupto le pregunta: « ¿Luego la muerte de Doras fué como una vara echada en el nido de víboras ? »

« ¡Oh, Maestro! Me dijo Nicodemo que fué una de las sesiones más violentas a que haya asistido en el Sanedrín. »

« ¿ Qué cosa hice para que el Sanedrín se inquietase? Doras murió por sí mismo, a la vista de todo el pueblo, muerto de ira[2]. No permití que se faltase al respeto a su cadáver. Luego ... »

« Tienes razón. Pero ellos ... están locos de miedo. Y ... sabes que han dicho que es menester cogerte en pecado para poder matarte. »

« ¡Oh! Si es así, ¡ni te preocupes! ¡Tendrán que esperar hasta la hora de Dios! »

« ¡Pero, Jesús! ¿Sabes de quién se habla? ¿Sabes de qué son capaces los fariseos y escribas? ¿Sabes qué alma tiene Annás? ¿Sabes quién es su segundo? Sabes ... ¡pero qué estoy diciendo! ¡Tú sabes! Y por esto es inútil que te diga que inventarán el pecado para poder acusarte. »

« Ya lo encontraron. He hecho más de lo que necesitan. He hablado a los romanos, he hablado a los pecadores ... Sí. A las *pecadoras*, Lázaro. Una ... no mires con esa cara de espanto ... una siempre fue a oirme y se hospeda en uno de los establos de tu administrador, porque se lo pedí. La razón es para que estuviera cerca de Mí. Había tomado por habitación una pocilga ... »

Lázaro estupefacto parece una estatua. Ni se mueve. Mira a Jesús como quien ve algo sumamente raro. Jesús sonriente lo sacude. « ¿ Has visto a Mamón ? » pregunta.

« No ... He visto a la Misericordia. Pero ... lo entiendo. Esos, los del Consejo, no. Dicen que es pecado. ¡Luego es verdad! Creía ... ¡ Oh ! ¿ qué has hecho ? »

« Mi deber, mi derecho y mi deseo: buscar y redimir a un alma caída. Por esto podrás ver que tu hermana no será el primer fango al que me acerque y sobre el que me incline y no será la última. Quiero sembrar en el fango flores y quiero que nazcan flores del bien ... »

« ¡ Oh ! ¡ Dios, Dios mío! ... ¡ Oh Maestro mío ! Tienes razón. Es

[2] Cfr. pág. 672 not. 3 y pág. 789 not. 10.

tu derecho, es tu deber y es tu deseo. Pero las hienas no comprenden esto. Son carroñas tan fétidas que no huelen, no pueden oler el perfume de los lirios. Y aun en donde florecen, ellos, las potentes carroñas, perciben olor de pecado; no comprenden que procede de su cloaca ... Te ruego, que no estés en un lugar por mucho tiempo. Ve de acá para allá sin darles tiempo a que te alcancen. Se como un fuego nocturno que danza sobre los pistilos de las flores, veloz, inconquistable, desconcertante en su movimiento. Hazlo. No por cobardía, sino por amor del mundo que tiene necesidad de que vivas para que sea santificado. La corrupción aumenta. Contrapónle la santificación ... ¡ La corrupción ! ¿ Has visto la nueva habitante de Betania? Es una romana casada con un judío. También él es observante, pero ella es idólatra, y como no puede vivir conforme quiere en Jerusalén, porque han resultado disputas con los vecinos por los animales que tiene, se ha venido aquí. Su casa está llena de animales que son inmundos para nosotros ... y ella es mucho más inmunda porque vive burlándose de nosotros y con modales que... no puedo criticarle porque... Quiero decir que mientras en mi casa no ponen pie porque está María cuyo pecado pesa sobre toda la familia, en la casa de ella sí lo ponen. Goza del favor de Poncio Pilato y vive sin el marido, que está en Jerusalén y ella aquí. De este modo se hacen ilusiones, él y ellos, de que no se profanan en venir y no caen en la cuenta de haberse profanado. ¡Hipocresía! ¡Se vive de hipocresía hasta el cuello! y en breve nos ahogará. El sábado es el día del festín ... y hay también miembros del Consejo. Un hijo de Annás es el más asiduo. »

« La ví. Déjala en paz. Y déjala que haga lo que quiera. Cuando un médico prepara una medicina mezcla las sustancias y parece como si el agua se perdiese, porque las revuelve y el agua se hace turbia. Luego todo se asienta, el agua sc hace clara aunque esté llena de jugos de las sustancias medicinales. Así ahora. Todo se está mezclando y Yo trabajo con todos. Todo se asentará y las cosas no necesarias serán arrojadas y las buenas quedarán activas en el gran mar del pueblo mío. Bajemos. Nos están llamando » ...

... y la visión continúa cuando Jesús vuelve a subir a la terraza para hablar a la gente de Betania y de los lugares circunvecinos, que ha acudido a escucharle.

« La paz sea con vosotros. Aun cuando Yo guardase silencio, los vientos de Dios llevarían hasta vosotros la palabra de mi amor y las del rencor de los otros. Sé que estáis intranquilos porque no desconocéis el motivo por el cual estoy entre vosotros. Pero no hagais otra cosa que alegraros y bendecir conmigo al Señor que emplea el mal para dar alegría a sus hijos, al traer otra vez bajo el aguijón del mal a su Cordero entre los corderos para salvarlo de los lobos.

Ved cuán bueno es el Señor. Al lugar en donde estaba, llegaron como las aguas del mar, un río y un riacuelo. Un río de amorosa dulzura, un riachuelo de amargura punzante. El primero era vuestro amor, desde el de Lázaro y Marta hasta el del último del poblado: el riachuelo era el injusto hastío de quien, no pudiendo venir al Bien que lo invita, acusa al bien de ser delito. Decía el río: " Vuelve, vuelve entre nosotros, para que nuestras ondas te rodeen, te aparten, te defiendan, te den todo lo que el mundo te niega ". El riachuelo malvado lanzaba amenazas y quería matar con su tóxico. Pero ... ¿qué es un riachuelo respecto a un río ... y qué cosa respecto al mar? ... ¡ Nada !. Y el tóxico del río ha desaparecido porque el río de vuestro amor lo ha superado, y en el mar de mi amor no se ha sumergido más, que la dulzura de vuestro amor. En otras palabras: Ha hecho bien. Me ha traído nuevamente entre vosotros. Bendigamos al Señor Altísimo. »

La voz fuerte de Jesús, se extiende por el aire tranquilo y silencioso. Jesús, a quien el sol ilumina, acciona y sonríe sosegado desde lo alto de la terraza. Abajo la gente feliz lo escucha y cual flores, sus rostros sonríen a la armonía de su voz. Lázaro está cerca de Jesús, lo mismo Simón y Juan. Los demás se han mezclado entre la multitud. Sube también Marta y se sienta por tierra a los pies de Jesús, y desde allí puede ver su casa que está más allá del huerto.

« El mundo es de los malos. El Paraíso de los buenos. Esta es la verdad y la promesa. Y sobre esta se apoya vuestra fuerza que no titubea. El mundo pasa, el Paraíso, no. Quien es bueno y lo conquista, en la eternidad gozará de él. Si es así, ¿por qué perturbarse de lo que hacen los malos? ¿Recordais los lamentos de Job? [3] Son los eternos lamentos de quien es bueno y oprimido; por qué la carne gime, cosa que no debería hacer, y cuánto más pisoteada, tánto más debería levantar las alas del alma en el júbilo del Señor.

¿Pensáis que sean felices quienes así lo parecen porque con su modo lícito y mucho más con el ilícito sus graneros están repletos,

[3] Cfr. Job. 3; 6-7; 9-10; 12-14; 16-17; 19; 21; 23-24; 30.

sus barriles llenos, y de sus odres se desparrama el aceite? ¡No!. Saborean la sangre y lágrimas del prójimo en cada comida que hacen, y su lecho les parece estar tapizado de espinas. Tan grandes son los gritos de su remordimiento. Saquean a los pobres, despojan a los huérfanos, roban al prójimo para hacer amasijo, oprimen a quien puede menos que ellos en poder y en perversidad. No importa. No los molestéis. Su reino es de este mundo. Y cuando mueren ¿qué les queda? ¡Nada! A no ser que se quiera dar el nombre de tesoro al cúmulo de culpas que consigo llevan y con el que se presentan ante Dios. Dejadlos. Son los hijos de las tinieblas, los rebeldes a la luz y no pueden seguir los senderos luminosos que ella les brinda. Cuando Dios hace brillar la Estrella matutina, la llaman sombra de muerte y consideran como si estuviese contaminada y prefieren caminar al relumbrón sucio de su oro y de su odio, que flamea solo porque las cosas del infierno brillan con el fósforo de los eternos lagos de perdición...»

«Mi hermana, Jesús... ¡oh!» Lázaro descubre a María que se escurre detrás de una valla del huerto de Lázaro para acercarse lo más posible. Camina agachada. Su rubia cabellera resplandece como oro contra el rojo oscuro.

Marta trata de levantarse, pero Jesús le pone la mano sobre la cabeza y *debe* quedarse en donde está. Todavía más fuerte levanta Jesús su voz.

«¿Qué decir de estos infelices? Les ha dado Dios tiempo de hacer penitencia y ellos lo emplean en pecar. Dios no los pierde de vista, aun cuando así pareciese. Llega el momento en que el amor de Dios resquebraja su duro corazón como un rayo que penetra en el peñasco, o porque la cantidad de sus delitos llega hasta su garganta y a sus narices la ola de su fango. Ellos lo perciben. ¡Oh! que finalmente perciben la náusea de aquel sabor y de aquel hedor que repugna a los demás y que llena su corazón. Viene el momento en que tienen asco y brota un movimiento de deseo por el bien. Entonces el alma grita: "¿Quién me concediera volver como antes, cuando estaba yo en amistad con Dios? ¿Cuando su luz resplandecía en mi corazón y caminaba yo bajo sus rayos? ¿Cuando ante mi recto proceder, admirado callaba el mundo y quien me veía, feliz me llamaba? El mundo bebía mi sonrisa y mis palabras eran aceptadas cual de ángel y de orgullo el corazón de mis familiares se sentía repleto... Y ahora... ¿Qué soy? Burla de los jóvenes, horror de los ancianos, tema de sus cantares y el esputo de su desprecio baña mi cara " [4].

En realidad que así habla en algunas horas el alma de los pecadores, de los verdaderos Jobes, porque no hay miseria mayor para alguien que el haber perdido la amistad con Dios y su reino. Inspiran tan solo piedad. Piedad tan sólo. Son pobres almas que por holgazanería o ligereza han perdido al eterno Esposo. " De noche en mi cama, busqué el amor del alma mía y no lo encontré " [5]. De hecho en las tinieblas no se puede reconocer al esposo, y el alma aguijoneada del amor, sin saber qué hacer porque está rodeada de la noche espiritual, busca y trata de encontrar un alivio a su tormento. Cree poder encontrarlo en cualquier amor. ¡ No ! *Uno sólo es el amor del alma*: *Dios*. Estas almas aguijoneadas por el amor de Dios, andan en busca de amor. Bastaría con que quisiesen dentro de sí la luz, y tendrían por consorte suyo al Amor. Caminan como enfermas. Buscan a tientas un amor y encuentran toda clase de amores, todo lo asqueroso que el hombre así ha bautizado, pero no encuentran al Amor; porque el amor es Dios y no el oro, ni los placeres, ni el poder.

¡Pobres, pobres almas! Si hubiesen sido menos haraganas y hubiesen salido a las primeras invitaciones del Esposo eterno, de Dios que dice: " Abreme " no hubieran llegado a abrir la puerta, con el ímpetu del amor despertado, cuando el Esposo se había ya alejado envuelto en desilusiones ... No hubieran profanado aquel ímpetu santo por una necesidad de amor, en un lodazal que causa repugnancia al animal inmundo por su hediondez, no hubieran sembrado cardos, que no fueron flores sino aguijones que punzan y que no sirven de corona. No hubieran conocido las befas de las guardias de ronda, de todo el mundo que, como Dios pero con motivos opuestos no pierde de vista al pecador y lo asecha para burlarse y criticarlo.

¡Pobres almas a quienes el mundo ha apaleado, desnudado, herido! Tan sólo Dios no acude a esa lapidación que nace de un desprecio sin piedad. Pero hace que caigan sus lágrimas para curar las heridas y volver a vestir con vestidura diamantina a su creatura. *Siempre su creatura* ... Sólo Dios ... Y los hijos de Dios con el Padre. Bendigamos al Señor. Quiso El que regresase por los peca-

[4] Cfr. Job. 29, 1 - 30, 10.
[5] Cfr. Cantar. 3, 1.

dores para deciros: " Perdonad, perdonad siempre. Convertid cualquier mal en bien. Haced que una ofensa se convierta en gracia " No os digo que sólo " hagais ". Os digo: Imitad mi modo de obrar. Amo y bendigo a mis enemigos porque por ellos pude regresar entre vosotros, amigos míos.

La paz sea con todos vosotros. »

La gente agita sus velos y ramas en dirección de Jesús, y luego se aleja poco a poco.

« ¿ Habrán visto a aquella impúdica ? »

« No Lázaro. Estaba detrás de la valla y bien escondida. Podíamos verla, porque estábamos en lo alto. Los otros no. »

« Había prometido que... »

« ¿Por qué no podía venir? ¿No es también ella una hija de Abraham? Quiero que vosotros, hermanos, discípulos, me juréis que no haréis ninguna alusión a ella. Dejadla en paz. ¿Que se reirá de Mí? Dejadla que se ría. ¿Que llorará? Dejadla que llore ¿Que querrá quedarse? Que se quede. ¿Tendrá ganas de huir? Que escape. El secreto del Redentor y de los redentores es: tener paciencia, bondad, constancia y oración. Algunas veces cualquier tocamiento a los enfermos es insufrible... Adiós, amigos. Me quedo a orar. Cada uno vaya a su empeño. Y que Dios os acompañe. »

Todo termina.

103. La Encenia en casa de Lázaro. Los pastores están presentes

(Escrito el 22 de marzo de 1945)

La casa de Lázaro que siempre es grandiosa, esta noche es grandiosísima. Parece como si estuviese incendiándose, debido a la cantidad de lámparas que arden. La luz se desparrama por fuera en estos primeros momentos en que comienza la noche. Pasa de las salas al atrio y del atrio al pórtico. De ahí se alarga para revestir con oro los guijos del camino, las hierbas y las matas de los viveros, lucha, vence en los primeros metros, con la claridad de la luna y con su amarillo resplandor. Más adelante es algo angelical por el vestido de plata pura que la luna arroja sobre las cosas.

También el silencio que envuelve al magnífico jardín en donde el cantar del surtidor que está en el estanque se oye y parece que contribuye a aumentar la paz tranquilísima de esta noche de luna, mientras que cerca de la casa voces alegres, junto con el ruido de muebles que se mueven y vajillas que se ponen sobre las mesas, recuerdan que el hombre es hombre y no es todavía espíritu.

Marta, ágil en su amplio, espléndido y púdico vestido de color violeta rojo, parece una flor, una hermosa campánula o una mariposa que vuela contra las paredes purpurinas del atrio o sobre las de la sala del banquete, que tienen pequeños dibujos que dan la impresión que fuese una alfombra.

Jesús por su parte, pasea solo y absorto cerca del estanque. Parece como si desapareciera bajo la sombra oscura que proyecta un alto laurel, que en realidad es gigante, o bajo la fosfórica luz de la luna que se hace cada vez más fuerte, y lo es tanto que el surtidor del estanque parece un manojo de plumas de plata que se desmenuza en astillas de brillantes que caen para perderse sobre la loza tranquila, plateada del estanque. Jesús mira y escucha las palabras del agua en la noche. Adquieren tal tono musical, que un ruiseñor que está en el espeso laurel, responde al arpegio lento de las gotas con un agudo de flauta, y luego se calla, como para tomar nota y ponerse de acuerdo con la del agua, luego empieza, su perfecto, variado, placentero himno de alegría el rey de los trinos.

Jesús ni siquiera se atreve a caminar para no turbar con el ruido de sus pasos la tranquila alegría del ruiseñor y creo que también suya, porque se ve dibujar una sonrisa en sus labios, teniendo la cabeza inclinada, sonrisa verdaderamente de paz. Cuando el ruiseñor, después de una nota clarísima que sostuvo y que poco a poco fué haciendo subir — no sé cómo pueda lograrlo una avecilla tan pequeña — y termina de cantar, exclama Jesús: « ¡Te bendigo, Padre Santo, por esta perfección y esta alegría que me has dado! » y continúa su lento pasear lleno de quién sabe que profundas meditaciones.

Se le junta Simón: « Maestro, Lázaro te ruega que vengas. Todo está preparado. »

« Vamos. Y así desaparezca la última duda que puedan tener de que no los ame por causa de María. »

« ¡Qué llanto, Maestro! Solo un milagro secreto tuyo ha podido curar ese dolor. ¿No sabes que Lázaro estuvo a punto de huir después que ella regresó, salió de la casa diciendo que dejaba los sepulcros por la alegría... y otras insolencias? Yo y Marta lo conjuramos que no lo hiciera, además porque nunca se sabe cómo puede reaccionar un corazón. Si la hubiese encontrado, le habría dado una buena tunda por todas. Al menos hubiera hecho que guardase silencio respecto de Tí. »

« Y el inmediato milagro mío en ella. Lo habría podido hacer. Pero no quiero una resurrección forzada en los corazones. Doblegaré a la muerte y me devolverá sus presas, porque soy el Señor de la muerte y de la vida. Pero los espíritus no son materia la cual depende tan sólo del aliento sino de esencias inmortales capaces de resucitar por voluntad propia, a ellos no los fuerzo a resucitar. Hago la primera invitación y doy la primera ayuda. Hago como quien abriese un féretro donde hay uno que fue encerrado vivo y que debe morir si sigue en esas tinieblas asfixiantes. Dejo que entre aire y luz... luego espero. Si el espíritu tiene deseos de salir, saldrá. Si no quiere, busca más las tinieblas y se hunde más [1]. ¡Pero si sale!... ¡Oh! si sale, te digo en verdad que nadie será más grande que el espíritu resucitado. Tan sólo la inocencia absoluta es mayor que este muerto que vuelve a vivir porque ha amado y por la alegría que siente de Dios... ¡Mis grandes triunfos!

Simón, mira el cielo. ¿Ves en él estrellas, estrellitas y planetas de diferentes tamaños? Todos tienen existencia y esplendor porque Dios los creó y porque el sol los ilumina, pero no todos son iguales en su resplandor y tamaño. También en mi cielo sucederá así. Todos los redimidos tendrán vida en Mí y resplandor por mi luz, pero no todos serán iguales en el resplandor y en la grandeza. Algunos serán cual polvo sencillo de astros, como ese que forma la Vía Láctea, y lo serán muchísimos. los cuales tan sólo tuvieron del Mesías, mejor dicho, que tan solo aspiraron a lo mínimamente indispensable para no ser condenados, y solo por la infinita misericordia de Dios, después de un largo Purgatorio llegarán al Cielo. Otros serán más resplandecientes y bellos: los justos que habrán unido su voluntad — fíjate bien — voluntad, no digo buena voluntad, al querer del Mesías y habrán obedecido a mis palabras para no condenarse. Habrá también planetas, las buenas voluntades, y... ¡Que brillantísimas! Los enamorados hasta la muerte por el

[1] Este discurso (" y el inmediato milagro ... invitación, asegurar ... ") exige una lectura atenta y meditada, porque sintetiza lo que se encuentra disperso en muchos lugares de la obra acerca de la acción de Dios en el hombre y la voluntad, la buena voluntad, el amor del hombre en sus relaciones con Dios.

amor, los penitentes por amor, los que trabajaron por amor, los inmaculados por amor, brillarán con un resplandor diamantino inigualable o cual piedras preciosas de diversos colores: lucirán rojos como el rubí, de color violeta como la amatista, rubios como el topacio, blancos como las perlas.

Y habrá algunos de estos planetas — serán mis glorias de Redentor — que contendrán en sí el resplandor del rubí, de la amatista, del topacio y de la perla, porque serán *todo* por amor. Fueron héroes porque se perdonaron a sí mismos de no haber sabido antes amar. Fueron penitentes porque abrazaron completamente la expiación a manera como Ester que antes de presentarse a Asuero se saturó de perfumes [2]. Fueron incansables para hacer en el poco tiempo que les restaba, lo que no hicieron en los años que perdieron pecando. Fueron puros hasta el heroísmo de olvidar, no solo en su cuerpo mismo, sino también en su corazán y pensamiento, que existe un instinto. Serán aquellos que llamarán la atención, por su diverso brillo, de los que creen, de los puros, de los que hacen penitencia, de los mártires, de los héroes, de los ascetas, de los pecadores, y para cada una de estas categorías su resplandor tendrá una palabra, una respuesta, una invitación y una seguridad...

Pero vámonos. Nosotros hablando y allá nos esperan. »

« Sucede que cuando hablas se olvida uno de que vive. ¿Puedo decir todo esto a Lázaro? Me parece que en ello se oculta una promesa... »

« Lo *debes* decir. La palabra del amigo puede tocar su herida y no se avergonzará como se avergonzaría ante Mí... Te hemos hecho esperar, Marta, pero estaba hablando con Simón de estrellas y nos olvidamos de estas luces. Verdaderamente tu casa es un firmamento esta noche. »

« Hemos prendido las lámparas no sólo por nosotros y los siervos sino también por Tí y por tus amigos que son nuestros huéspedes. Gracias por haber venido la última noche. Ahora, propiamente es la Fiesta de la Purificación... » Marta querría añadir más, pero siente que el llanto sube a su garganta y calla.

« La paz sea con todos vosotros » dice Jesús al entrar en el vestíbulo que resplandece con decenas de luces plateadas, y que han sido repartidas por todas partes.

[2] Cfr. Est. 2, 1-18.

Lázaro se adelanta: « Paz y bendición a Tí, Maestro, y muchos años de santa felicidad. » Se besan. « Me han dicho estos amigos nuestros que naciste mientras Belén ardía por una Encenia tanto tiempo esperada. Estamos felices ellos y nosotros de que estés con nosotros esta noche. ¿ No preguntas quiénes sean ? »

« No tengo otros amigos que no sean mis discípulos, mis amados de Betania y los Pastores. Estos deben ser. ¿Han venido? ¿A qué cosa? »

« A adorarte, Mesías nuestro. Lo supimos por Jonatás y aquí estamos. Nuestras ovejas están en los corrales de Lázaro, y nuestros corazones como siempre a tus santos pies. » Isaac fue el que habló por Elías, Leví, José y Jonatás que se han postrado. Jonatás viene vestido con el lujo de un mayordomo a quien su dueño ama. Isaac trae su vestido de incansable peregrino, de lana color café oscuro e impermeable al agua. Leví, José, Elías traen unos vestidos que Lázaro les proporcionó. Frescos, limpios para poder sentarse a la mesa sin llevar sus vestiduras rasgadas y dolorosas de majadas pastoriles.

« Por eso me enviasteis al jardín? ¡Dios os bendiga a todos! No falta a mi felicidad más que mi Madre. Alzaos, alzaos. Es mi primer natalicio que celebro sin mi Madre, pero vuestra presencia me quita la tristeza, la nostalgia de su beso. »

Todos pasan al comedor. Acá casi todas las lámparas están doradas y el metal brilla a la luz de las flamas y estas parecen más brillantes por el reflejo que les da el oro. Las mesas se han puesto en forma de " U " para dar lugar a tanta gente y poder servir sin estorbar a los que cortan las carnes y a los siervos. Además de Lázaro, están los apóstoles, los pastores, Maximino y el viejo siervo de Simón.

Marta vigila la disposición de los lugares y querría estar de pié. Jesús le ordena: « Hoy no eres la que nos hospeda, eres la hermana y te sientas como si fueses mi hermana. Somos una familia. Cedan las reglas de etiqueta su lugar al amor. Aquí, a mi lado, y cerca de Juan. Yo junto a Lázaro. Pero dénme una lámpara. Entre Yo y Marta haya una luz . . . una llama: por los ausentes y por los presentes; por las personas amadas, esperadas, por los seres queridos lejanos. Por todos la flama tiene palabras de luz. El amor tiene palabras de fuego y palabras que se van lejos, sobre las ondas incorpóreas de los espíritus que se encuentran siempre, más allá de los montes y de los mares, y llevan besos y bendiciones . . . todo llevan ¿ No es verdad? »

Marta coloca la lámpara donde Jesús indicó, en donde estaba vacío . . . y como Marta comprende, se inclina para besar la mano de Jesús, y luego El pone la suya sobre la cabeza morena de ella. La bendice y consuela.

Empieza la cena. Los pastores están al principio un poco desconcertados. Isaac se muestra franco. Jonatás a sus anchas. Se sienten cada vez con mayor franqueza y según avanza la comida, hablan también. Y ¿de qué cosa pueden hablar sino de *su* recuerdo?

« Habíamos regresado no muchos minutos antes » dice Leví. « Yo tenía tanto frío que me refugié entre las ovejas y lloraba porque deseaba tener junto a mi mamá . . . »

« Yo al contrario, tenía en la mente la figura de la joven Madre que había encontrado poco antes y me preguntaba: " Habrá encontrado lugar? " ¡ De haber sabido que estaba en un pesebre, la hubiera traido al redil! Pero . . . era tan gentil cual lirio de nuestros valles. Me pareció que podía ofenderla si le hubiese dicho: " Ven con nosotros ". Su recuerdo persistía en mi mente . . . y sentía más el frío, al pensar el que ella estaría sufriendo. ¿Recuerdas que hermosa luz la de aquella noche? . . . ¿ Y tu miedo ? »

« Sí, pero luego . . . el ángel . . . ¡Oh! » Leví un poco somnoliento, sonríe con este recuerdo.

« Escuchad un poco amigos. Nosotros no sabemos sino poco y mal. Hemos oído hablar de ángeles, pesebres, ganados, Belén . . . Y nosotros sabemos que El es galileo y carpintero . . . ¡no es justo que no lo sepamos nosotros! Se lo pregunté al Maestro en " Aguas Claras " pero luego me habló de otra cosa. Este que sabe no ha dicho nada . . . Sí, me refiero a Tí, Juan de Zebedeo. ¡Qué bonito respeto tienes para un anciano! Te quedas con todo y me dejas que crezca cual un discípulo ignorante. ¿Que . . . no te basta mi ignorancia que ya me es natural? »

Ríen todos de buena gana por el mohín de Pedro. Ahora se dirige a su Maestro: « Se ríen pero tengo razón » y luego volviéndose a Bartolomeo, Felipe, Mateo, Tomás, Santiago y Andrés: « ¡ Ea ! también pedidlo vosotros. Protestad conmigo por qué nosotros no sabemos nada. »

« Verdaderamente . . . ¿ Dónde estábais cuando moría Jonás ? ¿ y dónde en el Líbano? »

« Tienes razón. Yo al menos pensé que Jonás, como moría, estaba delirando . . . y en el Líbano . . . estaba yo cansado y soñoliento.

Perdóname Maestro, pero es la verdad. »

« Y muchos otros así dirán. El mundo de aquellos a quienes se anunciará el Evangelio responderá al Juez Eterno, para excusar su ignorancia — pese a que mis discípulos les enseñaron — diciendo: " Creí que era un delirio... Estaba cansado y adormecido ". Frecuentemente no admitirá la verdad porque la tomará por delirio y no la recordará porque estará cansado y adormecido con muchas cosas inútiles, caducas y hasta pecaminosas. Una cosa es necesaria: Conocer a Dios. »

« Ahora que nos has reprendido, cuéntanos las cosas como son... a tu Pedro, que las contaré a la gente. De otro modo — ya te lo dije — ¿qué puedo decir? Lo pasado no lo sé, las Profecías y el Libro no los sé explicar, lo futuro... ¡Oh, pobre de mí! Y entonces ¿ qué nueva puedo anunciar ? »

« Sí, Maestro. Que también nosotros lo sepamos... Sabemos que eres el Mesías y creemos. Al menos por lo que a mí toca, tuve trabajo en admitir que de Nazaret pudiese venir algo bueno... ¿Por qué no me diste a conocer al punto tu pasado? » dice Bartolomeo.

« Para probar tu fé y la claridad de tu espíritu. Ahora os lo diré, mejor dicho: hablaremos del pasado. Hablaré hasta de lo que los pastores no saben, y eso que lo vieron. Conoceréis el alba del Mesías. Oid:

Habiendo llegado el tiempo de la Gracia, Dios se preparó su Virgen. Comprenderéis que no podía Dios asentar su trono donde Satanás había puesto su sello que no se borra. Por eso la Potencia se preparó su futuro tabernáculo sin mancha y dos justos en su vejez y contra las reglas comunes de la procreación [3] concibieron a la que no tiene mancha. ¿Quién colocó el alma en el embrión que haría florecer el viejo seno de Anna de Aarón, mi abuela? Leví, tú has visto el ángel que ha hecho los anuncios; puedes decir quien es él, porque la Fuerza de Dios [4] fué siempre quien victoriosamente llevó el canto de alegría a los santos y a los profetas, y sobre quien el poder de Satanás se despedaza como una paja seca, fué el inteligente arcángel quien trastornó con su buena y clara mente las insidias del otro ser inteligente pero malvado, y que con prontitud llevó a cabo las órdenes de Dios.

[3] Nota: María nació de un hecho matrimonial. Pero " contra todas las reglas comunes " porque debido a la edad de Anna, si Dios no hubiese intervenido milagrosamente, no habrían jamás podido concebir en su vejez.

[4] En sustancia tal es el significado de la palabra " Gabriel ".

En un grito de júbilo, él, el anunciador que ya conocía cómo se bajaba a la tierra por haber bajado a hablar a los profetas [5] recogió del fuego divino la chispa inmaculada que era el alma de la eterna Niña, y encerrándola en un halo de flamas angelicales, que son su amor espiritual, la llevó a la tierra, dentro de un estuche, dentro de una caja [6] y desde aquel momento el mundo tuvo a la Adoradora, y Dios desde aquel instante, pudo mirar un punto de la tierra sin disgusto. Nació una creatura: la Amada de Dios y de los ángeles, la Consagrada a Dios, la que santamente amaron sus padres. " Y Abel ofreció a Dios las primicias de su ganado " [7] ¡Oh! Realmente los abuelos del eterno Abel supieron dar a Dios la primicia de su propiedad, le dieron todos su bienes, porque al morir le devolvieron el bien a quien se los había dado.

Mi Madre desde los tres hasta los quince años fué la Niña del Templo y apresuró la venida del Mesías con la fuerza de su amor. Virgen antes de su concepción, virgen en la oscuridad del seno, virgen en sus primeras lágrimas, virgen en sus primeros pasos. Ella fué la Virgen de Dios, de solo Dios y proclamó su derecho, superior al decreto de la Ley de Israel, al obtener del esposo que Dios le había concedido, el de permanecer intacta después de las bodas.

José de Nazaret era un justo. Tan solo a él se le podía confiar el Lirio de Dios, y solo él lo consiguió. Angel en alma y carne, amó como aman los ángeles de Dios. Muy pocos sobre la tierra comprenderán el abismo de ese gran amor que tuvo todas las ternuras conyugales sin traspasar la barrera del fuego celestial más allá del que estaba el Arca del Señor. Muy pocos sobre la tierra lo comprenderán. Es el testimonio de lo que puede un justo con tal de que quieran, de lo que puede, porque el alma aun herida con la mancha de origen, tiene fuerzas poderosas para elevarse, para regresar a su dignidad de hija de Dios y para obrar por amor al Padre.

Todavía estaba María en su casa, en espera de unirse a su prometido cuando Gabriel, el ángel de los anuncios divinos, tornó a la tierra y pidió a María que fuese Madre. Al sacerdote Zacarías le había ya prometido el Precursor, y no fué creído. Pero la Virgen

[5] Cfr. Dan. 8-9.
[6] Modo imaginario de expresarse para alabar la admirable acción de Dios, la singular perfección de María, el ardiente amor que los espíritus angelicales sienten por ella.
[7] Cfr. Gen. 4, 1-4.

creyó que esto podía suceder por voluntad de Dios y sublime en su ignorancia, sólo preguntó: " ¿ Cómo puede suceder esto ? " El ángel le respondió: " Tú eres la Llena de Gracia, oh María. No tengas miedo pues, porque has encontrado favor ante el Señor y también por tu virginidad. Concebirás y darás a luz un Hijo al que pondrás por nombre Jesús, porque El es el Salvador prometido a Jacob y a todos los Patriarcas y Profetas de Israel. El será grande e Hijo verdadero del Altísimo, porque será concebido por obra del Espíritu Santo. El Padre dará a El el trono de David, como está predicho, y reinará en la casa de Jacob hasta el fin de los siglos, pero su verdadero reino no tendrá jamás fin. Ahora el Padre, el Hijo y el Espíritu Santo esperan tu obediencia para cumplir su promesa. El Precursor del Mesías está ya en el seno de Isabel, tu prima, y si consientes, el Espíritu Santo descenderá sobre tí, y será santo el que nacerá de tí, y llevará su verdadero nombre que es Hijo de Dios ".

Y María respondió: " He aquí la esclava del Señor. Que se haga en mí según su palabra ". Y el Espíritu de Dios descendió sobre su Esposa y en el primer abrazo le impartió sus luces, que perfeccionaron en gran extremo, su virtud de silencio, su humildad, prudencia y caridad de que estaba llena. Se convirtió en una sola cosa con la Sabiduría y no pudo jamás separarse de la Caridad. La Obediente y la Casta se perdió en el océano de la Obediencia que soy Yo, y conoció la alegría de ser Madre sin conocer el ansia de perder su virginidad. Fué la nieve que se concentra en una flor y se ofrece de este modo a Dios . . . »

« ¿ Pero el marido ? » pregunta Pedro aturdido.

« El sello de Dios cerró los labios de María. José no se enteró del prodigio sino cuando, al regresar de la casa de Zacarías, su pariente, vió que María estaba en cinta. »

« ¿ Y qué hizo él ? »

« Sufrió . . . y sufrió María . . . »

« Si yo hubiera sido . . . »

« José era un santo, Simón de Jonás. Dios sabe en dónde poner sus dones . . . Sufrió cruelmente y decidió abandonarla, cargando sobre sí la afrenta de injusto. Pero el ángel bajó a decirle: " No tengas miedo de tomar a María por esposa tuya. Lo que en ella se ha formado es el Hijo de Dios y por obra de Dios ella es Madre. Y cuando haya nacido el Hijo, le pondrás por nombre Jesús, porque es Salvador ". »

« ¿ Era José docto ? » pregunta Bartolomeo.

« Como un descendiente de David. »

« Entonces habrá podido encontrar luz al recordar al Profeta [8]. " He aquí que una Virgen concebirá ... " »

« Sí, la tuvo. A la prueba sucedió el gozo ... »

« Si yo hubiera sido ... » torna a decir Pedro « no hubiera sucedido porque yo antes hubiese ... ¡Oh! Señor!, ¡qué bien estuvo que no hubiera sido yo! La habría destrozado como una paja sin haberle dado tiempo de hablar. Pero, si no hubiese sido asesino, habría tenido miedo de ella... el miedo de todo Israel, el de los siglos, debido al Tabernáculo ... »

« También Moisés tuvo miedo de Dios y sin embargo se le ayudó y estuvo con El en el monte [9] ... José vivió pues, en la casa santa de la esposa y proveyó a las necesidades de la Virgen y del que iba a nacer. Y cuando llegó para todos el tiempo del Edicto, fué con María a la tierra de sus padres. Belén lo rechazó porque el corazón de los hombres está cerrado a la caridad. Ahora hablad vosotros. »

« Encontré al atardecer a una mujer joven. Sonreía sobre el asno en que cabalgaba. Iba un hombre con ella ... me pidió leche e informes. Le dije lo que sabía ... después vino la noche ... y una gran luz ... y salimos ... y Leví vió a un ángel cerca del redil. El ángel le dijo: " Ha nacido el Salvador " era a media noche. El firmamento estaba lleno de estrellas. Pero la luz desaparecía ante la del ángel y miles y miles de ángeles ... (Elías llora al recordarlo). El ángel nos dijo: " Id a adorarlo. Está en un establo, sobre un pesebre, entre dos animales ... encontraréis a un Niño envuelto en pobres pañales ... " ¡Oh! ¡Cómo resplandecía el ángel al decir estas palabras! ... ¿Te acuerdas, Leví, cómo parecía que sus alas despedían llamas cuando, después de haberse inclinado al pronunciar el nombre del Salvador dijo: " ... que es el Mesías del Señor? " »

« ¡Sí recuerdo! ¿Y las voces de los miles? ¡Oh! ... " ¡Gloria a Dios en los más altos cielos y paz en la tierra a los hombres de buena voluntad! " ... Esta música está aquí y me lleva al cielo cada vez que la oigo » y Leví levanta su rostro extático en el que brilla el llanto

« Y fuimos » dice Isaac, « cargados como animales, alegres como si nos fuéramos a casar, y luego ... no supimos hacer otra cosa

[8] Cfr. Is. 7, 14.
[9] Cfr. Ex. 19, 1 - 20, 21; Dt. 5, 1 - 6, 13; cfr. también pág. 657 not. 3.

cuando oímos tu vocecita y la de tu Madre, y empujamos a Leví, que era muchacho para que mirase. Nos sentíamos como leprosos ante tan gran candor... y Leví escuchaba y reía llorando y repetía con unos balidos como la oveja que llevaba Elías. José se acercó a la entrada y nos hizo pasar... ¡Oh! ¡Qué pequeñito y bonito eras! Un pedacito de carne sobre el tosco heno... y llorabas... luego reíste al calor de la piel de oveja que te ofrecimos y por la leche que habíamos llevado... fué tu primera comida... ¡Oh! y luego... luego te besamos... tenías sabor de almendra y jazmín... y no pudimos más dejarte...»

« En realidad nunca me habéis abandonado. »

« Es verdad » dice Jonatás. « Tu mirada se grabó en nosotros como también tu voz y tu sonrisa... Crecías... cada vez eras más hermoso... El mundo de los buenos venía a hacerse feliz contigo... y el de los malvados no te veía... Anna... tus primeros pasos... los tres Sabios... la estrella. »

« ¡Oh! ¡Aquella noche qué luz! Parecía como si el mundo ardiese con miles de luces. La tarde en que llegaste, la luz estaba fija y blanquecina... ahora era la danza de los astros, entonces era la adoración de ellos. Desde una altura vimos pasar la caravana y fuimos detrás de ella para ver dónde se detendría... al día siguiente toda Belén vió la adoración de los Sabios. Y luego... ¡Oh! ¡no decimos el horror!... No lo decimos....» Elías palidece al recordarlo.

« Sí, no lo digas. Silencio sobre el odio...»

« Lo que más nos dolía era no tenerte más a Tí y no saber nada de Tí. Ni siquiera Zacarías, que era nuestra esperanza, tenía noticia alguna. Después nada. »

« ¿ Por qué Señor, no consolaste a tus siervos ? »

« ¿Preguntas, Felipe, el por qué? Porque era prudente hacerlo así. Mira que también Zacarías, cuya formación espiritual se completó a partir de aquella hora, no quiso levantar el velo. Zacarías...»

« Nos dijiste que él se preocupó por los pastores. ¿Entonces por qué no dijo él, primero a ellos y luego a Tí, que ciertos individuos andaban en tu busca? »

« Zacarías era un justo *todo hombre.* Se hizo menos hombre y más justo durante los nueve meses de mutismo. Se perfeccionó en los meses que siguieron al nacimiento de Juan, pero se hizo un espíritu justo cuando sobre su soberbia humana cayó el mentís de

Dios. Había dicho: " Yo sacerdote de Dios, digo que en Belén *debe* vivir el Salvador ". Y Dios le había mostrado cómo su juicio, aunque de sacerdote, si no es iluminado es un pobre juicio. Bajo el horror del pensamiento: " Podría yo hacer matar a Jesús con mi palabra " Zacarías se hizo el justo que ahora descansa esperando el paraíso. Y la justicia le enseñó prudencia y caridad. Caridad para con los pastores, prudencia para con el mundo al cual *debía* manifestarse el Mesías. Cuando de regreso a la patria, nos dirigimos a Nazaret, por la misma prudencia que ya guiaba a Zacarías, evitamos Hebrón y Belén, y costeando el mar regresamos a Galilea. Ni siquiera el día en que cumplí los doce años fué posible ver a Zacarías, porque un día antes había partido con su hijo a la misma ceremonia.

Dios velaba, probaba, proveía, perfeccionaba. Tener a Dios es también recibir esfuerzos, no tan sólo gozo. Y esfuerzos tuvieron mi padre que me amó y mi madre que me ha amado con toda su mente y corazón. Aun lo lícito fué prohibido para que el misterio envolviese en la sombra al Mesías Niño. Y esto es una explicación para muchos que no comprenden la doble razón de la angustia de cuando me perdí por tres días. Amor de madre, amor de padre por el hijo perdido; temor, porque custodios del Mesías como eran, podía ser descubierto antes de tiempo; terror de haber custodiado mal la Salvación del mundo y el mayor don de Dios [10]. Esto es el motivo del insólito grito: " Hijo ¿por qué te has portado así...? ¡Tu padre y yo angustiados te buscábamos! ". Tu padre, tu madre... el velo echado sobre el fulgor del divino Verbo encarnado. Y la respuesta que los tranquilizaba: " ¿Por qué me buscábais? ¿No sabíais que debo de ocuparme de las cosas de mi Padre? " La Llena de Gracia comprendió y recogió lo que dije. En otras palabras: " No tengáis miedo. Soy pequeño, soy Niño. Si crezco en cuerpo y estatura, en sabiduría y gracia a los ojos de los hombres, Yo soy perfecto en cuanto soy el Hijo del Padre, y por eso puedo comportarme con perfección, sirviendo al Padre con hacer resplandecer la luz, sirviendo a Dios con conservarles el Salvador " y así lo hice hasta hace un año.

Ahora el tiempo ha llegado. Se levantan los velos. El hijo de José se muestra en su naturaleza: Soy el Mesías de la Buena Nueva, el Salvador, el Redentor y el Rey del siglo venidero. »

[10] Nota: Explicación divina al c. II de Lc. vv. 44-48.

« ¿ Y no viste jamás a Juan ? »
« Sólo en el Jordán, Juan mío, cuando quise el bautismo. »
« ¿ Así que no sabías que Zacarías había ayudado a estos ? »
« Te dije: Después del derramamiento de la sangre inocente, los justos se hicieron santos. Sólo los demonios permanecieron como eran. Zacarías aprendió a santificarse con humildad, caridad, prudencia, silencio. »
« Quiero tener siempre esto en mi memoria ¿ lo conseguiré ? » pregunta Pedro.
« No te preocupes, Simón. Mañana haré que me lo repitan los pastores con tranquilidad, en el jardín, una, dos, tres veces si fuere necesario. Tengo buena memoria que ejercité en el banco y lo recordaré para todos. Cuando quieras te lo podré repetir. No tenía en Cafarnaun notas y sin embargo... »
« ¡Oh!, no te equivocabas ni siquiera con un didracma... Recuerdo... Bien. Te perdono lo pasado de corazón si te acuerdas de lo que se ha dicho... y me lo recuerdas con frecuencia. Quiero que me entre en el corazón como ha entrado en estos... como lo sabía Jonás. ¡Oh! ¡morir pronunciando tu Nombre...! »
Jesús mira a Pedro y sonríe. Se levanta y lo besa en su entrecana cabeza.
« ¿ Por qué, Maestro, me das ese beso ? »
« Porque fuiste profeta. Morirás pronunciando mi Nombre. He besado al Espíritu que en tí hablaba. »
A continuación, Jesús en voz alta entona un salmo y todos de pié contestan: « " Levantaos y bendecid al Señor vuestro Dios, de eternidad en eternidad. Sea bendito su nombre sublime y glorioso con toda clase de bendiciones y de alabanzas. Tú sólo eres el Señor. Tú hiciste el cielo y el cielo de los cielos con todo su ejército, la tierra y todo lo que en ella hay etc. (es el himno que cantan los levitas en la fiesta de la consagración del Pueblo, cap. IX del II libro de Esdras) " » y todo termina con este largo canto, que no sé si existiese en el rito antiguo o Jesús lo dice porque quiere.

104. Regreso a "Aguas Claras"

(Escrito el 15 de abril de 1945)

Jesús atraviesa con sus discípulos las llanuras de Aguas Claras. El día está lluvioso y todo está desierto. Es más o menos mediodía, porque cuando logra el sol abrirse paso entre los resquicios de las nubes, envía sus rayos perpendiculares. Jesús está hablando con Iscariote y le da el encargo de ir al poblado para comprar lo más necesario. Cuando se queda solo, se le junta Andrés, y siempre tímido, dice en voz baja: « ¿ Quieres escucharme, Maestro ? »

« Sí, ven conmigo adelante » y alarga el paso, seguido de su discípulo, separándose algunos metros de los demás.

« ¡No está más la mujer, Maestro! » dice afligido. Luego continúa: « Le pegaron y huyó. Estaba herida. Manaba sangre. El administrador la vió. Me adelanté, diciendo que iba a ver si no había asechanzas, pero era porque quería ir al punto a donde estaba. ¡Tántas esperanzas tenía de traerla a la luz! ¡Mucho he orado por ella en estos días! . . . ¡Ahora ha huído! Se perderá. Si supiese en donde está, la iría a buscar. . . No lo diría a los demás, pero a Tí, sí, porque me entiendes. Sabes que no hay pasión alguna, sino el deseo, ¡oh!, tan grande que parece un tormento, de salvar a una hermana . . . »

« Lo sé, Andrés, y te digo: aun cuando las cosas se han presentado así, tu deseo se cumplirá. Jamás la plegaria hecha con ese motivo se pierde. Dios la escucha y ella se salvará. »

« Tú lo dices y mi dolor se dulcifica. »

« ¿No querrías saber otra cosa de ella? ¿No te interesa ni siquiera ser quien me la traiga? ¿No me preguntas cómo sucederá ? » Jesús sonríe dulcemente, con un esplendor de luz en sus azules pupilas que miran al apóstol que va caminando a su lado. Una de esas sonrisas y de esas miradas que son uno de los secretos de Jesús para conquistar los corazones.

Andrés con sus dulces ojos castaños lo mira y dice: « Me basta saber que vendrá a Tí. Que sea otro o yo, no me importa. ¿Cómo sucederá? Tu lo sabes y no tengo necesidad yo de saberlo. Tengo tu promesa y me siento feliz. »

Jesús le pasa el brazo por la espalda y lo trae a Sí dándole un abrazo afectuoso, que transporta al buen Andrés en éxtasis y en esta forma le sigue hablando. « Este es el don del verdadero apóstol. Mira, amigo: Tu vida y la de los apóstoles futuros será siempre así. Algunas veces sabréis que fuisteis " los salvadores ". Pero muchas veces salvaréis sin saber siquiera que salvasteis las almas que más queríais que se salvasen. Sólo en el Cielo veréis venir a vuestro encuentro, o subir al Rey Eterno, a quienes salvasteis. Algunas veces lo sabréis en la tierra. Son las alegrías que os infundo para daros un vigor mucho mayor para buscar nuevas conquistas. ¡Bienaventurado será el sacerdote que no tenga necesidad de estos incentivos para cumplir con su propio deber! Bienaventurado el que no se amilana al no ver triunfos y que no dice: " No hago más porque no tengo satisfacción ". La satisfacción apostólica que se busca como único incentivo, demuestra que no existe formación apostólica; por otra parte envilece el apostolado, que es cosa espiritual, y lo reduce al nivel de un vulgar trabajo humano. No se debe caer jamás en la idolatría del ministerio. No sois vosotros los que debeis ser adorados, sino el Señor Dios vuestro. A El sea la gloria de los que se salvan. A vosotros la obra de la salvación, dejando para cuando estéis en el Cielo la gloria de haber sido los " salvadores ". Me decías que el administrador la vió: Cuéntame. »

« Tres días después de que habíamos partido, vinieron algunos fariseos a buscarte. Naturalmente no te encontraron. Dieron vueltas por el poblado y por las casas de la campiña con muestras de que tenían ganas de verte. Nadie lo creyó. Entraron a la fonda echando fuera con soberbia a los que estaban allí, porque decían que no querían entrar en contacto con extranjeros desconocidos que pudiesen aun profanarlos. Todos los días iban a la casa. Después de algunos días encontraron a la pobrecita, que siempre iba allá porque tal vez esperaba encontrarte y estar tranquila. Hicieron que huyese. La siguieron hasta su refugio que estaba en el establo del administrador. No le pegaron al punto porque él intervino con sus hijos armados de garrotes, pero por la tarde, cuando salió, regresaron y había otros con ellos, y cuando estaba en el pozo la apedrearon, llamandola " prostituta " y exponiéndola al oprobio del pueblo. Y como huyese maltratada la alcanzaron, le quitaron el velo y manto para que todos la viesen y otra vez la golpearon. Se impusieron con su autoridad sobre el sinagogo para que la maldijese y la lapidasen además que te maldijese a Tí que la habías llevado al país. Pero no quiso hacerlo y ahora está en espera del anatema del Sanedrín. El administrador la arrancó de las manos de esos bribones y la ayudó. Pero por la noche se fué, dejando un brazalete y escrito sobre un pedazo de pergamino: " Gracias, ruega por mí ". El administrador dice que es joven y hermosísima, aunque muy pálida y delgada. La buscó por los campos, porque estaba muy herida, pero no la encontró, y no sabe cómo haya podido ir muy lejos. Tal vez ha muerto en algún sitio . . . y no se salvó . . . »

« No. »

« ¿No? ¿No ha muerto? ¿No se ha perdido? »

« La voluntad de redimirse es ya una absolución. Aun cuando hubiese muerto sería perdonada, porque ha buscado la verdad y puesto bajo sus pies el error. Pero no ha muerto. Empieza a subir por la pendiente del monte de la redención. La veo . . . inclinada bajo su llanto de arrepentimiento. El llanto la hace siempre más fuerte, mientras el peso disminuye. La veo. Se dirige al encuentro del Sol. Cuando haya subido encorvada, estará en la gloria del Dios-Sol. Va subiendo . . . ayúdala con tus oraciones. »

« ¡Oh, Señor mío! » Andrés está casi espantado por poder ayudar un alma en su santificación.

Jesús sonríe mucho más dulce. Dice: « Será necesario abrir los brazos y el corazón al sinagogo perseguido e ir a bendecir al buen administrador. Vamos con los compañeros a decírselo. »

Regresan por el camino andado y se unen a los discípulos que se habían detenido aparte comprendiendo que Andrés tenía cosas secretas que comunicar al Maestro y entre tanto ven que Judas se acerca a la carrera. Parece una mariposota que atraviesa por un jardín. Su manto flota al viento con la carrera que trae y con los brazos hace toda clase de señales.

« ¿Pero qué tiene? » pregunta Pedro. « ¿Se ha vuelto loco? »

Antes de que alguien pudiese responderle, Iscariote, ya un poco cerca, con voz jadeante grita: « ¡Espera, Maestro! Escúchame antes de ir a la casa... hay asechanzas. ¡Oh, qué villanos! . . . » y corre. Ha llegado: « ¡Oh Maestro! ¡No se puede ir allá! En la población están los fariseos y todos los días van a la casa. Te están esperando para hacerte daño. Despiden a los que van a buscarte. Los espantan con anatemas horrendos. ¿Qué quieres hacer? Aquí se te perseguiría y tu obra resultaría en vano . . . Uno de ellos me vió y me atacó. Un viejo, feo, narigón que me conoce, porque es uno de los escribas del Templo, pues también hay escribas. Me atacó asiéndome con sus garras y me insultó con su voz de gavilán. Mientras me insultó, me rasguñó, mira . . . (y muestra una muñeca y una mejilla con señales claras de las uñas) no le hice nada, pero cuando babeó sobre de Tí, lo tomé por el cuello ... »

« ¡ Pero, Judas! » grita Jesús.

« No, Maestro. No lo estrangulé. Tan sólo le impedí que blasfemase contra Tí y luego lo dejé que se fuese. Ahora está allí muriéndose de miedo por el percance en que se encontró ... Vámonos de acá, te ruego. Por otra parte, nadie podrá venir a verte ... »

« ¡ Maestro ! »

« ¡ Es un horror ! »

« Judas tiene razón. »

« ¡ Son como hienas en asecho ! »

« Fuego del Cielo que bajaste sobre Sodoma[1] ¿por qué no vuelves a bajar? »

« En realidad has estado valiente, muchacho. Una mala suerte que no hubiese estado también yo. Te habría ayudado. »

« ¡Oh, Pedro! Si hubieses estado también tú, ese viejo gavilán hubiese perdido para siempre las plumas y la voz. »

« ¿ Pero cómo hiciste para ... para no darle un hermoso fin ? »

« ¡Ah! Un rayo de luz atravesó mi mente; una idea que salió quién sabe de qué parte profunda del corazón: " El Maestro condena la violencia ", y ... me contuve. Experimenté un choque más profundo que el que recibí cuando dí contra el muro sobre el que me había arrojado el escriba, cuando me atacó. Sentí los nervios como despedazados ... en tal forma que no hubiera podido tener más fuerzas. ¡ Qué fatiga el vencerse ! ... »

« ¡Eres un muchacho valiente! ¿Verdad, Maestro? ¿No das tu parecer? » Pedro está feliz por lo que hizo Judas, que no comprende por qué Jesús haya pasado del estado luminoso dibujado antes en su rostro a una actitud severa, que le brota a los ojos, le aprieta la boca que parece hacerse más pequeña.

La abre para decir: « Yo digo que estoy más disgustado de vuestro modo de pensar que de la conducta de los judíos. Ellos, desgraciados se encuentran en las tinieblas, vosotros, que estáis con la Luz, sois duros, vengativos, murmuradores, violentos aprobadores del acto brutal como ellos. Os digo que me dais la prueba de ser siempre los mismos que erais cuando por primera vez me visteis. Y esto me duele. En cuanto a los fariseos, sabed que el Mesías no huye. Retiraos. Les hago frente. No soy un cobarde. Cuando haya

[1] Cfr. Gen. 19, 1-29.

hablado con ellos y no los hubiese persuadido, me retiraré. No se debe decir que no he buscado todos los medios para atraerlos a Mí. También ellos son hijos de Abraham. Cumplo con mi deber hasta el fin. Su condenación la pronunciará su mala voluntad, y no el que los haya descuidado. » Y Jesús va a la casa que se deja ver con su techo bajo más allá de una hilera de árboles sin hojas.

Los apóstoles le siguen con la cabeza baja, hablando entre sí.

Han llegado a la casa. Entran a la cocina en silencio, y se ponen a preparar lo necesario. Jesús está absorto en su pensamiento.

Están a punto de comer cuando un grupo de personas aparece en la puerta. « Hélos aquí » dice en voz baja Judas.

Jesús rápido se ha levantado y se dirige a ellos. Es tan imponente que el grupillo retrocede por un instante, pero el saludo de Jesús les da seguridad: « La paz sea con vosotros. ¿ Qué queréis ? »

Entonces los bellacos creen poder atreverse a todo y arrogantemente le intiman: « En nombre de la santa Ley te ordenamos que abandones este lugar. Tú, turbador de las conciencias, violador de la Ley, corruptor de las tranquilas ciudades de Judá. ¿ No temes el castigo del Cielo? Tú, mono imitador del Justo que bautiza en el Jordán; Tú, que proteges a las prostitutas. Lárgate de la tierra santa de Judá. Que tu aliento no llegue desde aquí a los muros de la Ciudad santa. »

« No hago ningún mal. Enseño como rabbí, curo como taumaturgo, arrojo los demonios como exorcista. Estas categorías también existen en Judá y Dios, que las quiere, hace que las respetéis y veneréis. No exijo veneración. Quiero sólo que me dejéis hacer el bien a los que están enfermos en el cuerpo, en la mente o en el espíritu. ¿ Por qué me lo prohibís ? »

« Eres un poseído ¡ lárgate ! »

« El insulto no es una respuesta. Os pido que no me prohibáis lo que a otros permitís. »

« Porque eres un poseído y arrojas los demonios y haces milagros con la ayuda de ellos. »

« ¿Y vuestros exorcitas, entonces? ¿Con la ayuda de quién lo hacen? »

« Con su vida santa. Tú eres un pecador. Y para aumentar tu poder, te sirves de pecadoras, porque con esta clase de uniones aumenta su fuerza la posesión demoníaca. Nuestra santidad ha purificado la zona de tu cómplice. Pero no permitimos que te quedes aquí, para que no atraigas a otras mujeres. »

« ¿ Pero esta casa es vuestra ? » pregunta Pedro que se ha acercado al Maestro en actitud no muy recomendable.

« No es casa nuestra. Pero todo Judá y todo Israel está en manos de los santos, de los puros de Israel. »

« ¿Lo sois vosotros? » termina Iscariote, que vino a la puerta y concluye la frase con una risa sarcástica. Luego pregunta: « ¿Dónde está el otro amigo vuestro? ¿Todavía está temblando? ¡Desvergonzados, largaos! Y al punto. De otro modo haré que os arrepintáis de . . . »

« Silencio, Judas. Y tú, Pedro, regresa a tu lugar. Oid, escribas y fariseos. Por vuestro bien, por piedad de vuestra alma, os ruego que no combatáis al Verbo de Dios. Venid a Mí. No os odio. Comprendo vuestra mentalidad y la compadezco. Pero os ruego que no combatáis al Verbo de Dios. Venid a Mí. No os odio pero os ruego que tengais una nueva mentalidad, santa, capaz de santificaros y de que os dé el Cielo. ¿Creeis que he venido para pelear contra vosotros ? ¡Oh, no! He venido a salvaros. Para esto he venido. Os amo. Os pido amor y comprehensión. Precisamente porque sois los más santos en Israel debeis comprender más que todos la verdad. Sed alma y no cuerpo. ¿Queréis que os lo pida de rodillas? Lo hago. Os pido en cambio vuestra alma que pondría bajo mis pies para adquirirla para el cielo, seguramente que el Padre no tomará como error mío mi humillación. ¡Decidme la palabra que espero! »

« Maldición, decimos. »

« Está bien. Está dicho. Idos. También Yo me iré. » Y Jesús les da la espalda y regresa a su lugar. Dobla su cabeza sobre la mesa.

Bartolomé cierra la puerta para que ninguno de esos bellacos que lo han insultado, y que se están yendo con amenazas y blasfemias, vea este llanto.

Un largo silencio, luego Santiago de Alfeo acaricia la cabeza de Jesús y le dice: « No llores. Nosotros te amamos. Y también en su lugar. »

Jesús levanta su rostro y dice: « No lloro por Mí. Lloro por ellos que se matan, sordos a toda llamada. »

« ¿ Qué hacemos ahora, Señor ? » pregunta el otro Santiago.

« Iremos a Galilea. Partiremos mañana por la mañana. »

« ¿ Hoy no, Señor ? »

« No. Debo saludar a los buenos del lugar. ¿Vendréis conmigo? »

105. Un nuevo discípulo. Parten para Galilea

(Escrito el 16 de abril de 1945)

« Señor, no he cumplido más que con mi deber para con Dios, con mi amo y la sinceridad de mi conciencia. Durante el tiempo en que estuvo esta mujer, la cuidé porque era mi huésped y siempre ví que era una mujer honesta. Puede ser que haya sido pecadora. Ahora no lo es. ¿Por qué debo meterme en el pasado sobre el que ella ha puesto una cerradura para anularlo? Tengo hijos jóvenes y que no son feos. Jamás enseñó su cara, que es verdaderamente hermosa, ni se le oyó hablar. Puedo decir que oí su voz argentina cuando gritó al ser herida. Cuando pedía algo que era poca cosa, me lo pedía a mí o a mi mujer, y lo decía detrás del velo y tan quedito que casi no se entendía. Mira que prudente fué. Cuando temió que su presencia podía causar daño, se fué... le había prometido ayuda y defensa, pero no lo aceptó. De este modo no se comportan las mujeres perdidas. Rogaré por ella como me lo pidió sin tener necesidad de este recuerdo. Tenlo, Señor. Haz alguna limosna con el brazalete y que sea para su bien. Esto le producirá ciertamente paz. »

El administrador habla respetuosamente a Jesús. Es un hombre muy bien presentado, de cara honrada y cuerpo robusto. Detrás de él hay seis jovencillos parecidos a su padre, seis caras francas e inteligentes, y está su mujer, una mujercita delgada y toda dulzura que escucha a su marido como escucharía a un dios, inclinando la cabeza continuamente.

Jesús toma el brazalete de oro y lo entrega a Pedro diciendo: « Para los pobres. » Luego se dirige al administrador: « No todos en Israel tienen tu rectitud. Eres sabio, porque distingues el bien y el mal y sigues el bien sin valuar la utilidad humana en hacerlo. Te bendigo en nombre del Eterno Padre, y también a tus hijos, a tu mujer, a tu casa. Conservaos siempre en esta disposición de espíritu, y el Señor estará siempre con vosotros y obtendréis la vida eterna. Ahora me voy. Pero no digo que no nos volveremos a ver. Regresaré y podréis venir siempre a Mí. Dios os dé su paz por lo que hicisteis por Mí y por esa pobre creatura. »

El administrador, sus hijos y por último su mujer se arrodillan y besan los pies de Jesús, que después de un último ademán de bendición se aleja junto con los discípulos en dirección del poblado.

« ¿Y si todavía están esos sinvergüenzas? » pregunta Felipe.

« A nadie se le puede prohibir hablar por las calles de la tierra » responde Judas de Alfeo.

« No, pero para ellos somos " anatema ". »

« ¡Oh! Déjalos. ¿Te preocupa algo? »

« No me preocupo de otra cosa más que de que el Maestro no ama la violencia. Y ellos que lo saben, se aprovechan de ello » rezonga Pedro entre la barba. Y cree que Jesús no lo ha oído porque está hablando con Simón e Iscariote.

Pero lo ha oído y medio severo, medio sonriente se vuelve y dice: « ¿Crees que vencería usando la violencia? Esto es un pobre sistema humano que sirve por un tiempo, para victorias de los hombres. ¿Cuánto tiempo dura el atropello? Hasta que no produzca en los atropellados reacciones que, al unirse, engendran una violencia mayor, que abate el atropello que existía antes. No quiero un reino temporal. Quiero un reino eterno: el reino de los Cielos. Cuántas veces os lo he dicho? ¿Cuántas os lo deberé de decir? ¿No lo entenderéis jamás? Sí. Vendrá el momento cuando lo entenderéis. »

« ¿Cuándo, Señor mío? Tengo prisa en entender para ser menos ignorante » dice Pedro.

« ¿Cuándo? Cuando seréis machacados como el grano entre las piedras del dolor y del arrepentimiento... Podríais, antes bien, *deberíais* entender antes. Pero para obtener esto deberíais despedazar vuestra humanidad y dejar libre el espíritu, y no sabéis usar esta fuerza sobre vosotros mismos. Pero entenderéis... entenderéis. Y entonces también comprenderéreis que no podía usar de violencia, ni de medio humano para establecer el reino de los Cielos: el reino del Espíritu. Pero entre tanto, no tengais miedo. Esos hombres que os preocupan no os harán nada. A ellos les basta el haberme arrojado. »

« ¿No era más fácil mandar un recado al sinagogo para que viniese a la casa del administrador, o que nos esperase en el camino principal? »

« ¡Oh, qué prudente estás hoy, Tomás mío! No, no era fácil. Mejor dicho: era más fácil, pero no era justo. El ha demostrado heroísmo por Mí y se le injurió en su hogar por causa mía. Es justo que Yo vaya a consolarlo en su casa. »

Tomás levanta los hombros y no dice más.

He aquí el poblado, grande pero muy campestre, con sus casas entre los huertos ahora sin hojas y con muchos rebaños. Debe ser un lugar muy propicio para el pastoreo, porque de todas partes se oye el balido de ovejas que van y vienen por los pastizales de la llanura. El acostumbrado crucero de caminos en cuyo centro está la plaza con su fuente en medio. Y allí está la casa del sinagogo. Una mujer anciana en cuya cara hay muestras de llanto abre y al ver al Señor tiene un movimiento de alegría y se postra profiriendo una bendición.

« Levántate, madre. Vine a deciros adiós. ¿Dónde está tu hijo? »

« Allí. . . » y señala una habitación que está en el fondo. « ¿Viniste a consolarlo? Yo no soy capaz . . . »

« ¿ Está desconsolado ? ¿ Le duele el haberme defendido ? »

« No, Señor. Pero tiene un escrúpulo. Tú lo oirás. Voy a llamarlo. »

« No. Yo voy. Esperadme aquí. Vamos, mujer. »

Jesús camina los pocos metros del vestíbulo, empuja la puerta, entra en una habitación, se acerca despacio a un hombre que está sentado, inclinado hacia la tierra, absorto en una dolorosa meditación.

« La paz sea contigo Timoneo. »

« ¡ Señor ! ¡ Tú ! »

« Yo. ¿ Por qué estás triste ? »

« Señor . . . yo . . . Me dijeron que he pecado. Me dijeron que soy anatema. Me estoy examinando, y no me parece que lo sea. Pero ellos son los santos de Israel, y yo el pobre sinagogo. Ciertamente tienen razón. Ahora no me atrevo a levantar la cara ante el rostro airado de Dios. Y tánto que me hace falta en esta hora. Lo servía con verdadero amor y trataba de darlo a conocer. Ahora estoy privado de este bien, porque el Sanedrín de seguro me maldice. »

« ¿Pero cuál es el dolor? ¿De no ser más el sinagogo, o de estar imposibilitado de hablar de Dios? »

« ¡Es esto, Maestro lo que me produce dolor! Pienso que me insinúas si me desagrada no ser sinagogo por las utilidades y honores que trae consigo. Esto no me preocupa. No tengo más que a mi madre, nativa de Asra, donde tengo una pequeña casa. Techo para ella y con qué viva ella, lo hay. En cuanto a mí . . . soy joven. Trabajaré. Pero yo he pecado, no me atreveré a hablar más de Dios. »

« ¿ Por qué has pecado ? »

« Dicen que soy cómplice de . . . ¡Oh! ¡Señor! . . . ¡No me hagas que lo diga! . . . »

« No. Ni siquiera Yo lo digo. Yo y tú conocemos sus acusaciones y sabemos que son mentira. Por lo tanto no has pecado. Yo te lo digo. »

« ¿Entonces puedo otra vez levantar mi mirada al Omnipotente? Te puedo . . . »

« ¿ Qué cosa, hijo ? » Jesús es todo dulzura mientras se inclina sobre el joven que bruscamente se ha encogido como atemorizado. « ¿Qué cosa? Mi Padre *busca* tu mirada, la quiere. Yo quiero tu corazón y tu pensamiento. Cierto que el Sanedrín lanzará su golpe contra tí. Yo te abro los brazos y te digo: "Ven". ¿Quieres ser un discípulo mío? Veo en tí cuanto es necesario para ser obrero del Patrón Eterno. Ven a mi viña . . . »

« ¿De veras lo dices, Maestro? Madre . . . ¿oyes? Soy feliz, madre mía. Yo . . . bendigo este dolor porque me has proporcionado esta alegría. Celebrémoslo con una fiesta, madre. Luego me iré con el Maestro, y tú regresarás a tu casa. Vengo al punto, Señor mío, que has desterrado todos mis temores, dolores y miedo que tenía de Dios. »

« No. Esperarás la palabra del Sanedrín con corazón sereno y sin rencor. Quédate en tu lugar, hasta que se te permita que sigas. Luego me alcanzarás en Nazaret o Cafarnaum. Adiós. La paz sea contigo y con tu mamá. »

« ¿ No te detienes en mi casa ? »

« No. Iré a la casa de tu mamá. »

« Es una población poco fiel. »

« Le enseñaré fidelidad. Adiós, madre. ¿Estás feliz ahora? » Jesús la acaricia, como hace con las mujeres ancianas a las que casi siempre llama: « madre. »

« Feliz, Señor. Había alimentado un varón para el Señor. El me lo toma para siervo de su Mesías. Sea bendito el Señor. Bendito Tú que eres su Mesías. Bendita la hora en que viniste. Bendito mi hijo que ha sido llamado a su servicio. »

« Bendita sea la madre santa como Anna de Elcana[1]. La paz sea con vosotros. »

[1] Cfr. 1 Re. 1, 1 - 2, 11.

Los dos acompañan a Jesús que sale. Se junta con sus discípulos, nuevamente saluda y luego empieza su camino en dirección de Galilea.

106. En los montes de Emmaús

(Escrito el 17 de abril de 1945)

Jesús está con los suyos en un lugar muy montañoso. El camino es duro y áspero. Los más viejos se cansan mucho. Los jóvenes, por su parte, están contentos alrededor de Jesús y ágiles brincan, conversando entre sí. Los dos primos, los hijos de Zebedeo y Andrés están felices con el pensamiento de su regreso a Galilea, y tal es su alegría que contagia también a Iscariote que hace un poco de tiempo está en las mejores disposiciones de espíritu. Se limita a preguntar: « Maestro, para Pascua si vienes al Templo . . . ¿regresas a Keriot? Mi madre espera siempre volver a verte. Me lo ha hecho saber. Igualmente mis paisanos . . . »

« Ciertamente, ahora aunque quisiese, la estación es muy dura para meterse por esos caminos infranqueables. Ved cómo aquí también sea muy fatigoso. Si no hubiera sido forzado no habría emprendido el camino . . . Pero no podía uno quedarse allí más . . . » Jesús calla, pensativo.

« Y luego, quiero decir, ¿para Pascua se podrá venir? Querría mostrar tu gruta a Santiago y a Andrés » dice Juan.

« ¿ Te olvidas que Belén no nos ama ? » pregunta Iscariote. « Mejor dicho, ¿ al Maestro ? »

« No. Pero iré con Santiago y Andrés. Jesús podría estar en Yutta o en tu casa . . . »

« ¡Oh! Eso sí me gusta. ¿Lo harás, Maestro? Ellos van a Belén. Tú te quedas conmigo en Keriot. Sólo conmigo nunca has estado. . . y tengo tantas ganas de que yo solo pueda hospedarte. »

« ¿Estás celoso? ¿No sabes que amo a todos de igual modo? ¿No crees que estoy con todos vosotros, aun cuando os parezca que esté lejos? »

« Sé que nos amas. Si no fuese así, serías más severo, a lo menos conmigo. Creo que tu espíritu vela siempre sobre nosotros. ¿Pero somos todos espíritu? Existe también el hombre con sus pasiones, sus deseos y sus quejas. Jesús mío, yo sé que no soy quien te de más contento. Pero creo que conoces cuán vivo en mí es el deseo de agradarte y cómo me pesan las horas en que te pierdo por mi miseria... »

« No, Judas. No me pierdes. Estoy más cerca de tí, por la sencilla razón de que conozco lo que eres. »

« ¿Qué cosa soy, Señor mío? Dímelo. Ayúdame a entender lo que soy. No me comprendo. Me parece que sea como una mujer que sufre los efectos de estar en cinta. Tengo apetitos santos y perversos. ¿ Por qué ? ¿ Qué cosa soy, yo ?... »

Jesús lo mira con una mirada indefinible. Está triste, pero con una tristeza llena de piedad. Mucha piedad. Parece un médico que comprueba el estado del enfermo y que sabe que es un enfermo incurable... Pero no habla.

« Dímelo, Maestro mío. Tu juicio será el menos severo de todos los que se lancen contra el pobre Judas. Y luego... somos hermanos. No me importa que sepan de qué estoy hecho. Al contrario, al oirlo de tí, corregirán su juicio y me ayudarán. ¿No es verdad ? »

Los otros están cohibidos y no saben qué decir. Miran al compañero, miran a Jesús.

El hace que Iscariote ocupe el lugar que antes tenía su primo Santiago y dice: « Eres simplemente un desordenado. Tienes en tí todos los mejores elementos, pero no bien asegurados. El soplo más débil de viento los echa por tierra. Hace poco pasamos por aquellos desfiladeros y nos mostraron el daño que el agua, la tierra y las plantas causaron a las pobres casas del poblado. Estos tres elementos son cosas útiles y benditas, ¿no es verdad? Y sin embargo allí fueron maldición. ¿Por qué? Porque el agua del río no tenía una ribera propia. Además por pereza del hombre, se habían formado más riberas, según su capricho. Era bello mientras no había tempestades. Era como un primor de joyeles esa agua clara que regaba el monte con riachuelos, con hilos de diamantes o collares de esmeraldas según se refleje la luz o la sombra de los bosques. El hombre gozaba de esto porque era útil esa agua parlachina a sus campos. De igual modo eran bellas las plantas nacidas al capricho del viento con ramas de acá y de allá dejando claros llenos de sol. Y bella era la tierra suave, depositada por quién sabe qué lejanos aluviones entre las quebradas del monte, tan fértil para el cultivo. Bastó que llegasen hace un mes las tempestades, para que los caprichosos senderos del río se uniesen y saliesen de madre por otro camino, arrastrando las plantas que no estaban en orden y llevándose consigo hasta el valle los trozos de tierra. Si las aguas hubiesen estado bien reguladas; si las plantas hubiesen estado dispuestas en bosques bien ordenados; si la tierra hubiese estado sostenida con antemurales, entonces los tres elementos buenos, las plantas, el agua y la tierra no se habrían convertido en ruina y muerte de ese poblado. Tú tienes inteligencia, valor, educación, actividad, elegancia, muchas, muchas cosas. Pero están colocadas sin orden alguno y las dejas que sigan así. Mira: tienes necesidad de un trabajo paciente y constante sobre de tí mismo para poner orden que es también fuerza en tus cualidades, de modo que cuando ruja la tempestad de la tentación, lo bueno que existe en tí no se convierta en mal para tí y para los demás. »

« Tienes razón, Maestro. De vez en cuando un viento me golpea y todo se me embrolla. Y dices que podré ... »

« La voluntad lo es todo, Judas. »

« Pero hay tentaciones tan ardientes ... que se ocultan por miedo de que el mundo las pueda leer en la cara. »

« ¡Aquí está el error! Sería el momento preciso de no ocultarse, sino buscar en el mundo de los buenos, su ayuda. También el contacto con los buenos calma la fiebre. Y buscar también criticones del mundo porque el orgullo empuja a esconderse para que no se lea en nuestros espíritus tentados, y esto sirve de reactivo a la debilidad moral ... y no se caería. »

« Te metiste en el desierto ... »

« Porque lo podía hacer. Pero ¡ Ay ! de los solos si no son, en su soledad, multitud contra la multitud. »

« ¿ Cómo ? No entiendo. »

« Multitud de virtudes contra multitud de tentaciones. Cuando la virtud es poca, hay que hacer lo que hace esta yedra o asirse a las ramas de los árboles robustos para poder subir. »

« Gracias, Maestro. Yo me asgo a Tí y a mis compañeros. Ayudadme todos. Sois mejores que yo. »

« Ha sido mejor el ambiente parco y honesto en que hemos crecido, amigo. Ahora estás con nosotros y te queremos mucho. Verás ... no es por criticar la Judea, pero créeme que en Galilea hay, al menos en nuestras regiones, menos riquezas y menos corrupción. Están cerca Tiberíades, Mágdala y otros lugares de regocijo. Pero vivimos con " nuestra " alma sencilla, vulgar, si quieres, pero activa, contenta santamente de lo que da Dios » dice Santiago de Alfeo.

« Santiago ¿no sabes que la mamá de Judas es una mujer santa? Se le ve la bondad escrita en su cara » objeta Juan.

Judas de Keriot feliz de haber oído tal alabanza le manda una sonrisa, que crece de punto cuando Jesús confirma: « Dijiste bien, Juan. Es una creatura santa. »

« ¡Eh, sí! Pero mi padre soñaba con hacerme un gran personaje en el mundo, y muy pronto y profundamente me arrancó de mi madre. »

« ¿Pero de qué tema habláis que siempre hay materia? » pregunta desde lejos Pedro. « ¡Deteneos! Esperadnos. No está bueno caminar así y no pensar que tengo piernas cortas. »

Se detienen hasta que el otro grupo los alcanza.

« ¡Uff. . . ! ¡Cómo te amo, barquita mía! Aquí se suda como esclavos . . . ¿de qué hablabais? »

« Hablábamos de las cualidades para ser buenos » responde Jesús.

« ¿ Y no me las dices a mí, Maestro ? »

« Claro que sí: Orden, paciencia, constancia, humildad, caridad . . . muchas veces las he enumerado ».

« Pero el orden, no. ¿ Qué tiene que ver el orden ? »

« El desorden no es jamás una buena cualidad. Y lo he dicho a tus compañeros. Te lo dirán. Lo puse en primer lugar, y en el último la caridad, porque son los dos extremos de la línea de perfección. Ahora bien, tú sabes que una recta puesta en plano no tiene principio ni fin. Ambos pueden ser principio y fin, mientras que los de una espiral o de otra figura que no se cierra en sí misma, siempre hay un principio y un fin. La santidad es lineal, sencilla, perfecta, y no tiene, como la recta, sino dos extremos. »

« Es fácil hacer una recta. »

« ¿Lo crees? Te engañas. En un dibujo, aunque complicado puede pasar inadvertido algún defecto. Pero en la recta al punto se ve el error: o de inclinación o de inseguridad. José, cuando me enseñaba el oficio, insistía mucho en la derechura de las tablas y justamente me decía: “ ¿Ves, hijo mío? Una leve imperfección en un adorno o en un trabajo de torno puede pasar, porque el ojo, si no es expertísimo, si observa un punto no vé el otro. Pero si un eje no está derecho realmente, ni siquiera se obtiene el trabajo más sencillo, como podría ser la mesa pobre de los campesinos. Se cuelga o comba. No sirve sino para el fuego ". Podemos aplicar lo mismo a las almas, que no sirven sino para el fuego del infierno; en otras palabras, para conquistar el Cielo, es menester ser perfecto como un eje cepillado y puesto a escuadra como se debe. Quien empieza su trabajo espiritual desordenadamente, comenzando por las cosas inútiles, saltando como un pájaro intranquilo de acá para allá, termina con no lograr nada al querer reunir las partes del trabajo. No se ajustan. Por lo tanto: orden. Y por esta razón: caridad. Luego, fijando los dos extremos con dos tornillos que no se zafen de ningún modo, confeccionar lo que falta, bien se trate de objetos con adornos o en talla. ¿ Has entendido ? »

« Entendí. » Pedro se traga en silencio la lección y de pronto concluye: « Entonces mi hermano es mejor que yo. El es muy ordenado. Un paso después del otro, callado, silencioso. Parece como que no se moviese y por el contrario . . . yo . . . a mí me gustaría hacer pronto y mucho. Y no hago nada. ¿Quién me ayuda » ?

« Un buen deseo. No temas, Pedro. Hazlo, también tú *te haces.* »

« ¿ Y yo ? »

« También tú, Felipe. »

« ¿ Y yo ? Me parece que no sirvo para nada. »

« No, Tomás. También tú trabajas. Todos, todos trabajáis. Sois árboles sin podar, pero el injerto os cambia despacio pero seguro, y en esto está la alegría que recibo de vosotros. »

« Vamos. Estamos tristes y Tú nos consuelas; débiles y nos das fuerzas; miedosos y nos das valor. En todo y en todas las circunstancias tienes a la mano el consejo y el consuelo. ¿Cómo haces, Maestro, para estar siempre pronto y ser así bueno? »

« Amigos míos, para esto he venido, sabiendo lo que habría encontrado y lo que debía hacer. Sin ilusiones no existen desilusiones. Por esto no se pierde el aliento. Se sigue. Recordadlo para cuando debais también tallar al hombre animal para hacerlo hombre espiritual. »

107. En casa de Cleofás el sinagogo

(Escrito el 19 de abril de 1945)

Juan y su hermano llaman a la puerta de una casa en el poblado. Reconozco la casa donde entraron los dos de Emmaus con Jesús resucitado. Cuando se les abre, entran y hablan con alguien que no veo, luego salen y se van. Se juntan con Jesús y con los demás que están en un lugar desierto.

« Está, Maestro. Y está muy contento de que hayas venido. Nos dijo: " Id a decirle que mi casa es suya. Ahorita mismo yo voy ". »

« Entonces ¡vamos! »

Por un poco de tiempo caminan y luego encuentran a Cleofás el viejo sinagogo que vimos en " Aguas Claras ". Mutuamente se inclinan, pero luego el anciano, parece un patriarca, se arrodilla con un ademán de veneración. Los que pasan se acercan curiosos.

El anciano se levanta y dice: « He aquí al Mesías. Recordad este día ¡ oh ciudadanos de Emmaus ! »

Alguien lo ve todo con curiosidad humana, alguien con ojos de respeto religioso. Dos se abren paso y dicen: « La paz sea contigo, Rabbí. También nosotros estábamos ese día. »

« La paz sea con vosotros y con todos. He venido conforme el deseo de vuestro sinagogo. »

« ¿ También aquí harás milagros ? »

« Si hay hijos de Dios que creen y tienen necesidad de un milagro, los haré. »

Dice el Sinagogo: « Quien desee oir al Maestro venga a la sinagoga. También quienes tengan enfermos. ¿ Está bien que lo diga, Maestro? »

« Está bien. Después de la hora de la siesta estaré a vuestra disposición. Ahora estaré en casa del buen Cleofás. » Y seguido de un buen grupo de personas se dirige a la casa del anciano que va a su lado.

« Este es mi hijo, Maestro. Y esta es mi mujer. Esta es la mujer de mi hijo y los niños. Me desagrada mucho que mi otro hijo esté con el suegro de Cleofás, mi hijo, en Jerusalén junto con un infeliz del que . . . Te lo diré. Entra, Señor con tus discípulos. »

Entran y se les ofrecen los acostumbrados refrigerios hebreos. Luego se acercan al fuego que arde en una gran chimenea porque el día es húmedo y frío.

« Dentro de poco nos sentaremos a comer. He invitado a los principales del lugar. Hoy es gran fiesta. No todos creen en Tí, pero no son enemigos, tan sólo curiosos . . . Querrían creer. Muchas veces, en estos últimos tiempos hemos sido engañados acerca del Mesías. Hay desconfianza. Bastaría una palabra del Templo para hacer desaparecer cualquier duda. Pero el Templo . . . He pensado, que al verte y oirte, sencillamente, de este modo se logre algo. Querría darte verdaderos amigos. »

« Tú eres uno de ellos. »

« Soy un pobre viejo. Fuese más joven, te seguiría, pero los años pesan. »

« Me sirves con creer, me predicas con tu fé. No te preocupes, Cleofás. No te olvidaré en la hora de la Redención. »

« Aquí está Simón con Hermas. Acaban de llegar » anuncia el hijo del Sinagogo.

Todos se levantan al entrar dos personajes de mediana edad y de aspecto señoril.

« Este es Simón y este es Hermas, Maestro. Son verdaderos israelitas, y sinceros de corazón. »

« Dios se descubrirá a sus corazones. Entre tanto descienda sobre vosotros la paz. Sin paz no se oye a Dios. »

« Se dijo lo mismo en el Libro de los Reyes al hablar de Elías [1] »

« ¿ Son estos tus discípulos ? » pregunta el que se llama Simón.

« Sí. »

« Hay de cada edad y lugar. ¿ Eres Tú galileo ? »

« De Nazaret. Nací en Belén cuando el censo. »

« Entonces eres betlemita. Esto confirma tu figura. »

« Es una confirmación benigna para la debilidad humana. La verdadera confirmación está en lo sobrehumano. »

« En tus obras, querrás decir » objeta Hermas.

« En ellas y en las palabras que el Espíritu enciende en mis labios. »

« Me las han repetido quienes te han oído. Verdaderamente es grande tu sabiduría. ¿ Y con esta pretendes fundar tu reino ? »

« Un rey debe tener súbditos que conozcan las leyes de su reino. »

« Pero tus leyes son del todo espirituales. »

« Tu lo has dicho, Hermas. Del todo espirituales. Tendré un reino espiritual. Por consiguiente tengo un código espiritual. »

« Y entonces... ¿la reconstrucción de Israel ? »

« No caigáis en el error común de tomar el nombre de Israel, con el sifinificado que tiene humanamente. Se dice " Israel " en

[1] Se habla de Elias en: 3 Re. 17; 18; 19; 21; y en: 4 Re. 1; 2; 3; 9; 10. Pero ni en estos capítulos, ni en otras alusiones del Antiguo o Nuevo Testamento, se encuentran las expresiones a las que alude el modesto interlocutor de Jesús, probablemente poco versado en las Escrituras.

lugar de " Pueblo de Dios " Yo reconstruiré la libertad y potencia verdadera de este pueblo de Dios y lo reconstruiré al dar al Cielo las almas redimidas y sabias de la verdad eterna. »

« Sentémonos a la mesa, os lo pido » dice Cleofás que se sienta junto a Jesús, en el centro. A la derecha de Jesús está Hermas y al lado Cleofás, Simón y luego sigue el hijo del sinagogo, y en los demás lugares los discípulos.

Cleofás ruega a Jesús que ofrezca y bendiga la comida que empieza al punto.

« ¿ Vienes a estas partes, Maestro ? » pregunta Hermas.

« No. Voy a Galilea. Estoy aquí de paso. »

« ¿ Cómo ? ¿ Dejas " Aguas Claras "? »

« Sí, Cleofás. »

« Iban multitudes aunque era invierno. ¿ Por qué las desilusionas? »

« Yo no. Así lo quieren los puros de Israel. »

« ¿ Qué ? ¿ Por qué ? ¿ Qué mal hacías ? En Palestina hay muchos rabinos que hablan donde quieren. ¿ Por qué a Tí no se te ha de conceder ? »

« No preguntes más, Cleofás. Eres viejo y sabio. No metas veneno de amargo rencor en tu corazón. »

« ¿ Predicabas tal vez doctrinas nuevas que los escribas y fariseos ciertamente por error han considerado peligrosas? Por lo que sabemos . . . ¿Verdad, Simón? No nos parecen. Probablemente no sabemos todo. ¿Según Tú en qué consiste la doctrina ? » pregunta Hermas.

« En el conocimiento exacto del Decálogo. En el amor y misericordia. El amor y la misericordia, respiro y sangre de Dios, son la norma de mi conducta y doctrina, las uso en todos los momentos difíciles del día. »

« Pero esto no es una falta. Esto es bondad. »

« Los escribas y fariseos la toman por culpa. Yo no puedo mentir a mi misión, ni desobedecer a Dios que me ha mandado como " Misericordia " sobre la tierra. Ha llegado el tiempo de la Misericordia completa, después de los siglos de Justicia. Esta es hermana de la primera. Como gemelas. Pero mientras que antes era más fuerte la justicia y la otra templaba su severidad — porque Dios no puede prohibirse amar — ahora es reina la misericordia, y ¡cómo se alegra la justicia que sufría porque debía castigar! Si consideráis bien las cosas, fácilmente veréis que existieron desde que el hombre obligó a Dios a ser duro. La subsistencia del linaje humano no es más que la confirmación de cuanto estoy diciendo. En el mismo castigo de Adán estuvo mezclada la misericordia. Podía haberlos convertido en ceniza por su pecado. Les dió la manera de expiar; y a la mujer, causa de todos los males, envilecida por esta razón por ser causa del mal, hizo aparecer como relámpago, la figura de una mujer causa del bien. Y a ambas concedió hijos y el conocimiento de la existencia [2]. A Caín, el asesino, junto con la justicia concedió la señal que era misericordia para que no fuese muerto [3]. Concedió al género humano corrompido a Noé para conservarlo en el Arca, y de allí prometió un pacto sempiterno de paz. No habría más diluvio sin piedad. No más. La Justicia se doblegó ante la Misericordia [4]. ¿Queréis venir conmigo con la Historia sagrada hasta el momento mío? Veréis que siempre y cada vez más vastas se suceden las ondas del amor. Ahora el mar de Dios está rebosando. Y te levanta en alto ¡oh género humano! sobre las aguas dulces y serenas. Te levanta hasta el Cielo, purificado, hermoso, y te dice: " Te presento a mi Padre ". »

Los tres están absortos con la bellezza de tanta luz amorosa. Cleofás con un suspiro dice: « Así es. Pero Tú sólo eres así. ¿Qué pasará con José? Debería de haber sido escuchado. ¿Lo habrá sido? »

Nadie responde. Cleofás se dirige a Jesús: « Maestro, uno de Emmaús, cuyo padre en un tiempo repudió a su mujer que fué a vivir a Antioquía en la casa de un hermano suyo propietario de un negocio, ha incurrido en culpa grave. Jamás él conoció a esa mujer, echada fuera, ní investigó las razones, después de varios meses de matrimonio. Nada había sabido de ella, porque como es natural, su nombre estaba proscrito en aquel hogar. Cuando fué mayor de edad y heredó de su padre los negocios y bienes pensó en casarse y habiendo conocido en Joppe a una mujer, dueña de unos ricos negocios, con ella unió su destino. Ahora, no sé cómo se llegó a saber y es del dominio público que tal mujer era hija de la mujer de su padre. Por esta razón es un pecado grave, aun cuando según mi parecer, es muy incierta la paternidad de la mujer. José castigado y sentenciado, ha visto destruido al mismo tiempo su paz de fiel y la de marido. Y pese a que con mucho

[2] Cfr. Gén. 3, 14 - 4, 2.
[3] Cfr. Gén. 4, 9-16.
[4] Cfr. Gén. 6, 5 - 9, 17.

dolor haya repudiado a la mujer, tal vez hermana suya, la que a causa del dolor fué presa de fiebres a consecuencia de lo que murió, no se le perdona. Digo en conciencia, que si no hubiese enemigos de sus bienes, nunca hubiera sido castigado. ¿Qué harías tú? »

« El caso es muy grave, Cleofás. Cuando fuiste a dónde estaba Yo ¿por qué no me hablaste de ello ? »

« No quería que dejaras de venir aquí ... »

« ¡Oh! ¡Esas cosas no alejan! Escucha, pues. Materialmente se trata de un incesto, y por lo tanto existe un castigo [5]. Pero la culpa para que moralmente sea culpa presupone la voluntad de pecar. ¿Este hombre a sabiendas ha cometido incesto? Tú dices que no. Entonces ¿en dónde está la culpa? Quiero decir: ¿La culpa de haber querido pecar? Ahora bien ¿qué hay sobre complicidad de vivir con la hija del mismo padre? Tú afirmas que el caso como tal es incierto. Y aunque así fuese, la culpa deja de serlo tan pronto termina la complicidad. Que esta haya terminado, es claro no sólo por el hecho del repudio, sino por la muerte que sobrevino. Por lo que digo que el hombre debería ser perdonado aun del pecado aparente. Y además digo, que si no hay condenación del incesto real, que está a la vista de todo el mundo, se debería tener compasión de este caso doloroso cuyo origen se encuentra en el permiso de repudio que Moisés concedió para evitar males, si no más graves, más numerosos. Yo condeno esta licencia que favorece adulterios y circunstancias semejantes a esta [6] porque el hombre que contrajo matrimonio bien o mal, debe vivir con la cónyuge. Además, repito, que si se debe ser severo, hay que serlo de igual modo con todos; mejor dicho, primero consigo mismo y con los grandes. Ahora, por lo que yo sepa, nadie, fuera del Bautista [7] ha levantado su voz contra el pecado real. ¿Los que condenan están inmunes de culpas semejantes o peores ? o mejor dicho, les sirve de velo el nombre y el poder, así como el gallardo y rico manto les sirve para defender su cuerpo, frecuentemente enfermo por el vicio. »

« Has dicho bien, Maestro. Así es. Pero, en resumidas cuentas, ¿Tú quién eres? » preguntan juntos los dos amigos.

[5] Cfr. Lev. 18; 20, 8-21.

[6] Cfr. Gén. 1, 26-31; 2, 18-25; Dt. 24, 1-4; Mal. 2, 10-16; Mt. 5, 31-32; 19, 1-9; Mc. 10, 1-12; Lc. 16, 18; 1 Cor. 7; Ef. 5, 22-33; 1 Tim. 5, 3-16.

[7] Cfr. Mt. 14, 3-12; Mc. 6, 14-29; Lc. 3, 19-20; 9, 7-9.

Jesús no puede responder porque se abre la puerta y entra Simón, el suegro de Cleofás el hijo.

« ¡ Bienvenido ! ¿ Qué hubo ? »

La curiosidad es tan grande que nadie se procupa ya más del Maestro.

« Pues bien ... condenación absoluta. Ni siquiera aceptarán la oferta del sacrificio. José ha sido cortado de Israel. »

« ¿ En donde está ? »

« Allá afuera. Está llorando. Traté de hablar con los más poderosos. Me arrojaron como a un leproso. Ahora ... pero ... es la ruina de ese hombre. Los bienes y el alma. ¿Qué queréis que haga? »

Jesús se levanta y se dirige a la puerta sin decir una sola palabra.

El viejo Cleofás cree que El se haya ofendido por haberlo olvidado y dice: « ¡Oh! ¡Perdona, Maestro! Es el hecho doloroso que ha turbado mi cabeza. Quédate ¡ te lo ruego ! »

« Sí, Cleofás. Voy sólo a donde está el infeliz. Venid si queréis, conmigo. » Jesús va al vestíbulo.

Delante de la casa hay una faja de terreno, con pequeñas eras, a partir de las cuales empieza el camino. Echado por tierra en el umbral hay un hombre, Jesús se le acerca con las manos extendidas. Detrás todos los demás que quieren ver lo que va a pasar.

« José ¿nadie te perdonó? » Jesús habla con dulzura.

El hombre se sobresalta al oir una voz nueva y cariñosa después de las otras que le condenaron. Levanta la cara y mira asustado.

« José ¿nadie te perdonó? » vuelve a repetir Jesús y se inclina para tomar las manos del hombre, y de este modo levantarlo.

« ¿ Quién eres? » pregunta el desgraciado.

« Soy la Misericordia y la Paz. »

« Para mí no existen más ni la misericordia ni la paz. »

« En el seno de Dios siempre hay misericordia y sobre todo rebosa cuando se trata de hijos infelices. »

« Mi culpa es tan grande que me han cortado de Dios. Déjame Tú, que ciertamente eres bueno, para que no te contamines. »

« No te dejaré. Quiero llevarte a la paz. »

« Pero yo soy ... ¿ Quién eres Tú ? »

« Ya te lo dije: La Misericordia y la Paz. Soy el Salvador. Soy Jesús. Levántate, puedo lo que quiero. En nombre de Dios te absuelvo de la involuntaria contaminación. No existe ninguna otra culpa. Soy el Cordero de Dios que quita los pecados del mundo. El Eterno me ha entregado todo juicio. Quien cree en mi palabra tendrá la vida eterna. Ven ¡pobre hijo de Israel! Restablece tu cuerpo cansado y fortifica el espíritu abatido. Perdonaré otras culpas que sí lo son. Y de Mí, jamás manará la desesperación a los corazones. Soy el Cordero sin mancha pero no rehuyo las ovejas perdidas por miedo de contaminarme. Antes bien, las busco y las llevo conmigo. Muchos, pero muchos, son los que se dirigen a una ruina completa debido a la demasiada severidad y aún injusta, al dar una sentencia. ¡ Ay de quellos que por rigor intransigente conducen un alma a la desesperación. No son los intereses de Dios, sino los de Satanás los que les preocupan. Veo ahora una mujer pecadora deseosa de redención que la alejan del Redentor, veo que se persigue a un sinagogo porque es justo, veo a uno que inconcientemente cayó en culpa y ha sido castigado. Veo muchas cosas que se hacen allí donde viven el vicio y la mentira. Y así como al poner tabiques sobre tabiques se va formando un muro, así también las cosas que he visto y que en un año son demasiadas para haber sido vistas, han empezado a levantar entre Mí y ellos un muro de crueldad. ¡Ay de ellos cuando se haya terminado con el material que ellos mismos dieron! Ten: Bebe, come. Estás agotado. Después... mañana vendrás conmigo. No tengas miedo. Cuando la paz haya entrado nuevamente a tu espíritu, podrás elegir libremente tu futuro. Ahora no lo puedes, y sería peligroso el permitir que lo hicieras. »

Jesús ha llevado al hombre a la sala y lo ha obligado a sentarse en su lugar. Le sirve. Luego se dirige a Hermas y a Simón y les dice: « Esta es mi Doctrina y no otra. No me limito tan sólo a predicarla. La hago una experiencia real. Quién tenga sed de verdad y de amor, que venga a Mí. »

Dice Jesús:

« Y con esto termina el primer año de evangelización. Tomad nota de ello. ¿Qué cosa podré deciros? Lo dí porque era mi deseo que fuese conocido. Pero así los fariseos, así también hay quienes se oponen a este trabajo. Muchas cosas rechazan mi deseo de que se me ame, de que se me conozca, porque conocer es amar. Y esto me produce un gran dolor a Mí, al Eterno Maestro que por vuestra causa estoy aprisionado... »

Índice

El primer año de la vida pública
(segunda parte)

Printed in Italy, 1996

GRAFICHE DIPRO
Via Cima Da Conegliano, 17
31056 RONCADE (TV)